D1125620

Note de l'éditeur

L'éditeur tient à spécifier que cette nouvelle édition en format compact a été revue et mise à jour par l'auteur et l'éditeur. Ainsi, des ajustements mineurs ont été effectués depuis l'édition originale publiée en grand format.

Il est aussi à noter que chacun des tomes de cette saga peut être lu indépendamment sans entrave à la compréhension.

À l'ombre
du clocher

DU MÊME AUTEUR

Saga LE PETIT MONDE DE SAINT-ANSELME :

Tome I, *Le petit monde de Saint-Anselme, chronique des années 30*, roman, Montréal, Guérin, 2003.

Tome II, *L'enracinement, chronique des années 50*, roman, Montréal, Guérin, 2004.

Tome III, *Le temps des épreuves, chronique des années 80*, roman, Montréal, Guérin, 2005.

Tome IV, *Les héritiers, chronique de l'an 2000*, roman, Montréal, Guérin, 2006.

Saga LA POUSSIÈRE DU TEMPS :

Tome I, *Rue de la glacière*, roman, Montréal, Hurtubise HMH, 2005 ; Hurtubise compact, 2008.

Tome II, *Rue Notre-Dame*, roman, Montréal, Hurtubise HMH, 2005 ; Hurtubise compact, 2008.

Tome III, *Sur le boulevard*, roman, Montréal, Hurtubise HMH, 2006 ; Hurtubise compact, 2008.

Tome IV, *Au bout de la route*, roman, Montréal, Hurtubise HMH, 2006 ; Hurtubise compact, 2008.

Saga À L'OMBRE DU CLOCHER :

Tome II, *Le fils de Gabrielle*, roman, Montréal, Hurtubise HMH, 2007 ; Hurtubise compact, 2010.

Tome III, *Les amours interdites*, roman, Montréal, Hurtubise HMH, 2007 ; Hurtubise compact, 2010.

Tome IV, *Au rythme des saisons*, roman, Montréal, Hurtubise HMH, 2008 ; Hurtubise compact, 2010.

Saga CHÈRE LAURETTE :

Tome I, *Des rêves plein la tête*, roman, Montréal, Hurtubise HMH, 2008.
Tome II, *À l'écoute du temps*, roman, Montréal, Hurtubise HMH, 2008.
Tome III, *Le retour*, roman, Montréal, Hurtubise HMH, 2009.
Tome IV, *La fuite du temps*, roman, Montréal, Hurtubise, 2009.

Saga UN BONHEUR SI FRAGILE :

Tome I, *L'engagement*, roman, Montréal, Hurtubise, 2009.
Tome II, *Le drame*, roman, Montréal, Hurtubise, 2010.
Tome III, *Les épreuves*, roman, Montréal, Hurtubise, 2010.

MICHEL DAVID

À l'ombre du clocher

Tome I

Les années folles

Hurtubise

Catalogage avant publication de Bibliothèque et Archives nationales du Québec et Bibliothèque et Archives Canada

David, Michel, 1944-
   À l'ombre du clocher
   2e éd.
   Sommaire : t. 1. Les années folles -- t. 2. Le fils de Gabrielle -- t. 3. Les amours interdites -- t. 4. Au rythme des saisons.
   ISBN 978-2-89647-280-2 (v. 1)
   ISBN 978-2-89647-281-9 (v. 2)
   ISBN 978-2-89647-282-6 (v. 3)
   ISBN 978-2-89647-283-3 (v. 4)

   I. Titre. II. Titre : Les années folles. III. Titre : Le fils de Gabrielle. IV. Titre : Les amours interdites. V. Titre : Au rythme des saisons.
PS8557.A797A62 2010   C843'.6   C2010-940167-0
PS9557.A797A62 2010

Les Éditions Hurtubise bénéficient du soutien financier des institutions suivantes pour leurs activités d'édition :

– Conseil des Arts du Canada
– Gouvernement du Canada par l'entremise du Programme d'aide au développement de l'industrie de l'édition (PADIÉ)
– Société de développement des entreprises culturelles au Québec (SODEC)
– Gouvernement du Québec par l'entremise du programme de crédit d'impôt pour l'édition de livres

Illustration de la couverture : Marc Lalumière (Polygone Studio)
Maquette de la couverture : René St-Amand
Mise en pages : Andréa Joseph [pagexpress@videotron.ca]

Copyright © 2010, Éditions Hurtubise inc.
ISBN : 978-2-89428-280-2

Dépôt légal : 2e trimestre 2010
Bibliothèque et Archives nationales du Québec
Bibliothèque et Archives du Canada

Diffusion-distribution au Canada :   Diffusion-distrubution en Europe :
Distribution HMH   Librairie du Québec/DNM
1815, avenue De Lorimier   30, rue Gay-Lussac
Montréal (Québec) H2K 3W6   75005 Paris FRANCE
www.distributionhmh.com   www.librairieduquebec.fr

Imprimé au Canada
www.editionshurtubise.com

Comme il faudra de temps
Pour saisir le bonheur
À travers la misère
Emmaillée au plaisir

Gilles Vigneault

Les principaux personnages

La famille Veilleux

Ernest Veilleux : cultivateur de cinquante-trois ans, père de neuf enfants, conservateur convaincu et cousin du curé Lussier.

Yvette Veilleux (née Dubé) : épouse d'Ernest, âgée de cinquante-deux ans et mère de Marcelle (religieuse de trente ans), d'Albert (employé de chemin de fer à Montréal et âgé de vingt-huit ans), de Maurice (frère mariste âgé de vingt-quatre ans), de Céline (vingt ans), d'Anne (dix-sept ans), de Jérôme (quinze ans), de Léo (treize ans), de Jean-Paul (onze ans) et d'Adrien (neuf ans).

La famille Tremblay

Eugène Tremblay : cultivateur de quarante-huit ans, père de six enfants, libéral convaincu, voisin des Veilleux.

Thérèse Tremblay (née Durand) : épouse d'Eugène, âgée de quarante-six ans, sœur de la femme du maire Giguère et mère de Claire (vingt-cinq ans), de Clément (vingt ans), de Gérald (seize ans), d'Aline (quatorze ans), de Lionel (douze ans) et de Jeannine (dix ans).

La famille Hamel

Georges Hamel : jeune cultivateur de trente-deux ans, voisin des Tremblay.

Rita Hamel (née Fafard) : épouse de Georges et mère de Charles (sept ans), de Claudette (quatre ans) et d'Adrienne (deux ans).

La famille Fournier

Fernande Fournier (née Comtois) : veuve de Laurent Fournier décédé en 1918, âgée de soixante-cinq ans et mère de Florence Cohen (quarante et un ans) et de Germain (trente ans).

La famille Tougas

Antonius Tougas : cultivateur de quarante ans et ami d'Eugène Tremblay.

Emma Tougas : épouse d'Antonius et mère de quatre fils assez turbulents.

Les Pierri

Bruno Pierri : nouveau résidant d'origine italienne âgé d'une quarantaine d'années.

Maria Pierri : épouse de Bruno, sans enfant.

Chapitre 1

Le vicaire

En cette mi-août 1922, la brise légère qui s'était levée au milieu de l'avant-midi avait une douceur estivale qui rappelait les plus beaux jours de juillet. Elle transportait des odeurs enivrantes d'herbe coupée et de fleurs. Le soleil achevait de mûrir les récoltes dans les champs et la moindre voiture passant sur la route soulevait un nuage de poussière dans le village, au grand dam des ménagères qui venaient de laver leurs vitres.

Ce matin-là, le curé de Saint-Jacques-de-la-Rive n'était pourtant pas d'humeur à apprécier la température douce qui régnait à l'extérieur.

Antoine Lussier entra au pas de charge dans son presbytère. Il n'y avait qu'à voir les marbrures rouges sur le crâne dénudé du prêtre âgé d'une soixantaine d'années pour se rendre compte qu'il était en colère. Le pasteur à la stature imposante poussait devant lui un ventre confortable que venait barrer la chaîne en argent d'une montre de poche.

— Madame Cournoyer ! Madame Cournoyer ! aboya-t-il en passant devant la porte de la salle à manger.

Une petite dame un peu voûtée sortit de la pièce en trottinant.

— Qu'est-ce qu'il y a, monsieur le curé ?

— Où est passé l'abbé Martel ?

— Il me semble l'avoir entendu monter dans sa chambre tout à l'heure.

— Comme d'habitude, il est jamais là où il devrait être, cet agrès-là! grommela le pasteur. L'abbé! cria-t-il d'une voix de stentor, en se plantant au pied de l'escalier en chêne qui conduisait à l'étage des chambres. Venez me voir dans mon bureau.

Puis, sans se préoccuper de savoir si son vicaire l'avait ou non entendu, le prêtre se dirigea vers son bureau situé à l'avant. Il claqua bruyamment la porte de la pièce pour bien montrer son agacement.

Quelques minutes plus tard, on frappa discrètement à la porte du bureau du curé.

— Entrez! tonna la voix d'Antoine Lussier qui marchait de long en large dans son bureau.

Il fusilla du regard le petit prêtre délicat à la chevelure blonde sagement coiffée qui venait de pousser la porte de la pièce.

— Vous voulez me voir, monsieur le curé?

— Bien oui, l'abbé. Je voulais vous voir il y a dix minutes. Ça vous prend bien du temps pour vous virer de bord, vous!

— J'ai fait le plus vite possible, monsieur le curé, s'excusa Alexandre Martel, en bredouillant.

— Bon! Ça va! Assoyez-vous. J'ai deux mots à vous dire, fit le curé en se laissant tomber dans le fauteuil en cuir noir placé derrière son bureau, après avoir poussé un soupir d'exaspération.

Il y eut un bref silence qui parut très long à l'abbé Martel.

— Vous êtes bien allé voir madame Fournier hier soir, après le souper, comme je vous l'avais demandé?

— Oui, monsieur le curé.

— Est-ce qu'elle va mieux?

— J'ai pas eu cette impression-là. Quand je suis arrivé, le vieux docteur Courchesne partait. Si j'ai bien compris, sa fille avait envoyé son frère le chercher à Pierreville.

— C'est sûr qu'ils ont pas fait venir le docteur pour rien, laissa tomber Antoine Lussier en replaçant machinalement quelques papiers au centre de son bureau. Je pense que la pauvre femme en a plus pour longtemps.

Antoine Lussier était le fils d'un cultivateur de Saint-Grégoire. Septième d'une famille de douze enfants, il avait appris très tôt que l'argent était rare et qu'on ne faisait venir le médecin qu'à la dernière extrémité, quand tous les autres moyens de se guérir n'avaient pas fonctionné.

Le prêtre leva la tête et s'aperçut que son vicaire fixait d'un air absent un point situé au-dessus de sa tête. Il semblait un peu perdu dans ses pensées.

— Aïe, l'abbé! Je vous parle. Sortez de la lune!

— Oui, oui, monsieur le curé, bafouilla l'autre en semblant reprendre difficilement pied dans la réalité.

— Savez-vous à qui je viens d'avoir affaire?

— N… non.

— Au vieux Rosaire Léveillé. Et vous devinerez jamais pourquoi.

— Non, je vois pas. Pourquoi?

— Bien, il me ramenait notre cheval, tonna Antoine Lussier en frappant son bureau du plat de la main. Notre cheval était en train de brouter dans son jardin après avoir ravagé le rond de fleurs de sa femme… Vous imaginez comment ils ont aimé ça tous les deux!

— Comment ça se fait que notre bête était rendue là? fit le jeune prêtre, surpris.

— Ah! Mais à ça, il y a juste une explication, répliqua le curé Lussier, sarcastique. J'ai dans l'idée qu'un certain vicaire a oublié d'attacher son cheval dans l'écurie hier soir après l'avoir dételé et, qu'en plus, il a mal refermé la porte de l'écurie. Qu'est-ce que vous en pensez, l'abbé ?

— Il me semblait bien que…

— Laissez faire ce qu'il vous semblait bien, se moqua son supérieur. Encore une fois, vous avez pas fait attention à ce que vous faisiez… Maintenant, il va falloir donner de nos légumes aux Léveillé.

— …

— Après le dîner, vous irez remplir un grand panier avec des tomates, des petites fèves et des oignons de notre jardin et vous irez le porter chez les Léveillé. En même temps, vous en profiterez, je suppose, pour vous excuser de votre étourderie. J'espère juste que cette affaire-là fera pas le tour de la paroisse. Les paroissiens vont finir par croire que vous avez pas toute votre tête, l'abbé. Il y a déjà bien assez qu'ils parlent encore de ce qui vous est arrivé au mois de juillet dernier…

Le jeune prêtre de trente et un ans rougit violemment à l'évocation de la mésaventure qui lui était arrivée cinq semaines auparavant.

⁓

Ce jeudi-là, il avait fait une chaleur humide épouvantable. C'était comme si le soleil avait décidé d'assécher toute l'eau qui était tombée sans discontinuer la semaine précédente.

À la fin de l'après-midi, l'abbé Martel revenait de visiter une malade dans le rang Saint-Edmond quand il avait aperçu une demi-douzaine d'enfants en train de s'ébattre dans l'eau de la rivière, en face de la forge Crevier. Leurs cris excités disaient assez leur joie de se rafraîchir. Suant tout ce qu'il pouvait sous son épaisse et inconfortable soutane noire, le vicaire avait poursuivi son chemin vers le presbytère en enviant les jeunes d'avoir la chance de se tremper dans de l'eau froide.

Il faisait si chaud que même les murs épais du presbytère étaient incapables d'apporter un peu de fraîcheur. L'abbé essaya bien d'imiter son curé et d'aller lire son bréviaire, à l'ombre, sur la vaste galerie, en attendant le souper : rien n'y fit. L'air était comme immobile. Même les bêtes s'étaient mises à l'abri sous le feuillage des arbres plantés en bordure des champs. L'humidité était insupportable.

Après le repas du soir, Alexandre Martel se retira très tôt dans sa chambre, attendant avec impatience de goûter enfin un peu de la fraîcheur que ne manquerait pas d'apporter le coucher du soleil. Le soleil baissa à l'horizon, puis disparut ; mais la faible brise attendue n'arriva pas. La chaleur d'étuve persistait.

Quand, un peu après vingt et une heures, le jeune prêtre entendit claquer la porte de la chambre à coucher de son curé, une idée saugrenue germa dans sa tête. Pourquoi n'irait-il pas se baigner dans la rivière, lui aussi ? Il n'avait qu'à attendre un peu. Dans moins d'une heure, il était certain qu'il n'y aurait plus personne à l'extérieur. Il n'aurait alors qu'à sortir du presbytère sur le bout des pieds, traverser le cimetière sans être vu et descendre sur le bord de la rivière. Rendu là, il ne lui resterait qu'à suivre la rive jusqu'au gué situé au bout du village. L'excursion ne devait pas être si difficile que ça puisque, passé le couvent, la plupart des habitants du village qui demeuraient sur le bord de la rivière ne s'étaient pas donné la peine de clôturer leur terrain jusqu'au bord de l'eau.

L'abbé Martel attendit donc au moins une heure avant de passer aux actes.

Vers vingt-deux heures trente, il souffla sa lampe à huile et entrouvrit la porte de sa chambre à coucher. Dans le noir, il s'aventura silencieusement, les souliers à la main, dans le long couloir, à l'affût du moindre bruit en provenance de la chambre du curé Lussier. Passant devant la porte de la chambre de son supérieur, il n'entendit que des ronflements sonores qui eurent le don de le rassurer. Il était donc le seul éveillé dans les lieux puisque madame Cournoyer était rentrée chez elle depuis belle lurette, dans sa petite maison blanche située de l'autre côté de la route, en face du presbytère.

Avec des ruses de Sioux, le vicaire descendit l'escalier en se guidant grâce à la clarté de la lune qui pénétrait par la vitre de la porte d'entrée. Enfin, il ouvrit doucement la porte et sortit sur la galerie avant de s'asseoir sur la dernière marche de l'escalier pour chausser ses souliers.

À cette heure avancée, tout était silencieux et noir dans le village. Aucune lumière ne brillait aux fenêtres. Même si le soleil était couché depuis deux bonnes heures, la chaleur demeurait étouffante. Pas un souffle de vent ne faisait frissonner les feuilles des arbres. Le silence n'était troublé que par les aboiements lointains d'un chien.

Alexandre Martel contourna le presbytère et se dirigea dans l'obscurité à l'arrière de l'église pour franchir le portillon qui donnait accès au cimetière. Il traversa ce dernier et descendit sur le bord de la Saint-François, qu'il se mit à suivre prudemment jusqu'au gué, au bout du village. Il avait beau être un peu loin des maisons, assez pour ne pas être reconnu dans le noir, il prenait tout de même la précaution de se déplacer sans bruit et en se penchant.

Évidemment, lorsqu'il parvint à l'endroit où il avait vu les jeunes se baigner durant l'après-midi, il n'y avait plus personne. La place était déserte. L'abbé tendit l'oreille et inspecta les lieux à la lueur du clair de lune. Personne. Il n'entendait plus maintenant que le bruissement de l'eau effleurant les pierres sur la rive.

Sans perdre plus de temps, il enleva sa soutane, ses souliers, ses chaussettes, son pantalon et sa chemise qu'il déposa près d'un buisson. Ensuite, il s'avança avec précaution dans l'eau rafraîchissante, peu profonde à cet endroit. À peine un peu plus de trois pieds. Alors, avec un délicieux frisson, il se laissa glisser sur le dos et il ferma les yeux, s'abandonnant au plaisir extraordinaire de sentir couler toute cette fraîcheur sur sa peau.

Quelques instants plus tard, après s'être redressé dans l'eau, le prêtre ouvrit soudainement les yeux et tourna la tête en direction du rivage. Il avait eu la vague impression de percevoir un mouvement. Puis rien. Durant plusieurs minutes, le jeune homme continua à profiter de l'eau en bénissant le ciel de lui avoir donné une si merveilleuse idée.

Finalement, il lui fallut bien songer à retourner au presbytère. Il avait beau n'avoir à célébrer sa messe qu'à huit heures chaque matin, cette semaine-là, il lui faudrait tout de même se lever assez tôt. Désolé d'avoir à mettre fin si vite à un plaisir aussi rare, il se laissa paresseusement pousser vers la rive par le faible courant.

Lorsqu'il mit les pieds sur le rivage, un nuage masqua la lune. L'abbé Martel, pieds nus et en sous-vêtement mouillé, se rendit à l'aveuglette jusqu'au buisson et se mit à chercher ses vêtements dans l'obscurité la plus complète. Un bref moment d'affolement le saisit quand il se rendit compte qu'il ne les retrouvait pas.

Heureusement, le nuage passa et le clair de lune revint. Le vicaire eut un « ah ! » de soulagement. Il scruta l'endroit où il était certain de s'être déshabillé : pas la moindre trace de ses vêtements.

— Voyons donc, je suis pas fou ! s'exclama-t-il à mi-voix.

Il se remit à fouiller avec fébrilité une large section de la rive sans plus de succès. C'était un mystère ! Toutes ses affaires avaient disparu ! Il eut beau inspecter avec soin les trois ou quatre buissons du secteur : rien.

Catastrophé et le cœur battant la chamade, le pauvre prêtre dut se résoudre à retourner au presbytère en sous-vêtement et pieds nus. Même s'il avait la chance de pouvoir rentrer en suivant la rive, loin de la route, il y avait toujours la possibilité qu'un paroissien ou une paroissienne l'aperçoive... Quelle honte ! Il ne s'en remettrait jamais. À l'évocation de cette seule possibilité, il en avait des sueurs froides. Le curé Lussier exigerait sûrement son renvoi et il aurait à s'expliquer avec monseigneur Côté, qui n'avait pas la réputation d'être un tendre. Dans le meilleur des cas, il serait changé de diocèse.

L'abbé ne cessa pas de prier durant les longues minutes que dura son retour au presbytère. Quand il parvint enfin au pied de l'escalier, son caleçon long avait eu tout le temps de sécher. En posant le pied sur la première marche de l'escalier, il avait presque envie de pleurer. Il avait les pieds meurtris et le corps couvert de piqûres de moustiques.

Mais il n'était pas encore sauvé. Il lui restait une terrible épreuve à franchir : se rendre à sa chambre sans attirer l'attention de son supérieur.

Après avoir invoqué son ange gardien, le jeune prêtre rassembla ses dernières forces pour franchir la porte du presbytère et la refermer sans bruit derrière lui. Il se mit ensuite à gravir lentement l'escalier sur le bout des pieds, priant pour que le curé ne choisisse pas ce moment pour faire une petite excursion nocturne dans le garde-manger, comme cela lui arrivait assez souvent. Il aurait l'air fin, en sous-vêtement dans l'escalier !

Pourtant, Alexandre Martel eut une chance extraordinaire. Il put rentrer dans sa chambre sans avoir alerté son curé. Après avoir pris quelques minutes pour retrouver son souffle, il alluma sa lampe à huile et consulta son réveille-matin : une heure et demie. Il lui fallait dormir. Il éteignit.

Malgré toute sa volonté de trouver rapidement le sommeil, le vicaire n'y parvint qu'aux petites heures du matin. Ses pieds lui faisaient trop mal et il ne cessait de se gratter. Au moment de sombrer, il en était venu à la conclusion que sa mésaventure ne lui apporterait probablement aucun désagrément trop important. Elle lui aura coûté sa meilleure soutane, une vieille chemise, un pantalon et une paire de souliers deux fois ressemelés. Sa vieille mère pourrait toujours lui confectionner un pantalon et une chemise dans de vieux vêtements laissés par son défunt père. Pour la soutane, il allait en être quitte pour porter un an de plus sa vieille soutane rapiécée.

~

Un peu avant six heures, le lendemain matin, le curé Lussier sortit sur la galerie, à l'arrière du presbytère. Comme tous les matins, le prêtre s'était levé très tôt parce qu'il adorait voir le lever du soleil. C'était son heure préférée. Tout était si paisible et si beau à ce moment-là de la journée.

Le soleil orangé se levait à l'horizon, de l'autre côté de la rivière qu'il apercevait de sa galerie. Peu à peu, la remise et l'écurie derrière le presbytère sortaient de l'ombre. Le jardin qu'il entretenait avec amour avec l'aide de son vicaire et du vieux Joseph Groleau, son bedeau, passait du noir au vert. Même l'épouvantail avait…

Antoine Lussier sursauta et allongea le cou pour mieux voir.

— Ah ben, batèche ! Veux-tu ben me dire ce que c'est ça ! s'exclama-t-il.

Sans perdre un instant, l'homme à la stature imposante descendit lourdement l'escalier et se précipita vers son jardin d'où il revint deux minutes plus tard, à bout de souffle. Il entra dans la cuisine et traversa la pièce en faisant claquer bruyamment la porte derrière lui.

— L'abbé! L'abbé! hurla-t-il, debout au pied de l'escalier. Je veux vous voir tout de suite en bas. Grouillez-vous!

Alexandre Martel, réveillé en sursaut par cette voix tonnante, s'assit dans son lit, se demandant s'il avait rêvé. Il avait l'impression qu'il venait à peine de s'endormir, même s'il semblait déjà commencer à faire clair à l'extérieur. Il tendit le bras vers sa table de chevet pour s'emparer de son réveille-matin et il plissa les yeux pour tenter de déchiffrer l'heure.

— M'avez-vous entendu, l'abbé?

Cette fois-ci, il n'y avait pas à se tromper. Le curé Lussier l'appelait bel et bien.

— Oui, monsieur le curé. J'arrive, répondit le jeune prêtre après avoir entrouvert la porte de sa chambre.

Le vicaire se précipita vers sa garde-robe d'où il tira un pantalon et une chemise sans col. Il s'habilla en un temps record et glissa ses pieds nus dans ses vieilles pantoufles éculées avant d'ouvrir la porte de sa chambre à coucher et de descendre au rez-de-chaussée.

Le jeune prêtre alla d'abord jusqu'au bureau de son supérieur. À la vue de la pièce vide, il rebroussa chemin, regarda en passant dans le salon puis dans la salle à manger et dans la cuisine. En entrant dans cette dernière pièce, il aperçut son supérieur qui lui tournait le dos, debout sur la galerie.

— Vous m'avez demandé, monsieur le curé? fit-il en s'approchant de la porte-moustiquaire. Je pensais que c'était votre tour, cette semaine, de dire la messe de sept heures et…

— Venez donc ici, l'abbé, lui ordonna Antoine Lussier en lui faisant signe de sortir.

— Je suis pas bien montrable, monsieur le curé, objecta le vicaire. Ma toilette est pas faite. Je suis même pas rasé et…

— Laissez faire votre toilette, l'abbé. Je vous invite pas à une parade de mode.

Alexandre Martel obtempéra et sortit sur la galerie. Il se planta debout à côté de son supérieur qui le dépassait d'une demi-tête.

— Regardez le jardin, l'abbé, et dites-moi ce que vous voyez, lui commanda sans ménagement son curé.

— Bien, rien de spécial, dit Alexandre Martel après avoir vainement scruté le jardin.

— Regardez comme il faut.

— Je vois pas…

— Bon, descendez avec moi. Je vais vous montrer ce qu'il y a à à voir, moi, lança le curé Lussier d'une voix rageuse.

Antoine Lussier entraîna avec lui le jeune prêtre et il s'arrêta brusquement devant l'épouvantail planté au milieu du jardin.

— Et ça, c'est quoi ? demanda Antoine Lussier en pointant un doigt accusateur vers le bonhomme de paille revêtu d'une soutane, avec autour du cou une paire de souliers attachés par les lacets.

Le vicaire pâlit en reconnaissant ses effets personnels.

— Si vous regardez bien, l'abbé, vous allez même découvrir une chemise et des pantalons bien étendus sur le toit de notre écurie… À qui ça peut bien appartenir, ces batèches de guenilles-là, d'après vous ?

— À moi, monsieur le curé. Je pense que j'ai des explications à vous donner, parvint à dire le pauvre vicaire d'une voix un peu chevrotante.

— Elles ont besoin d'être bonnes, mon petit abbé, fit le curé d'une voix menaçante. Mais d'abord, vous allez rentrer vos affaires dans le presbytère avant que toute la paroisse les voie. Prenez une échelle et commencez par aller chercher vos pantalons et votre chemise sur le toit de l'écurie. Vous viendrez vous expliquer après votre déjeuner.

Le visage rouge de colère, le curé planta là son vicaire et rentra dans le presbytère pour aller se préparer à célébrer la messe de sept heures. Ce matin-là, la chance servit l'abbé Martel en ce qu'il n'eut pas à partager le déjeuner de son curé. Ce dernier mangea son premier repas de la journée pendant qu'il disait la messe de huit heures. Ces quelques heures de répit permirent à l'un de se calmer et à l'autre de préparer des explications moins embarrassées.

Le jeune prêtre mangea avec très peu d'appétit le déjeuner préparé par Agathe Cournoyer. Après son repas, il rejoignit le curé Lussier en train de lire son bréviaire dans le salon.

— Fermez la porte, l'abbé, lui ordonna le curé à mi-voix. Il est inutile que madame Cournoyer entende ce que vous avez à me dire.

Alexandre Martel ferma la porte doucement derrière lui en affichant une mine de condamné.

— Assoyez-vous et racontez-moi votre histoire.

Le vicaire narra en peu de mots sa mésaventure de la nuit précédente.

— Vous comprenez, monsieur le curé, conclut le jeune vicaire. J'avais juste le goût de me rafraîchir un peu. Et comme il n'est pas convenable pour un prêtre d'aller se baigner en plein jour, j'ai voulu y aller à la noirceur pour que personne me voie.

— Si j'ai bien compris, l'abbé, vous êtes en train de me dire que vous avez traversé tout le village en caleçon et nu-pieds en pleine nuit ! dit le curé Lussier en haussant un peu la voix.

— Non, monsieur le curé. Vous pensez bien que je suis revenu en suivant le bord de la rivière. J'ai pris le même chemin qu'à l'aller. Je voulais pas que quelqu'un me voie.

— Vous deviez avoir l'air fin, là ! ne put s'empêcher de faire remarquer le vieux prêtre en réprimant tant bien que mal un sourire derrière son air bougon. En tout cas, il y a au moins une personne qui vous a vu : celle qui est partie avec vos affaires. Vous imaginez le scandale, si cette histoire se répand dans le village ?

Le jeune vicaire se contenta de blêmir. Durant un long moment, le curé Lussier prit un air songeur et les traits de son visage se durcirent. À son avis, cette affaire-là ressemblait à un mauvais coup de l'un des fils d'Antonius Tougas. Ça ne l'aurait pas surpris que l'Émile ou un de ses trois frères ait traîné dehors à cette heure-là. Si c'était un des garçons d'Antonius Tougas qui avait voulu faire le finaud, on allait le savoir assez vite parce qu'il prendrait plaisir à s'en vanter à tout le village. En plus, si jamais il découvrait qu'Eugène Tremblay était derrière tout ça, juste pour le mettre dans l'embarras, lui, le cousin d'Ernest Veilleux, il trouverait bien le moyen de lui faire payer cette blague de mauvais goût.

« En tout cas, si c'est un des fils Tougas qui a fait ce coup-là, je vais lui montrer à vivre, à ce petit batèche-là ! » se dit le prêtre.

Le curé Lussier se leva enfin de son fauteuil et se dirigea vers la porte du salon. Avant de quitter la pièce, il se retourna vers son vicaire en arborant une mine sévère.

— La prochaine fois que vous aurez une idée aussi brillante que d'aller vous baigner au clair de lune, l'abbé, venez donc m'en parler avant. Ça nous évitera peut-être pas mal de troubles. J'espère que ça vous servira de leçon.

En attendant, faites le mort. On va bien finir par savoir si quelqu'un va en entendre parler.

~

La prédiction d'Antoine Lussier se révéla exacte. Le surlendemain, la vieille Agathe Cournoyer rentra au presbytère dans tous ses états. La cuisinière s'était arrêtée un instant chez Hélèna pour acheter une bouteille d'huile à lampe. En ce samedi matin, il n'y avait pas un client au magasin général. Hélèna Pouliot lui avait demandé d'un air sournois si le nouveau vicaire continuait à se promener en caleçon dans le village la nuit, après être allé se baigner devant chez Crevier. La vieille dame de plus de soixante-dix ans, n'en croyant pas ses oreilles, était demeurée interloquée un bon moment.

— C'est quoi, cette histoire de fou ? avait-elle demandé à l'épicière.

— C'est ce qu'on raconte un peu partout dans la paroisse depuis hier, madame Cournoyer, avait répondu l'autre, heureuse de colporter ce ragot.

— Voyons donc ! s'était exclamée la digne cuisinière. Comme si un prêtre allait s'amuser à faire des affaires pareilles ! Attendez que je raconte ça à monsieur le curé.

Sur ces mots, Agathe Cournoyer, indignée, avait quitté le magasin général et avait traversé la route pour rentrer au presbytère. Mis au courant, Antoine Lussier conseilla hypocritement à la veuve de ne pas faire tant de cas d'une calomnie et la renvoya à ses fourneaux.

Cinq minutes plus tard, le curé poussait la porte du magasin général. Après s'être assuré qu'il n'y avait aucun client sur place, il semonça vertement une Hélèna Pouliot, confuse, et l'accusa de colporter des calomnies sur un prêtre.

— Qui est-ce qui se vante d'avoir fait ça ? lui demanda-t-il, sévère.

— Bien, monsieur le curé, je sais pas si je dois le dire, c'est plutôt…

— De toute façon, ma fille, je vais finir par le savoir parce que tu vas être obligée de venir te confesser de cette calomnie-là, la coupa sèchement le curé.

— C'est le petit Émile Tougas, monsieur le curé, avoua Hélèna Pouliot, piteuse. Il raconte ça partout, le petit verrat !

— Il est pas le seul à le raconter d'après ce que j'entends, lui reprocha sévèrement le prêtre. En répétant ça à tout le monde, tu deviens sa complice, ma fille. Malheur à celui par qui le scandale arrive ! tonna le curé Lussier.

Blanche comme un drap, Hélèna Pouliot regarda le curé sortir de son établissement. Aussitôt que la porte se fut refermée derrière lui, elle s'appuya lourdement contre son comptoir en s'étreignant la poitrine.

— Eh bien ! Eh bien ! Elle est bonne celle-là ! se lamenta-t-elle. J'ai rien fait et je me fais dire un paquet de bêtises par le curé à cette heure !

~

Le curé Lussier se garda bien de dire un mot de tout cela à son vicaire. Il avait pris la décision de régler l'affaire lui-même dès le lendemain matin, avant la basse-messe célébrée par l'abbé Martel. Habituellement, les Tougas y assistaient avec leurs fils.

Il ne se trompait pas. Lorsqu'il vit Antonius et Emma Tougas entrer dans l'église, précédés de quelques pas par leurs quatre enfants, il s'empressa d'envoyer un servant de messe chercher Émile, leur second fils. L'adolescent venait de prendre place dans le banc loué par ses parents aux côtés de ses frères.

— Est-ce qu'il y a un problème, monsieur le curé ? lui demanda le vicaire en train de revêtir ses habits sacerdotaux pour célébrer le saint sacrifice.

— Finissez de vous préparer, l'abbé, lui dit Antoine Lussier à mi-voix. Ne vous occupez pas de ça.

Quand le servant poussa la porte de la sacristie en faisant passer Émile Tougas devant lui, le curé Lussier eut du mal à réprimer un sourire mauvais.

— Vous voulez me voir, monsieur le curé ? demanda le garçon de quatorze ans en affichant un petit air bravache.

L'adolescent était de taille moyenne, mais maigre et nerveux. Son visage en lame de couteau surmonté de cheveux noirs et raides présentait un air sournois plutôt déplaisant.

— Oui. J'ai affaire à toi. Entre là-dedans, lui dit le prêtre en ouvrant la porte de la petite pièce où sœur Berthe s'installait un jour par semaine pour réparer les nappes d'autel et les vêtements sacerdotaux.

Quand la porte se referma sur le curé Lussier, Émile Tougas perdit un peu de sa superbe. Le prêtre le fixa durant un long moment avant de lui demander d'une voix neutre :

— Est-ce que c'est vrai ce que j'ai entendu dire, mon garçon ?

— Quoi, monsieur le curé ?

— J'ai entendu dire entre les branches que t'haïs pas ça te promener tard le soir du côté de la petite plage... surtout quand il fait bien chaud !

— Ben...

— On raconte aussi dans le village que tu te vantes partout d'avoir joué un bon tour au vicaire, reprit le pasteur en enflant la voix d'une manière plutôt menaçante. Il paraît que tu serais parti avec tout son linge pendant qu'il se baignait.

— C'est pas vrai, mentit l'adolescent dont les yeux ne cessaient d'aller de la porte au prêtre, comme s'il cherchait à fuir. Moi, j'ai rien fait. C'est des menteries !

— Qui t'a poussé à faire ça ?

— Personne, monsieur le curé ! C'est pas moi !

— T'es bien sûr que personne t'a suggéré de faire cette farce plate là ?

— C'est sûr, monsieur le curé. J'ai rien fait, moi !

Les yeux de l'imposant curé se plissèrent et son ton se durcit.

— As-tu fini de me prendre pour une valise, Émile Tougas ? Il y en a qui t'ont vu faire ton mauvais coup.

Antoine Lussier sentit que le jeune Tougas ne cherchait qu'une occasion de lui échapper. Il fit un pas en avant et le saisit par une épaule sans aucune douceur. Sous la solide poigne du curé, les jambes d'Émile fléchirent légèrement, mais il demeura les bras ballants.

— Écoute-moi ben, toi ! tonna le prêtre en resserrant son étreinte. Je vais t'enlever une fois pour toutes le goût de rire des prêtres. Se moquer d'un homme de Dieu, c'est un grave péché, mon garçon !

La figure de l'adolescent pâlit.

— Demain matin, tu vas dire à ton père que tu m'as promis de venir travailler toute la journée au presbytère. Je veux te voir ici à sept heures. Tu vas me faire un grand ménage de la remise et tu vas corder dedans tout le bois qu'Arsène Boisvert et Ernest Veilleux m'ont livré la semaine passée. Pendant que tu feras cet ouvrage-là, tu réfléchiras au respect qu'on doit aux prêtres. Si jamais t'oublies de venir, je vais aller te chercher chez vous. M'as-tu compris ?

— Oui, monsieur le curé, balbutia Émile Tougas.

— Maintenant, disparais de ma vue et va rejoindre ton père et ta mère dans l'église avant que je succombe à mon envie de te donner le coup de pied dans le derrière que tu mérites. Dépêche-toi !

L'adolescent ne se fit pas répéter l'invitation. Il se précipita vers la porte de la petite pièce aussitôt que le prêtre libéra son épaule, qu'il avait tenue durant un long moment comme dans un étau. L'abbé Martel, prêt à entrer dans le chœur pour célébrer sa messe, le vit traverser la sacristie au pas de charge. Il jeta un regard interrogateur à son curé qui sortait de la petite pièce. Antoine Lussier fit comme s'il ne s'était aperçu de rien. Alors, le vicaire coiffa sa barrette et fit signe à son servant de messe d'avancer.

Le lendemain matin, une brume humide accueillit Antoine Lussier, toujours aussi matinal, lorsqu'il sortit sur la galerie arrière du presbytère. Elle s'élevait des eaux de la rivière et se répandait en une nappe opaque au-dessus des champs et du cimetière situé derrière l'église. Au moment où il allait rentrer pour lire son bréviaire, le digne ecclésiastique aperçut Émile Tougas pénétrant dans la cour arrière. Le prêtre rentra dans la cuisine silencieusement et épia le garçon par la fenêtre.

L'adolescent, les mains dans les poches et une vieille casquette enfoncée sur la tête, arborait un air boudeur et se traînait les pieds. Il sembla avoir un léger mouvement de recul en apercevant l'énorme monticule de bûches qui l'attendait. Au minimum, il y avait là une dizaine de cordes de bois, ce qui représentait la dîme des familles Boisvert et Veilleux pour l'année.

Au moment où Antoine Lussier allait se retourner pour sortir de la pièce, il sentit une présence derrière lui. L'abbé Martel venait de jeter un coup d'œil dans la cour du presbytère.

— Est-ce que c'est le petit Tougas, monsieur le curé?

— En plein ça, l'abbé.

— Qu'est-ce qu'il vient faire en arrière du presbytère si tôt?

— Il vient expier ses péchés, l'abbé, répondit le curé Lussier, énigmatique.

— Ses péchés! Quels péchés?

— Et le secret de la confession, l'abbé, qu'est-ce que vous en faites? fit le curé sur un ton bourru. Occupez-vous pas de ça. Vous feriez mieux plutôt de vous dépêcher d'aller dire votre messe; vous allez finir par être en retard.

Quand le vicaire eut tourné les talons pour sortir du presbytère par la porte avant, le curé s'assura que l'adolescent s'était bien mis au travail avant de se retirer dans le salon avec son bréviaire en attendant huit heures, heure où il irait dire la messe à son tour. Quelques minutes plus tard, il entendit arriver Agathe Cournoyer qui entreprit immédiatement de dresser la table du premier repas de la journée des deux prêtres. Il s'arrêta un instant dans la salle à manger.

— Madame Cournoyer, on va garder à déjeuner et à dîner le petit Tougas qui va nous corder notre bois une bonne partie de la journée. Il a déjà commencé à travailler.

— Est-ce qu'il va manger avec vous, monsieur le curé? demanda la vieille dame.

— Non madame. Installez-le sur un coin de table dans la cuisine. Perdez-le pas de vue quand il sera ici et gardez-le en dedans juste le temps des repas.

Sur ces mots, le prêtre prit la direction de son bureau. Depuis la veille, il ne cessait de se demander si le mauvais coup de l'adolescent n'était qu'une mauvaise blague d'un chenapan ou un geste malicieux suggéré par Eugène Tremblay, qui détestait Ernest Veilleux et son clan. Il ne possédait aucune preuve contre le voisin de son cousin, mais son intuition lui disait qu'il n'était probablement pas tout à fait étranger à l'affaire.

— Probable que toute la paroisse s'en doute, dit Antoine Lussier à mi-voix en fermant la porte de son bureau derrière lui. Mais je suis pas pour en parler à Ernest. Il va encore s'énerver comme un pou et prendre le mors aux dents. Je suis tout de même pas pour mettre le feu aux poudres dans la paroisse pour cette histoire-là.

Non, le curé Lussier ne ferait rien de tel, mais il saurait bien faire payer le prix de cette humiliation à l'endroit de son vicaire, s'il découvrait un jour que Tremblay était derrière tout ça.

Chapitre 2

Le pont

Une dizaine de jours plus tard, la température était devenue un peu plus fraîche. En ce mercredi avant-midi, le ciel charriait de lourds nuages gris poussés par un petit vent du nord, ce qui n'annonçait rien de bon.

Ce matin-là, Marthe Giguère sursauta violemment en voyant une figure inconnue apparaître à l'une des fenêtres de l'étable où elle était occupée à nourrir les veaux.

— Mon Dieu, que j'ai eu peur! s'exclama-t-elle en lâchant le seau de lait frais qu'elle présentait à un jeune veau. Qu'est-ce que vous voulez?

Le visage disparut momentanément pour réapparaître un instant plus tard à la porte de l'étable, qu'on venait de pousser. Il appartenait à un homme de taille moyenne vêtu d'un strict costume noir, le cou enserré dans un large col en celluloïd. Son nez assez imposant était garni de lunettes à monture d'acier. L'homme retira poliment son chapeau, découvrant une large calvitie.

— Excusez-moi de vous avoir fait peur, madame, mais je cherche monsieur le maire. Est-ce que je suis bien chez Wilfrid Giguère?

Se rendant compte qu'elle avait affaire à un homme bien éduqué et non à un maraudeur, la femme blonde d'une quarantaine d'années s'avança vers l'inconnu en s'essuyant les mains sur son large tablier.

— Il y a pas d'offense. Vous êtes bien à la bonne place. Mon mari est dans la remise à côté en train de réparer un attelage.

— Merci, madame, fit l'homme en refermant la porte.

Durant une seconde, il sembla chercher du regard la porte de la remise voisine et il s'avança prudemment entre les mares laissées par la pluie abondante de la nuit précédente. La porte s'ouvrit au moment où il allait frapper. Un grand homme maigre à la chevelure poivre et sel clairsemée le dévisagea, attendant de toute évidence qu'il se présente.

— Bonjour, monsieur le maire. Je pense que votre député vous a annoncé ma visite. Alcide Gauthier, du ministère de la Voirie, dit l'homme en tendant la main.

— Ça fait une éternité que j'ai pas vu Hormidas Joyal, fit Wilfrid Giguère en serrant la main tendue. La dernière fois, c'était au début de juin.

— Il vous a pas dit que je viendrais vous voir ? demanda le fonctionnaire, surpris.

— N... non, pas que je me souvienne.

— Il vous a pas parlé du pont ?

— Ah oui ! J'y suis. On est en 1922 et on nous parle de ce pont-là depuis vingt ans. À chaque élection, on nous le promet. Puis, plus personne en parle jusqu'aux élections suivantes.

— Ça a tout l'air que ça pourrait bien changer, répliqua l'homme en prenant une pose avantageuse.

— Êtes-vous en train de me dire, vous, que Taschereau se prépare à aller en élection ? railla le maire, narquois. Il vient à peine de remplacer Lomer Gouin.

— Moi, j'annonce rien, se défendit l'autre en éclatant de rire. Tout ce que je sais, c'est qu'on a l'air de croire que vous votez du bon bord et qu'on tient à ce que ça continue.

— Vous saurez que je fais plus que voter du bon bord. J'ai travaillé pas mal pour les rouges aux dernières élections, expliqua le maire, en bombant le torse. Ce que vous m'apprenez là, c'est une bonne nouvelle, ajouta Giguère en affichant une mine réjouie. Venez boire une bonne tasse de thé.

— Oh! Il y a encore rien de fait, temporisa Alcide Gauthier en faisant son possible pour suivre les grandes enjambées de son hôte. Moi, on me paye pour voir si c'est faisable et où ce pont-là serait le plus utile.

— Qu'est-ce que ça veut dire au juste? demanda le maire en s'immobilisant si brusquement au milieu de la cour que son invité faillit le heurter.

— Ça veut dire que le gouvernement est peut-être prêt à faire construire un pont qui enjambe la rivière Saint-François dans le comté de Nicolet, mais que personne sait encore où on va le bâtir. Depuis le début de l'été, j'ai visité presque tous les villages autour pour trouver le bon endroit.

— Êtes-vous allé à La Visitation? À Sainte-Monique? À Saint-Gérard?

— C'est certain et j'ai aussi rencontré les maires.

— Ah ben, les maudits hypocrites! s'emporta le maire de Saint-Jacques-de-la-Rive. J'ai rencontré les maires de ces villages-là deux ou trois fois depuis le début de l'été, et pas un m'a parlé de votre visite.

— C'est normal. Je pense qu'ils sont tous intéressés à avoir le pont sur leur territoire, déclara le fonctionnaire en pénétrant dans la maison à la suite de son hôte.

Marthe Giguère entra dans la cuisine quelques instants après son mari et Alcide Gauthier.

— Sers-nous donc une tasse de thé, lui demanda son mari après avoir fait signe au visiteur de s'asseoir à la table.

Le grand homme suspendit sa casquette à l'un des crochets fixés derrière la porte et vint prendre place en face du fonctionnaire.

— Si vous connaissez un peu Saint-Jacques-de-la-Rive, vous devez sûrement savoir que c'est notre village qui est le mieux placé pour l'avoir, ce pont-là, déclara le maire sur un ton convaincu. Notre député me l'a encore dit le printemps passé.

— Peut-être, répliqua l'autre, sceptique, mais c'est pas lui qui va décider où on va le construire.

— Qui va décider ça?

— Mon rapport, répondit l'autre en se rengorgeant, tout plein de son importance. C'est mon département qui est chargé de faire les études et les recommandations au ministre.

Le maire de Saint-Jacques-de-la-Rive sembla soudain comprendre qu'il avait devant lui un personnage vraiment important. Il se leva, prit un bout de papier et un crayon à mine de plomb qui traînaient sur un petit secrétaire installé dans un coin de la pièce et revint vers la table.

— Regardez ben, poursuivit Wilfrid Giguère avec un enthousiasme un peu forcé en s'assoyant sur la chaise voisine de celle occupée par son invité.

Il traça un grand rectangle traversé par cinq traits verticaux et il fit un «X» à l'extrémité du troisième trait vertical.

— OK, le «X», c'est le village. Il est dans les terres, à cinq milles de Pierreville. Il est pas ben gros, mais il est ben placé, au milieu du rang Saint-Edmond qui longe la rivière. Je sais pas si vous l'avez remarqué, mais les cinq autres rangs de Saint-Jacques, les rangs des Orties, du Petit-Brûlé, Sainte-Marie, Saint-Pierre et Saint-Paul, aboutissent tous au rang Saint-Edmond. Le rang Sainte-Marie arrive devant l'église, au milieu du village. Moi, je connais une maudite belle place pour construire le pont, juste à la sortie du village. Là, les rives de la Saint-François sont pas trop hautes et il y a en masse de place pour ouvrir une route de chaque côté de la rivière.

— Il y a pas juste la hauteur des rives qui compte, protesta mollement Gauthier.

— Écoutez. Je pense que le mieux est que je vous emmène là, proposa le maire, enthousiaste.

— Mon cheval est pas mal fatigué et...

— Laissez faire votre cheval. J'en ai un bon, rétorqua le maire avec détermination.

Wilfrid Giguère se leva, poussa la porte-moustiquaire et fit deux pas sur la galerie avant de crier en direction de l'écurie :

— Jocelyn, attelle Prince à la voiture. Fais ça vite.

Il rentra pour prendre sa casquette et finir de boire sa tasse de thé.

— Monsieur Gauthier, je vais vous montrer Saint-Jacques-de-la-Rive. Vous allez voir que c'est la plus belle place pour votre pont.

— Avec plaisir, monsieur le maire.

— Marthe, on va être revenus pour dîner, dit le maire en se tournant vers sa femme.

Quelques instants plus tard, Alcide Gauthier entendit un cheval s'ébrouer près de la maison et il suivit son hôte à l'extérieur après avoir remercié l'épouse de ce dernier pour la tasse de thé. En apercevant les deux hommes debout sur la galerie, un grand adolescent maigre à l'air revêche descendit de la voiture qu'il venait de conduire au pied de l'escalier et il tendit les guides à son père.

— Dételle le cheval de monsieur Gauthier et donne-lui à boire et un peu d'avoine, dit ce dernier à son fils.

Sur ce, le maire de Saint-Jacques-de-la-Rive se hissa sur le siège du boghei et attendit que son passager fasse de même avant de claquer doucement les lanières de cuir qu'il tenait en main pour faire avancer sa voiture jusqu'au chemin. Arrivé à la route qui passait devant sa ferme, il tourna à gauche.

— Étant donné que vous avez vu tout le rang Saint-Pierre en venant chez nous, on va prendre par le rang voisin, le rang Sainte-Marie, pour monter au village, déclara Giguère. Comme vous pouvez le voir, ma terre est l'avant-dernière du rang. On est onze cultivateurs dans notre rang : c'est cinq de moins que dans les rangs Sainte-Marie et Saint-Edmond, les plus gros rangs de la paroisse. Il y a presque autant de cultivateurs dans le rang Saint-Paul et le rang des Orties que dans le mien. Il n'y a que le rang du Petit-Brûlé où il y a juste sept fermes. Le reste, c'est de la terre en bois debout qui pourrait être défrichée si on le voulait.

Un peu plus tard, le maire emprunta un petit chemin de traverse sillonné par de profondes ornières encore remplies d'eau de pluie. Il n'y avait que de la forêt de chaque côté de la voie étroite même pas bordée par des fossés.

— Il faudrait passer la gratte, dit le fonctionnaire d'un ton connaisseur. Si c'est pas fait rapidement, les voitures vont s'embourber.

— Il faut comprendre qu'il y a presque personne qui passe ici, expliqua le maire. C'est un petit chemin qu'on a ouvert à travers une *swamp* pour rejoindre plus vite le rang Sainte-Marie.

— Ça explique pourquoi il y a tant de maringouins, conclut Alcide Gauthier en écrasant un moustique qui venait de le piquer sur une joue.

L'homme jeta un coup d'œil inquiet au ciel où des nuages de plus en plus lourds s'entassaient. Durant quelques minutes, le conducteur et le passager ne trouvèrent rien à se dire. Puis, la voiture tourna à droite sur une voie plus large bordée de fossés profonds, et la forêt céda la place à de grands champs cultivés.

— C'est Sainte-Marie. Après Saint-Edmond, c'est le deuxième rang qui a été ouvert dans la paroisse, il y a une cinquantaine d'années, expliqua le maire. Comme vous pouvez le voir, ça ressemble pas à La Visitation ou à Sainte-Monique. Il n'y a pas de côtes ici. Tout est planche comme le dessus de la main. C'est juste de la belle terre à cultiver. Correct, les terres sont pas ben grandes et il y a pas de cultivateurs riches chez nous, mais la plupart ont été capables de passer à travers la crise de 19. Même si c'est presque toutes des grosses familles de huit enfants et plus, j'ai pas entendu dire qu'il y avait eu des enfants morts de faim, nulle part, déclara le maire avec une certaine fierté.

— Comme tous les villages autour, fit le fonctionnaire avec un sourire en coin. Avoir une grande famille, c'est aussi pouvoir compter sur pas mal de bras pour aider à faire la besogne.

— Ça, c'est sûr, reconnut Wilfrid Giguère. Tenez, cette maison-là, c'est la maison de la famille d'Ernest Veilleux, un bleu de bord en bord. Elle ressemble à presque toutes les maisons du rang. C'est la dernière du rang Sainte-Marie.

Ce disant, le maire montrait à sa gauche une habitation à un étage au toit très pentu, couverte de bardeaux de cèdre délavés par les intempéries. Une galerie courait sur deux de ses faces et s'achevait près de la porte de la cuisine d'été. Rattachée à cette cuisine, il y avait une humble remise dans laquelle on rangeait les voitures et le bois de chauffage. Pour l'avoir vu par lui-même, le maire savait qu'il y avait une large passerelle qui longeait le fond du bâtiment et donnait accès aux toilettes sèches. Deux érables centenaires montaient la garde de chaque côté de la maison. De plus, la maîtresse des lieux semblait entretenir avec un grand soin un vaste parterre fleuri devant la maison. Le fond de la cour était occupé par une étable, une grange et une porcherie. À gauche, on trouvait un poulailler ; à droite, une écurie.

Le maire de Saint-Jacques-de-la-Rive ne se donna pas la peine de nommer les propriétaires de chaque ferme du rang. Il mentionna tout de même en passant que la ferme voisine était celle de son beau-frère, Eugène Tremblay. Il n'oublia pas non plus celles des Fournier et des Hamel, situées sur le même côté de la route.

— Il y a pas de fromagerie dans ce rang ? demanda le fonctionnaire.

— Non. Par contre, il y en a une au milieu de mon rang qui appartient au plus vieux des frères Boudreau. Les cultivateurs du rang Sainte-Marie, eux, sont habitués à aller porter leur lait chaque matin à la fromagerie du rang Saint-Edmond, juste à la sortie du village, proche de la forge de Crevier. Il y a aussi un autre Boudreau qui en a une au bout du rang du Petit-Brûlé et il prend aussi le lait qui vient des cultivateurs du rang des Orties.

La voiture roulait déjà depuis un bon moment dans le rang Sainte-Marie quand elle passa devant une minuscule maison fraîchement chaulée à l'apparence toute pimpante.

— Vous me ferez pas croire qu'il y a une famille nombreuse qui reste là-dedans, fit Alcide Gauthier en la pointant du doigt.

— Non. Ici, c'est l'ancienne maison des Dumoulin. Il y a deux ans, elle a été achetée par un étranger, un Italien, un certain Pierri. Il vit là tout seul avec sa femme. On le connaît pas encore vraiment, mais il a l'air à ses affaires et il dérange pas personne.

— C'est drôle pareil qu'il soit venu s'installer chez vous, fit remarquer le fonctionnaire.

— C'est ce que je me suis dit aussi en le voyant arriver. Même si j'ai encore de la misère à comprendre tout ce qu'il dit à cause de son accent, je le trouve ben correct. Il m'a dit qu'il a immigré au Canada juste avant la guerre, avec ses deux frères. Il paraît qu'ils travaillaient tous les trois dans la construction à Montréal. Ses deux frères sont morts de la grippe espagnole en 18. C'est à ce moment-là qu'il a décidé de se chercher une petite terre. Il m'a dit qu'il a été élevé sur une terre en Italie.

— Les gens de Saint-Jacques ont pas été surpris de le voir arriver? voulut savoir Gauthier, curieux.

— Bah! Vous le savez comme moi. On se méfie toujours du monde qu'on connaît pas ou qui sont pas comme nous autres. Mais quand on a appris que les Pierri étaient allés se présenter au curé de la paroisse le jour de leur arrivée, les gens les ont regardés un peu moins de travers. En plus, on les voit tous les dimanches à l'église.

Un peu plus loin, le maire détourna la tête en arborant un air un peu dégoûté, comme s'il cherchait à ne pas voir l'une des dernières maisons du rang avant d'arriver au village. Deux adolescents pauvrement habillés étaient assis sur les marches d'un petit escalier conduisant à une galerie en fort mauvais état. Wilfrid Giguère n'esquissa pas le moindre geste pour les saluer. Son comportement n'échappa pas à son passager.

— Qu'est-ce qu'il y a, monsieur le maire? On dirait que vous aimez pas tous vos administrés.

— Non, c'est pas une question d'amour. Les Tougas arrêtent pas de me causer du trouble depuis que je suis maire. Dans la paroisse, ils sont connus comme Barrabas dans la Passion. Les parents sont du bon monde, personne va dire le contraire. Mais pour leurs gars, c'est une autre paire de manches ! Les quatre garçons d'Antonius Tougas traînent partout et on a intérêt à rien laisser à la portée de leurs mains, parce que ça disparaît vite.

Quelques centaines de pieds plus loin, les deux hommes virent apparaître le clocher de l'église de Saint-Jacques-de-la-Rive.

— On arrive au village, indiqua inutilement le maire. Comme vous pouvez le voir, le rang Sainte-Marie mène directement devant l'église. Derrière l'église, c'est le cimetière, puis la rivière.

Au moment où l'attelage atteignait le bout du rang et allait emprunter le rang Saint-Edmond, les premières gouttes de pluie se mirent à tomber.

— Tiens, on arrive juste à temps pour se mettre à l'abri chez Hélèna, fit remarquer le maire avec une bonne humeur forcée.

— Hélèna ?

— Hélèna Pouliot, celle qui tient le petit magasin, sur le coin.

— Le magasin général ?

— Un ben petit magasin général, répondit Giguère en arrêtant son cheval devant la large galerie d'une petite maison jaune à demi dépeinte, qui ne comptait qu'un étage. Ça fait des années que les gens de Saint-Jacques vont acheter leur matériel chez Murray, à Pierreville. Hélèna se contente de vendre un peu de *grocery*, des bonbons, de la liqueur, du tabac, et des cossins pour les femmes, comme du matériel à la verge et un peu de linge. Elle a hérité du commerce de ses parents.

L'unique vitrine du magasin n'était occupée que par un panneau publicitaire vantant l'orangeade Crush et un autre plus petit annonçant la farine Robin Hood, illustrée par son archer habillé en vert et jaune. Un long banc plutôt bancal était appuyé contre la devanture.

Pendant que le fonctionnaire s'empressait de descendre et d'aller se mettre à l'abri sur la galerie, le maire prit le temps d'attacher son cheval à l'un des montants de l'escalier avant d'aller le rejoindre.

— C'est juste une petite pluie fine, fit-il remarquer à Alcide Gauthier. Ça durera pas.

Pendant qu'il parlait au fonctionnaire, une femme menue, toute sèche et âgée d'une cinquantaine d'années apparut derrière la vitrine maculée de chiures de mouches. Sa maigre chevelure grise était emprisonnée dans un filet qui tenait son chignon bien en place. Elle lissait sa stricte robe brune ornée d'un petit collet de dentelle d'une main nerveuse en essayant d'identifier la personne à qui s'adressait le maire.

Wilfrid Giguère fit comme s'il ne l'avait pas vue. Il n'avait pas l'intention de présenter Alcide Gauthier à la « vieille fille » et ainsi lui fournir l'occasion de faire courir toutes sortes de ragots dans la paroisse. Il se contenta d'attirer le fonctionnaire à l'extrémité de la galerie et de baisser la voix.

— Comme vous pouvez le voir, en face, c'est notre église. À gauche, c'est le presbytère et à droite, c'est le couvent. Derrière l'église, c'est notre cimetière. C'est sûr que notre église en brique rouge a pas l'air aussi riche que les églises en pierre des paroisses autour, mais elle est bien entretenue. Il faut pas oublier qu'elle a passé au feu en 90 et qu'elle a été rebâtie une couple d'années après. Ça fait qu'elle a moins de trente ans. Le presbytère, lui, est pas mal plus vieux.

Pendant que le maire parlait, Alcide Gauthier regardait chacun des deux édifices en brique de la même couleur. L'église avait été dotée d'un large parvis en bois et elle s'élevait à plusieurs centaines de pieds de la rivière. Elle était séparée du presbytère par une étroite bande de terrain gazonnée. Ce dernier était un grand bâtiment carré d'un étage, pourvu d'une longue galerie blanche à laquelle on accédait par un escalier d'une dizaine de marches. À l'arrière, on devinait plus qu'on ne voyait de petites dépendances.

— Cette bâtisse-là a pas l'air vieille non plus, fit remarquer Gauthier en pointant le doigt vers le bâtiment blanc qui s'élevait à la droite de l'église.

— Je vous crois. Ça a été bâti en 1915 quand le curé Lussier a obtenu de l'évêque de Nicolet la permission de faire venir dans la paroisse des sœurs de l'Assomption pour enseigner aux filles. C'est notre couvent. Il y a cinq sœurs qui restent là-dedans. Il y en a deux qui tiennent des classes de huitième et de neuvième pour les filles, et la supérieure a accepté que deux autres de ses sœurs fassent la classe aux enfants du rang Saint-Edmond.

Un bruit de pas en provenance de l'intérieur du magasin se fit entendre. Giguère devina qu'Hélèna se dirigeait vers la porte de son établissement, officiellement pour s'enquérir de la raison de leur présence sur sa galerie. Il toucha le bras de Gauthier et lui indiqua discrètement l'escalier.

— Je pense qu'on est aussi ben d'y aller, sinon on va être pognés ici pendant une demi-heure avec la patronne. Il mouille presque plus.

Au moment où le maire finissait de parler, il entendit la clochette de la porte d'entrée du petit magasin et Hélèna Pouliot fit son apparition sur la galerie.

— Y a-t-il quelque chose qui marche pas, Wilfrid? demanda-t-elle, en proie à une vive curiosité.

— Non, non, Hélèna, tout marche comme sur des roulettes. On voulait pas te déranger. On voulait juste se mettre à l'abri de la pluie. Mais c'est fini. On y va.

Ce disant, le maire détacha son cheval et fit signe à son passager de monter dans la voiture avant d'y prendre place lui-même. Il salua vaguement de la main la propriétaire du magasin général qui le dévisageait, les yeux plissés derrière ses petites lunettes rondes.

— Avance, Prince! Avance! dit Giguère avec impatience.

La voiture reprit la route doucement.

— Elle est tellement belette que c'est une vraie plaie, s'excusa le maire. Le cimetière que vous voyez derrière l'église a été pas mal agrandi il y a quatre ans. Vous devinez pourquoi. On a eu vingt et un morts dans la paroisse durant l'automne 1918. La grippe espagnole nous a fait mal. Il faut pas oublier qu'on est juste six cent cinquante personnes à Saint-Jacques. On a fini par manquer de place pour enterrer tout ce monde-là et il a fallu agrandir. J'ai lu dans les journaux qu'il y avait eu cinq cent trente mille personnes qui avaient eu cette maudite grippe-là au Québec.

— Vous vous trompez pas, monsieur le maire. On a eu treize mille huit cents morts dans la province.

— C'est certain que nos vingt et un morts, c'était pas grand-chose comparé à ça, reprit Wilfrid Giguère, mais rien n'empêche qu'on a eu pas mal peur de tous y passer. J'ai une cousine qui en est morte avec un de ses petits. On m'enlèvera jamais de la tête que cette maladie-là venait des vieux pays et qu'elle a été rapportée de là-bas par nos soldats après la guerre.

— Moi, je viens de Montréal, ajouta Alcide Gauthier. Si je me souviens bien, juste dans la ville, on a eu trois mille cinq cents morts à cause de la grippe durant cet automne-là.

— J'ai entendu dire que les gens sortaient plus de chez eux et il y en avait qui prenaient même plus les petits chars pour pas attraper cette maudite grippe-là.

— C'est sûr, confirma le fonctionnaire. Ils tombaient comme des mouches. Il y avait pas de remède pour guérir le monde.

Pendant quelques instants, les deux hommes se turent alors que l'attelage avançait au pas devant de petites maisons en bois construites de chaque côté du rang Saint-Edmond.

— C'est notre village, reprit le maire en les désignant de la main. Une quinzaine de maisons presque toutes habitées par des vieux qui ont laissé leur terre à leurs enfants.

On aurait juré que les occupants de ces maisons avaient senti le besoin de venir se serrer frileusement près de leur église.

— C'est ici que je voulais vous emmener, dit Wilfrid Giguère en faisant entrer sa voiture dans une cour au fond de laquelle se dressait une grande remise.

Par les portes ouvertes du bâtiment, on entendait des martèlements assourdissants.

— On est chez Adélard Crevier, notre forgeron. C'est la dernière maison de ce côté-ci du village. On va laisser ma voiture ici pour aller voir la place dont je vous parlais. C'est juste en face, de l'autre côté du chemin.

Le maire descendit de voiture et attacha son cheval à un anneau de fer vissé dans le mur. Il passa ensuite la tête à l'intérieur du bâtiment pour s'adresser à quelqu'un qui travaillait à l'intérieur.

— Je te laisse ma voiture cinq minutes, Adélard, cria Giguère. Correct ?

— Pas de problème, hurla quelqu'un au fond de la forge, sans cesser de marteler une pièce de fer.

Le maire entraîna Alcide Gauthier de l'autre côté de la route et lui fit parcourir une centaine de pieds dans l'herbe mouillée d'un champ avant de s'arrêter.

— Regardez. C'est ici, déclara-t-il en étendant fièrement le bras en direction de la rivière qui coulait à quelques pieds de distance. Les deux rives sont basses et il y a presque pas de courant tellement il y a peu d'eau. En plus, c'est sablonneux. À Saint-Jacques-de-la-Rive, on a toujours appelé cette place-là la « plage ». Les jeunes viennent toujours se baigner ici quand il fait chaud. En plus, je pense pas que vous soyez capable de trouver une place où la rivière est plus étroite qu'ici.

Durant un long moment, Alcide Gauthier scruta les deux rives de la rivière Saint-François. Il s'avança de quelques pas et sortit un petit carnet noir de l'une des poches de son veston ; il se mit à prendre quelques notes d'un air important, comme seuls les gens de la ville savent le faire. Le maire respecta sa concentration en gardant le silence. Ce fut son compagnon qui finit par prendre la parole.

— C'est bien beau tout ça, monsieur Giguère, mais il y a rien qui nous dit que c'est pas de la glaise qu'il y a sous le sable à cet endroit-là. Il faudra voir.

— Ça me surprendrait, laissa tomber le maire.

— Vous savez où ça mène, de l'autre côté ?

— Dans le rang Saint-Joseph de Saint-Gérard. Vous tombez à environ deux milles du village.

— Bon.

— D'après vous, quand est-ce que le choix va se faire ? demanda Wilfrid Giguère avec une certaine impatience en retournant vers la route, suivi par le fonctionnaire. Avant la fin de l'automne ?

— J'ai dans l'idée que ça ira pas aussi vite que ça, déclara Gauthier en essuyant la bande de cuir à l'intérieur de son chapeau avec un mouchoir qu'il venait de tirer de l'une des poches de son pantalon. Le temps d'établir les plans et les devis et de faire approuver le tout par le bureau du ministre, ça peut prendre encore quelques mois.

— Ouais ! fit le maire, un peu désappointé. J'espère au moins que vous aimez la place que je viens de vous montrer.

— À mon avis, elle en vaut bien d'autres que j'ai inspectées dans le comté depuis le printemps passé.

Le manque évident d'enthousiasme d'Alcide Gauthier pour son site enleva à Wilfrid Giguère toute envie de faire des amabilités. Par conséquent, le retour à sa ferme par le rang Saint-Pierre se fit dans un silence relatif. Lorsque le fonctionnaire du ministère de la Voirie prétexta une longue route à faire pour ne pas rester à dîner chez les Giguère, ces derniers n'insistèrent pas.

— Tous des maudits branleux ! explosa Wilfrid Giguère quand l'homme eut quitté sa cour à bord de son boghei. On a le temps de mourir cent fois avant qu'ils se branchent pour le pont.

— Exagère pas, Wilfrid, ajouta sa femme, tentant de le calmer. S'il s'est donné la peine de venir à Saint-Jacques, c'est qu'on a peut-être une chance de l'avoir un jour, ce pont-là !

— Va surtout pas parler de ça à quelqu'un dans la paroisse, la mit en garde son mari. Si ça se trouve, le pont va aller dans la paroisse qui aura trouvé le moyen de donner un petit cadeau à Joyal. Souviens-toi bien de ce que je te dis, prédit le maire en rentrant dans la maison. Il sera pas tard cet automne qu'on va voir arriver notre bon député avec son air de faux-jeton pour demander un petit quelque chose pour nous aider. Hormidas Joyal est le plus beau visage à deux faces que je connaisse. Il va promettre son maudit pont à toutes les paroisses autour. Il y a des fois où je regrette d'avoir tant travaillé pour le faire élire.

— Va jamais dire ça devant un Veilleux, toi ! se moqua sa femme. Il va mourir de rire.

— Un fou ! explosa Wilfrid. J'aime encore cent fois mieux un Hormidas Joyal qu'un maudit bleu qui viendrait nous promettre mer et monde et qui irait voter la conscription dans notre dos comme en 17.

Chapitre 3

Les Veilleux

— Voyons, baptême ! Veux-tu ben me dire ce qu'ils ont à traîner en haut ! s'exclama Ernest Veilleux en déposant bruyamment sa tasse vide sur la table. Il est presque six heures. C'est la même maudite histoire tous les jours ! Ça veut pas se coucher le soir et le matin, il y a pas moyen de les lever.

Yvette ne perdit pas de temps à répondre à son mari impatient. Elle jeta un rondin dans le poêle, entra dans la cuisine d'hiver et alla se planter au pied de l'escalier étroit qui conduisait aux quatre chambres de l'étage.

— Jérôme ! Léo ! Jean-Paul ! Adrien ! grouillez-vous de descendre ! Si vous êtes pas en bas dans une minute, je monte en haut avec une chaudière d'eau froide, ajouta, sur un ton résolu, la femme à la taille imposante. Les filles, vous me changerez les draps et les taies d'oreiller avant de faire les lits.

Sans attendre le résultat de l'appel de sa femme, le père de famille, un petit homme sec et nerveux âgé d'une cinquantaine d'années, poussa la porte-moustiquaire de la cuisine d'été et sortit. À l'étage, il y eut des claquements de portes et de tiroirs suivis par une cavalcade dans l'escalier. Les quatre garçons, les cheveux ébouriffés et les yeux bouffis, entrèrent dans la cuisine d'été. Jérôme se précipita vers ses bottes déposées près de la porte.

L'adolescent de quinze ans avait beau dépasser son père d'une demi-tête, cela ne l'empêchait nullement de craindre les explosions de colère paternelle.

— Grouillez-vous, dit-il à ses jeunes frères. Allez chercher les vaches pendant que je vais aller donner un coup de main au père à laver les bidons.

— Whow ! Il y a pas le feu, répliqua Léo qui, à treize ans, acceptait mal qu'on le mène comme un enfant. Tu vas au moins me laisser le temps d'attacher mes bretelles, oui ?

— Envoye, les oreilles ! Arrête de te traîner les pieds, cracha l'aîné avant de quitter précipitamment la cuisine au moment où son frère allait lui lancer à la tête l'une de ses bottes vers lesquelles il se penchait.

— Aïe ! m'man, vous l'avez entendu, le grand flanc mou ? Il m'a appelé « les oreilles », se plaignit Léo en jetant un coup d'œil à ses frères Jean-Paul et Adrien, afin de s'assurer que les gamins de onze et de neuf ans ne se moquaient pas de lui.

Ces derniers eurent la sagesse de se pincer les lèvres et ils contournèrent leur frère pour sortir de la maison. Sa mère se contenta de lui montrer la porte.

— Dehors, Léo Veilleux !

Durant une dizaine de minutes, la femme au début de la cinquantaine, dont les cheveux striés de gris étaient retenus par des peignes, s'activa en silence entre le poêle à bois et la longue table qui occupait le centre de la cuisine d'été. Elle jeta un coup d'œil à la vieille horloge murale héritée de sa mère avant de crier à ses filles :

— Avez-vous bientôt fini, les filles ?

— On descend, m'man, fit une voix sur le palier, à l'étage.

— Laissez le linge sale près de la porte en passant.

Un instant plus tard, deux jeunes filles, vêtues de petites robes grises en cotonnade, pénétrèrent dans la pièce.

Yvette Veilleux leva la tête un instant pour examiner brièvement les deux sœurs alors qu'elles se dirigeaient vers le crochet auquel étaient suspendus leurs tabliers.

Personne ne pouvait douter qu'il s'agissait de Veilleux. Comme les sept autres enfants d'Ernest et d'Yvette Veilleux, leurs joues étaient parsemées de quelques taches de rousseur. Elles avaient le visage rond, les yeux bruns et une abondante tignasse brun foncé. En fait, seule la taille distinguait les deux jeunes filles. Céline, vingt ans, était plus grande et plus élancée que sa jeune sœur Anne qui, à dix-sept ans, avait une légère tendance à l'embonpoint à cause de sa gourmandise.

— Mange, ma fille. Une femme grasse, ça fait riche, l'encourageait parfois sa mère, dont le tour de taille avantageux aurait dû laisser croire au voisinage que son Ernest était Crésus.

En ce deuxième lundi matin d'août, il faisait un peu moins chaud que la veille et on revenait enfin à la routine après une fin de semaine plutôt agitée chez les Veilleux.

— Anne, pendant que ta sœur va me donner un coup de main à préparer le déjeuner, tu vas aller arroser la fougère du salon et épousseter mon piano. Fais bien attention de pas l'égratigner. Secoue ton linge souvent.

— En plein lundi matin, m'man ? protesta l'adolescente.

— Il y a pas de temps pour être propre, ma fille. Grouille-toi.

~

Le vendredi après-midi précédent, Ernest avait dû atteler la Grise au vieux boghei pour aller à la gare de Pierreville chercher leur aînée, Marcelle, religieuse chez les sœurs de la Providence depuis dix ans. Elle venait leur rendre visite en compagnie d'une consœur.

— Verrat! avait grommelé Ernest après que sa femme lui eut lu la lettre dans laquelle leur fille annonçait sa visite quelques jours auparavant. Il me semble qu'elle pourrait venir se promener à un autre temps que pendant les foins. Elle devrait ben savoir qu'on a de l'ouvrage par-dessus la tête pendant l'été.

— T'as presque fini, l'avait raisonné Yvette. Elle vient juste deux fois par année.

Les Veilleux avaient beau être habitués aux deux visites annuelles de sœur Gilbert, il fallait tout de même faire le grand ménage de la chambre de Jérôme pour accueillir les deux religieuses. Pour l'occasion, l'adolescent était obligé d'aller dormir sur un vieux matelas de paille dans le salon, ce qu'il n'appréciait pas du tout.

Yvette Veilleux n'avait cessé de jeter des coups d'œil à la route par la fenêtre de la cuisine pendant qu'elle préparait le souper avec l'aide de Céline et d'Anne. Elle avait guetté avec impatience l'apparition du nuage de poussière au-dessus du rang Sainte-Marie, nuage qui annonçait l'arrivée imminente de son aînée qu'elle n'avait pas revue depuis le mois d'avril précédent. La religieuse avait beau n'être qu'à Sorel, à une trentaine de milles de Saint-Jacques-de-la-Rive, c'était comme si elle était au bout du monde.

Adrien avait tout de même été le premier à apercevoir l'attelage et il avait prévenu sa mère avant de s'esquiver vers l'étable où ses frères avaient commencé à faire le train avant le retour de leur père. Yvette s'était alors empressée de sortir sur la galerie en compagnie de ses deux filles pour accueillir les visiteuses.

Le boghei était à peine immobilisé que sœur Gilbert s'était précipitée vers sa mère pour l'embrasser. La religieuse était une grande femme joviale et bien en chair dont le dynamisme et le rire communicatif avaient longtemps ensoleillé la maison paternelle. Elle avait toujours été la préférée de sa mère qui ne s'était jamais tout à fait résignée à son entrée en communauté. Sa Marcelle avait été une aide précieuse dans la maison et sa bonne humeur avait souvent eu le don de désamorcer les colères de son père.

Après avoir présenté sa compagne, sœur Clémence, une petite religieuse aussi maigre que discrète, sœur Gilbert avait embrassé ses deux jeunes sœurs.

— Je crois ben qu'on te laisse pas mourir de faim au couvent, avait fait remarquer Céline en jetant un regard critique à la silhouette bien enrobée de son aînée.

— Tu sauras, l'haïssable, qu'il est pas écrit nulle part que les servantes du Seigneur doivent se laisser mourir de faim, avait répliqué la religieuse dans un éclat de rire.

— Ça, je te crois, mais tu pourrais peut-être en laisser un peu pour les autres, non ? avait poursuivi la jeune fille en indiquant la petite sœur Clémence occupée à tirer du boghei un sac en tapisserie dans lequel elle transportait ses effets personnels.

Il avait suffi de quelques instants pour que l'aînée des Veilleux s'empare d'un tablier et aide à la préparation du repas, comme si elle n'avait jamais quitté le toit paternel. Le repas et la soirée avaient été joyeux et animés.

~

Le lendemain avant-midi, Ernest et les garçons revenaient du champ avec une charrette chargée de foin quand un voisin, Georges Hamel, s'était arrêté dans la cour des Veilleux pour laisser descendre Albert et Maurice Veilleux. Immédiatement, le visage du père s'était fermé en apercevant ses deux fils.

Si Albert était un jeune homme costaud à l'abondante chevelure brune rejetée en arrière, Maurice, son frère cadet, était nettement plus petit et plus malingre. Mais l'un et l'autre possédaient les mêmes yeux bruns vifs et des taches de rousseur sur les joues.

— Baptême! jura leur père entre ses dents. Ils se sont tous donné le mot en fin de semaine pour nous empêcher de finir notre ouvrage!

Le petit homme ne fit pas un geste pour aller au-devant des visiteurs. Il feignit de ne pas les avoir vus. Sans se presser, il fit avancer la charrette jusque devant la grange, sous la porte du fenil.

— Je monte dans la tasserie avec Jean-Paul, dit-il sèchement. Vous deux, avait-il lancé à Jérôme et à Léo, essayez de nous fournir en déchargeant.

— Et moi, p'pa? demanda le petit Adrien qui ne se tenait jamais bien loin de son père.

— Toi, tu donnes à boire au cheval pendant qu'on décharge, répondit son père avec impatience.

Même après trois ans, Ernest Veilleux n'était pas parvenu à pardonner à son fils Albert de l'avoir laissé tomber pour aller travailler pour le Canadien Pacifique. À ses yeux, il fallait être un maudit grand sans-cœur pour partir comme ça, en dépit du fait que son père ne pouvait compter sur l'aide d'aucun de ses fils pour cultiver la terre et nourrir sa mère et ses cinq frères et sœurs. Maurice était déjà chez les frères maristes et ce n'était pas Jérôme, âgé de douze ans à l'époque, qui pouvait le remplacer.

En l'occurrence, le cultivateur faisait preuve de mauvaise foi. Il ne tenait absolument pas compte du fait que le départ de son fils aîné avait été provoqué, en 1918, par la décision du gouvernement Borden de mettre fin à l'exemption du service militaire qui avait été consentie aux fils de cultivateur. Lui, le conservateur, ne pouvait décemment s'en prendre à un gouvernement bleu qui avait fait voter la conscription si décriée au Québec. À ses yeux, son fils avait utilisé le prétexte de fuir la conscription pour échapper à ses responsabilités envers sa famille.

Le brusque départ du jeune homme de vingt-cinq ans pour Montréal l'avait d'autant plus ulcéré que tout semblait avoir été préparé dans son dos, avec la complicité de son beau-frère, Ludovic Dubé, employé de la compagnie de chemin de fer. À l'époque, il aurait dû se douter qu'il se mijotait quelque chose, mais il n'avait rien vu venir. Le beau-frère avait caché son aîné chez lui, dans son appartement de la rue Montcalm, à Montréal, dès que l'exemption avait été révoquée. Puis, à la fin de la guerre, au moment où Ernest s'attendait à voir enfin son Albert revenir lui donner un coup de main, le jeune homme lui avait annoncé son intention de demeurer définitivement en ville parce que son oncle lui avait trouvé un bon travail au Canadien Pacifique.

Même si Ernest Veilleux avait piqué une colère mémorable, le jeune homme était demeuré inébranlable. Le lendemain matin, malgré une petite pluie froide, il avait quitté le toit familial en transportant ses maigres possessions dans une valise de cuir bouilli. Le père était si hors de lui qu'il ne lui avait même pas proposé d'aller le conduire en voiture à Pierreville, à cinq milles de Saint-Jacques-de-la-Rive.

Ah ! si Maurice, son cadet de quatre ans, avait été plus costaud et moins maladif ! Peut-être qu'Ernest aurait alors cédé à l'envie de le persuader de quitter le noviciat des frères maristes où il était entré quelques mois auparavant... Mais à quoi bon ! Le jeune homme de vingt et un ans avait toujours été trop «feluette» pour faire un bon cultivateur. Après quelques semaines de révolte, Ernest Veilleux, amer, avait décidé de s'en remettre à la Providence. À

l'époque, s'il avait parlé de demander à Maurice de revenir à la maison, son Yvette n'aurait pas manqué de ruer
dans les brancards. Elle n'aurait jamais accepté que son
mari cherche à détourner leur fils de sa vocation sous prétexte qu'il avait besoin d'aide. Il y avait déjà bien assez
qu'elle avait dû admettre que ce dernier ne serait jamais
prêtre — son rêve — parce qu'il n'avait pas le talent nécessaire pour entreprendre son cours classique. Elle n'aurait
pas hésité à demander au curé, leur cousin, d'intervenir.

Du haut du fenil, Ernest entendit les exclamations de
joie poussées par sa femme. La visite inattendue de ses
deux fils était une première depuis le jour de l'An. À cette
occasion, Albert avait fait sa première apparition à la maison depuis son départ, plus de deux ans auparavant. Officiellement, il était venu chercher la bénédiction paternelle.
Ernest avait alors pardonné à son aîné du bout des lèvres,
mais la rencontre entre les deux hommes avait été froide et
le fils n'était pas revenu depuis. Cependant, le père
soupçonnait sa femme d'entretenir une correspondance
secrète avec son fils et elle avait dû le pousser à revenir à
la maison.

Quelques minutes plus tard, Ernest Veilleux vit Albert
et Maurice traverser la cour. Maurice avait enlevé sa soutane et, comme son frère aîné, il avait retroussé les manches
de sa chemise.

— Va rejoindre le père dans la tasserie, avait commandé Albert à Jérôme. On va finir de vider la charrette.

Pour sa part, Maurice avait enlevé la fourche des mains
de Jean-Paul et lui avait conseillé d'aller chercher de l'eau
au puits pour tout le monde. Le religieux se mit lentement au travail, peu habitué à l'effort physique. Ernest
n'avait pas ouvert la bouche tant que tout le foin n'avait
pas été déchargé. Il s'était borné à dire sèchement à ses
deux fils :

— Vous êtes pas obligés de travailler, vous êtes de la visite.

— On est capables de vous donner un coup de main, p'pa, avait répliqué Albert sans s'émouvoir de son accueil glacial.

— Dans ce cas-là, on a le temps d'aller chercher une autre charge avant le dîner.

Quelques minutes plus tard, un peu pâle à cause de l'effort fourni, Maurice s'était contenté de se hisser dans la charrette avec ses frères pendant que son père s'emparait des guides. Le soleil était déjà presque à son zénith et il faisait une chaleur humide difficile à supporter. La sueur trempait la chemise des travailleurs. Maurice s'était jeté sur le gobelet en étain rempli d'eau froide que son petit frère Jean-Paul lui tendait, même si le véhicule était durement secoué à cause des ornières dans le champ.

— Bois ça doucement, l'avait mis en garde Albert. De l'eau froide quand on a chaud, c'est pas ben bon.

Lorsqu'ils avaient entendu la cloche de l'église sonner au loin l'angélus, Ernest et ses fils finissaient de décharger la charrette pour la seconde fois de l'avant-midi. Les hommes étaient allés se laver au puits avant de se présenter à la porte de la cuisine d'été.

— Enlevez vos souliers, leur avait ordonné sœur Gilbert, plantée debout près de la porte. On a lavé le prélart de la cuisine il y a pas une heure.

— Oui, ma sœur, avait répondu son frère Albert, moqueur.

La grande et grosse religieuse l'avait menacé du chasse-mouche qu'elle tenait à la main.

Pendant que tous s'entassaient autour de la grande table, Yvette avait commencé à servir des assiettes remplies de bouilli de légumes avec l'aide de la petite sœur Clémence.

— Comment ça se fait que vous êtes arrivés ensemble, tous les deux ? avait demandé Ernest à ses deux fils, plus pour parler que pour assouvir une véritable curiosité.

Maurice s'était alors chargé de répondre à son père.

— Albert est venu me voir au noviciat dimanche passé et il m'a dit qu'il avait l'intention de venir vous voir en fin de semaine. Il m'a dit que si j'avais la permission du supérieur de venir avec lui, il pourrait m'avoir une passe gratuite pour prendre le train. Le frère Alphonse a accepté et on a pris le train de bonne heure ce matin.

— Quand on est débarqués à la gare de Pierreville, avait poursuivi Albert, on s'est dit que ce serait ben le diable si on trouvait pas quelqu'un de Saint-Jacques en train de traîner au marché un samedi matin. On n'a pas eu à chercher ben longtemps. Georges Hamel venait d'aller acheter du matériel chez Murray. Il nous a offert de nous emmener.

— Venez-vous passer plusieurs jours avec nous autres ? avait demandé Céline.

— Ben non ! Je travaille lundi matin et Maurice doit être revenu au noviciat demain soir.

— J'espère qu'on vous dérange pas trop ? avait ajouté Maurice sans s'adresser directement à son père. Je pensais que vos foins étaient finis depuis un bout de temps.

— Ben non ! avait grommelé Ernest Veilleux. Il a pas arrêté de mouiller depuis le commencement du mois.

— De toute façon, on peut toujours coucher dans la grange, avait proposé Albert.

— Il en est pas question, avait répliqué sèchement sa mère. Les deux jeunes vont vous laisser leur chambre avec plaisir. Pas vrai ?

— Ben oui, avait accepté Léo. Surtout que l'ouvrage que vous allez faire, on sera pas obligés de le faire et...

Son père lui avait jeté un regard mauvais qui avait incité l'adolescent à se taire.

Après le repas, les garçons avaient imité leur père en allant faire une courte sieste pendant qu'Yvette et ses filles rangeaient la cuisine et lavaient la vaisselle. Ensuite, on s'était remis au travail jusqu'à la fin de l'après-midi et on ne s'était arrêté que pour traire les vaches et nourrir les animaux.

Ce soir-là, tout le monde s'était couché tôt chez les Veilleux. Le dur travail dans les champs sous un soleil de plomb était venu à bout de l'énergie des plus résistants. On s'était mis au lit vers vingt-deux heures, après avoir établi qui irait à la basse-messe et qui assisterait à la grand-messe, le lendemain matin. Il avait été décidé que Maurice et les deux religieuses iraient à la grand-messe en voiture avec Ernest et Yvette. Il convenait de faire voir à toute la paroisse les religieux que la famille Veilleux avait produits. Pour leur part, les jeunes iraient à la même messe, mais ils se rendraient à l'église à pied. Après tout, un mille et demi de marche n'avait jamais tué personne. Albert, Céline et Anne avaient préféré aller à la basse-messe.

Au moment de souffler la lampe, Ernest n'avait pu s'empêcher de faire remarquer à sa femme :

— Maurice est blanc comme un navet. Il s'épuise à rien. On peut pas dire que les frères l'ont ben renforci. En plus, je trouve qu'il tousse pas mal.

— Tu sais bien qu'il a jamais eu une grosse santé, avait rétorqué sa femme en s'étendant à ses côtés. Je sais pas s'il te l'a dit, mais le supérieur a décidé qu'il serait infirmier. Il va s'occuper des malades de la communauté. Cet ouvrage-là devrait pas trop le fatiguer.

— Puis l'autre ? avait murmuré Ernest.

— Albert est un bon garçon. Tu le sais aussi bien que moi. Il a pris ses seules journées de congé de l'été pour venir te donner un coup de main. Fais-lui un peu de façon, Ernest. C'est ton garçon après tout. Il a pas commis un crime en allant travailler en ville. Il travaille dur pour gagner sa vie. À part ça, il y a rien qui dit qu'il reviendra pas un jour rester avec nous autres.

— Ouais ! fit le père de famille sur un ton peu convaincu. Bon. Il faut dormir si on veut être capables de se lever demain matin.

Le silence était finalement tombé dans la chambre des parents située au pied de l'escalier. Bientôt, seuls les ronflements des dormeurs avaient fait un contrepoint aux stridulations des criquets.

Le lendemain matin, dès six heures moins quart, Yvette Veilleux avait tenté de ne réveiller que ses plus jeunes fils pour qu'ils aillent aider leur père à soigner les animaux, mais ce fut peine perdue. En quelques minutes, tous les habitants de la maison avaient envahi la grande cuisine d'été.

— Oubliez pas que vous pouvez rien manger avant la messe si vous voulez aller communier, avait rappelé inutilement la mère.

— Et si vous allez pas communier, avait ajouté en riant sœur Gilbert, vous devrez expliquer pourquoi à notre bon curé Lussier.

— Fais pas de farce avec ça, l'avait réprimandée sa mère.

— Je ris pas, m'man, avait fait la religieuse en s'efforçant de prendre un air sérieux. Je fais juste me souvenir comment était le cousin de p'pa quand on n'allait pas à la sainte table, le dimanche... À moins qu'il ait changé depuis ?

— Non, notre curé est toujours un aussi bon prêtre.

— Tant mieux, m'man, avait conclu la religieuse sur un ton peu enthousiaste.

Après le train, Albert avait attelé le boghei et avait conduit ses deux jeunes sœurs à l'église pour entendre la basse-messe chantée par le vicaire.

— Qui c'est, ce petit prêtre-là ? avait-il demandé à sa sœur Anne.

— L'abbé Martel. Il est arrivé dans la paroisse un peu avant Pâques. Il est pas mal fin. Il est pas bête comme le curé, lui.

— Et il est un peu perdu, avait ajouté Céline en souriant. Il y a des fois où on dirait qu'il est pas tout là. Il est souvent dans la lune.

— Toi, t'es chanceuse que m'man t'entende pas parler comme ça d'un prêtre, l'avait grondée sa sœur. Si elle t'entendait, tu mangerais une claque derrière le chignon.

— J'ai rien dit de mal, moi, avait protesté la jeune fille de vingt ans en jetant un regard courroucé à sa sœur.

Comme tous les dimanches, la grand-messe célébrée par le curé Lussier avait duré près de deux heures et les Veilleux n'avaient pu se mettre à table que bien après midi. Quelques heures plus tard, l'heure du départ avait sonné pour les visiteurs. À quatre heures, sur un signe de son père, Jérôme était allé atteler la vieille jument. Pour son plus grand plaisir, l'adolescent s'était vu confier la tâche enviée d'aller conduire à la gare de Pierreville les deux religieuses et ses frères Maurice et Albert.

Au moment du départ, toute la famille s'était retrouvée debout sur la galerie qui ceinturait deux des quatre côtés de la vieille maison en bardeaux de cèdre. Il y eut des embrassades et un échange de souhaits de bonne santé. Pour la première fois depuis longtemps, Ernest Veilleux s'était montré chaleureux envers ses fils.

— Vous êtes toujours les bienvenus, avait-il déclaré. Si le cœur vous en dit, revenez nous voir aussitôt que vous le pourrez.

À voir le sourire qui illuminait le visage d'Albert au moment où l'attelage quittait la cour, il ne faisait aucun doute que la mésentente entre le père et le fils appartenait maintenant au passé. Yvette, heureuse, n'avait pu s'empêcher de poser une main sur le bras de son mari avant de lui glisser à voix basse :

— T'es pas mal fin, mon Ernest. Je pense que notre garçon est parti soulagé.

— Il est pas le seul que j'ai invité, ronchonna son mari. J'ai aussi invité Marcelle et Maurice.

⁓

Yvette Veilleux fut tirée de ses pensées par le bruit de la roue métallique de la brouette crissant sur les roches de la cour. Ernest avait fini son train et Jérôme s'en allait déposer les bidons de lait dans la voiture à laquelle on attellerait la Grise après le déjeuner pour aller porter le lait à la fromagerie. Elle entendait déjà son mari chasser à grands cris les dernières vaches de l'étable après la traite.

— Céline, brasse un peu le gruau dans la marmite pendant que je tranche le pain. Anne, vérifie si le thé est bien bouillant pour ton père. Il arrive.

Au moment où Léo, de retour de l'étable, allait poser le pied sur la première marche de l'escalier menant à la cuisine, sa mère apparut derrière la porte-moustiquaire.

— Avant d'ôter tes bottes, tu vas aller me chercher deux chaudières d'eau au puits et tu vas les vider dans la cuve, dans la remise. J'en ai besoin pour mon lavage.

— Ça peut pas attendre après le déjeuner, m'man ? J'ai faim, moi !

— Tout de suite ! Attends pas que j'aille te tirer les oreilles pour te faire bouger.

— Aïe, m'man !

— Lâchez-lui les oreilles ! s'exclama Céline, faussement inquiète. Si vous continuez comme ça, elles vont être tellement longues que notre pauvre Léo va marcher dessus !

— Toi, la niaiseuse, attends que j'entre dans la maison, la menaça son jeune frère de treize ans, qui avait entendu la remarque de sa sœur.

— Au lieu de faire enrager ton frère, toi, va donc m'installer la cuvette et la planche à laver dans la remise. Aussitôt après la vaisselle, on va faire le lavage.

— Moi, j'haïs donc ça le lundi. On passe la journée à laver le linge et à l'étendre. Je connais rien d'aussi plate que ça, se plaignit Anne.

— Est-ce que t'aimerais mieux aller me laver le plancher de la cuisine d'hiver et les fenêtres ? demanda sa mère, agacée.

L'entrée du père dans la cuisine mit fin à l'échange. Tout le monde s'approcha de la table pour manger.

Chapitre 4

Un départ

La température avait beau se maintenir au beau fixe en ces premiers jours de septembre 1922, il n'en restait pas moins que les journées raccourcissaient sensiblement. Maintenant, le soleil se levait bien après six heures et il se couchait un peu avant sept heures. C'était un signe qui ne trompait personne : l'été tirait à sa fin.

Dans la plupart des foyers de Saint-Jacques-de-la-Rive, on s'activait fébrilement à la préparation des provisions hivernales. On vidait systématiquement le jardin et le verger.

Chez les Tremblay du rang Sainte-Marie, tout le monde mettait la main à la pâte. Eugène et Thérèse n'auraient jamais accepté que l'un ou l'autre de leurs six enfants vivants ne participe pas à l'effort commun. Ce matin-là, le père avait laissé du travail à ses trois fils avant de prendre la route du village pour aller faire ferrer l'un de ses deux chevaux chez Crevier. La veille, durant le transport des bidons de lait à la fromagerie, la jument avait perdu un fer.

— Répare le plancher du poulailler, dit-il à Clément, son fils de vingt ans, avant de partir. Fais-toi aider par Gérald.

— Et moi ? demanda Lionel qui, à douze ans, n'acceptait pas d'être oublié.

— Toi, tu ramasseras les patates et tu les descendras dans le caveau.

— J'aurais mieux aimé faire la même chose que Gérald, voulut argumenter le cadet.

— Tu feras ce qu'on te dit de faire, le coupa sa mère sur un ton sans appel.

Thérèse Tremblay était une femme à l'apparence austère. Ses cheveux poivre et sel tirés en un strict chignon et son visage précocement ridé par les soucis la faisaient paraître plus vieille que ses quarante-six ans. De plus, on ne la voyait pas sourire très souvent. Il fallait tout de même reconnaître que la vie ne lui avait pas fait de cadeau.

L'épouse d'Eugène Tremblay avait perdu un frère et deux cousins à quelques semaines d'intervalle, morts au combat durant la guerre. De plus, comme s'il n'avait pas suffi que deux de ses enfants soient décédés en bas âge, il avait fallu que la grippe espagnole vienne lui en chercher un autre, trois ans auparavant. Chaque fois, elle avait trouvé en elle la force de surmonter l'épreuve, persuadée que Dieu n'éprouvait que ceux qu'il aimait vraiment. Sa foi profonde et ses études chez les religieuses de l'Assomption de Nicolet l'avaient préparée à devenir une mère chrétienne capable d'inculquer de solides valeurs à ses enfants. De fait, elle était beaucoup plus stricte que son mari, un grand et gros homme à la figure lunaire, en général assez placide. Si ses fils aidaient son mari à l'extérieur, elle pouvait toujours compter sur ses filles.

— Pendant que Lionel entre les patates, annonça la mère après le départ de son mari pour le village, nous autres, on va s'occuper des dernières tomates. Jeannine, tu vas aller ramasser toutes les tomates qui restent dans le jardin, dit-elle à sa fille de dix ans. Pendant que tu fais ça, Aline va aller faire les chambres en haut et Claire va laver les pots. On va ébouillanter les tomates et les éplucher avant de les mettre dans les pots.

— Il y a rien que j'haïs comme aller nettoyer les chambres des gars, déclara l'adolescente de quatorze ans au petit nez retroussé. Ils laissent tout traîner. Une chatte y retrouverait pas ses petits et…

Un regard sévère de sa mère fit taire la jeune fille qui se contenta de lever les épaules tout en relevant une mèche de cheveux bruns.

— Et attache tes cheveux, lui ordonna sa mère avant qu'elle ne quitte la cuisine d'été.

Pour sa part, sans perdre de temps, l'aînée de la famille se dirigea vers le placard où étaient entassés les pots vides. Elle n'avait émis aucun commentaire en recevant une tâche. À vingt-cinq ans, Claire Tremblay était une jeune femme douce et peu bavarde, pourvue d'une figure agréable aux traits réguliers. Elle avait un large front et des cheveux châtains un peu bouclés. Son teint pâle faisait ressortir ses yeux noirs. C'était une solitaire à qui sa mère reconnaissait des talents indéniables de cuisinière et de ménagère. En outre, il aurait fallu faire preuve de beaucoup de mauvaise foi pour ne pas se rendre compte qu'elle était travailleuse et soignée.

— Ma Claire, c'est une vraie perle, un trésor, disait parfois sa mère en son absence.

— Un trésor oublié, une vieille fille, ajoutait Gérald pour faire fâcher sa mère.

En fait, cette affirmation était fausse. Quatre ans auparavant, Claire Tremblay avait eu un amoureux sérieux en Paulin Dufresne de Sainte-Perpétue. Il avait même été question de mariage. Puis au printemps de 1918, le jeune homme avait fui aux États-Unis chez un frère de sa mère pour échapper à l'armée, comme l'avait fait Albert Veilleux. Claire avait encouragé son amoureux à fuir et ce dernier lui avait promis de revenir aussitôt qu'il le pourrait. Il avait aussi juré de lui écrire. Deux lettres lui étaient parvenues par des voies détournées les mois suivants. Après cela : silence complet. À la signature de l'armistice en novembre, Claire s'était préparée à revoir enfin son amoureux. Il allait revenir des États-Unis et demander sa main, comme il le lui avait promis. Mais les semaines puis les mois avaient passé sans que le fugitif ne donne la moindre nouvelle. C'était comme si la terre l'avait englouti. Trop fière pour s'enquérir auprès de la famille de son quasi fiancé, la jeune fille s'était contentée d'attendre. Elle avait été trop consciente de sa dignité pour se donner en spectacle. Si elle avait pleuré, elle l'avait fait dans le secret de sa chambre.

Depuis, quatre années étaient passées et il n'avait plus été question de Paulin Dufresne. Personne chez les Tremblay n'abordait jamais le sujet. Claire était devenue une « vieille fille » et aucun garçon de Saint-Jacques-de-la-Rive ou de l'un des villages voisins n'avait tenté de l'approcher pour lui faire la cour.

Quelques minutes plus tard, sa sœur Aline descendit de l'étage des chambres avec un air mécontent et vint la rejoindre dans la cuisine d'été.

— Où est m'man ?

— Dans le jardin avec Jeannine. Elle voulait être sûre qu'elle oubliait pas de tomates.

— Attends que j'attrape le Lionel ! T'aurais dû voir le plancher de sa chambre. Le petit maudit s'est amusé à gosser du bois dans sa chambre. Je vais lui en faire du gossage quand je vais le voir, lui !

L'adolescente se laissa tomber sur une chaise, l'air buté.

— Qu'est-ce que t'as à matin, toi ? lui demanda sa sœur aînée en essuyant un pot qu'elle venait de rincer. On dirait que tu t'es levée du mauvais pied.

— Je suis fatiguée de travailler comme une esclave, jour après jour. Peux-tu avoir une vie plus plate que celle de fille d'habitant! s'exclama l'adolescente. On passe notre temps à nettoyer et à cuisiner. L'été achève et on n'a pas arrêté une seule journée. Après les confitures aux fraises, ça a été le tour des confitures aux framboises. Après, il a fallu aller ramasser des bleuets. Il y a quinze jours, c'était le temps de faire du ketchup vert et de mariner des cornichons. Après les tomates, on va faire de la compote de pommes et de rhubarbe. Après ça, il va y avoir encore le vin de cerise à faire et de la compote de citrouille… Ça finit jamais! Y a des matins où je resterais couchée tellement je suis écœurée. Je me vois pas faire ça toute ma vie, moi!

La jeune fille était si occupée à exhaler sa mauvaise humeur qu'elle n'entendit pas sa mère entrer dans la pièce, les bras chargés de deux paniers de tomates bien mûres.

— Quand t'auras fini de te lamenter sur ton sort, Aline Tremblay, tu pourras peut-être nous donner un coup de main, fit sèchement sa mère.

L'adolescente sursauta en entendant la voix de sa mère et elle s'empressa de prendre l'un des deux paniers de tomates qu'elle lui tendait.

— Tu sauras, ma fille, que tu vas connaître bien pire que ça dans la vie. Attends d'avoir un mari à endurer et des couches sales à laver. Quand t'auras une trâlée d'enfants à soigner et à élever, tu vas t'apercevoir que t'avais une belle vie quand t'étais fille. Tu vas t'ennuyer de ta vie plate quand t'auras à te casser la tête tous les jours que le bon Dieu amène pour savoir comment les nourrir, les chausser et les habiller. Quand t'auras connu tout ça, tu pourras te plaindre, mais ça changera pas grand-chose, c'est moi qui te le dis. À un moment donné, il te restera juste la prière et tes yeux pour pleurer.

Claire et Aline demeurèrent figées, trop surprises d'entendre leur mère exprimer si ouvertement ce qu'elle pensait de la vie qu'elle vivait.

— Assez de placotage! finit par dire Thérèse Tremblay en relevant les manches de sa vieille robe grise. Ces tomates-là s'ébouillanteront pas toutes seules. Aline, va aider Jeannine à transporter les deux autres paniers et rapporte-moi deux ou trois oignons.

~

Un peu avant midi, Eugène Tremblay revint du village. Thérèse jeta un coup d'œil dans la cour par l'une des fenêtres de la cuisine d'été lorsqu'elle entendit la voiture passer près de la maison. L'attelage s'arrêta un peu plus loin, près de l'écurie, et son conducteur détela sans hâte excessive la jument noire qu'il fit pénétrer dans le petit enclos jouxtant le bâtiment avec quelques « whow ! » retentissants.

Le cultivateur de haute taille et à la forte stature, âgé d'une quarantaine d'années, souleva son vieux chapeau brun pour s'essuyer le front. Il avait une épaisse chevelure noire peignée vers l'arrière et ses tempes argentées ne parvenaient pas à vieillir réellement son visage aux traits burinés. Eugène Tremblay était un homme calme et assez facile à vivre, sauf quand on mentionnait devant lui le nom d'Ernest Veilleux, son voisin de droite. À ce moment-là, l'homme voyait rouge et s'emportait facilement.

Il était notoire à Saint-Jacques-de-la-Rive qu'Eugène Tremblay et Ernest Veilleux étaient brouillés depuis près de trente ans. Les gens de leur génération avaient tous eu connaissance que les deux hommes s'étaient battus dans leur jeunesse pour les beaux yeux d'une certaine Annette

Parent. Si on se fiait aux commérages, la belle avait donné des espérances à ses deux soupirants qui avaient fini par en venir aux coups un dimanche soir d'hiver, dans un rang de la paroisse voisine. L'esclandre avait fait un tel scandale que le brave curé Biron avait stigmatisé les deux belligérants du haut de la chaire, le dimanche suivant. Finalement, la jeune fille volage leur avait préféré un certain Gagné de Saint-François-du-Lac. Bref, depuis ce temps, les deux cultivateurs du rang Sainte-Marie ne s'étaient pratiquement plus adressé la parole. Lorsqu'ils se croisaient, les deux voisins immédiats s'ignoraient ostensiblement. Leur épouse et leurs enfants entretenaient des relations de bon voisinage, mais il n'était pas question que les deux familles se fréquentent ou se rendent visite.

Tous les habitants de Saint-Jacques connaissaient bien l'hostilité farouche que les deux hommes se vouaient l'un à l'autre, et plus d'un prédisait qu'un jour, tout ça allait mal finir. Au fil des ans, il s'était même formé deux clans dans la paroisse. D'un côté, on retrouvait Ernest Veilleux, quelques conservateurs et les opposants au maire Giguère. On avait tendance à associer à ce groupe, sans preuve véritable, le curé Lussier, le cousin d'Ernest. L'autre clan comprenait Eugène Tremblay, son beau-frère, le maire, et, évidemment, les rouges de la paroisse.

Le cultivateur entra dans le poulailler pour jeter un coup d'œil aux réparations effectuées par ses fils avant de se diriger vers la maison, suivi par les trois garçons.

— La jument est ferrée, on va être tranquilles un bon bout de temps, dit-il en accrochant son chapeau à l'un des crochets fixés au mur, près de la porte de la cuisine.

— Bon. Approchez. Le dîner est presque prêt, fit sa femme en déposant sur la table un plat de soupe fumante.

Il y eut un court silence dans la pièce pendant que tout le monde prenait place autour de la grande table. Lorsque tous furent assis, le père récita le bénédicité et on se signa avant de commencer à se servir.

— Ça me surprendrait pas que la mère Fournier aille plus mal, laissa tomber le père de famille après avoir avalé quelques bouchées.

— Le docteur Courchesne est encore là ?

— Je pense que oui. Il me semble avoir reconnu son cheval et sa voiture en passant devant la maison.

La ferme de Laurent Fournier était la cinquième du rang Sainte-Marie. Elle était située entre celle de Bruno Pierri et celle de Georges Hamel, le voisin immédiat des Tremblay.

Pour le passant, toutes les maisons du rang auraient pu sembler identiques. En fait, elles ne se distinguaient les unes des autres que par le degré de soin qu'en prenaient leurs propriétaires. La plus remarquable était probablement celle habitée par Bruno Pierri et son épouse, parce que ses occupants l'avaient blanchie à la chaux le mois précédent et avaient peint tous les cadres des ouvertures rouge vif. Par ailleurs, celles des Veilleux, des Tremblay et des Hamel étaient d'une propreté méticuleuse et leurs parterres fleuris témoignaient de la fierté de leurs habitants. En réalité, il n'y avait dans le rang Sainte-Marie que la maison et les bâtiments des Tougas et ceux des Fournier qui paraissaient mal entretenus, et ce, pour des raisons tout à fait différentes. Antonius et Emma Tougas étaient désorganisés et un peu portés à la paresse, alors que Germain Fournier ne parvenait pas à tout faire seul, soit prendre soin de sa mère malade et cultiver la ferme familiale.

— Ça prouve pas grand-chose, fit remarquer Thérèse Tremblay en se versant une tasse de thé. Le docteur est venu la voir au moins trois fois depuis deux semaines.

— Oui, mais il y avait aussi monsieur le curé chez les Fournier. J'ai vu le bedeau en train de fumer sa pipe sur le perron. Je pense que le père Groleau l'attendait. Tu sais comme moi ce que ça veut dire. Monsieur le curé doit être venu donner les derniers sacrements à la mère Fournier.

— Pauvre femme, murmura Thérèse, attristée par la fin prochaine de sa vieille voisine.

⁓

Un peu plus loin, chez les Fournier, aucun bruit ne s'échappait de la petite maison grise sur le côté de laquelle étaient attachés deux attelages. À l'intérieur, Florence Cohen, les traits tirés par une longue nuit de veille, sortit de la chambre de sa mère en s'essuyant les yeux. Son frère Germain la suivit quelques instants plus tard et se laissa tomber dans la vieille chaise berçante placée sous l'une des deux fenêtres de la cuisine.

Le docteur Courchesne sortit de la pièce surchauffée en tirant derrière lui la porte de la chambre occupée par la mourante.

— J'ai fait ce que j'ai pu, déclara à voix basse le vieux médecin en déposant sa petite trousse noire sur la table de cuisine.

Il s'approcha de la cuve déposée sur le comptoir et il entreprit de se laver les mains.

— Je dois aller voir madame Cloutier dans le rang Saint-Pierre, dit-il, mais je vais repasser au milieu de l'après-midi, avant de retourner à Pierreville.

— Merci, docteur, fit la femme âgée d'une quarantaine d'années.

— C'est rare qu'une pneumonie pardonne à l'âge de votre mère, poursuivit le praticien. Elle a beau avoir juste soixante-cinq ans, on dirait qu'elle a perdu le goût de se battre.

— Vous savez, docteur, depuis la mort de p'pa, il y a quatre ans, elle a jamais plus été la même, fit la fille de Fernande Fournier en tendant une serviette propre au médecin. Quand mon père est mort de la grippe espagnole, on aurait juré qu'elle avait perdu le goût de vivre. Pas vrai, Germain ?

Germain Fournier se contenta de hocher vaguement la tête. Le célibataire de trente ans avait un visage ingrat. On aurait dit que ses traits avaient été taillés à coups de serpe et l'acné juvénile avait laissé des cicatrices profondes dans sa figure. Il passa ses doigts noueux dans sa chevelure châtain pâle qui commençait déjà à reculer. À demi perdu dans de sombres pensées, il continua à regarder par la fenêtre la route poussiéreuse qui passait devant la maison.

Albéric Courchesne mit son chapeau noir, saisit sa trousse et sortit de la maison sur un dernier « bonjour ». Plantée devant la porte-moustiquaire, Florence Cohen regarda le vieil homme s'installer lentement dans son boghei avant de crier à son cheval d'avancer. Ensuite, elle s'approcha doucement de la porte de la chambre, fermée, et tendit l'oreille. Elle n'entendit que les murmures du curé Lussier.

— Il a pas encore fini de l'administrer, chuchota-t-elle à son frère avant d'aller s'asseoir sur une chaise, au bout de la table.

Ce dernier ne fit aucun signe qu'il l'avait entendue. Il ne la regarda même pas. Il n'y avait jamais eu une grande affection entre le frère et la sœur. Leurs caractères étaient aussi différents que leurs vies.

Vingt-deux ans auparavant, Florence Fournier avait épousé, contre la volonté de ses parents, un commis voyageur d'origine juive originaire de Montréal. Sam Cohen avait eu beau se dire catholique, Laurent et Fernande Fournier ne lui avaient donné leur fille que contraints et persuadés que cette dernière faisait la pire bêtise de sa vie.

La jeune femme avait quitté Saint-Jacques-de-la-Rive sans aucun remords et n'y était revenue, le plus souvent seule, qu'une ou deux fois par année pour de très brèves visites. Elle en avait presque oublié à quel point la vie était difficile sur une terre au début des années 1920. Son Sam n'avait jamais été un prix de beauté, mais il avait fait preuve d'un sens des affaires indéniable. Il avait su saisir toutes les bonnes occasions qui s'étaient présentées à lui, au point qu'il avait fini par posséder deux merceries assez florissantes sur la rue Sainte-Catherine et par ouvrir un atelier de confection de complets. En 1915, il avait fait l'acquisition d'une confortable maison dans le quartier ultrachic d'Outremont et il avait imposé à son épouse une cuisinière et une bonne pour faire étalage d'une certaine aisance matérielle. Bref, Florence Cohen, née Fournier, avait été gâtée par la vie et elle ne s'était jamais plainte de ne pas avoir eu d'enfants.

Lorsque son frère Germain lui avait téléphoné de l'hôtel Traversy de Pierreville pour lui apprendre que leur mère était gravement malade, à la mi-août, elle s'était empressée de venir à son chevet, persuadée que son séjour ne durerait qu'une journée ou deux. Elle avait espéré ne pas avoir à dormir dans cette maison un peu négligée. Depuis le décès de son père, quatre ans auparavant, elle avait pu constater à chacune de ses rares visites la dégradation de l'intérieur de la maison. De toute évidence, sa mère ne faisait plus que l'entretien minimal et Germain était trop débordé par le travail extérieur pour l'aider.

Pourtant, il lui avait fallu changer d'idée devant la gravité de la maladie de sa mère. Il n'était pas question de la laisser seule pendant que son frère travaillait aux champs. Elle chercha d'abord à engager une jeune fille de Saint-Jacques-de-la-Rive pour faire un peu de ménage et la cuisine, mais Germain s'y opposa farouchement, même si elle offrait de défrayer elle-même le coût de cette main-d'œuvre.

— D'abord, t'en trouveras pas une parce que c'est le temps où il y a de l'ouvrage par-dessus la tête sur toutes les terres. Ensuite, je veux pas voir une étrangère se promener partout dans la maison et raconter dans la paroisse qu'on n'est même pas capables de se nettoyer.

— Tu peux bien parler, toi ! s'était emportée Florence. C'est pas toi qui es pogné pour décrasser la maison.

— Personne te demande de décrasser quoi que ce soit, avait répondu son frère d'une voix tranchante. T'es pas venue pour faire le ménage. T'es là pour prendre soin de m'man. Fais juste ça. Je m'arrangerai avec le reste.

C'est ainsi que plus de deux semaines plus tard, l'aspect intérieur de la maison n'avait guère changé. Peu habituée à entretenir une maison, Florence Cohen s'était contentée de ranger un peu la chambre de sa mère malade et de nettoyer à fond la vaisselle et la table de cuisine. Tiraillée entre le lavage, le repassage et les soins à donner à la malade, elle trouvait à peine le temps de dormir quelques heures chaque nuit.

En cette fin de la première semaine de septembre, elle était au bord de l'épuisement et ses yeux se fermaient tout seuls pendant que le curé Lussier administrait les saintes huiles à sa mère mourante dans la pièce voisine.

Soudain, la porte de la chambre s'ouvrit et livra passage au prêtre qui, tout en marchant, retira son étole.

— Elle a l'air de s'être endormie, murmura Antoine Lussier aux deux enfants de la malade qui s'étaient levés à son entrée dans la cuisine. Priez pour elle. Dieu viendra la chercher quand son heure sera venue. Elle est maintenant prête à comparaître devant lui.

— Merci, monsieur le curé, fit Florence en l'accompagnant vers la porte.

— Vous me ferez prévenir quand le moment sera venu, ajouta Antoine Lussier en coiffant sa barrette.

Quand le boghei du curé eut quitté la cour, Florence sortit un pain de la huche et déposa quelques tomates, un morceau de fromage et de la laitue sur la table.

— On va manger un morceau et après ça, je vais monter me coucher une heure ou deux. Je tiens plus debout, annonça-t-elle à son frère.

Ce dernier, toujours aussi taciturne, ne dit rien. Il se contenta d'aller jeter une bûche dans le poêle à bois avant de remplir d'eau la théière qu'il déposa sur le poêle.

Quelques minutes plus tard, Germain Fournier alla s'asseoir sans bruit sur la chaise placée au pied du lit de sa mère. La malade semblait perdue au milieu du grand lit tant elle était petite. Son visage cireux se détachait à peine de l'oreiller blanc sur lequel sa tête reposait. Son fils dut se pencher un instant vers elle pour percevoir sa faible respiration haletante.

Il régnait une chaleur suffocante dans la petite pièce sombre. Florence maintenait la toile tirée à demi devant la fenêtre à peine entrouverte. Après quelques minutes, le jeune cultivateur finit par succomber à la fatigue. Sa tête tomba sur sa poitrine et il s'endormit.

Combien de temps dormit-il? Il n'aurait su le dire. Toujours est-il que lorsqu'il se réveilla en sursaut, il vit que sa mère avait les yeux ouverts. Une étrange douceur émanait de son visage émacié.

— Vous voulez quelque chose, m'man ? demanda le jeune homme en se frottant les yeux.

Son offre ne suscita aucune réaction chez la malade. Elle ne cilla même pas. Il s'approcha et toucha timidement les mains de la malade : elles étaient froides.

Germain Fournier sortit de la chambre et alla réveiller sa sœur à l'étage.

— Viens vite, lui cria-t-il en ouvrant la porte de sa chambre. Je pense que m'man vient de partir.

Sa sœur le suivit en bas sans perdre un instant. Le cœur lui faisait mal quand elle entra dans la chambre où reposait sa mère. À son tour, elle constata que le corps était froid. Toute désemparée, elle se tourna vers son frère.

— Pauvre m'man, elle a fini de souffrir... Maintenant, qu'est-ce qu'on doit faire ?

Germain demeura un long moment silencieux avant de dire :

— Je pense que le mieux est d'aller chercher madame Tremblay. Elle, elle doit savoir ce qu'on doit faire quand il y a une mortalité. Je peux pas me fier à ce qu'on a fait quand le père est mort. Le monde avait tellement peur de la grippe espagnole qu'ils l'ont sorti de la maison aussitôt qu'il est mort.

— OK, va la chercher, fit sa sœur. Après, je suppose que tu vas être obligé d'aller chez Desfossés, à Pierreville, pour le cercueil. Pense à arrêter chez Traversy pour téléphoner à Sam. Dis-lui que m'man est morte et que je l'attends.

⁓

Lorsque Claire Tremblay vit le deuxième voisin arrêter sa voiture dans leur cour, elle se douta de ce qui l'amenait et elle prévint immédiatement sa mère occupée à préparer de la pâte à pain.

— M'man, c'est Germain Fournier qui arrive. Pour moi, ça va plus mal pour sa mère.

Thérèse Tremblay alla se laver les mains et vint accueillir le jeune homme au moment où il s'apprêtait à frapper à la porte de la cuisine d'été où les deux femmes travaillaient.

— Entre, Germain, l'invita-t-elle.

— Je voudrais pas trop vous déranger, madame Tremblay, fit l'autre, intimidé. Ma mère vient de mourir et on sait pas trop quoi faire. Je me suis dit que vous pourriez peut-être nous dire ce qui se fait d'habitude dans ces cas-là.

Il était visible que le jeune homme faisait un réel effort en venant quémander de l'aide à une voisine. Dans la paroisse, on le considérait depuis longtemps comme une sorte d'ours qui évitait le plus possible les contacts avec les gens. Il vivait enfermé chez lui, limitant ses visites au village au strict minimum. Rares étaient les habitants de Saint-Jacques-de-la-Rive qui l'avaient vu en train de sourire ou de rire. Il ne demandait rien à personne et n'offrait rien non plus. Si Laurent et Fernande Fournier étaient d'un commerce plutôt agréable, leur fils n'avait pas hérité de ce trait de caractère, loin de là.

— Je vais y aller, déclara Thérèse Tremblay sur un ton décidé. Toi, tu vas aller prévenir monsieur le curé et monter à Pierreville t'entendre avec Desfossés pour les funérailles. En passant, oublie pas d'avertir le docteur Courchesne.

— Le docteur est venu cet avant-midi, madame Tremblay. Il nous a dit qu'il repasserait durant l'après-midi, expliqua Germain Fournier, visiblement soulagé.

— C'est correct. Va faire le reste. Je vais aller rejoindre ta sœur dans deux minutes.

Le jeune cultivateur reprit la route pendant que la voisine donnait des directives à sa fille Claire.

— Occupe-toi de préparer le souper avec Aline. Je serai peut-être pas revenue à temps pour le faire. Après le souper, tu viendras me rejoindre chez les Fournier. Je pense qu'on manquera pas d'ouvrage.

— Je pourrais aller chercher Aline dans le champ et lui demander de faire le souper pour aller vous aider tout de suite, proposa Claire.

— Non. C'est mieux que tu restes. Je vais plutôt demander à Yvette Veilleux de venir m'aider à faire la toilette de madame Fournier.

— Voulez-vous que je demande à Clément ou à Gérald d'aller atteler pour vous conduire ? Ça irait plus vite.

— Maintenant, il y a plus rien qui presse, décréta sa mère, sur un ton philosophe.

Sur ces mots, Thérèse Tremblay, la mine sévère, fixa sur sa tête un chapeau à large bord pour se protéger du soleil et elle quitta la maison. Au lieu de tourner à gauche à la sortie de la cour, elle prit à droite et se rendit chez les Veilleux, ses voisins immédiats. Tout en marchant, elle souhaita ne pas rencontrer Ernest Veilleux avec qui son mari était brouillé depuis des lunes. Avant même de pénétrer dans la cour, elle vit Yvette Veilleux en train de travailler avec ses filles Céline et Anne dans son grand jardin.

— On peut pas dire que t'as peur de la grosse chaleur, lança Thérèse en s'approchant de sa voisine qui se relevait péniblement en se tenant les reins.

— J'aime pas ça plus qu'il faut, fit Yvette qui enleva un instant son large chapeau de paille pour s'éventer, mais ce jardin-là, il va bien falloir le vider et le nettoyer un jour.

— Ah ça !

— As-tu besoin de quelque chose ? lui demanda Yvette, réalisant brusquement que sa voisine n'avait pas pour habitude de faire des visites de politesse au milieu de la journée.

— Bien, je suis venue t'apprendre que madame Fournier vient de mourir et que ses deux enfants ont pas trop l'air de savoir quoi faire. Je me suis dit qu'on pourrait peut-être aller leur donner un coup de main en commençant par faire sa toilette, par exemple.

— La pauvre femme ! s'apitoya aussitôt Yvette. Soixante-cinq ans, c'est encore pas mal jeune pour partir ! Bien sûr que je vais y aller. Les filles, vous continuez et vous vous débrouillez avec le souper si je suis pas revenue. Viens en dedans, Thérèse, ça va être moins chaud, l'invita sa voisine. J'en ai pour deux minutes pour me préparer et on va y aller.

— Ton mari est pas là, j'espère ?

— Bien non. Viens.

Au moment où les deux femmes allaient pénétrer dans la maison, Yvette Veilleux aperçut son fils Jérôme qui sortait de l'étable.

— Jérôme, attelle le boghei et viens nous conduire chez les Fournier, madame Fournier vient de mourir.

L'adolescent se dirigea sans rechigner vers l'écurie. Quelques instants plus tard, Yvette Veilleux ordonna à son fils de s'arrêter un instant chez les Hamel qui exploitaient la petite ferme située entre celle des Fournier et celle des Tremblay.

— On va avertir Rita en passant, expliqua Yvette. Elle pourra peut-être pas venir à cause de ses trois petits, mais au moins elle sera au courant et elle pourra pas dire qu'on l'a oubliée.

Dès que l'attelage s'arrêta près de la maison des Hamel, une jeune femme enceinte, âgée de moins de trente ans, sortit sur la galerie en portant un jeune enfant dans ses bras. Cette brunette au visage ouvert et sympathique reconnut immédiatement ses deux voisines.

— Bonne sainte Anne! s'exclama-t-elle. Voulez-vous bien me dire où vous vous en allez comme ça?

— À côté, lui répondit Thérèse. Madame Fournier est morte et sa Florence a pas trop l'air de savoir quoi faire.

— Aussitôt que ma mère va revenir du village, elle va s'occuper des enfants et je vais aller vous rejoindre, promit la jeune femme.

— Dans ton état, tu pourrais bien laisser faire, lui dit Yvette.

— Inquiétez-vous pas pour ça, répliqua Rita Hamel avec bonne humeur. J'ai juste six mois de faits. Je risque pas d'accoucher de sitôt.

Quelques instants plus tard, au moment où la voiture s'arrêtait dans la cour des Fournier, on entendit sonner au loin le glas annonçant le décès d'un paroissien. Florence Fournier vit arriver les deux femmes avec un réel soulagement.

— Vous êtes bien fines de venir me dire ce qu'il faut faire, leur déclara-t-elle en leur ouvrant la porte. Le docteur est pas encore passé.

— C'est pas grave, la rassura Yvette Veilleux. Si tu veux, on va faire la toilette de ta mère. Après que le docteur Courchesne l'aura vue, on aura juste à l'habiller avec sa plus belle robe.

— C'est vrai, sa toilette, répéta Florence, apparemment bouleversée à l'idée d'avoir à faire la dernière toilette de sa mère.

Thérèse Tremblay se rendit compte de son trouble et intervint rapidement.

— Yvette et moi, on va s'occuper de ça. Fais-nous juste bouillir de l'eau et donne-nous des serviettes propres et un peigne. Pendant qu'on la prépare, tu pourrais peut-être installer le salon.

Le docteur Courchesne arriva un peu avant seize heures et il ne resta que quelques instants, le temps de signer le permis d'inhumer et d'offrir ses condoléances à Florence. Un peu avant l'heure du souper, Germain Fournier rentra chez lui, précédant de peu la voiture dans laquelle avaient pris place Conrad Desfossés et son fils Normand, les entrepreneurs de pompes funèbres de Pierreville.

Les deux hommes, affichant la mine lugubre indissociable de leur profession, descendirent de leur voiture d'où ils tirèrent deux chevalets. Ils pénétrèrent dans la maison en passant par la porte avant, celle qui ne s'ouvrait habituellement que pour la visite annuelle du curé. Ils déposèrent les chevalets dans le salon et sortirent pour revenir chargés d'un humble cercueil en pin.

Avant d'entrer dans la chambre, ils attendirent que les trois femmes qui s'y trouvaient en sortent et se réfugient dans la cuisine. Le jeune Desfossés sortit de la pièce un instant pour aller chercher une trousse noire laissée dans la voiture. À son retour, il ferma doucement la porte de la chambre. Son père et lui ne demeurèrent dans la pièce que quelques minutes. Lorsqu'ils en sortirent, ils portaient le cercueil dans lequel avait été déposée Fernande Fournier.

Les Desfossés placèrent la bière sur les chevalets qu'ils avaient couverts au préalable d'un tissu noir. Ils tendirent à Thérèse Tremblay un crêpe noir à installer sur la porte d'entrée pour signaler aux passants le deuil qui frappait la maison.

— Vous pourrez pas la garder plus qu'une journée à cause de la chaleur, dit le fils Desfossés d'un air désolé.

— On va revenir demain après-midi, promit le père en remettant son chapeau noir qu'il avait retiré en pénétrant dans la maison.

Après le départ des Desfossés, Germain Fournier se contenta de dire, sans s'adresser à l'une ou l'autre des trois femmes en particulier :

— Monsieur le curé a dit la même chose qu'eux. Le service va être chanté après-demain matin. Bon, je dois aller faire mon train. Je suis déjà en retard.

— T'es pas obligé de te presser, fit Thérèse Tremblay. Clément l'a déjà commencé.

— As-tu appelé Sam ? lui demanda sa sœur.

— Oui. Il va arriver demain matin.

Le jeune cultivateur n'ajouta pas un mot de plus. Il alla changer de vêtements. Lorsqu'il sortit de la maison quelques instants plus tard, Yvette Veilleux le regarda par la fenêtre se diriger, l'air accablé, vers l'étable où on entendait les vaches meugler.

Avant le retour de Germain de l'étable, les deux voisines décidèrent d'un commun accord de retourner chez elles parce que Florence Fournier n'avait apparemment plus besoin d'elles. Elles lui promirent toutefois de revenir au début de la soirée pour veiller la morte.

~

Un peu après dix-neuf heures, ce soir-là, les Fournier les virent arriver à pied sur la route poussiéreuse, accompagnées de leurs filles Céline, Claire, Anne et Aline. De toute évidence, les mères et les filles avaient fait des frais de toilettes et avaient apporté de la nourriture pour les visiteurs : quelques tartes et un gâteau. Rita Hamel arriva peu après. Elle apportait un pudding aux fraises qu'elle avait recouvert d'une serviette propre.

— Voyons donc! s'exclama Florence, gênée de constater tout le mal que les voisines s'étaient donné. C'était pas nécessaire.

— On sait ce que c'est, la mortalité, la rassura Thérèse Tremblay. Quand ça nous tombe dessus, on n'a pas le temps de tout faire. Les gens vont venir voir ta mère et avant de partir, ils haïront pas ça parler un peu entre eux en mangeant quelque chose.

— Les hommes s'en viennent, eux autres aussi, ajouta Yvette Veilleux.

En cette première soirée de veillée funèbre, il n'y eut pas foule pour venir rendre un dernier hommage à la dépouille de Fernande Fournier. Mis à part quelques lointains cousins demeurant à Trois-Rivières et dans les environs, la famille se limitait à Florence et à Germain. C'est pourquoi l'abbé Martel ne trouva sur les lieux qu'une vingtaine de personnes pour la récitation du chapelet.

Eugène Tremblay et ses fils avaient précédé de peu Georges Hamel et sa femme. À l'étonnement des gens présents, les nouveaux voisins, les Pierri, vinrent présenter leurs condoléances aux deux orphelins et restèrent pour la prière. Marthe et Wilfrid Giguère firent ensuite leur apparition en même temps que les Tougas. Ernest Veilleux et deux de ses jeunes fils arrivèrent les derniers. Dès qu'il aperçut Eugène Tremblay, le visage du cultivateur devint de marbre. Il passa devant lui sans tourner la tête pour aller s'agenouiller devant la dépouille. Après une brève prière, il alla offrir ses condoléances à Germain et Florence Fournier avant d'aller rejoindre les hommes à l'extérieur.

— Sont-ils assez fatigants avec leur maudite chicane! dit Yvette à voix basse à Thérèse avec qui elle s'entretenait dans l'entrée du salon.

— Ça, tu peux le dire! fit Thérèse avec humeur. Pas un plus intelligent que l'autre.

Ce premier soir, bien peu de gens restèrent plus que quelques instants en présence de la dépouille de Fernande Fournier dans le salon trop exigu et surchauffé.

Les hommes préférèrent s'installer aux deux extrémités de la galerie et dans la cour. À un bout de la galerie, Eugène, Antonius Tougas, le maire Giguère et quelques voisins discutaient de la visite du fonctionnaire et des chances de Saint-Jacques d'être relié à Saint-Gérard par un pont dans un proche avenir. Pour leur part, Ernest et deux retraités vivant au village s'étaient regroupés près des voitures et faisaient des gorges chaudes sur les airs importants que se donnait le maire en laissant sous-entendre l'énorme influence qu'il avait sur le député Joyal. Le troisième groupe était formé par Hamel, Pierri, Beaulieu et Desjardins, tous des fermiers du rang Sainte-Marie qui ne souhaitaient pas être associés à l'un ou l'autre clan, ni être mêlés d'une façon ou d'une autre à la dispute opposant Eugène Tremblay à Ernest Veilleux. Ces derniers préféraient parler des prochaines récoltes plutôt que de politique. Pour sa part, Germain Fournier allait d'un groupe à l'autre, l'âme en peine et toujours aussi peu loquace.

De leur côté, les femmes se partageaient entre la cuisine d'été et le salon alors que les quelques jeunes présents étaient éparpillés dans la cour et discutaient de tout et de rien. Les gens n'envahirent vraiment la maison que lorsque les maringouins devinrent trop insistants. Une collation fut servie.

Un peu avant vingt-deux heures, les visiteurs commencèrent à se retirer, laissant le frère et la sœur seuls avec leur mère décédée.

Ce soir-là, au moment de se mettre au lit, Eugène ne put s'empêcher de faire remarquer à sa femme :

— Je te dis que ce Germain-là, ça a pas grand façon. Il faut presque lui arracher de force les mots de la bouche.

— Il a de la peine, l'excusa Thérèse.

— Je veux ben le croire, mais c'est pas une excuse pour même pas saluer le monde qui se dérange pour venir voir sa pauvre mère.

— J'en connais un autre qui fait ça avec un voisin quand il le rencontre, ne put s'empêcher de dire Thérèse avec aigreur.

— Mêle-toi pas de ça.

— C'est tout un exemple pour tes enfants.

Eugène Tremblay garda le silence un long moment avant de reprendre :

— Personne pourra dire que les enfants se sont ruinés en payant un beau cercueil à leur mère. Il me semblait que la fille avait marié un juif riche … En tout cas, il est proche de ses cennes, le Germain. Je suis sûr qu'il a acheté le plus *cheap* que Desfossés avait.

— Il fait ce qu'il peut, dit charitablement sa femme.

— Ouais, on dit ça.

~

Le lendemain avant-midi, le postier Philibert Dionne laissa descendre de sa voiture un visiteur devant la maison des Fournier. Ce dernier, un petit homme replet vêtu avec recherche d'un costume bleu marine, tira sa valise de sous le siège avant du véhicule et paya le postier pour l'avoir transporté depuis la gare de Pierreville. Florence sortit immédiatement à l'extérieur en apercevant son mari qu'elle avait quitté près de deux semaines auparavant.

Sam Cohen sourit en la voyant debout sur la première marche de l'escalier. Il s'avança et l'embrassa sur une joue avant de dire :

— T'as l'air pas mal fatigué. T'es cernée jusqu'au milieu du visage.

— C'est pas grave, le rassura sa femme. Entre, je vais te préparer une bonne tasse de thé. Mon frère est dans l'étable. Il y a une vache qui est malade.

À aucun moment, Sam Cohen ne demanda à sa femme de lui raconter les dernières heures de sa mère. Cette dernière, comme son mari, lui avait toujours fait sentir qu'elle ne l'aimait pas et l'homme d'affaires ne voyait pas pourquoi il aurait feint d'être désolé de sa mort. Il n'était venu à Saint-Jacques-de-la-Rive que pour apporter son soutien à sa Florence et pour la ramener avec lui après les obsèques. Quand Germain Fournier revint à la maison à l'heure du dîner, les deux hommes se saluèrent, sans plus.

Durant l'après-midi, peu après le passage de Desfossés venu vérifier le degré de conservation du corps, quelques femmes de la paroisse se joignirent aux voisines pour prier près de la dépouille de Fernande Fournier. En ce dernier jour d'exposition, il y eut passablement plus de visiteurs que la veille, et le curé Lussier récita le chapelet avec eux avant de quitter les lieux un peu après huit heures.

Lorsque le dernier visiteur fut parti, Florence Fournier ne put s'empêcher de dire à son frère, avant d'éteindre l'une des deux lampes à huile allumées dans le salon :

— Pauvre m'man ! C'est la dernière nuit qu'elle passe dans sa maison.

Germain ne dit rien. Il se contenta de fermer presque entièrement les fenêtres du salon, malgré la chaleur qui régnait dans la pièce.

— Tu fermes ? lui demanda Florence.

— Pas au complet. Il a commencé à mouiller. La pluie va entrer en dedans si on ferme pas un peu. Tu peux aller te coucher si tu veux. Je vais veiller au corps. Quand j'en pourrai plus, j'irai te réveiller.

— C'est correct, accepta Florence. Je viendrai prendre ta place avec Sam.

Il faisait tellement chaud dans la maison que Germain Fournier décida de laisser éteindre le poêle, préférant se passer d'une tasse de thé plutôt que d'endurer la chaleur. Assis bien droit sur une chaise placée près du cercueil où sa mère reposait, le jeune homme résista aussi longtemps qu'il put au sommeil. Jusqu'à deux heures du matin, il somnola à certains moments. Chaque fois, il se réveillait en sursaut, honteux d'avoir succombé. Il allait alors mouiller une serviette avec laquelle il se frottait le visage pour chasser le sommeil. Finalement, au milieu de la nuit, incapable de résister plus longtemps, il alla réveiller sa sœur pour qu'elle vienne prendre la relève.

Le lendemain matin, Germain se leva bien avant le soleil. Il avait mal dormi. Le tonnerre l'avait réveillé plusieurs fois durant la nuit. Une pluie violente tambourinait sur l'avant-toit qui protégeait la galerie. Florence était seule dans le salon et lui tournait le dos. Sam n'avait pas dû veiller très longtemps à ses côtés, s'il l'avait fait. Le jeune cultivateur ne dit pas un mot à sa sœur et alluma le poêle avant d'aller vérifier dans le salon si la pluie avait pénétré à l'intérieur de la pièce. Durant un bref moment, il s'arrêta près du corps de sa mère pour la regarder.

— Le thé va être chaud dans une minute, dit-il à Florence avant de retourner dans la cuisine.

— Merci.

Peu après, il chaussa ses bottes et enfila son imperméable avant d'allumer le fanal déposé en permanence sur le comptoir. Il sortit et se dirigea sans se presser vers l'étable malgré la forte pluie qui tombait.

Lorsque Germain revint à la maison après avoir trait ses vaches et nourri ses animaux, les violentes averses avaient cédé leur place à une pluie fine. À son entrée dans la cuisine, Sam Cohen se berçait pendant que Florence finissait de préparer un déjeuner frugal qu'ils mangèrent tous les trois en silence. Ensuite, tous disparurent rapidement dans leur chambre pour faire leur toilette et s'endimancher.

Un peu après huit heures, les Desfossés arrivèrent chez les Fournier à bord d'une longue voiture noire tirée par deux chevaux de la même couleur. Ils avaient été précédés de peu par les voitures des Hamel, des Tremblay, des Veilleux et même des Pierri. Malgré les capotes relevées sur les bogheis, les passagers recevaient des gouttes de pluie poussées par un petit vent soufflant de l'est. Les voisins s'assemblèrent dans le salon pour réciter une dernière prière avant que le directeur des funérailles et son fils ferment définitivement la bière.

À la fin de la prière, Conrad Desfossés s'approcha de Florence et de son frère pour leur demander à voix basse s'ils désiraient les alliances de leur mère et le chapelet qu'elle tenait. Le fils se contenta de refuser en secouant la tête.

— Je vais garder le chapelet en souvenir, fit Florence d'une voix éteinte.

— Bon, si vous voulez bien vous retirer, dit Conrad Desfossés aux personnes encore présentes dans le salon. Nous allons procéder aux derniers préparatifs.

Les gens refluèrent vers la cuisine et la porte du salon fut fermée. Peu après, les deux responsables des pompes funèbres sortirent le cercueil par la porte avant de la maison et le déposèrent dans leur voiture. Le cortège funéraire se forma immédiatement derrière et prit lentement la route du village. Les chevaux peinèrent un peu sur la route transformée en véritable bourbier par les pluies abondantes des dernières heures. Le court convoi fut accueilli à son entrée dans le village par le glas qui sonnait au clocher de l'église.

À l'arrivée des voitures devant l'église, les quelques paroissiens qui attendaient sur le parvis entrèrent dans le temple. À l'intérieur, plusieurs Dames de Sainte-Anne de Saint-Jacques-de-la-Rive, mouvement paroissial dont faisait partie Fernande Fournier, s'étaient regroupées à l'arrière. Le curé Lussier, assisté par deux servants, vint accueillir sa paroissienne défunte et il suivit le corps jusqu'à l'avant. Florence, encadrée par son mari et son frère, emboîta le pas à l'officiant. Il y avait une trentaine de fidèles qui s'étaient déplacés pour venir rendre un dernier hommage à la disparue.

Après la messe et la bénédiction du corps, le pasteur prit le temps d'adresser quelques mots de réconfort aux proches. Puis la majorité des personnes présentes formèrent un petit convoi derrière le curé Lussier et se rendirent au cimetière situé derrière l'église.

Heureusement, la pluie avait cessé et on put même apercevoir une trouée dans les nuages. Le groupe s'arrêta devant la fosse creusée la veille par Joseph Groleau, bedeau et homme à tout faire de la paroisse. Il y eut une dernière prière récitée par le prêtre avant que le cercueil soit descendu avec précaution dans la fosse.

Lentement, la petite foule se dispersa. En revenant vers les véhicules, beaucoup de femmes maudissaient la boue qui maculait leurs souliers et le bas de leur robe. Avant de quitter les lieux, les voisins immédiats de

Germain Fournier lui offrirent leur aide. Ce dernier, la mine sombre, les remercia, tout en les assurant qu'il pensait être en mesure de se tirer seul d'affaire.

De retour à la maison, Florence ne prit pas la peine de retirer sa toilette. Elle se borna à mettre un tablier en déclarant :

— Je vais préparer un dîner vite fait. Sam a demandé au père Dionne de venir nous chercher vers une heure pour nous emmener à Pierreville. On va prendre le train de trois heures.

— J'aurais pu aller vous conduire, proposa Germain assez mollement.

— Ce sera pas nécessaire, trancha sa sœur. Sam a déjà tout arrangé. Si tu voulais m'allumer le poêle, on pourrait faire réchauffer quelque chose pour dîner.

Un silence inconfortable régna autour de la table durant tout le repas. Ce n'est qu'au dessert que Florence, obéissant à un coup de coude discret de son mari, finit par demander à son frère :

— Est-ce que m'man a laissé un testament ?

— Il me semble. Il devrait être chez le notaire, à Pierreville.

— Sais-tu ce qu'il contient ?

— À moins d'une surprise, elle m'a déjà dit qu'elle me laisserait tout parce que j'en avais toujours pris soin.

— Si c'est comme ça, qu'est-ce que tu vas faire avec toutes ses affaires de femme ?

— M'man avait pas grand-chose, affirma Germain, agacé par l'insistance de sa sœur.

Cohen lança un coup d'œil significatif à sa femme.

— De toute façon, je suppose que le notaire va nous convoquer quand ça va être le temps d'ouvrir le testament, dit Florence.

— Normalement.

— À ce moment-là, on verra bien ce que m'man avait décidé de faire avec la terre et ses autres affaires, reprit-elle d'un ton sec en retirant son tablier et en le déposant sur le comptoir.

Le front de son frère rougit, signe évident chez lui d'une violente émotion.

— Écoute donc, toi ! dit Germain en élevant un peu la voix. Tu trouverais pas ça écœurant qu'elle m'arrache la terre ? J'ai toujours travaillé dessus comme un esclave pendant que toi, tu vivais dans ta belle grande maison, en ville. Ton mari a de l'argent plein les poches et vous faites la grande vie pendant que moi, j'ai jamais eu une maudite cenne devant moi. J'ai toujours aidé le père jusqu'à sa mort, et après, j'ai pris soin de m'man. Pendant toutes ces années-là, on te voyait juste une fois ou deux par année. Tu venais nous montrer comment t'étais gâtée.

Le jeune homme se tut, un peu surpris d'avoir tant parlé. Le visage de sa sœur avait pâli sous l'attaque. Sans ajouter un mot, elle tourna brusquement les talons et monta à l'étage chercher ses affaires. Son mari la suivit pour ne pas demeurer seul avec son beau-frère en colère. Il y eut des chuchotements en provenance de la chambre où ils avaient dormi la veille. Des tiroirs de bureau furent ouverts et fermés avec fracas.

Sam et Florence attendirent de voir arriver Philibert Dionne avant de descendre au rez-de-chaussée avec leurs bagages. Ils n'eurent pas à affronter Germain avant de partir. Ce dernier devait être allé à l'étable. Ils montèrent dans la voiture du postier et quittèrent la maison sans même jeter un regard en arrière.

Chapitre 5

L'école

Deux jours après les funérailles de Fernande Fournier, Marthe Giguère, la femme du maire, profita du retour de la belle température pour aller acheter du fil et un patron chez Hélèna. La cadette de ses trois filles commençait l'école la semaine suivante et elle avait décidé de lui confectionner une robe.

Dès l'entrée de Marthe Giguère dans son magasin, Hélèna Pouliot, toujours friande de ragots, ne put s'empêcher de demander à l'épouse du maire si elle avait entendu parler de la dispute qui avait opposé Florence Fournier à son frère Germain, après les funérailles de leur mère.

— Qui vous a raconté ça, madame Pouliot ? demanda la femme du maire, curieuse.

— Notre Philibert, bien sûr ! répondit l'épicière. Il y a pas plus belette que lui dans toute la paroisse. Il a entendu la Florence en parler avec son mari quand il est allé les conduire à la gare de Pierreville. Il paraît qu'elle était pas contente, la grosse madame de Montréal !

— J'espère qu'ils se sont pas chicanés pour l'héritage. Cette pauvre madame Fournier a tout de même pas dû laisser mer et monde.

— C'est pourtant ce que raconte notre postier.

— Ce serait une tout autre histoire si le Germain était marié et père de famille, fit Marthe Giguère. En passant, je pense qu'il va lui falloir une femme bien vite à celui-là. Ça pouvait toujours aller quand sa mère était vivante et qu'elle faisait son ordinaire, mais à cette heure qu'elle est partie, il pourra jamais se débrouiller tout seul pour tout faire.

Hélèna Pouliot eut un sourire sarcastique à cette pensée.

— Quelle fille va bien vouloir d'un vieux garçon comme lui? demanda la sèche propriétaire du magasin général en se gourmant.

— C'est vrai qu'il doit pas être facile à vivre, cet homme-là, reconnut la femme du maire. Il a l'air renfermé en pas pour rire et, en plus, il parle presque pas.

— Je pensais pas seulement à ça, ajouta Hélèna. Pour être franche, on peut pas dire qu'il est bien beau, le Germain. Il a la face pleine de trous et il commence à perdre ses cheveux. En plus, il a l'air bête comme ses pieds et, comme si c'était pas assez, il est habillé comme la chienne à Jacques. Celle qui va accepter de se marier avec ça, ça va être une fille bien mal prise, c'est moi qui vous le dis.

L'entrée d'Elphège Turcotte dans l'épicerie empêcha les deux commères de continuer à médire. Elles le saluèrent et prirent des nouvelles de sa sœur Rose-Aimée avec qui il demeurait dans leur petite ferme du rang Saint-Pierre.

— Elle va numéro un, répondit l'homme avec un grand sourire qui laissait voir des dents brunes et ébréchées. Elle a reçu de ma tante Yvonne une pleine boîte de livres, la semaine passée. Avec ça, elle est heureuse.

Elphège Turcotte quitta l'épicerie après avoir fait l'achat de deux paquets de papier à cigarettes Zigzag et d'un paquet de tabac Player's. Par la vitrine, Marthe Giguère le vit s'arrêter sur la galerie, à quelques pas de la porte, et prendre le temps de se rouler lentement une cigarette avant de se remettre en marche.

— En voilà un qui s'en fait pas trop avec la vie, fit remarquer la femme bien en chair à Hélèna.

— Ça a pas une cenne qui l'adore, mais il fume des cigarettes, dit aigrement l'épicière. Il pourrait fumer la pipe et prendre du tabac du pays, comme tous les autres… Mais non! Il trouve que c'est trop fort pour lui. Il aime mieux le goût fin de la cigarette.

— Drôle d'homme.

— Il est pourtant moins pire que sa sœur, laissa tomber Hélèna. La Rose-Aimée, c'est pas elle qui risque de s'éreinter à travailler. La plupart du temps, tu la vois assise sur sa galerie, en train de lire, comme une grosse madame. Elle doit faire juste les repas. Elle a pas une fleur autour de la maison. Son jardin est grand comme un mouchoir et mal entretenu. Ses fenêtres sont encrassées au point qu'ils doivent rien voir dehors. Et là, je parle pas de la maison en dedans parce que j'y ai jamais mis les pieds, mais ça doit pas être beau à voir. Je vous dis que quand on a les deux pieds dans la même bottine…

— Ça, il faut dire que Rose-Aimée Turcotte est pas la femme la plus fière de Saint-Jacques, reconnut l'épouse du maire.

— Mais elle est toujours la première à demander de l'aide quand elle en a besoin. Pourtant, il paraît que le curé Lussier l'a pas mal brassée le printemps passé et qu'il lui a dit de s'aider elle-même avant de demander aux autres de le faire. Mais j'ai l'idée qu'elle changera jamais. Des fois, je me dis qu'elle rit de nous autres.

— C'est bien possible, conclut Marthe Giguère. Il faut pas être gênée pour demander de l'aide pour faire son ordinaire quand on n'est même pas mariée et qu'on a pas d'enfants.

Ce matin-là, Eugène Tremblay était parti avec ses trois fils nettoyer le fossé qui longeait sa terre. Pendant ce temps, Thérèse s'occupait de peler la plupart des pommes cueillies la veille dans les deux pommiers plantés entre la maison et le poulailler. Claire et Aline l'aidaient.

— Avec le poêle qui chauffe, on dirait jamais que toutes les fenêtres de la cuisine sont ouvertes, se plaignit Aline en passant une main sur la sueur qui perlait à son front.

— Si on chauffe pas le poêle, comment penses-tu qu'on va faire la compote, toi ? lui demanda sa sœur aînée, non sans laisser percer une pointe d'impatience dans la voix.

— Arrête de te plaindre, intervint sa mère. Le beau temps achève. Dans deux semaines, on va retourner dans la cuisine d'hiver parce qu'on va geler.

Durant quelques minutes, les trois femmes n'échangèrent pas un mot.

— Jeannine va venir me remplacer, décida la mère de famille en se levant. À dix ans, elle est capable de faire sa part. Vous aurez juste à la surveiller pour qu'elle épluche pas trop épais. Je vais aller vérifier si son linge pour l'école et celui de Lionel sont corrects.

— Ils sont chanceux, eux autres, de retourner à l'école, fit Aline sur un ton nostalgique.

Claire lança à sa cadette un regard excédé. On n'allait pas recommencer encore la même discussion. Depuis près d'un mois, l'adolescente de quatorze ans essayait de convaincre ses parents de la laisser poursuivre ses études au couvent des sœurs de l'Assomption, au village. Quand Thérèse Tremblay en avait glissé un mot à son mari, ce dernier avait opposé un non catégorique.

— Il en est pas question, avait-il tranché. Elle a pas besoin d'en savoir plus pour tenir une maison et élever des enfants. Qu'elle fasse comme Claire ! Qu'elle apprenne à cuisiner et à coudre avec toi.

— Elle voudrait devenir maîtresse d'école, avait tenté d'argumenter Thérèse.

— Des maîtresses d'école, il y en a plus qu'on en a besoin dans toutes les paroisses autour. On va dépenser de l'argent pour rien. Elle va faire comme la plupart des filles qui veulent devenir maîtresses d'école. Quand elle va être prête à faire l'école, elle va décider de se marier et elle pourra plus trouver d'ouvrage nulle part.

— J'ai déjà Claire pour m'aider, avait encore plaidé Thérèse.

— Ben, t'auras Claire et Aline, avait décidé Eugène avant de se replonger dans la lecture de *La Presse*.

Thérèse jeta un regard désolé à sa fille. Elle comprenait son désir de s'instruire et d'échapper, ne serait-ce que quelques années, à la vie de femme de cultivateur et de mère de famille.

— En tout cas, si t'as toujours l'intention d'aller au couvent, dit-elle à l'adolescente, il va falloir que tu décides ton père ces jours-ci. Il me faut du temps pour te faire la robe bleue que les sœurs demandent aux élèves de porter. Je couds pas aussi vite que la voisine, moi, ajouta-t-elle en faisant allusion à l'habileté et à la rapidité de couturière d'Yvette Veilleux.

Aline ne dit rien et continua à éplucher les pommes en compagnie de ses sœurs. Soudain, son visage s'anima. Elle venait d'avoir une idée. Elle attendit de se retrouver seule en compagnie de sa sœur Claire pour lui en faire part.

— Penses-tu que p'pa changerait d'idée si je lui disais qu'il y a deux ans, le bonhomme Veilleux, à côté, a jamais voulu, lui non plus, qu'Anne aille au couvent pour devenir maîtresse d'école ?

— Anne a jamais voulu devenir maîtresse d'école, lui fit remarquer sa sœur aînée après un bref moment de réflexion. Si je me rappelle bien ce que sa mère nous a déjà dit, elle avait bien trop de misère à l'école pour vouloir faire ça.

— Je le sais bien, répondit Aline, mais p'pa le sait pas, lui. C'est ma dernière chance de le décider à me laisser y aller. Si j'essaye rien, je vais passer l'hiver dans la maison et j'aurai plus jamais la chance d'aller au couvent.

— Tu prends surtout une chance de le braquer en lui parlant du voisin, la prévint Claire.

— Je vais essayer quand même, dit Aline sur un ton résolu.

Lorsque l'heure du dîner arriva, l'adolescente prit place à table entre Claire et Clément. Elle mangeait du bout des lèvres tant elle était nerveuse à l'idée de la dernière démarche qu'elle s'apprêtait à faire auprès de son père. Ce dernier était un homme placide, mais elle le savait aussi têtu et peu enclin à changer d'idée.

Après le repas, un peu tremblante, elle le suivit sur la galerie où il avait l'habitude de s'étendre pour une courte sieste avant de retourner travailler. Quand les garçons firent mine de sortir à la suite de leur père, leur mère les retint en leur faisant signe d'attendre un peu.

Sur la galerie, Eugène Tremblay s'étonna de voir l'adolescente le suivre.

— Tu vas pas aider ta mère à laver la vaisselle, toi?

— Je vais y aller, p'pa, mais je voulais vous parler avant que vous alliez vous reposer.

— Qu'est-ce qu'il y a? lui demanda son père.

— C'est au sujet du couvent, p'pa. J'aimerais tellement y aller, fit Aline, les larmes aux yeux.

— On en a déjà parlé et je t'ai dit non, il me semble, dit Eugène, en durcissant le ton.

— Je suis bonne à l'école. J'aime ça étudier, p'pa et...

— C'est pas une raison, la coupa son père.

— Si c'est juste pour l'argent, comme chez les Veilleux, que vous voulez pas, je pourrais toujours vous rembourser quand je ferai l'école.

— Qu'est-ce que les Veilleux viennent faire là-dedans ? demanda Eugène, tout de même un peu intrigué.

— Anne m'a dit qu'il y a deux ans, son père a pas voulu l'envoyer au couvent parce que ça coûtait trop cher et qu'il avait pas les moyens.

— Parce qu'elle voulait faire l'école, elle aussi ?

— C'est ce qu'elle m'a dit.

Eugène Tremblay demeura planté debout, imposant, devant sa fille. Aline le sentait ébranlé, prêt à changer d'idée, ne serait-ce que pour prouver au voisin détesté que lui, il avait les reins assez solides pour envoyer une de ses filles étudier au couvent. Il n'avait pas de religieux ou de religieuses parmi ses enfants, mais il pourrait se vanter d'avoir une maîtresse d'école.

— Et ta mère dans tout ça ? demanda-t-il finalement à sa fille d'une voix adoucie. As-tu pensé qu'en allant au couvent, tu pourras pas l'aider ?

— Je peux faire ma part le soir et la fin de semaine, p'pa. Je suis sûre que je vous ferais pas honte au couvent. Je pourrais même aider Jeannine et Lionel à faire leurs devoirs chaque soir.

— Ouais.

— Vous êtes sûr que vous voulez pas que j'y aille ? supplia-t-elle, les yeux pleins d'eau.

Eugène Tremblay regarda sa fille s'essuyer les yeux et il rendit les armes.

— Bon. Ça va. Si ta mère est d'accord, on va s'arranger. Mais t'es mieux de pas perdre ton temps chez les sœurs parce que ton cours va s'arrêter vite.

L'adolescente sauta au cou de son père pour l'embrasser puis rentra en coup de vent dans la maison, transportée de joie.

— Seigneur! s'exclama sa mère. Veux-tu bien dire ce que t'as à t'exciter comme ça? T'as failli arracher la porte-moustiquaire, espèce d'énervée.

— P'pa veut que j'aille au couvent! s'écria la jeune fille.

— Bon. Voilà autre chose, fit Thérèse en adressant un clin d'œil à sa grande fille Claire. Non seulement tu pourras pas nous aider, mais il va falloir en plus te faire une robe.

— Je vais vous aider, m'man, promit Aline.

— Commence donc tout de suite en prenant ça, fit Claire en lui tendant un linge à vaisselle.

Thérèse s'approcha de la porte-moustiquaire pour s'assurer que son mari était bien étendu à l'extrémité de la galerie et que les garçons s'étaient éloignés de la cuisine avant de revenir près du comptoir où sa fille déposait la vaisselle qu'elle venait d'essuyer.

— Je t'ai entendue parler à ton père. Qu'est-ce que c'est que cette histoire d'Anne Veilleux qui voulait aller au couvent? demanda-t-elle à mi-voix à l'adolescente.

— C'est pas une histoire, m'man, c'est…

— Aïe, Aline Tremblay! Prends-moi pas pour une valise! fit sa mère, sévère. Anne Veilleux a toujours été une queue de classe et, si je me fie à ce que me racontait sa mère, elle haïssait l'école à s'en confesser.

— Je le sais, m'man, protesta Aline.

— Pourquoi t'as raconté le contraire à ton père?

— Pour le décider à me laisser aller au couvent.

— Comment ça?

— En lui disant que le père Veilleux avait pas voulu parce que ça coûtait trop cher, j'ai pensé que p'pa voudrait prouver que lui, il avait les moyens de m'envoyer.

— T'as un front de «beu», ma fille, de conter des menteries en pleine face à ton père pour obtenir ce que tu veux! s'insurgea Thérèse. Tu mériterais que j'aille lui dire tout de suite la vérité. Je te garantis qu'il te ferait passer le goût d'être aussi effrontée avec sa ceinture.

— Faites pas ça, m'man, l'implora la jeune fille.

— T'oublieras pas de t'accuser de cette menterie-là dans ta prochaine confession.

— Non, m'man.

— Disparais de ma vue et va me chercher tous les pots vides qui traînent dans la réserve.

Soulagée de constater que sa mère ne la dénoncerait pas, l'adolescente s'empressa de quitter la cuisine d'été.

— Je te dis que celle-là, quand elle veut quelque chose, il y a rien qui l'arrête, dit Thérèse avec une certaine fierté à Claire, qui n'avait pas ouvert la bouche une seule fois pendant que sa mère disputait sa cadette.

— Pour une fois que la chicane entre p'pa et le voisin sert à quelque chose, laissa tomber la jeune femme, sans plus commenter.

— Pour ça, t'as bien raison, fit sa mère.

⁓

Au milieu de l'après-midi, l'odeur des pommes cuites embaumait la cuisine d'été des Tremblay. Thérèse et ses filles étaient occupées à remplir des pots de compote de pommes quand Aline vit passer Germain Fournier sur la route.

— Tiens, Germain est allé chercher des bidons de lait chez Veilleux ou Desjardins, fit-elle remarquer à sa mère et à ses sœurs.

— Pauvre Germain, il doit pas trouver la vie bien drôle, maintenant qu'il est tout seul, dit Thérèse Tremblay. Pas un chat à qui parler.

— Sais-tu, Claire, que ce gars-là te ferait un bon parti, reprit Aline. Il a presque ton âge et…

— Exagère pas, toi. Il a au moins cinq ans de plus que moi, protesta Claire Tremblay. En plus, il est laid comme un pou. Un vrai pichou !

— Voyons, Claire ! la réprimanda sa mère. T'es bien assez vieille pour savoir que la beauté chez un homme a pas d'importance.

— Je veux bien le croire, m'man, mais il y a tout de même des limites. Germain Fournier est jamais sorti avec une fille de la paroisse parce qu'elles le trouvaient toutes trop laid. Je suis pas plus folle qu'elles. C'est pas parce que je suis vieille fille cette année que je suis prête à prendre n'importe qui.

— C'est pourtant un bon travaillant. Il est vaillant et il a une terre.

— Oui. Il a aussi une maison qui est une vraie soue à cochons. Non merci. J'aime mieux rester vieille fille. Je suis pas mal prise à ce point-là.

— Il a peut-être des qualités que tu connais pas, se moqua sa jeune sœur.

— Toi, mêle-toi de tes affaires ! s'emporta l'aînée. J'ai pas besoin de tes conseils.

～

Au même moment, chez les Veilleux, Ernest exhalait sa mauvaise humeur après que sa femme lui eut fait remarquer pour la troisième fois en deux jours que Léo, Jean-Paul et Adrien ne pouvaient pas retourner à l'école sans une nouvelle paire de souliers.

— Arrête de m'achaler avec ça! s'exclama le petit homme sec avec impatience.

— Je vais arrêter quand tu te seras décidé à amener les garçons chez Filteau, à Pierreville, pour les chausser.

— Il y a pas le feu, sacrement!

— L'école commence dans deux jours. Veux-tu que tes gars y aillent nu-pieds comme les petits Tougas, l'année passée? On n'est pas riches, mais on n'est tout de même pas pauvres à ce point-là, ajouta sa femme, les poings posés sur les hanches.

— Mais m'man, je suis pas obligé de retourner à l'école, intervint Léo.

Sa mère jeta un regard meurtrier à son fils de treize ans pour lui signifier de se taire.

— Torrieu! C'est vrai qu'à son âge, il pourrait ben rester à la maison, s'emporta le père en déposant bruyamment sa tasse sur la table. Moi, à cet âge-là, j'aidais à la maison et j'allais pas user mon fond de culotte pour rien sur les bancs d'école.

— Ernest Veilleux, le prévint Yvette, fais-moi pas enrager avec ça! Il a juste treize ans. Il va au moins se rendre en septième année comme les autres, que ça lui plaise ou pas. Il viendra pas nous encombrer dans la maison pendant tout l'hiver à se tourner les pouces. C'est pas vrai, ça! On n'a pas besoin de lui en dehors de l'heure du train. T'as déjà Jérôme pour te donner un coup de main.

L'heure du train était venue et déjà Jean-Paul et Adrien avaient rassemblé les vaches devant la porte de l'étable. Avant de quitter la maison, Ernest Veilleux ne put s'empêcher de s'écrier:

— Veux-tu ben me dire, verrat, ce qu'ils font à leurs souliers, ces enfants-là! Il me semble que je les ai ressemelés au mois de juillet.

— Au mois de juin, le corrigea Yvette en ramassant les épluchures des pommes de terre qu'elle venait de peler pour le souper.

— Il me reste encore un ou deux morceaux de cuir.

— Ça servirait à rien, mon vieux, le raisonna sa femme. Leurs souliers sont finis et ils leur font plus pantoute.

— Dire que de mon temps, on mettait des souliers juste le dimanche pour aller à la messe, et on en est pas mort personne, ronchonna Ernest en secouant sa pipe dans le poêle après en avoir soulevé un rond.

— C'était une autre époque, lui fit remarquer Yvette.

— J'en reviens pas comment les enfants sont gâtés aujourd'hui. Avec eux autres, il y a pas moyen de garder une cenne.

Sa femme ne dit pas un mot et le cultivateur, mécontent, enfonça sa casquette sur sa tête et sortit de la maison en laissant claquer la porte-moustiquaire derrière lui, sans préciser s'il amènerait ou non ses trois plus jeunes fils à Pierreville.

Le lendemain après-midi, Ernest Veilleux monta à Pierreville avec ses trois plus jeunes. Deux heures plus tard, il revint à la maison. Après avoir dételé le cheval, il pénétra dans la cuisine d'été au moment où Yvette examinait de près les pieds de ses fils qu'elle venait d'inviter à chausser leurs souliers neufs.

— Marchez donc avec, leur ordonna-t-elle.

Les trois garçons marchèrent dans la pièce.

— Adrien, approche un peu, dit-elle au plus jeune.

Yvette se pencha sur lui et tâta le bout de chacun des souliers neufs.

— Mais ils sont bien grands, ces souliers-là ! s'exclama-t-elle.

— Les nôtres aussi sont pas mal grands, lui firent remarquer ses deux autres fils.

Leur mère s'approcha de chacun et chercha à repérer à travers le cuir des souliers neufs l'endroit où se trouvait l'extrémité des orteils de ses fils. Furieuse, elle se tourna vers son mari.

— Bonne sainte Anne, veux-tu bien me dire ce que t'as fait là, Ernest Veilleux? Tu leur as pas fait essayer leurs souliers neufs?

— Ben oui. Me prends-tu pour un fou? Au prix où Filteau les vend, je les ai pris un peu plus grands pour qu'ils leur fassent l'année prochaine.

— C'est intelligent ça! Avant, ils avaient des souliers trop petits; maintenant, ils flottent dedans. Pour les remplir, ils vont être obligés de porter deux grosses paires de bas de laine.

— Jamais contente! dit Ernest en haussant le ton. Comme ça, ils vont avoir chaud aux pieds cet hiver.

Yvette Veilleux comprit que la colère de son mari était à la veille d'éclater et elle cessa de le harceler. Elle se contenta de dire à ses fils:

— Je veux pas en voir un mettre ses souliers neufs en d'autre temps que pour la messe du dimanche et l'école. Vous m'entendez?

Chapitre 6

À la mode

L'arrivée de la première semaine d'octobre coïncida avec la fin de l'été indien. Durant quelques jours, on avait eu la fausse impression que la belle saison ne finirait jamais. Hélas! Après ce dernier tour de piste de l'été, la fraîcheur s'installa progressivement. Les feuilles des érables furent les premières annonciatrices de l'arrivée définitive de l'automne. Deux jours suffirent pour qu'elles tournent au jaune, au rouge et à l'orangé. Ce flamboiement de couleurs vives était un signal qui ne trompait personne. Le temps était venu de se préparer aux grands froids de l'hiver. Il ne restait pratiquement dans les jardins que des carottes et des citrouilles. De loin en loin, les cultivateurs avaient même entrepris de fumer leurs champs dépouillés de leur récolte.

Depuis quelques jours, l'air charriait partout des effluves de fumier frais.

— S'il peut se décider à mouiller, se lamentait Yvette Veilleux, comme chaque automne, on va arrêter de sentir ça! Il faudrait vivre les fenêtres fermées.

Par ailleurs, la plupart des fermiers de Saint-Jacques-de-la-Rive avaient déjà fait moudre leur blé. Ils avaient stocké leur farine après avoir vendu leur excédent au magasin Murray de Pierreville. Dans moins d'un mois, si la température le permettait, ils seraient en mesure de porter au moulin de La Visitation leur sarrasin dont la récolte s'annonçait assez prometteuse.

Ce matin-là, Céline Veilleux avait dû se couvrir d'une vieille veste de laine brune avant d'aller à l'extérieur pour remuer le mélange fumant d'os, de gras, de cendres et de *Lessi* qui mijotait dans une vieille cuve déposée sur un foyer en pierre des champs érigé derrière la maison. L'odeur dégagée par le mélange lui donnait des haut-le-cœur, mais elle en avait encore au moins pour une heure ou deux à laisser bouillir le tout avant que le savon du pays soit prêt à être retiré du feu et versé dans une antique lèchefrite. Durant l'après-midi, on n'aurait plus qu'à découper la pâte avec un couteau bien tranchant avant qu'elle ne devienne dure comme de la pierre. On aurait alors suffisamment de petits pains de savon du pays pour suffire aux besoins de la famille jusqu'au printemps suivant.

Après avoir remué le mélange durant quelques minutes, la jeune fille s'éloigna du liquide malodorant en songeant que ce serait tellement plus agréable d'utiliser du beau «savon d'odeur» pour faire sa toilette quotidienne. D'accord, ce savon ne valait rien pour laver les vêtements et les planchers, mais sur la peau, il sentait tellement bon. Mais il n'y avait que sa mère qui en possédait deux et elle les plaçait dans ses tiroirs de vêtements pour que ces derniers s'imprègnent de leur odeur agréable.

Soudain, un vol bruyant d'outardes traversa le ciel, le premier de la saison. «C'est presque déjà le temps de s'enfermer pour six mois», songea la jeune fille de vingt ans avec nostalgie.

— Céline, sors de la lune! lui cria sa mère par la fenêtre de la cuisine d'été qu'elle venait d'entrouvrir. La malle vient de passer. Entre-la quand t'auras fini de brasser le savon. Anne est en train d'épousseter le salon.

— C'est correct, m'man.

Céline Veilleux fit le tour de la maison et se rendit à la boîte aux lettres installée sur le bord du chemin. Le drapeau rouge avait été relevé par Philibert Dionne. La boîte contenait le catalogue de Simpsons-Sears. Enfin! Elle l'attendait depuis un mois. Elle s'empara de l'épais catalogue imprimé en noir et brun, et elle le feuilleta rapidement tout en regagnant la maison. Elle le déposa sur la table de la cuisine avant de retourner à l'extérieur.

Ce soir-là, le vent se mit à souffler et fit baisser sensiblement la température. Pour la première fois depuis le début du mois, il ne fut pas question de laisser éteindre le poêle à bois après le repas. Ernest Veilleux continua à l'alimenter durant toute la soirée pendant que Céline et sa sœur Anne étaient assises à table et feuilletaient lentement le catalogue à la lueur de la lampe à huile déposée au centre de la table.

— As-tu vu la nouvelle mode? fit remarquer Anne, excitée, à sa sœur. Je te dis que les robes ont pas mal raccourci. Aïe! on rit pas. Elles s'arrêtent aux genoux! De quoi vont avoir l'air les filles qui ont pas de belles jambes?

Intriguée par ce qu'elle venait d'entendre, Yvette Veilleux quitta sa chaise berçante placée près du poêle et vint voir les illustrations que l'une de ses filles venait de commenter.

— Si ça a de l'allure de se montrer tout écourtichée comme ça! s'exclama la mère de famille. Je comprends pourquoi les prêtres trouvent que celles qui portent des robes aussi courtes commettent un péché. Comment voulez-vous qu'un homme respecte une fille qui se promène à moitié habillée? Une femme qui a des principes cache ses jambes. De mon temps, c'était même mal vu de montrer ses chevilles. Là, en s'arrêtant aux genoux, les robes cachent plus rien.

— Pourtant, c'est la mode, m'man, lui fit remarquer l'adolescente de dix-sept ans.

— Toi, ma fille, va pas t'imaginer que tu vas te promener un jour dans la paroisse habillée comme ça pour nous faire honte, l'avertit sévèrement Yvette Veilleux en haussant le ton.

— Bien non, m'man. Vous voyez bien qu'elle dit ça juste pour vous faire parler, intervint Céline en donnant un léger coup de pied sous la table à sa sœur, à titre de mise en garde.

Ernest Veilleux, qui sommeillait dans sa chaise berçante, ouvrit les yeux pour jeter un coup d'œil à l'horloge. L'heure de se mettre au lit approchait.

— Le monde de la campagne est peut-être trop vieux jeu pour s'habiller comme ça, s'entêta Anne, mais on pourrait au moins se coiffer à la mode. Regardez les mannequins, m'man, invita l'adolescente en tendant vers sa mère le catalogue ouvert. Ils disent qu'elles sont coiffées « à la garçonne ».

— Bof !

— C'est vrai que les cheveux courts comme ça, ça doit être pas mal plus facile d'entretien, intervint Céline en se penchant à son tour au-dessus du catalogue. Le toupet est coupé carré et les cheveux descendent juste au-dessous des oreilles. Fini le brossage de cheveux à en plus finir chaque matin.

— Et les rouleaux le soir pour se faire des boudins, ajouta Anne en admiration devant la photo.

— Ça fait une drôle de tête, fit remarquer leur mère, pas du tout convaincue de la beauté de cette nouvelle coupe de cheveux.

— Bien non, m'man, s'entêta Anne. C'est bien plus beau que mes cheveux qui me descendent jusqu'au milieu du dos ou ceux de Céline qui lui vont jusqu'aux reins.

— Vous avez toutes les deux des beaux cheveux qui frisent.

— Qu'on passe notre temps à laver, à friser et à brosser, poursuivit Céline, conquise, comme sa sœur, par la nouvelle mode.

— Avec des cheveux courts comme ça, une femme a l'air d'une vraie Jézabel, déclara leur mère sur un ton définitif.

— Voyons, m'man! protesta Céline.

Il y eut un long silence entre les trois femmes, silence que le père brisa en se levant de sa chaise berçante tout en bâillant bruyamment.

— Bon. Arrêtez vos maudites niaiseries avec votre mode. Vos cheveux sont corrects comme ils sont là. C'est l'heure de dire la prière et d'aller se coucher. Anne, appelle tes frères pour qu'ils viennent faire leur prière avec nous autres.

Ce soir-là, les deux sœurs, qui partageaient la même chambre à coucher à l'étage, discutèrent longuement de la nouvelle mode après s'être mises au lit. Pour une fois, elles étaient d'accord: elles avaient le malheur de vivre avec des parents rétrogrades qui refusaient systématiquement tout ce qui était à la mode.

~

Le lendemain matin, Yvette Veilleux déclara aux siens, à l'heure du déjeuner, qu'on avait fini de geler pour rien dans la cuisine d'été et qu'elle avait décidé que la famille emménagerait dans la cuisine d'hiver le jour même. Son mari finit de manger ses œufs en trempant son pain dans le jaune d'œuf avant de parler.

— Comme toutes les maudites années, tu trouves le moyen de décider ça au moment où on a le plus d'ouvrage dehors, dit-il à sa femme. Torrieu! C'est aujourd'hui qu'on commence à labourer. J'attendrai pas que la pluie se mette à tomber.

— On n'est tout de même pas pour s'enfermer dans le haut côté quand il fait encore chaud, rétorqua Yvette. C'est pas de ma faute s'il commence à faire frais au moment où tu veux labourer. De toute façon, j'ai juste besoin de Jérôme une heure pour nettoyer les tuyaux du poêle. Après, il pourra aller te rejoindre quand tu le voudras.

— OK, fit le cultivateur en se levant de table. Jérôme, tu vas aller réparer les deux tôles sur la couverture de la porcherie quand t'auras nettoyé les tuyaux du poêle. Moi, je vais commencer à labourer le morceau proche du bois.

Ernest Veilleux prit sa veste de laine rouge et noire accrochée derrière la porte et sortit sur la galerie pour chausser ses bottes avant de se diriger vers l'écurie.

— S'il y a une *job* que j'haïs, c'est ben de nettoyer ces maudits tuyaux-là, déclara l'adolescent de quinze ans. J'en arrache chaque fois quand vient le temps de les réinstaller. Il y en a trop.

— Je vais te donner un coup de main, proposa Léo, avec une bonne volonté suspecte.

— Toi, tu touches à rien. Tu t'en vas à l'école tout de suite avec tes frères, lui ordonna sa mère. On est assez pour aider ton frère si c'est nécessaire.

L'adolescent de treize ans houspilla Jean-Paul qui traînait encore à table.

— Envoye, le gros! Essaye pas de vider toute la pinte de mélasse avant de partir. On va être en retard et on va encore se faire engueuler par la maîtresse. Regarde Adrien, lui, il est déjà prêt.

Aussitôt après le départ des trois plus jeunes de la famille, la nourriture fut rangée dans le garde-manger et la vaisselle fut lavée. Avant de mettre de l'eau à bouillir sur le poêle, Yvette Veilleux entra dans la cuisine d'hiver.

— Mets de la gazette partout avant de commencer à défaire les tuyaux, ordonna-t-elle à Jérôme.

— Pourquoi ?

— Parce que je veux pas avoir de la suie partout. Si t'en échappes, je t'avertis, Jérôme Veilleux, tu vas laver toute la cuisine.

Le jeune homme ne se fit pas répéter l'injonction. Il disparut rapidement dans la remise, construite dans le prolongement de la cuisine d'été, et il en revint avec plusieurs journaux qu'il étendit soigneusement sur le parquet. Pendant ce temps, sa mère et ses deux sœurs entreprirent de nettoyer la pièce où la famille allait vivre jusqu'à la fin du printemps suivant.

Lorsque Jérôme eut terminé son travail, on lava le plafond, les murs, les fenêtres et le parquet avant l'heure du dîner. Après le repas, on replaça dans la cuisine d'hiver tout ce qui avait été transporté le printemps précédent dans la cuisine d'été. Ce n'est que vers la fin de l'après-midi qu'on finit de ranger et de nettoyer la cuisine d'été et qu'on laissa le poêle de la pièce s'éteindre.

Le soir même, Yvette crut bon de préciser à tous les membres de sa famille qu'il n'était pas question que qui que ce soit laisse traîner des choses dans la cuisine d'été.

— Je vous préviens qu'on n'a pas travaillé comme des folles à la nettoyer pour rien, dit-elle sur un ton sévère. Toutes vos cochonneries, vous les laisserez dans la remise.

Pendant que Léo, Adrien et Jean-Paul faisaient leurs devoirs à un bout de la table, Céline et Anne discutaient à voix basse en tournant, encore une fois, les pages du catalogue de Simpsons-Sears. À plusieurs reprises durant la journée, les deux jeunes filles avaient tenu à voix basse des conciliabules qui s'éteignaient aussitôt que leur mère entrait dans la pièce où elles travaillaient.

— Avez-vous fini avec vos messes basses? avait fini par leur demander Yvette, excédée. Qu'est-ce que vous avez tant à vous raconter toutes les deux?

— Rien, m'man. On parlait juste de mode.

Leur mère leur jeta un regard sévère, plein de suspicion. Yvette se serait sûrement plus inquiétée si elle avait remarqué la disparition de ses ciseaux du tiroir de sa vieille machine à coudre Singer.

Le soir venu, après la prière commune, tout le monde regagna sa chambre. Anne attendit quelques minutes que toute la maison soit endormie pour quitter sa chambre à coucher sur le bout des pieds. Elle alla s'emparer de la petite lampe à huile déposée sur un guéridon, près de l'escalier. On la laissait là à la disposition de ceux qui avaient besoin de s'éclairer pour aller aux toilettes au bout de la remise, durant la nuit.

De retour dans la chambre, l'adolescente alluma la lampe et la déposa sur l'unique bureau de la pièce avant de s'asseoir sur le lit qu'elle partageait avec sa sœur.

— Es-tu sûre qu'il nous arrivera rien? demanda-t-elle à voix basse à sa sœur aînée.

— Qu'est-ce que tu veux qu'il nous arrive? rétorqua cette dernière.

— P'pa sera pas content pantoute quand il va nous voir arrangées comme ça.

— Puis après, reprit Céline qui faisait de réels efforts pour afficher une assurance qu'elle était loin d'éprouver. Qu'est-ce que tu veux qu'il nous fasse? Il pourra tout de même pas recoller nos cheveux.

— On pourrait en manger toute une!

— Écoute. Si t'as trop peur, laisse faire, fit sa sœur sur un ton méprisant, en plaçant la lampe à huile devant le miroir rectangulaire suspendu au-dessus du bureau.

La jeune fille saisit les ciseaux dissimulés sous son oreiller. Elle s'assit devant le miroir et elle détacha ses longs cheveux bruns bouclés qui descendaient très bas dans son dos. Après un bref moment d'hésitation, elle saisit une longue mèche et la coupa. Puis, comme emportée par son élan, Céline Veilleux se mit à couper elle-même sa magnifique chevelure sous les yeux de sa jeune sœur, muette d'admiration devant tant de courage. Après une dizaine de minutes de travail, il ne lui resta plus qu'à couper son toupet.

À la vue de l'amoncellement de cheveux sur le bureau et sur le parquet, Céline sembla saisir soudain toute la portée de son geste. Un peu tremblante, elle déposa les ciseaux devant elle sur le bureau et mit ses cheveux dans une vieille taie d'oreiller avant de se lever.

Aussitôt, sa sœur prit sa place devant le miroir.

— Envoye ! Coupe les miens aussi, ordonna-t-elle à Céline. Tu seras pas toute seule à être à la mode demain matin quand on va se lever.

— T'es sûre que c'est ce que tu veux ? lui demanda sa sœur, hésitante.

— Grouille, sacrifice ! Je suis pas pour passer toute la nuit sur la chaise.

En quelques instants, la chevelure de l'adolescente alla rejoindre celle de sa sœur dans la taie d'oreiller. À la fin de l'opération, l'une et l'autre n'eurent pas le cœur de s'admirer très longtemps dans le miroir tant elles étaient énervées d'avoir osé passer outre à l'interdit de leurs parents. Céline rapporta la lampe à huile sur le guéridon pendant que sa jeune sœur se réfugiait frileusement sous les couvertures.

Le lendemain matin, Yvette Veilleux dut élever la voix pour inciter ses filles à descendre plus vite pour l'aider.

— Sainte bénite ! Allez-vous finir par descendre, s'emporta-t-elle après un second appel. Dépêchez-vous. Votre père est à la veille de revenir de faire le train et les poules ont pas encore été nourries.

Il y eut un bruit de discussion en haut de l'escalier avant que Céline descende la première dans la cuisine. Sa mère, occupée à préparer la pâte à crêpes, ne tourna même pas la tête à son arrivée dans la pièce.

— Je te dis que ça fait drôle d'avoir à s'habituer à la cuisine d'hiver, dit-elle plus à elle-même qu'à sa fille. Mais c'est bien plus confortable et le poêle tire bien mieux. Qu'est-ce que t'avais ?

En tournant la tête, Yvette aperçut sa fille de vingt ans et, de stupéfaction, faillit échapper le bol dans lequel elle finissait de mélanger les ingrédients.

— Mon Dieu ! Qu'est-ce qui est arrivé à tes cheveux ? demanda-t-elle en s'approchant de sa fille, comme pour s'assurer qu'elle ne rêvait pas.

— Je les ai coupés, m'man, pour être à la mode.

Yvette attrapa sa fille par une épaule et la fit tourner sur elle-même pour mieux constater l'ampleur des dégâts.

— Mais à quoi t'as pensé de faire une niaiserie pareille ? Ils sont tout écharognés ! T'es-tu regardée dans un miroir ?

C'est ce moment-là que sa fille Anne choisit pour apparaître à son tour dans la cuisine.

— As-tu vu ce que ta sœur a fait à… ?

Yvette Veilleux fut tellement surprise en voyant la tête de l'adolescente que, pour la seconde fois, sa question demeura en suspens.

— Dis-moi pas que toi aussi, t'as fait la même bêtise ! s'exclama-t-elle. Ma parole, vous êtes devenues folles, toutes les deux !

— M'man, c'est pas la fin du monde, voulut argumenter Anne. C'est juste une coupe de cheveux à la mode. On était fatiguées de passer des heures à brosser nos cheveux et à les friser. Ça va être bien plus simple.

— Attendez de voir ce que votre père va en dire, vous autres ! Vous allez voir si ça va être aussi simple que ça ! les menaça Yvette. Puis, comptez pas sur moi pour vous défendre. Vous le saviez qu'il voulait pas que vous touchiez à vos cheveux. On va avoir droit à toute une crise, je vous le garantis.

— Mais m'man, on a tué personne, fit remarquer Céline, beaucoup plus pour se rassurer que pour convaincre sa mère.

— Puis pendant que j'y pense, avec quoi vous avez coupé vos cheveux ? J'espère que c'est pas avec mes ciseaux neufs. Si vous avez gâché mes ciseaux, mes petites bonyennes…

— Bien non, m'man, on a fait attention, répondit Anne qui avait dissimulé les fameux ciseaux dans la vaste poche de son tablier.

— Bon, fit leur mère en poussant un soupir exaspéré. Anne, va lever les œufs dans le poulailler et nourris les poules. Pendant ce temps-là, Céline va aller faire les lits en haut. J'ai pas hâte de voir ce que votre père va faire quand il va vous voir toutes les deux arrangées comme ça.

Moins d'une demi-heure plus tard, Céline vit ses frères revenir vers la maison. Elle aperçut aussi son père en train de sortir de l'étable les bidons de lait qu'il aurait à transporter à la fromagerie après le déjeuner. Peu après, le cultivateur pénétra à son tour dans la maison. Il était de mauvaise humeur parce que l'une des vaches, un peu plus nerveuse que d'habitude, avait fait un brusque écart et lui avait fait renverser une chaudière pleine de lait.

Jérôme, Léo, Jean-Paul et Adrien virent tout de suite la nouvelle tête de leurs sœurs en entrant dans la cuisine. Ils ouvrirent de grands yeux et grimacèrent pour marquer leur étonnement, mais ils se gardèrent bien de faire la moindre remarque, attendant, comme elles, l'explosion de leur père lorsqu'il les verrait.

Ce dernier alla s'asseoir au bout de la table en affichant son air des mauvais jours et Céline, un peu tremblante, s'empressa de venir lui verser une tasse de thé bouillant pendant que sa femme lui tendait une assiette de crêpes.

— Jérôme, passe-moi la mélasse, lui ordonna son père en tendant la main vers le pichet de mélasse.

L'adolescent s'exécuta. Anne et Céline, le visage blême de frayeur, finirent par venir prendre place à table aux côtés de leur mère. Elles ne déposèrent dans leur assiette qu'une seule crêpe, que l'angoisse les empêchait d'ailleurs de manger.

Durant tout le repas, il régna autour de la table un silence contraint. On n'entendait dans la pièce que le tic-tac de l'horloge et le bruit des ustensiles heurtant les assiettes. Tous les enfants avaient remarqué la mauvaise humeur de leur père et ne souhaitaient surtout pas provoquer sa colère.

Les deux filles n'osaient même pas se regarder. La gorge sèche, elles attendaient la tempête qui allait se déclencher d'un instant à l'autre. Anne était au bord des larmes et sa sœur bandait toute sa volonté pour faire face à la crise qui se préparait. L'une et l'autre auraient quand même tout donné pour avoir la chance de retrouver leur abondante chevelure de la veille, mais il était trop tard.

Pourtant, le repas prit fin sans qu'Ernest Veilleux semblât avoir remarqué la nouvelle tête de ses filles. Yvette fut la première à se lever de table et elle enjoignit à ses trois plus jeunes fils de se dépêcher à quitter pour l'école.

Le père se leva à son tour pour aller s'asseoir dans sa chaise berçante près du poêle, après avoir jeté une bûche dans ce dernier. C'était le moment d'allumer sa première pipe de la journée.

— Toi, va donc commencer à nettoyer l'étable, dit-il à son fils Jérôme sur un ton neutre.

L'adolescent, trop heureux d'échapper à l'atmosphère lourde qui régnait dans la cuisine depuis le début du déjeuner, s'empressa de sortir de la maison. Après le départ de Jérôme, Yvette et ses deux filles se mirent à ranger, sans dire un mot, la nourriture qui était demeurée sur la table. Ernest quitta sa chaise berçante et vint se planter debout à l'extrémité de la table.

— Est-ce que t'aurais permis à tes filles de se couper les cheveux comme des garçons sans m'en parler ? demanda le petit homme sec à sa femme sur un ton menaçant.

Immédiatement, les trois femmes s'arrêtèrent, figées par la colère rentrée qu'elles sentaient chez lui.

— Non, p'pa, on lui a pas demandé la permission, répondit Céline d'une voix légèrement tremblante.

— C'est pas à toi que je parle, c'est à ta mère, fit sèchement son père.

— Non, commença Yvette, mais…

— Si j'ai ben compris, elles ont fait comme si on leur avait pas défendu de faire ça ?

Sa femme se contenta de hocher la tête.

— Calvaire, par exemple ! éclata Ernest Veilleux. Il y a combien de maîtres dans cette maudite maison ? Veux-tu ben me le dire, toi ? As-tu vu de quoi elles ont l'air toutes les deux ? De deux vraies folles ! Elles vont faire rire d'elles dans toute la paroisse quand elles vont sortir de la maison.

— Je le sais bien, murmura sa femme.

— Si elles étaient plus jeunes, je leur sacrerais la volée de leur vie pour leur apprendre à me respecter. En tout cas, vous deux, ajouta-t-il sur un ton féroce en se tournant cette fois vers ses filles qui s'étaient réfugiées près du comptoir, arrangez-vous pour que je vous voie le moins possible avec votre tête pas montrable.

Là-dessus, le père de famille attrapa sa veste et sa casquette suspendues à un crochet et il sortit de la maison.

Il fallut quelques instants aux deux jeunes filles pour retrouver un semblant d'aplomb. Au fond, elles étaient soulagées d'avoir remporté cette victoire sans avoir eu à supporter un châtiment pire qu'une colère de leur père. Lorsque Yvette Veilleux surprit un début de sourire dans la figure de ses filles, elle ne put réprimer un mouvement de mauvaise humeur.

— Vous autres, les deux têtes croches, allez pas vous imaginer que vous allez vous en tirer à aussi bon compte. Après la vaisselle, je vais essayer d'égaliser vos cheveux parce que vous pouvez pas sortir arrangées comme ça. J'ai presque envie de vous raser la tête au complet. En tout cas, après, ça me surprendrait bien gros que la coupe que je vais vous faire ressemble à celle que vous pensiez avoir.

Après avoir lavé la vaisselle, la mère s'empara de ses ciseaux et obligea Anne à prendre place sur un tabouret au centre de la cuisine. C'était le tabouret sur lequel s'assoyaient Ernest et ses fils quand elle leur coupait les cheveux. Pendant qu'Yvette coupait les cheveux de l'adolescente, Céline ne ratait pas un de ses gestes pour s'assurer qu'elle n'enlevait pas trop de cheveux. Mais la jeune fille s'inquiétait pour rien. Après un premier mouvement de colère, sa mère avait déjà accepté l'irréparable et elle ne tentait que de rendre ses filles plus présentables.

Rassurée, Céline prit la place de sa sœur sur le tabouret pendant qu'Anne allait se regarder dans le miroir. Après l'opération, les deux sœurs durent convenir que leur mère avait parfaitement réussi à leur faire une coupe à la mode.

— Merci, m'man, dirent-elles presque simultanément. Vous nous avez fait une vraie belle coupe.

— Ça vous fait des têtes de garçon, constata Yvette Veilleux en examinant ses deux filles. Mon Dieu que c'est de valeur que vous ayez coupé vos cheveux! Ils étaient tellement beaux. Maintenant, on dirait qu'on ne voit plus dans votre visage que vos taches de rousseur.

Finalement, cette dernière remarque de leur mère troubla bien plus Céline et Anne que la colère de leur père. Durant tout le reste de la journée, les deux sœurs ne cessèrent de s'examiner en catimini chaque fois qu'elles passaient devant le petit miroir suspendu au-dessus de l'évier de la cuisine.

— D'après toi, est-ce que c'est vrai qu'on voit plus nos taches de rouille, comme m'man l'a dit? demanda Anne à son aînée au moment de se mettre au lit, ce soir-là.

— Je pense pas, répondit Céline d'une voix mal assurée. De toute façon, l'été est fini. Tu sais comme moi qu'elles vont pâlir durant l'hiver.

Chapitre 7

Entre voisins

Déjà, il ne restait pratiquement plus aucune feuille dans les arbres. Brunes et racornies, elles jonchaient le sol et venaient s'entasser au pied des murs des bâtiments. La mi-octobre était arrivée avec son cortège de pluie et de vent. Les derniers champs avaient été labourés de peine et de misère à cause du sol détrempé. Le ciel encombré de lourds nuages n'était plus traversé que par des vols d'outardes en route vers le sud.

Dans le rang Sainte-Marie, toutes les ménagères avaient maintenant emménagé dans leur cuisine d'hiver et la saison des marinades et des confitures était terminée. La plupart d'entre elles s'étaient lancées dans le ménage d'automne et préparaient la visite annuelle du curé Lussier qui allait entreprendre sa tournée des foyers de la paroisse dans quelques jours.

La veille, Thérèse Tremblay avait décidé d'effectuer une vérification générale de toute la literie de la maison et elle en avait conclu qu'il était temps de rembourrer tous les matelas et certains oreillers.

Ce mardi matin-là, une forte averse tombait et rien ne laissait présager qu'elle prendrait rapidement fin. Eugène, en train de distribuer du foin dans les mangeoires, sursauta en voyant apparaître Claire, son aînée, près de lui. Gérald, son fils de seize ans, était en train de faire entrer la quinzaine de vaches que son jeune frère Lionel était allé chercher en pataugeant dans le champ.

— P'pa, m'man te fait dire que Clément a une bonne grippe ce matin. Elle aimerait mieux qu'il reste couché.

— C'est correct, fit son père. À trois, on est ben assez pour faire l'ouvrage. Dis à ton frère de rester couché.

À la maison, le jeune homme regrettait déjà d'avoir dit à sa mère qu'il avait la grippe. Thérèse Tremblay n'avait pas perdu une minute à s'apitoyer sur son sort. Immédiatement, la bouteille de sirop à base de gomme d'épinette, l'huile camphrée chaude et les mouches de moutarde avaient fait leur apparition dans la petite chambre bleue de l'étage, répandant des effluves qui lui levaient le cœur.

— Mais m'man, vous allez finir par m'achever avec toutes ces cochonneries-là, se plaignit Clément entre deux quintes de toux qui lui arrachèrent la gorge.

— T'as pas le choix si tu veux guérir, répliqua sa mère. Arrête de faire le feluette et prends ça, lui ordonna-t-elle en lui tendant une cuillère à soupe remplie d'un liquide amer.

— Ouach! Mais c'est ben méchant cette affaire-là, fit le malade en réprimant une folle envie de régurgiter ce qu'il avait en bouche.

— Avale!

L'ordre fit aussitôt effet.

— Ça a vingt ans et c'est pire qu'un enfant de deux ans à soigner. Je plains la pauvre femme qui va te marier, toi. À cette heure, il faut que tu sues pour faire sortir le méchant.

Ce disant, la mère saisit deux épaisses couvertures de laine grise qu'elle avait déposées sur l'unique chaise de la pièce et elle les étendit sur son fils.

— Dors, c'est le meilleur remède, lui recommanda-t-elle. Moi, je descends aider les filles à finir de préparer le déjeuner.

Thérèse Tremblay descendit dans la cuisine bien réchauffée par le poêle à bois allumé près d'une heure plus tôt. Claire et la petite Jeannine finissaient de dresser le couvert pendant qu'Aline était allée nourrir les poules au poulailler.

— Est-ce qu'il va survivre ? demanda Claire en réprimant mal un sourire.

— Tu connais ton frère. Il est comme tous les hommes. Il est pas habitué à être malade. Il s'imagine qu'il va mourir à cause d'une petite grippe. Mais ça fait rien : il faut toujours prendre une grippe au sérieux. Si on fait rien, elle peut tomber sur les bronches ou sur les poumons. Quand je l'ai entendu tousser en me levant, je le savais déjà qu'il avait une bonne grippe. J'espère juste qu'il l'a pas donnée à Gérald, vu qu'il couche dans sa chambre.

Après le départ de Lionel et de Jeannine pour l'école du rang, Eugène resta planté un long moment devant l'une des deux fenêtres de la cuisine à scruter une flaque d'eau.

— On dirait que tu sais pas quoi faire de ta peau, lui fit remarquer sa femme en finissant de laver la vaisselle avec ses filles.

— Ben, je le sais pas trop. Je regarde le chemin et je me demande si c'est une ben bonne idée d'aller porter mon grain au moulin de La Visitation cet avant-midi. La route a l'air pas mal défoncé avec toute cette pluie-là. Le problème, c'est que j'ai dit à Pelletier que je lui apporterais mon grain aujourd'hui quand je l'ai rencontré samedi passé à Pierreville. Si j'y vais pas aujourd'hui, il risque de me faire attendre un bon bout de temps.

— Si tu y vas, j'espère que t'as pas dans l'idée d'amener Gérald avec toi, fit Thérèse en s'arrêtant brusquement devant son mari. J'ai besoin de lui pour apporter tous les matelas de la maison dans la cuisine d'été et pour me charrier de la paille. C'est le temps de rembourrer les matelas. Je vais profiter de ce qu'Aline a congé de couvent pour arranger aussi les oreillers en ajoutant des plumes dans ceux qui sont trop mous.

Eugène Tremblay demeura un instant à réfléchir avant de dire :

— Au fond, j'ai pas besoin de lui pour aller porter le grain. Il va juste m'aider à charger la voiture. Là-bas, je trouverai ben quelqu'un pour me donner un coup de main pour décharger.

— Vas-tu revenir pour dîner ?

— Je le sais pas. Ça dépend si Pelletier a d'autres clients à passer avant moi.

— Je vais te beurrer un peu de pain et te donner un morceau de fromage au cas où tu pourrais pas revenir à temps, fit sa femme en se dirigeant vers la huche à pain.

Moins d'une heure plus tard, Thérèse vit son mari s'engager sur la route. Derrière lui, dans la voiture, il y avait une vingtaine de poches de grain que Gérald l'avait aidé à charger. La pluie semblait s'être momentanément arrêtée, mais le ciel demeurait plombé et annonciateur d'autres averses.

Quand Gérald rentra dans la maison, sa mère lui demanda d'apporter quelques brouettées de paille dans la remise avant de descendre les trois matelas des chambres de l'étage et de les déposer dans la cuisine d'été.

— Et le nôtre ? demanda l'adolescent en parlant du matelas qu'il partageait avec son frère Clément.

— On le fera en dernier, après le dîner, quand Clément ira un peu mieux. Occupe-toi pas de celui de ma chambre. Anne et Claire sont capables de le transporter.

Cet avant-midi-là, la cuisine d'été fut le théâtre d'une activité intense. Les trois femmes décousirent partiellement l'enveloppe de chaque matelas et elles étalèrent la paille que chacun contenait en passant la main à l'intérieur. Ensuite, elles en ajoutèrent une bonne quantité qu'elles répartirent soigneusement avant de recoudre l'enveloppe. Quand Clément se réveilla un peu avant midi pour venir s'asseoir frileusement près du poêle, enveloppé dans une couverture, son frère s'empressa de descendre leur matelas pour qu'il subisse, lui aussi, cette cure de rajeunissement.

— Pendant que Céline m'aide à préparer le dîner, Gérald, tu vas monter tous les matelas dans les chambres et Aline va t'aider. Il restera juste à ajouter des plumes aux oreillers qui sont trop mous. Tu iras me chercher ensuite la poche de plumes qu'on a placée dans le haut du poulailler cet été.

Après avoir poussé un soupir excédé, l'adolescent empoigna le premier matelas à sa portée.

— Grouille! dit-il à sa sœur. J'ai pas l'intention de passer la journée enfermé dans la maison à vous servir, moi.

Sa mère lui jeta un tel coup d'œil qu'il se tut.

⁓

Chez les Tremblay, personne n'avait pu voir que le père n'était pas allé très loin avec sa voiture. À moins d'un demi-mille de la maison, soit à proximité de son deuxième voisin, l'une des roues avant de la voiture d'Eugène s'était enlisée dans une ornière et son cheval, en faisant un mouvement brusque de côté pour dégager le véhicule, avait brisé l'un des longerons.

— Maudite carne! jura le cultivateur en constatant le bris. On a l'air fin, là!

Pendant un moment, il se demanda s'il n'allait pas dételer son cheval et abandonner sur place la voiture brisée. Il pourrait toujours revenir avec son fils Gérald pour réparer temporairement le longeron, mais l'idée de retourner à pied à la maison ne l'enchantait pas.

Germain Fournier avait tout vu de chez lui, au moment où il sortait de sa porcherie après avoir nourri ses bêtes. Sans aucune hâte, le jeune cultivateur quitta sa cour et s'approcha de son voisin en pataugeant dans la boue qui couvrait la route du rang Sainte-Marie. Comme à son habitude, il ne dit rien. Il se contenta de saluer son voisin d'un bref signe de la tête et vint constater l'importance du bris.

— Tu parles d'une maudite malchance! fit Eugène en lui montrant le longeron brisé. Je m'en allais au moulin porter mon grain. Là, je vais être pogné pour attendre un bon bout de temps. Tu connais le caractère de cochon de Pelletier. Quand on n'est pas là au moment où il nous attend, il nous fait passer après tous ses autres clients.

Le jeune homme de trente ans resta un moment sans réaction avant de dire:

— Si vous voulez, je vais atteler ma voiture. J'ai du grain à apporter à La Visitation, moi aussi. On va mettre vos poches dans ma voiture avec les miennes et aller les porter là-bas cet avant-midi.

— Ça te dérange pas?

— Pantoute. J'ai fini le gros de mon ouvrage et Pelletier m'attendait aussi aujourd'hui.

— Et pour mon cheval?

— Dételez-le et amenez-le dans mon écurie. Pendant ce temps-là, je vais aller chercher la voiture.

Il ne fallut que quelques minutes aux deux hommes pour transborder les sacs de grain qui furent déposés sur la dizaine de poches que le véhicule contenait déjà. Germain Fournier couvrit le chargement d'une toile goudronnée épaisse avant d'aider son voisin à tirer sa voiture brisée dans sa cour.

Durant les premiers milles du trajet qui les séparait de leur destination, Germain Fournier ne desserra guère les dents et ne répondit à son compagnon que par monosyllabes. Ce n'est que lorsque ce dernier aborda le sujet du transport du lait qu'il sembla réellement s'intéresser à la conversation.

— As-tu pensé, Germain, qu'on pourrait s'organiser comme dans ben des paroisses autour pour transporter notre lait ?

— Comment ça, monsieur Tremblay ?

— Par exemple, à Saint-Gérard, presque tous les cultivateurs d'un rang sont organisés entre eux pour qu'il y en ait juste un qui ramasse le lait de tout le monde pendant une semaine et ramène les bidons vides de la fromagerie. La semaine d'après, c'est un autre qui prend sa place et fait la collecte. C'est pas plus compliqué que ça. De cette manière-là, on perd moins de temps sur le chemin et tout le monde y trouve son compte. Il s'agit juste de ben marquer notre nom sur nos bidons. Il y a quasiment juste chez nous, à Saint-Jacques, qu'on fait pas ça. Mais ça va changer, en tout cas dans le rang à côté. Mon beau-frère est en train de faire le tour des cultivateurs du rang Saint-Pierre pour organiser la collecte dans son rang. Il m'a dit que tout le monde embarque.

— Moi aussi, je suis ben prêt à embarquer dans ce système-là, même si on est juste deux ou trois de notre rang, dit le jeune cultivateur. Pas avoir à faire les deux milles aller-retour jusqu'à la fromagerie tous les jours, ça ferait ben mon affaire.

— Bon. Ça, c'est une bonne nouvelle. Quand notre maire m'en a parlé, moi aussi, j'ai pensé qu'on n'était pas plus fous dans le rang Sainte-Marie et j'ai commencé à faire le tour des voisins. Comme c'est là, on est huit dans le rang prêts à embarquer, fit Eugène Tremblay,

enthousiaste. Il y a juste Antonius Tougas qui est pas intéressé. Il m'a dit qu'avec quatre vaches, ça valait pas la
peine d'apporter son lait à la fromagerie.

— Est-ce que votre voisin a accepté lui aussi ?

— Georges Hamel ? Il a été le premier.

— Non. Je voulais dire votre voisin de l'autre côté,
Ernest Veilleux.

Le visage avenant d'Eugène se ferma immédiatement.

— Sais-tu, j'ai pas eu la chance de lui en parler, mentit-
il au jeune homme.

— Voulez-vous que je lui en parle si j'en ai l'occasion ?
Il a tout de même une quinzaine de vaches. Il pourrait ben
être intéressé.

— Fais ce que tu voudras, répondit-il sèchement.

Un silence inconfortable s'installa dans la voiture.
Eugène Tremblay traitait mentalement le conducteur de
«jeune insignifiant» parce qu'il feignait d'ignorer son
ressentiment envers Ernest Veilleux. Il regretta d'avoir
abordé avec lui la question du transport du lait. Le jeune
homme venait de lui rappeler qu'on ne pouvait mettre sur
pied un système commun de ramassage du lait dans la
rang Sainte-Marie sans en parler à Ernest Veilleux, même
s'il aurait mille fois préféré le laisser de côté. L'exclure
aurait mis le feu aux poudres et toute la paroisse l'aurait
blâmé, à commencer par Thérèse…

— Quand est-ce que vous pensez pouvoir commencer ? demanda Germain Fournier quelques instants plus
tard.

— La semaine prochaine, à deux conditions. D'abord,
il va falloir que chacun construise une plate-forme d'environ quatre pieds de haut proche de sa boîte aux lettres.
Il pourrait déposer là ses bidons de lait après son train.
Comme ça, celui qui va faire la collecte aura même pas à
descendre de voiture pour les ramasser. Ensuite, il faut

qu'on marque notre nom sur chacun de nos bidons pour que Dionne sache de qui vient le lait. En revenant du village, celui qui fait le ramassage aura juste à laisser les bidons vides sur la plate-forme.

— C'est correct. J'ai le temps de faire ça avant lundi matin, accepta Germain, enthousiaste.

Le reste du trajet se déroula dans un silence presque complet. Quand Eugène Tremblay s'informa auprès du jeune homme s'il éprouvait de la difficulté à vivre seul depuis le décès de sa mère, ce dernier se borna à répondre :

— Je me débrouille.

Les deux hommes revinrent de La Visitation au début de l'après-midi avec leurs poches de grain moulu. En passant devant sa ferme, Germain Fournier attacha la bête de son voisin à l'arrière de sa voiture et il se rendit jusqu'aux bâtiments des Tremblay. Il aida même Eugène et son fils à mettre à l'abri les sacs de farine.

Par la fenêtre, Aline aperçut le voisin en train d'aider Gérald et son père à transporter la farine à l'intérieur de la grange.

— Claire, viens voir ! cria-t-elle à sa sœur aînée. Je pense que ton cavalier est venu faire sa grande demande. Il doit tenir à toi en pas pour rire. Il est venu pareil, même s'il mouille pas mal.

Sans réfléchir, Claire rejoignit l'adolescente pour voir de qui il s'agissait.

— Ouach ! fit-elle d'un air dégoûté. Veux-tu ben arrêter de m'étriver avec Germain Fournier, toi !

— Aïe, vous deux ! C'est ça que vous appelez de la charité chrétienne ? les réprimanda leur mère. Enlevez-vous donc de devant la fenêtre. Vous avez l'air de deux écornifleuses. Germain est peut-être pas ben beau, mais il est pas aveugle.

— Bien non, m'man, c'est une farce que je faisais, fit Aline en laissant retomber le rideau devant la fenêtre de la cuisine.

Quand Eugène rentra dans la maison après le départ de son jeune voisin, il expliqua à sa femme son accident de voiture et l'aide que Germain lui avait apportée.

— On dirait qu'il est moins sauvage qu'il l'a déjà été, fit remarquer Thérèse.

— Je pense qu'il se souvient que t'es allée donner un coup de main quand sa mère est morte, dit son mari. En tout cas, c'est pas le plus bavard de la paroisse, je t'en passe un papier. Mais il a accepté de faire partie du groupe pour le ramassage du lait. C'est déjà ça.

Si Thérèse Tremblay eut une pensée pour les Veilleux que personne n'avait encore contactés à ce propos, elle se garda bien d'aborder le sujet, connaissant d'avance la réaction de son Eugène.

— Qu'est-ce qu'on va faire avec la voiture cassée? demanda Gérald qui entrait dans la cuisine avec une brassée de bûches qu'il laissa tomber dans la boîte à bois placée près du poêle.

— Le voisin a dit qu'elle nuisait pas là où on l'a laissée et qu'on pouvait ben attendre qu'il fasse plus beau pour aller la chercher. On s'en occupera demain.

~

Après avoir soupé d'un reste de fèves au lard réchauffées, Germain Fournier alluma un fanal parce que le soleil se couchait maintenant vers dix-huit heures trente. Armé de sa lanterne, il se rendit dans la remise où il se mit à déplacer divers objets. En mangeant, il s'était soudainement souvenu d'avoir vu un vieux longeron poussiéreux laissé par son défunt père. Le problème était de le retrouver au milieu de toutes sortes de choses disparates empilées pêle-mêle, au fond de la remise.

Le jeune cultivateur finit par trouver ce qu'il cherchait et il lui fallut moins d'une heure pour l'installer à la place du longeron brisé sur la voiture de son voisin, après avoir tiré cette dernière dans sa remise.

Il ne fallait pas croire que Germain Fournier était subitement devenu généreux et d'un voisinage agréable en posant ce geste. Non, il l'avait fait parce que les Tremblay l'avaient aidé lors du décès de sa mère. Il n'aimait pas avoir l'impression de devoir quelque chose à quelqu'un. Comme ça, il était quitte envers eux.

Le lendemain après-midi, Eugène et son fils Gérald eurent la surprise de découvrir leur voiture réparée quand ils se présentèrent chez leur voisin avec un nouveau longeron. Germain, arborant son habituel visage peu avenant, abrégea au maximum les remerciements d'Eugène et refusa tout net d'être dédommagé pour sa peine.

— Il est ben smatte d'avoir réparé notre voiture, mais tu parles d'un maudit air bête, par exemple, ne put s'empêcher de dire Eugène à sa femme, une fois rentré à la maison.

~

Moins d'une heure plus tard, Clément Tremblay, toujours grippé, vit passer Germain Fournier devant la maison.

— Germain Fournier est rendu sociable sans bon sens, dit-il à sa mère en laissant retomber le rideau de la fenêtre devant laquelle il se berçait. Il a l'air de s'en aller du côté des Veilleux.

— Je pense, mon gars, qu'il est grand temps que tu guérisses au plus vite pour retourner aider ton père, lui fit remarquer sa mère d'un air narquois. Tu deviens aussi fouine que tes sœurs qui passent leur temps à manger les fenêtres quand quelqu'un passe sur le chemin.

Les « oh ! » indignés de Claire et d'Aline indiquèrent à Thérèse Tremblay que ses filles l'avaient bien entendue.

— Je te dis que j'ai hâte de retourner au couvent demain, moi, dit l'adolescente à sa sœur aînée. Sœur Saint-Sauveur a beau être dure, elle l'est pas mal moins que m'man avec nous autres.

Pendant ce temps, Germain Fournier venait d'arriver chez les Veilleux. Après avoir attaché son cheval au garde-fou de la galerie, il sembla hésiter un moment entre aller frapper à la porte de la maison ou se rendre aux bâtiments où Ernest Veilleux pouvait être en train de travailler. Finalement, il vint frapper à la porte de la maison et c'est Céline qui vint lui ouvrir. Le jeune homme sursauta légèrement en apercevant la tête de celle qui le fit entrer.

— Est-ce que ton père est ici ? demanda-t-il en enlevant sa casquette.

— Entre, Germain, l'invita Yvette Veilleux qui était en train de coudre sur sa vieille machine à coudre Singer placée sous l'une des fenêtres de la cuisine. Céline, appelle ton père. Il me semble l'avoir entendu brasser quelque chose dans la remise, à côté.

L'épouse d'Ernest Veilleux se leva et vint à la rencontre de son jeune voisin pendant que sa fille ouvrait la porte de la cuisine d'été, qui communiquait avec la remise, pour appeler son père.

Moins d'une minute plus tard, Ernest Veilleux entra dans la cuisine, surpris de voir Germain Fournier debout devant la porte.

— Viens t'asseoir, Germain, lui dit-il avec un entrain un peu forcé.

— Merci, monsieur Veilleux. Je venais juste pour vous parler de quelque chose qui pourrait peut-être vous intéresser, fit le jeune homme en se contentant de déboutonner son manteau avant de s'asseoir sur la chaise que lui avait avancée son voisin.

Sur un signe de sa mère, Anne prépara deux tasses de thé qu'elle déposa devant son père et le voisin. Germain eut un second mouvement de recul imperceptible en apercevant la coupe de cheveux de l'adolescente et il jeta un coup d'œil rapide à sa sœur pour s'assurer que toutes deux avaient perdu, il ne savait trop comment, les épaisses et longues crinières qu'il avait plus d'une fois remarquées.

En quelques mots, Germain Fournier expliqua à son voisin les principes de la collecte communautaire du lait et l'importance de construire rapidement une plate-forme pour y déposer ses bidons de lait, s'il décidait de participer.

— Qui a eu cette idée-là? demanda Ernest, soupçonneux.

Germain fut aussitôt sur ses gardes. Il devina instinctivement que s'il disait que l'idée venait d'Eugène Tremblay, son hôte refuserait carrément de participer.

— Je le sais pas trop, mentit-il. J'ai entendu dire que le maire avait parti l'idée de faire cette affaire-là dans Saint-Pierre.

En entendant parler du maire, le beau-frère d'Eugène Tremblay, la figure d'Ernest Veilleux se crispa.

— T'es sûr que c'est pas Tremblay qui a eu cette idée-là pour notre rang?

— C'est ben possible, monsieur Veilleux, reconnut Germain, mal à l'aise.

— C'est lui qui t'en a parlé ? demanda le cultivateur, soupçonneux.

— Oui. Mais vous savez que tous les cultivateurs de notre rang trouvent que ça a ben de l'allure et ils embarquent tous. Ils sont tous contents de gagner du temps. Ils sont comme moi, ça les intéresse de pas être obligés d'atteler tous les matins pour aller porter leur lait à la fromagerie et...

— Ça commencerait quand ? le coupa Ernest Veilleux, d'un ton abrupt.

— Lundi prochain.

— Si vite que ça ?

— D'après ce qu'on m'a dit, tous les autres ont accepté, poursuivit Germain Fournier pour tenter de convaincre son vis-à-vis.

— Bon. Je vais y penser.

— On m'a dit que le premier du rang commencerait. Comme Tougas a pas assez de lait pour participer, je pense que Pierri va commencer lundi prochain, conclut Germain.

Il y eut un bref silence et Germain se leva, déjà prêt à partir.

— As-tu l'intention de faire boucherie cette année ? lui demanda Yvette Veilleux pour faire diversion.

— Il va ben le falloir, même si je suis tout seul, madame Veilleux.

— Tu vas tuer une vache ?

— Non. Je perdrais ben trop de viande. Non, je pense que je vais me contenter d'un de mes cochons.

— J'espère que tu perdras pas la main, lui fit aimablement remarquer Yvette. Ta mère m'a souvent dit qu'il y avait pas meilleur que toi pour couper la viande.

Germain rougit légèrement sous le compliment.

— Moi, j'ai pas le tour de main qu'il faut, intervint Ernest. On dirait que les morceaux que je prépare sont jamais ben coupés. Dis donc. J'y pense tout à coup. Ça te tenterait pas de faire boucherie avec nous autres ? Cette année, j'ai une vache ben engraissée et un cochon à tuer. Si tu viens nous donner un coup de main, on pourrait te donner un quartier de notre vache et ça te changerait de manger toujours du lard.

Germain Fournier n'hésita qu'un bref moment avant de donner son accord.

— Correct, mais vous me laisserez fumer votre lard dans mon fumoir. Je vous promets que vous allez vous souvenir longtemps du jambon que vous allez manger cet hiver.

— C'est parfait. À la première journée de gel, on va faire ça, conclut Ernest sur un ton satisfait avant que Germain quitte la maison.

Pendant qu'Ernest Veilleux accompagnait son voisin jusqu'à sa voiture, Anne ne put s'empêcher de faire remarquer à voix basse à sa sœur :

— Je te dis qu'il embellit pas, lui.

— Anne ! Arrête de dire des niaiseries, la réprimanda sa mère qui avait entendu sa réflexion. Germain est peut-être pas une beauté, mais c'est un bon travaillant. Il finira bien par se trouver une femme pour prendre soin de lui. Tu sauras, ma fille, que chaque torchon trouve sa guenille et que la beauté, c'est pas tout dans la vie.

— Il serait peut-être pas si pire s'il s'arrangeait un peu, intervint Céline, conciliante.

— Et s'il avait l'air moins bête, chuchota sa jeune sœur en rangeant les deux tasses vides laissées sur la table.

Leur père rentra dans la maison. Yvette le regarda par-dessus ses lunettes qu'elle ne portait que pour lire ou pour coudre, avant de se pencher vers le pantalon qu'elle était en train de réparer.

— Qu'est-ce que t'en penses, de l'idée du ramassage du lait ? demanda-t-elle à son mari.

— Ça marchera pas, laissa tomber Ernest, méprisant, en retournant s'asseoir dans sa chaise berçante.

— Pourquoi tu dis ça ?

— Parce que je connais les autres. Ça fera pas un mois, cette patente-là. Un beau matin, il y en a un qui va oublier de ramasser le lait de quelqu'un ou de lui rapporter ses bidons vides et le diable va être aux vaches.

— Voyons, Ernest !

— Je te le dis ! affirma Ernest avec force. Après une couple de jours, il y en a qui vont finir par se demander pourquoi ils gaspillent leurs avant-midi durant toute une semaine quand ça leur prend même pas une heure et demie pour aller porter leur lait d'habitude.

— Oui, mais pense à l'hiver, lui rappela Yvette. As-tu pensé que pas avoir à atteler pendant deux mois chaque matin que le bon Dieu amène, ça a pas de prix ?

— Ben oui. Imagine-toi donc que celui qui va geler dehors pendant que les autres vont avoir les pieds sur la bavette du poêle, ben au chaud, va y penser, lui aussi. Celui-là va vite en avoir plein son casque de ramasser pour les autres, je te le garantis.

— Si je comprends bien, t'as pas l'intention d'embarquer ? fit Yvette en affichant une vague réprobation.

— Pantoute ! Moi, les patentes à Tremblay, j'en ai pas besoin et j'ai pas confiance.

— Pauvre toi !

— Laisse faire, Yvette Dubé, dit son mari en haussant la voix. Je suis capable de mener ma barque sans les autres, moi. Je suis pas un sans-cœur.

— OK, choque-toi pas, le calma sa femme. Je vous dis que vous autres et vos chicanes, ajouta-t-elle en secouant la tête.

— Ça, ça te regarde pas, répliqua Ernest sur un ton définitif.

Le lundi suivant, les cultivateurs comprirent qu'Ernest Veilleux refusait de faire partie du ramassage collectif quand Bruno Pierri leur apprit que le propriétaire de la dernière ferme du rang Sainte-Marie n'avait pas construit sa plate-forme pour y déposer ses bidons de lait et qu'il lui avait dit son intention de continuer à transporter lui-même son lait à la fromagerie.

Chapitre 8

La visite paroissiale

Les premières gelées avaient fait tomber les dernières feuilles des arbres et couvraient les champs d'une fine pellicule blanche chaque nuit. Les fermiers s'étaient résignés, les uns après les autres, à garder leurs animaux à l'intérieur durant la journée, mesure qui les obligeait à leur prodiguer plus de soins et à nettoyer chaque jour l'étable et la porcherie. Les maîtresses de maison avaient déjà inspecté et réparé les lourds vêtements d'hiver que les enfants avaient commencé à porter, un peu à contrecœur, pour se rendre à l'école. Novembre était finalement arrivé.

Depuis quelques jours, le frimas couvrant la toiture des maisons et des bâtiments ne disparaissait plus qu'au milieu de l'avant-midi, lorsque le soleil tentait une timide percée.

Le curé Lussier venait à peine de quitter son bureau pour aller chercher un livre oublié sur sa table de chevet, dans sa chambre, lorsqu'il entendit un bruit d'éclatement venant de la cuisine.

— Bonté divine ! s'écria Agathe Cournoyer d'une voix exaspérée.

Le prêtre poussa la porte de la cuisine pour découvrir la vieille ménagère, debout, la mine catastrophée, devant un gâteau dont les morceaux jonchaient le plancher au milieu de débris de verre.

— Voulez-vous bien me dire ce qui se passe, madame Cournoyer ? demanda Antoine Lussier.

— Il me semble que ça se voit, répondit la cuisinière à bout de patience. Je viens d'échapper le gâteau que je me préparais à glacer. Mon arthrite me lâche pas. J'ai de la misère à tenir quelque chose.

— Avez-vous vu le docteur Courchesne pour ça ? fit le curé d'une voix radoucie.

— Bien oui, monsieur le curé, répondit la vieille dame d'une voix lasse. Tout ce qu'il a trouvé à me dire, c'est que c'était normal à mon âge d'avoir de l'arthrite et des rhumatismes. Il m'a donné des pilules, mais ça a servi à rien. Je vais avoir soixante-treize ans, monsieur le curé. Veux, veux pas, je suis plus capable d'en faire autant qu'avant.

Antoine Lussier la regarda avec compassion. Brusquement, il se rendit compte que la veuve d'Armand Cournoyer était sa ménagère depuis plus de quinze ans et qu'elle avait dix ans de plus que lui.

— C'est sûr qu'on rajeunit pas.

Au moment où le prêtre allait retraiter dans le couloir, sa cuisinière l'arrêta.

— Ça fait un bout de temps que je veux vous en parler, monsieur le curé. Le presbytère est rendu trop grand à entretenir pour moi toute seule. J'y arrive plus. Faire l'ordinaire et le ménage, c'est trop pour une femme de mon âge.

— On peut toujours demander à madame Drolet de venir plus souvent qu'une fois par mois vous donner un coup de main pour les gros travaux, proposa spontanément le prêtre.

— Je suis certaine que ça ferait l'affaire de cette pauvre Élisa Drolet avec ses trois jeunes enfants à nourrir et son mari estropié qui peut presque rien faire, mais elle peut pas venir ici tous les jours, et c'est tous les jours que j'aurais besoin d'aide.

Les Drolet, voisins du maire Giguère dans le rang Saint-Pierre, n'avaient pas la vie facile depuis le retour de la guerre du jeune père. Edmond Drolet avait été sérieusement blessé par un éclat d'obus et était revenu du front avec un pied en moins. Depuis trois ans, l'invalide effectuait des travaux de cordonnerie et de sellerie pendant que sa femme cousait et faisait des gros travaux ménagers au presbytère et chez certains retraités du village. Même s'ils n'arrivaient que très difficilement à nourrir leurs trois jeunes enfants, les Drolet étaient trop fiers pour accepter la charité de leur entourage.

— Tous les jours ? s'étonna le pasteur.

— Bien oui, monsieur le curé. Ce qu'il me faudrait, c'est quelqu'un qui vienne m'aider tous les jours. Je pourrais lui apprendre ce qu'il faut faire et, au printemps, je pourrais enfin m'arrêter.

— Si vous arrêtez, qui est-ce qui va venir vous remplacer ? On a beau dire qu'il y a personne d'irremplaçable, je vois pas qui serait aussi bonne cuisinière que vous.

Agathe Cournoyer eut un mince sourire narquois.

— Essayez pas de m'avoir avec des compliments, monsieur le curé, le prévint-elle. Je suis trop vieille pour me faire avoir avec ça.

— À moins qu'une communauté de religieuses de Nicolet soit prête à m'envoyer une de ses sœurs, fit le prêtre d'une voix songeuse.

— Je vous avertis tout de suite, monsieur le curé, déclara tout net Agathe Cournoyer. Si une sœur s'installe dans ma cuisine, moi, je pars. Je les connais, nos bonnes sœurs. Aussitôt arrivée, une religieuse va me donner des ordres du matin au soir et j'ai passé cet âge-là.

— Sans compter qu'il faudrait la loger chez les sœurs du couvent, ce que la supérieure acceptera certainement pas de gaieté de cœur.

Un long silence s'installa entre le prêtre et sa cuisinière, debout de part et d'autre de la table placée au centre de la cuisine.

— Pour me remplacer, j'ai une idée qui me trotte dans la tête depuis un bon bout de temps, reprit finalement Agathe Cournoyer. Mais je sais pas si ça va vous convenir.

— Dites toujours.

— Vous vous rappelez qu'une de mes cousines est une sœur Grise qui s'occupe des enfants de l'orphelinat de Saint-Ferdinand.

— Oui. Vous m'en avez déjà parlé. Mais il me semble que vous m'aviez dit qu'elle était assez âgée.

— C'est vrai, mais je pensais pas à elle pour me remplacer, monsieur le curé. Quand je l'ai vue le printemps passé, elle m'a parlé de jeunes filles qui avaient été élevées à Saint-Ferdinand et qui restaient avec les sœurs pour les aider aux cuisines et à faire le ménage. Elle disait qu'elle en connaissait deux ou trois tout près de la vingtaine qui étaient pieuses, vaillantes et bonnes cuisinières. Il paraît que ça arrive que les sœurs les envoient travailler dans des familles qui ont besoin d'aide. J'ai pensé que vous pourriez peut-être demander à la supérieure de l'orphelinat de vous en envoyer une.

— C'est pas si simple que ça, madame, répliqua le curé Lussier, peu enthousiasmé par l'idée. Monseigneur acceptera jamais qu'une jeune fille couche seule au presbytère. Vous connaissez sûrement des paroissiens mal intentionnés qui se dépêcheraient de partir des ragots... Non, je pense pas que ça puisse se faire.

— Mais si je prenais la fille en pension chez moi, personne aurait rien à redire, monsieur le curé. Elle travaillerait avec moi toute la journée, et le soir, elle viendrait coucher à la maison.

Antoine Lussier poussa un profond soupir avant de rendre les armes.

— Bon. Je peux toujours essayer. Ça coûte rien de le faire.

— C'est sûr. Si la fille fait pas l'affaire, on aura juste à la renvoyer à l'orphelinat, suggéra la ménagère, réaliste.

— Je vais tout de même écrire à Saint-Ferdinand, dit le curé. On verra bien ce que la supérieure va décider. Peut-être voudra-t-elle pas se séparer d'une de ses filles.

~

Ce dimanche-là, durant le souper, Antoine Lussier prévint son vicaire qu'il avait l'intention de commencer enfin sa visite paroissiale annuelle dès le lendemain avant-midi, comme il l'avait annoncé en chaire à la grand-messe, le matin même.

— J'en ai pour une dizaine de jours, conclut le curé. Ça veut dire, l'abbé, que vos visites des écoles devront attendre un peu. J'ai besoin de vous au bureau pendant que je suis sur le chemin. Je ferai pas comme l'année passée quand mon vicaire et moi partions tous les deux et laissions le presbytère vide durant une partie de la journée. Il faut que vous soyez ici pour les urgences.

— Il y a pas de problème, monsieur le curé. J'ai prévenu les maîtresses d'école que je viendrais voir si les enfants apprenaient bien leur catéchisme une fois par mois. Ma tournée peut attendre une dizaine de jours.

— Parfait. Je suis déjà en retard d'une semaine, ajouta Antoine Lussier. Je voudrais pas être pris à visiter pendant les premières neiges. Et puis, plus je retarde, plus certains vont en profiter pour oublier de payer leur dîme.

— Par quel rang allez-vous commencer, monsieur le curé? demanda l'abbé Martel.

— L'année passée, j'ai commencé par le village. Cette année, je vais commencer à l'autre bout du rang Sainte-Marie l'avant-midi et l'après-midi, je vais faire le rang des Orties en partant du village. Comme ça, il y aura pas de jaloux.

— Ça va vous faire pas mal de route à couvrir, monsieur le curé. Si vous le voulez, je pourrai vous remplacer quand vous serez fatigué.

— Vous êtes bien serviable, l'abbé, mais c'est le rôle d'un curé d'aller rencontrer ses paroissiens chez eux au moins une fois par année. En plus, cette année, j'ai demandé à notre bedeau de me servir de cocher. Comme ça, j'aurai pas à me préoccuper du cheval et de la voiture, d'autant que notre nouvelle bête m'a l'air pas mal nerveuse.

— Vous avez pas peur que monsieur Groleau gèle à vous attendre dehors?

— Ne vous inquiétez pas pour Joseph Groleau. Je le connais assez pour savoir qu'il ne se laissera pas mourir de froid.

~

Le lundi matin, il était à peine neuf heures et demie quand le boghei du curé Lussier entra dans la cour des Veilleux. Le prêtre et son vieux cocher étaient engoncés dans de lourds manteaux et ils portaient tous les deux un casque de fourrure à oreillettes. De la buée sortait de leur bouche.

Le ciel était dégagé et le mercure était descendu bien au-dessous du point de congélation. Dans le rang Sainte-

Marie, la route de terre était aussi dure que de la pierre et les profondes ornières laissées par les pluies abondantes d'octobre rendaient les déplacements passablement inconfortables.

Vêtue de sa robe du dimanche, Yvette Veilleux attendait avec impatience son visiteur depuis plus d'une heure. Elle se doutait que le cousin de son mari allait commencer sa visite paroissiale par la dernière maison du rang Sainte-Marie. C'est ce qu'il faisait tous les trois ans.

Dès le lever, elle avait houspillé les siens pour que le déjeuner soit servi le plus tôt possible, de manière à avoir le temps de ranger la maison avant l'arrivée du prêtre.

— Anne a choisi son temps pour aller aider aux relevailles de sa cousine Agnès, avait-elle grommelé, mécontente, en préparant le déjeuner avec Céline. J'aurais eu bien besoin d'elle pour nous aider.

La veille, même si c'était dimanche, la mère et sa fille avaient effectué un ménage complet de la maison avec l'aide réticente de Léo et de Jean-Paul. Pour l'occasion, le salon avait été particulièrement bien frotté.

— Voyons donc, m'man ! avait protesté Céline devant l'ampleur du nettoyage imposé. Vous savez bien que monsieur le curé ira pas inspecter les chambres et la cuisine. On pourrait bien juste épousseter le salon.

Assis à la table en train de siroter sa tasse de thé, Ernest Veilleux avait hoché la tête comme s'il approuvait les paroles de sa fille.

— Antoine est pas si chipoteux que ça, fit-il remarquer à sa femme.

— Laissez faire, vous deux, avait vivement répliqué Yvette. C'est pas parce qu'il est de la famille que j'ai envie d'avoir honte s'il sort du salon. C'est notre curé et c'est une question de respect.

— Mais il a pas de raison de sortir du salon, m'man, avait poursuivi la jeune fille. On le fait entrer et sortir par la porte d'en avant.

Yvette avait été intraitable et la maison avait été nettoyée de fond en comble. Et ce matin, la mère avait vu à ce que son mari ainsi que Céline et Jérôme soient présentables lors de l'arrivée du curé Lussier. Anne était chez sa cousine de Saint-Gérard et les trois plus jeunes étaient déjà à l'école.

Après avoir passé une main sur son chignon pour vérifier si aucune mèche ne s'en était échappée, Yvette Veilleux alla ouvrir la porte à son pasteur avant même qu'il ait frappé. En passant, elle eut un coup d'œil désolé pour les cheveux courts de sa fille de vingt ans.

Antoine Lussier entra dans la maison en se frottant les mains pour les réchauffer. Il trouva devant lui Ernest, Yvette et deux de leurs enfants. Après avoir retiré son chapeau, il déboutonna lentement son épais manteau qu'il tendit à Céline en poussant un soupir de soulagement.

— Dis-moi donc, ma belle fille, aurais-tu passé au feu ? demanda-t-il à Céline en pointant un doigt vers sa tête.

— Non, monsieur le curé, répondit la jeune fille en rougissant. Je les ai juste coupés un peu trop court.

— Ah, bon ! fit le prêtre en la jaugeant d'un air sévère. J'espère que c'est pas pour suivre la mode de fous que les jeunes qui vivent en ville ont l'air d'aimer.

Il y eut un instant de gêne qu'Ernest brisa en offrant d'inviter le bedeau, demeuré à l'extérieur dans le boghei, à entrer se réchauffer dans la cuisine. Le prêtre accepta volontiers l'offre de son cousin. Après avoir fait entrer Joseph Groleau dans la cuisine, Ernest lui montra une bouteille de gin et un verre qu'il venait de déposer discrètement sur la table. Le cultivateur s'empressa ensuite de réintégrer le salon où le curé venait de s'asseoir.

Le pasteur avait déjà commencé à s'enquérir de la santé de tous les membres de la famille, surtout de celle des deux religieux qu'il avait vus à la fin de l'été. Il s'informa des projets d'avenir de Céline et de Gérald ainsi que du genre de vie menée par Albert à Montréal.

— C'est bien de valeur qu'il ait choisi d'aller vivre en ville, celui-là, fit remarquer un Antoine Lussier réprobateur aux parents.

— C'est la conscription qui est responsable de ça, précisa Yvette qui avait senti le blâme du pasteur. S'il avait pas été obligé d'aller se cacher en ville chez mon frère, Albert serait resté ici avec nous autres.

— Ah! la guerre, fit le prêtre en levant les yeux au ciel. On peut dire qu'elle en a laissé du malheur derrière elle. Il y a au moins trois familles de la paroisse qui ont eu des morts, sans parler de ce pauvre Eusèbe Drolet qui est revenu de l'autre bord complètement estropié.

— C'est pour ça que j'aimais mieux voir mon Albert aller se cacher en ville, s'enhardit la mère de famille.

Le curé Lussier sentit une critique dans la voix de l'épouse de son cousin et son visage se fit plus sévère.

— On n'a jamais raison, Yvette, de violer la loi. Le gouvernement avait parfaitement le droit d'annuler l'exemption qu'il avait donnée aux fils de cultivateurs.

— C'est vrai, ajouta Ernest, qui avait toujours appuyé les bleus de Borden.

— C'est pour ça que nos seigneurs, les évêques, nous ont donné l'ordre de prêcher la soumission à nos fidèles, conclut le curé. Ton garçon a peut-être échappé au danger de la guerre pour tomber dans un piège encore plus dangereux: la grande ville.

— Je suis certaine qu'il mène une bonne vie en ville, affirma Yvette avec conviction.

— J'en doute pas, dit Antoine Lussier pour l'apaiser. À quoi servirait de sauver sa vie pour perdre son âme ? Mais continue quand même à prier pour lui, pour qu'il se montre fort devant les tentations.

Finalement, le curé demanda à son cousin de ne pas mentionner autour de lui qu'il avait acquitté sa dîme en nature.

— Les marguilliers aiment mieux que la dîme soit payée en argent, tu comprends ? Ils m'ont demandé de faire le moins d'exceptions possible.

— Mais ils doivent ben savoir que l'argent est pas mal rare, protesta le cultivateur. Les cinq cordes de bois que j'ai livrées au presbytère cet été valent ben le montant de la dîme, non ?

Le prêtre hocha la tête. Il était bien placé pour savoir à quel point les fermiers de sa paroisse avaient du mal à survivre au lendemain de la crise économique qui avait secoué tout le pays. Les prix des produits commençaient à peine à se stabiliser.

— Je le sais bien, Ernest. Je te demande juste de pas trop en parler.

— C'est correct.

Après avoir discuté encore une dizaine de minutes, le curé Lussier offrit de bénir les membres de la famille assis autour de lui dans le salon. Tout le monde se mit à genoux et le prêtre donna sa bénédiction avant que Céline aille chercher son manteau et son chapeau qu'elle avait déposés sur le lit de la chambre de ses parents. Pendant ce temps, Joseph Groleau était sorti de la maison et il avait réintégré sa place de cocher.

Dès le départ du curé, Ernest s'empressa de retourner dans la cuisine pour allumer sa pipe, geste qu'il n'avait pas osé poser devant le prêtre. Il était suivi par une Céline furieuse qui grommelait d'une grosse voix en tentant d'imiter le curé Lussier : «Dis-moi donc, ma belle fille, aurais-tu passé au feu ?»

— Céline ! s'emporta sa mère, rouge de colère. Que je te reprenne à te moquer de monsieur le curé !

— Mais m'man, il avait pas d'affaire à rire de moi avec mes cheveux. Ça le regarde pas pantoute ! s'exclama la jeune fille, au bord des larmes.

— Reviens-en ! Monsieur le curé a pas ri de toi. Il a juste trouvé que t'avais une drôle de coupe de cheveux. On te l'avait dit, mais t'as voulu faire à tête. Dans ce cas-là, endure, ma fille, et viens surtout pas te plaindre qu'on te fait des remarques.

Ernest n'avait rien dit durant la scène. Il s'était contenté de s'emparer de la bouteille de gin qu'il avait déposée sur la table de cuisine devant le bedeau avant de rejoindre les siens au salon.

— Torrieu ! Il a toute une descente, le père Groleau ! s'écria-t-il en levant la bouteille à la clarté diffusée par la fenêtre pour mieux voir le niveau de liquide restant dans la bouteille.

— Pourquoi tu dis ça ? lui demanda Yvette en se tournant vers lui.

— Ben. Il a presque bu la moitié de ma bouteille de gin, le temps de la visite d'Antoine.

— T'aurais pas dû faire une affaire pareille, le blâma sa femme. Des plans pour qu'il soit malade. Depuis le temps, tu devrais bien savoir que Joseph Groleau haït pas ça boire un coup.

— Je voulais juste me montrer poli et lui donner la chance de se réchauffer un peu, expliqua Ernest. Avoir su, tu peux être certaine que je lui aurais versé juste un petit verre et que j'aurais caché ma bouteille.

~

En montant dans la voiture, le curé dit à son cocher :

— Père Groleau, on va passer par-dessus les Tremblay et les Hamel, et aller directement chez Germain Fournier. Il est tout seul et ça va aller plus vite avec lui. Après, je verrai si j'ai le temps de revenir chez Eugène Tremblay.

— La Thérèse va en faire une ma… maladie de vous voir lui passer au… au… nez, balbutia le vieux bedeau en mettant son attelage en marche.

Le curé n'attacha aucune importance à l'élocution un peu difficile de son cocher, la mettant sur le compte du froid.

Le boghei passa devant la ferme des Tremblay et celle de Georges Hamel avant de s'arrêter près de la galerie de Germain Fournier. À son passage, Antoine Lussier vit des rideaux se soulever dans chacune des deux maisons et il eut du mal à réprimer un sourire à la pensée de la déconvenue des maîtresses de maison. Elles devaient sûrement se demander ce qui lui prenait de les ignorer.

Lorsque le prêtre frappa à la porte avant de la petite maison grise des Fournier, le jeune homme, mal rasé, vint lui ouvrir et le fit pénétrer dans le salon. À voir l'état des lieux, Antoine Lussier devina que la pièce n'avait pas été épousseetée depuis le décès de la mère de son hôte. Tout indiquait que la propreté de la maison était la dernière préoccupation de son propriétaire et il s'en inquiéta un peu.

Le curé n'attendit pas que Germain Fournier lui offre de retirer son manteau pour l'enlever et le déposer sur le dossier d'une chaise. Pendant que le prêtre s'informait de sa sœur Florence et mettait Germain Fournier en garde contre les dangers d'une trop grande solitude, le bedeau avait pris une bouteille de caribou dissimulée sous le siège du boghei et il s'était offert quelques larges rasades, dissimulé par le cheval qu'il venait de couvrir d'une épaisse couverture quelques instants plus tôt.

— T'es rendu à quel âge, Germain ? demanda Antoine Lussier après quelques minutes de conversation dont il avait pratiquement fait tous les frais.

— Trente ans, monsieur le curé.

— Il est peut-être temps que tu fasses une fin, tu trouves pas ? Ton deuil doit pas t'empêcher de te chercher une femme. La paroisse manque pas de bonnes filles à marier. Attends pas trop pour t'en choisir une. C'est pas de santé pour un homme de vivre tout seul. T'as besoin d'une femme pour faire ton ordinaire et tenir ta maison. Un homme peut pas tout faire tout seul.

— Ça, c'est sûr, acquiesça le jeune homme sans manifester trop d'enthousiasme.

— En plus, il va bien falloir que tu te décides à fonder une famille un jour, reprit le prêtre sur un ton un peu plus abrupt. T'es pas pour cultiver ta terre pour la laisser à des étrangers quand tu seras plus capable de travailler, non ?

— C'est vrai.

— Bon. Je pense avoir le temps d'aller voir les Tremblay avant de rentrer dîner au presbytère, ajouta le curé en se levant après avoir consulté brièvement la montre de gousset qu'il venait de tirer de la petite poche de sa soutane. Je vais te bénir avant de partir, dit-il à Germain qui s'empressa de mettre un genou à terre devant son curé.

Le curé Lussier le bénit et boutonna son manteau.

— Je te souhaite bonne chance, conclut Antoine Lussier en ouvrant la porte.

Le curé retrouva son bedeau un peu prostré sur le siège du boghei au moment où il remontait en voiture.

— On s'en va chez les Tremblay, annonça-t-il à son cocher. Restez pas en plein vent à geler. Mettez-vous un peu à l'abri, Joseph. Vous allez attraper votre coup de mort.

Le père Groleau se contenta de hocher la tête, engoncé dans son épais manteau, et il prit la direction de la ferme des Tremblay.

Thérèse Tremblay eut un choc en apercevant l'attelage s'arrêter sous ses fenêtres. Elle avait bien cru que le curé Lussier avait décidé de mettre fin à ses visites cet avant-midi-là pour une raison connue de lui seul.

— Ma foi du bon Dieu! s'exclama-t-elle, mécontente, en retirant précipitamment le tablier qu'elle avait mis quelques minutes plus tôt. Veux-tu ben me dire à quel jeu il joue à matin! Un peu plus, j'allais changer de robe pour pas me salir en faisant à manger. Claire! cria-t-elle à son aînée qui venait de monter à l'étage pour changer de vêtements. Garde ta robe neuve, monsieur le curé arrive.

Il y eut des pas précipités dans l'escalier qui conduisait à l'étage.

— Lionel, dit-elle à son fils de douze ans qui relevait de la grippe, passe par la remise et va me chercher ton père et Clément. Ils sont tous les deux dans la grange.

Thérèse et son aînée s'empressèrent d'aller ouvrir la porte au curé Lussier dont elles entendaient les pas sur la galerie.

— On dirait que je vous prends par surprise, fit le prêtre avec un sourire narquois en pénétrant dans le salon des Tremblay.

— Disons qu'on était plus sûrs pantoute que vous viendriez aujourd'hui après vous avoir vu passer tout à l'heure, lui fit remarquer Thérèse Tremblay, non sans une pointe de reproche.

— J'ai voulu voir Germain Fournier avant le dîner, se limita à dire le curé, en regardant autour de lui, à la recherche des autres membres de la famille.

— Les autres s'en viennent, monsieur le curé, dit Thérèse en l'aidant à retirer son manteau et en tendant ce dernier à son aînée pour qu'elle aille le déposer sur le dos d'une chaise dans la cuisine.

Pendant que Thérèse et Claire s'entretenaient avec le prêtre, Eugène pestait contre ce dernier qui leur avait laissé croire qu'il ne leur rendrait pas visite ce matin-là. Par conséquent, lui et ses fils avaient rangé leurs habits du dimanche et remis leurs vêtements de travail après l'avoir vu passer tout droit devant la maison. Il envoya devant ses deux fils, puis, fit signe au père Groleau de le suivre dans la cuisine d'été par où ses deux garçons venaient d'entrer dans la maison. Avant de se rendre au salon, Eugène tira d'une armoire une bouteille verte et il versa dans un verre une bonne quantité de gin au bedeau qui était pourtant déjà passablement imbibé.

— Tenez, le père. Ça va vous réchauffer un peu, dit le cultivateur.

La visite paroissiale aux Tremblay ressembla beaucoup à celle qu'avait reçue les Veilleux, même s'il était évident que le maître de maison éprouvait des sentiments mitigés à l'endroit de son pasteur. Depuis l'arrivée d'Antoine Lussier dans la paroisse, Eugène examinait à la loupe le moindre geste de son curé.

Ce dernier finit par s'informer des amours de Clément et des projets de Claire.

— Tu fréquentes toujours la petite Bourgeois de Saint-Gérard ? demanda-t-il au jeune homme.

— Je vais la voir de temps en temps, monsieur le curé, mais on peut pas dire que je la fréquente. C'est plutôt une amie.

— Une amie ? fit Antoine Lussier, avec un air de doute répandu sur toute sa physionomie. Je crois pas à ça entre une fille et un garçon, moi. En tout cas, fais-lui pas perdre son temps, mon garçon.

Clément ne dit rien.

— Puis toi, Claire, qu'est-ce que tu deviens?

— Je suis bien tranquille, monsieur le curé.

— Quand est-ce que tu vas te marier?

Avant même que la célibataire ait eu le temps de répondre, son père intervint avec un rire bon enfant un peu forcé.

— Whow! monsieur le curé. Est-ce que vous essayez de nous ôter notre bâton de vieillesse? Notre Claire est une cuisinière et une ménagère dépareillée. Nous autres, on n'est pas pressés pantoute de la voir partir de la maison.

— Il me semble, Eugène, qu'il y a des hommes, pas plus loin que dans ton rang, qui seraient bien contents d'avoir une femme comme ta fille.

— Ils ont juste à se faire connaître, conclut le cultivateur. Je pense que ma fille est capable de leur faire savoir s'ils lui conviennent ou pas.

— J'espère qu'elle cherche pas la perfection, fit le curé qui ne lâchait pas prise aussi facilement.

— Inquiétez-vous pas pour ça, monsieur le curé, intervint Thérèse en dissimulant tant bien que mal un sourire moqueur. Ça fait longtemps que je lui ai fait comprendre qu'il y a pas un homme parfait sur la Terre.

La mère de famille parla ensuite de sa fille Aline qu'elle et son mari avaient accepté de faire instruire au couvent, au prix de grands sacrifices, en précisant toutefois que c'était pour en faire une bonne institutrice. Le prêtre approuva du bout des lèvres. Tous les paroissiens savaient bien qu'il préférait les jeunes filles à la maison, aux côtés de leur mère, en train d'apprendre leur métier de mère de famille chrétienne.

Après avoir adressé quelques mots à Gérald et béni la famille, le curé Lussier se préparait à quitter les lieux quand Eugène lui demanda, alors qu'il boutonnait son manteau:

— Dites-moi, monsieur le curé. Est-ce que c'est pas à la fin du mois que le mandat de marguillier de Ludger Parenteau finit ?

— C'est bien possible.

— Si c'est pas indiscret, est-ce que je peux vous demander si vous avez une petite idée de qui va le remplacer à la fabrique ?

— Grâce à Dieu, les bons candidats manquent pas dans la paroisse, déclara mystérieusement le prêtre. À ce que je vois, tu suis ça de pas mal près, Eugène.

— C'est sûr, monsieur le curé, admit sans aucune gêne le cultivateur. Je pense que c'est pas un secret pour personne dans la paroisse que mon beau-frère Wilfrid et moi, on haïrait pas ça être sur le conseil.

— Vous êtes plusieurs à être intéressés, laissa tomber le prêtre sans se mouiller.

— Je trouve que ça ferait du bien qu'il y ait pas seulement des bleus là-dedans, fit remarquer Eugène.

Les sourcils d'Antoine Lussier se froncèrent devant cette allusion.

— Il y a rien qui prouve que des rouges feraient mieux. En plus, tu devrais savoir que la politique a pas grand-chose à voir avec l'administration d'une paroisse, dit abruptement le curé. De toute façon, l'élection du prochain marguillier va se faire seulement à la prochaine réunion du conseil.

— C'est ben correct, fit Eugène en constatant avec dépit que le prêtre n'en dirait pas plus sur le sujet.

— Ah ! avec tout ça, j'allais oublier la dîme, dit Antoine Lussier, la main déjà sur la poignée de la porte.

— Si ça vous fait rien, monsieur le curé, cette année, je vais vous la payer en farine, comme l'année passée. Justement, je voulais régler ça cette semaine.

Un profond ennui se peignit sur les traits du prêtre.

— Ça m'embête de te dire ça, Eugène, mais les marguilliers aimeraient mieux que la dîme soit payée en argent à partir de cette année.

— Ah bon! C'est nouveau ça.

— Ils disent que comme ça, ça va être plus facile d'administrer la paroisse, expliqua l'ecclésiastique.

— Ça m'adonne pas ben ben de payer en argent, dit sèchement le cultivateur, mais j'irai vous régler ça cette semaine au presbytère, si c'est la nouvelle règle. En même temps, j'en profiterai pour payer notre banc pour l'année.

— Ça va être parfait comme ça, dit le curé en retrouvant le sourire. Je suis content de voir que ça te dérange pas trop pour la dîme.

— Ce sera pas la fin du monde, monsieur le curé… pourvu que ce soit la même loi pour tout le monde dans la paroisse, ajouta Eugène Tremblay avec une certaine perfidie.

Antoine Lussier ne releva pas l'allusion et quitta les lieux après avoir salué une dernière fois tous les membres de la famille Tremblay. Dès que le prêtre eut franchi la porte de la maison, Clément demanda à sa sœur :

— D'après toi, de qui le curé parlait quand il a dit qu'il y avait des hommes dans le rang qui voulaient se marier ?

— Comment veux-tu que je le sache ? répondit avec humeur la jeune femme.

— Il devait parler de René Tougas et de Germain Fournier, intervint la mère qui avait écarté discrètement le rideau de l'une des fenêtres de la cuisine pour voir partir la voiture du curé.

— Aïe! tout un choix! grimaça Claire Tremblay en prenant un air dégoûté. Un paresseux de la pire espèce et un autre qui est laid à faire peur.

— Claire Tremblay, gronda sa mère, tu devrais te confesser de manquer de charité comme ça.

La jeune femme se contenta de soulever les épaules et de se diriger vers l'escalier avec l'intention de monter dans sa chambre pour changer de robe avant de se mettre à la préparation du repas du midi. Pour sa part, sa mère ne semblait pas pressée d'en faire autant. Tout dans le visage de Thérèse Tremblay disait son mécontentement et son mari ne semblait pas plus heureux qu'elle en s'assoyant dans sa chaise berçante après avoir allumé sa pipe.

— Ça vaut pas la peine de retourner travailler aux bâtiments, dit-il à ses fils. On va dîner dans une couple de minutes, si les femmes de la maison se décident à cuisiner, ben entendu.

Cette dernière remarque, quoique anodine, fut l'étincelle qui fit éclater la mauvaise humeur de la maîtresse de maison.

— J'ai jamais eu aussi honte de ma vie, Eugène Tremblay! s'écria sa femme, furieuse.

— Quoi? Qu'est-ce qu'il y a?

— Fais pas l'innocent en plus! s'emporta Thérèse en replaçant une mèche de cheveux qui s'était échappée de son chignon. Toi et ta maudite politique! T'as trouvé le moyen d'insulter monsieur le curé.

— Tu sauras que je l'ai pas insulté, se défendit l'homme à la forte stature. Je me suis juste arrangé pour lui faire savoir qu'on n'est pas tous des gnochons dans la paroisse et qu'on voit ben que tous les marguilliers sont des maudits conservateurs. C'est pas normal et il le sait en batèche, à part ça! Wilfrid pense la même chose que moi.

— C'est normal, vous êtes tous les deux pareils, ragea Thérèse, sarcastique. Wilfrid serait bien mieux de se contenter de faire son travail de maire comme du monde plutôt que de se mêler de ce qui le regarde pas. Depuis les dernières élections, on dirait qu'il prend un malin plaisir à se mettre tout le monde à dos dans la paroisse.

— En tout cas, tous les deux, on sait ben que le curé a beau parler d'élection à la fabrique, c'est encore lui qui décide qui va être le prochain marguillier. Il y a personne qui va être nommé sur le conseil s'il le veut pas. Ça me surprendrait pas pantoute que ce soit l'autre, à côté, qui soit élu comme prochain marguillier.

— C'est des suppositions.

— Tu sauras me le dire, prédit Eugène.

— En plus, tu t'imagines peut-être que monsieur le curé a pas compris ton allusion pour la dîme?

— Torrieu! Je l'espère ben, s'exclama son mari. Pourquoi il exigerait que je la paye en argent quand il a accepté que d'autres la payent en nature?

— C'est qui les autres?

— Arsène Boisvert et Ernest Veilleux.

— T'as pas de preuves de ça, le rembarra sa femme.

— C'est là où tu te trompes. Tous les deux ont payé leur dîme avec du bois de chauffage et le curé l'a même dit au petit Tougas à qui il a demandé de corder tout ce bois-là.

— En tout cas, tout ça, c'est pas une raison pour manquer de respect à un prêtre, déclara sévèrement Thérèse Tremblay. Si monsieur le curé a accepté ça, c'est qu'il devait avoir des bonnes raisons.

— Ben, voyons! se moqua son mari.

Toujours d'aussi mauvaise humeur, la maîtresse de maison se dirigea vers sa chambre dont la porte ouvrait au pied de l'escalier. La porte claqua dans son dos, mettant ainsi fin à la dispute.

Pendant ce temps, à l'extérieur, le curé Lussier dut donner un coup de coude au père Groleau pour qu'il mette son attelage en marche. L'homme âgé de près de soixante-dix ans semblait s'être assoupi en l'attendant.

— Êtes-vous gelé, le père ? demanda le prêtre, un peu inquiet pour son cocher.

— Non, pan... pantoute, balbutia le vieil homme.

— Bon. Tant mieux. On s'en retourne au presbytère. J'ai faim, ajouta le curé Lussier en s'appuyant le plus confortablement possible au dossier étroit du siège du boghei.

Joseph Groleau fit claquer les guides. La voiture légère sortit de la cour des Tremblay et prit de la vitesse sur la route. Pendant que le prêtre essayait de calculer combien de familles il aurait le temps de visiter dans le rang des Orties durant l'après-midi, le cocher se rendormit sans que son passager s'en rende compte. Le cheval, une bête un peu capricieuse, sembla prendre un réel plaisir à trotter dans l'air froid de cet avant-midi de novembre. Les naseaux fumants, elle prit de plus en plus de vitesse.

Un peu après avoir dépassé la ferme des Tougas, la dernière ferme du rang, l'une des roues du boghei fut prise dans une ornière et la voiture s'en trouva sérieusement secouée.

— Ralentissez, le père ! l'adjura le curé Lussier, rappelé durement à la réalité par les tressautements du boghei.

Le cocher ne broncha pas.

— Ralentissez, je vous dis ! lui cria le curé, subitement inquiet de constater que le cheval allait de plus en plus vite sur une route en très mauvais état.

Si ce cri du prêtre ne fit pas sortir le conducteur de son sommeil d'ivrogne, il sembla énerver la bête qui fit un brusque écart. Le hasard voulut que l'une des roues de la voiture heurte alors une pierre sur le bord de la route. Le cheval, sentant une résistance inattendue, broncha. À ce moment, le boghei dévia en direction du fossé et la bête se cabra. La voiture tangua un bref moment avant de se renverser l'instant d'après. Immédiatement, ses deux passagers furent catapultés, cul par-dessus tête, dans le fossé. Surprise par l'allègement soudain de sa charge, la bête partit au galop en tirant derrière elle le boghei retombé sur ses roues.

Durant un long moment, il n'y eut aucune réaction chez les deux hommes étendus dans le fossé, à une dizaine de pieds l'un de l'autre.

Un peu plus loin, Émile Tougas, qui revenait à pied du village, aperçut le cheval tirant le boghei accidenté. Quand l'adolescent voulut s'en approcher, la bête accéléra et il ne put la rejoindre. Ce n'est qu'après le virage, à quelques arpents de chez lui, qu'il vit une forme noire étendue dans le fossé. Il s'en approcha avec circonspection tout en demeurant sur la route. Il reconnut alors le curé Lussier.

À ce moment précis, le prêtre reprenait peu à peu conscience. Il parvint à s'asseoir en gémissant et, étourdi, il regarda autour de lui un bon moment avant de retrouver pleinement ses esprits. C'est alors qu'il aperçut Émile Tougas qui le dévisageait, muet de stupéfaction.

— Arrête de me regarder comme un veau qui vient de retrouver sa mère, maugréa l'ecclésiastique en grimaçant de douleur. Va chercher du secours chez vous, innocent ! Tu vois bien qu'on a besoin d'aide.

— Oui, monsieur le curé, répondit sans enthousiasme l'adolescent.

Émile Tougas quitta les lieux de l'accident sans se presser, se souvenant encore trop bien de quelle façon le prêtre l'avait traité quand il l'avait puni pour avoir pris les vêtements de l'abbé Martel l'été précédent.

Le curé Lussier ne demeura pas inactif en attendant l'arrivée des secours. Lorsqu'il voulut se tâter de la main droite pour vérifier s'il n'avait pas un os brisé, il se rendit compte qu'il était incapable de soulever son bras droit, qui lui faisait soudain un mal de chien. De la main gauche, il essuya la sueur qui lui couvrait le front. Quand il ramena sa main, il vit qu'elle était maculée de sang. Selon toute vraisemblance, il n'avait qu'une sérieuse écorchure au front. Le prêtre prit quelques instants de plus pour vérifier si ses jambes étaient intactes. Tout lui sembla normal jusqu'au moment où il rassembla son énergie pour se mettre debout. Une fois sur ses deux jambes, il grimaça de douleur en posant son poids sur sa jambe gauche. Si aucun os de ses jambes n'était brisé, il souffrait tout au moins d'une sérieuse entorse à la cheville gauche et de plusieurs ecchymoses.

— Et le père Groleau ? demanda-t-il à mi-voix en réprimant une grimace de douleur.

Il était soudain très inquiet du sort de son vieux cocher. En clopinant tant bien que mal, il se mit en devoir de couvrir les quelques pieds qui le séparaient du vieil homme encore étendu, inerte, dans le fossé. Sans perdre un instant, Antoine Lussier se pencha sur l'homme, imaginant déjà le pire. Une forte odeur d'alcool l'accueillit.

— D'où vient cette senteur-là ? se demanda le curé à haute voix.

Il aperçut alors une bouteille brisée dont les débris jonchaient l'herbe tout près de son cocher. Par un hasard extraordinaire, la bouteille de caribou dissimulée sous le siège du boghei par le père Groleau avait été éjectée à peu de distance de son propriétaire lors de l'accident.

Le cœur battant, le curé se laissa tomber à genoux près de son bedeau et se pencha au-dessus de lui pour vérifier s'il lui restait encore un souffle de vie. Il crut entendre un ronflement. Il approcha son oreille encore plus près du visage de l'accidenté. Non seulement entendit-il plus clairement ses ronflements, mais il baigna dans des effluves d'alcool.

— C'est pas vrai! s'exclama le prêtre. Viens pas me dire qu'il dort! Ah bien, le vieil ivrogne!

Ce disant, le curé Lussier empoigna son cocher de sa main valide et se mit à le secouer sans ménagement pour le réveiller.

— Quoi? Qu'est-ce qu'il y a? demanda l'autre, tout étonné de se retrouver étendu dans le fossé. Où est-ce qu'on est?

— Dans le fossé, père Groleau! Dans le fossé! lui hurla le curé, hors de lui. On a eu un accident parce que vous vous êtes endormi.

L'air ahuri du vieil homme aurait prêté à rire si la situation n'avait pas été aussi grave.

— Bon, levez-vous, lui ordonna le prêtre en colère, et aidez-moi à me relever. J'espère que vous avez les idées assez claires pour voir si vous avez rien de cassé.

Le cocher se leva en geignant, mais selon toutes les apparences, le dieu des ivrognes l'avait protégé. Il se pencha pour ramasser son chapeau et celui de son curé. Ce dernier le lui arracha presque des mains, tant il était furieux. Il vit Joseph Groleau regarder autour de lui comme s'il était à la recherche de quelque chose.

— Cherchez pas votre boisson, le père! Ça, au moins, ça a pas résisté à l'accident. Si vous êtes capable de vous tenir debout, vous allez m'aider à marcher jusque chez les Tougas. L'Émile a pas l'air de s'être pressé pour avertir son père qu'on avait besoin d'aide.

— Je pourrais toujours y aller tout seul, proposa obligeamment Joseph Groleau chez qui l'accident semblait avoir chassé une partie des vapeurs engendrées par l'alcool.

— Laissez faire. Vous en avez assez fait pour aujourd'hui, le rembarra sèchement le curé. Venez, aidez-moi.

Appuyé sur l'épaule de son bedeau pour soulager sa cheville gauche, le gros prêtre, le bras droit pendant mollement à son côté, prit la direction de chez Antonius Tougas en geignant. Quelques minutes plus tard, ce dernier vint au devant des deux hommes et les fit monter dans sa voiture. Il les conduisit au village en prenant garde que les cahots ne fassent pas trop souffrir le prêtre.

La chance servit bien le curé de Saint-Jacques-de-la-Rive à son arrivée au village, puisqu'il aperçut le docteur Courchesne sortant de chez les Boisvert au moment où l'attelage de Tougas passait devant leur maison.

— Antonius, demande donc au docteur de passer me voir tout de suite au presbytère, demanda-t-il au conducteur. Explique-lui que j'ai eu un accident.

Tougas descendit rapidement de voiture et expliqua rapidement la situation au vieux médecin avant de remonter.

— Il nous suit, monsieur le curé.

⁓

— Mon Dieu! Qu'est-ce qui est arrivé? s'écria Agathe Cournoyer quand elle vit son curé, le front couvert de sang et supporté par Joseph Groleau et Antonius Tougas, entrer dans le presbytère.

— Un accident de voiture, expliqua le grand homme maigre, un peu essoufflé d'avoir à supporter presque à lui seul le poids imposant du prêtre. Le docteur est derrière. Il s'en vient.

— Installez-le sur le divan dans le salon, dit la ménagère en retrouvant un peu de son sang-froid.

— Où est l'abbé Martel? demanda le curé d'une voix blanche.

— Il vient de traverser la sacristie avec sœur Sainte-Sophie pour lui montrer les réparations à faire à son aube.

Le bedeau et la ménagère aidèrent leur curé à retirer avec précaution son épais manteau et on l'installa sur le divan avant de lui enlever ses chaussures. Sa cheville gauche avait doublé de grosseur. Albéric Courchesne entra au même moment dans la pièce et déposa sa trousse sur un guéridon.

— Merci, Antonius, dit le curé au cultivateur qui lui était venu en aide. Vous, père Groleau, ajouta-t-il en tournant un visage sévère vers son bedeau, attendez-moi à côté. Je vais avoir deux mots à vous dire quand le docteur va en avoir fini avec moi.

Albéric Courchesne ne perdit pas de temps. Quelques minutes lui suffirent pour refermer la plaie au front de l'ecclésiastique et pour bander sa cheville et son épaule blessées.

— Vous êtes chanceux dans votre malchance, monsieur le curé, dit le vieux médecin au curé Lussier dont le visage avait pris une teinte grisâtre inquiétante. Votre épaule droite est démise. Je l'ai replacée. Vous pourrez pas vous servir de votre bras pendant au moins deux semaines. Pour votre cheville, c'est une sévère entorse. Marchez pas dessus. Attendez que ça guérisse. Je vous ai aussi fait quatre points de suture au front. Je viendrai vous les enlever quand ce sera le temps. J'ai bien l'impression que vous allez être obligé de vous laisser dorloter par votre ménagère pendant un petit bout de temps.

Le médecin quitta le presbytère après avoir poliment refusé de boire une tasse de thé en compagnie de son malade. Antoine Lussier prit quelques minutes pour récupérer avant de demander à sa ménagère de lui envoyer Joseph Groleau. Le bedeau pénétra dans la pièce, la mine basse, maintenant passablement dégrisé. Le curé le laissa mijoter dans son jus un bon moment, avant de lui adresser sèchement la parole.

— Après le dîner, vous trouverez quelqu'un du village pour vous aider à retrouver notre cheval et ce qui reste du boghei. Vous laisserez le boghei chez Crevier pour qu'il le répare s'il est brisé et vous ramènerez le cheval.

— Oui, monsieur le curé.

— J'espère que vous vous rendez compte que tout ça, c'est dû à votre vice pour la boisson, reprit le curé Lussier, l'air soudainement mauvais.

— Oui, monsieur le curé.

— Vous auriez pu nous tuer tous les deux.

— J'ai juste voulu me réchauffer, monsieur le curé. J'ai pas bu pour le plaisir.

Soudain, le prêtre revit en pensée la bouteille d'alcool éclatée dans le fossé et un doute l'effleura.

— Je sais que vous aviez une bouteille de boisson dans la voiture.

— J'en apporte toujours une, monsieur le curé, quand il commence à faire froid. C'est au cas où... Mais j'y ai presque pas touché à matin, mentit effrontément le bedeau.

— Si vous y avez presque pas touché, est-ce que ça veut dire que les Tremblay vous avaient offert de la boisson?

— Oui, pour me réchauffer, admit le père Groleau, sans préciser que la plus grande quantité, il l'avait absorbée chez le cousin du curé.

Le visage du prêtre s'assombrit subitement. Il n'était pas loin de croire qu'Eugène Tremblay avait volontairement saoulé son cocher, au risque de les impliquer dans un accident qui aurait pu avoir des conséquences encore plus graves. Si c'était le cas, il s'agissait d'un acte de méchanceté pure. Une pareille hypocrisie était impardonnable... et il ne l'oublierait pas de sitôt. Surtout qu'il n'avait jamais été tout à fait persuadé qu'Eugène était étranger au vol des vêtements de l'abbé Martel, l'été précédent. S'il avait eu la moindre preuve, il en aurait pris pour son grade du haut de la chaire, l'Eugène Tremblay, même si son épouse était une sainte femme qui n'aurait pas mérité ça.

Un accès de toux de Joseph Groleau, demeuré debout devant lui, ramena le prêtre à son interlocuteur.

— En tout cas, racontez-vous pas d'histoire, père Groleau, le gronda le curé Lussier. Si vous vous corrigez pas de ce vice-là, vous risquez d'aller brûler en enfer.

Joseph Groleau quitta le presbytère la tête basse. Mais quelques instants plus tard, il était déjà persuadé que son curé avait nettement exagéré l'importance de son petit penchant pour ce qu'il appelait un « bon petit boire ».

Évidemment, la mésaventure du curé fit les frais des conversations dans tous les foyers de Saint-Jacques-de-la-Rive durant plusieurs jours. Certains paroissiens plus curieux que d'autres cherchèrent même à connaître la cause exacte de l'accident. Ceux-là n'hésitèrent pas à se déplacer pour aller voir sur place comment un pareil accident avait pu arriver à leur curé.

Malgré tout, les visites paroissiales ne furent retardées que d'une demi-journée. Le lendemain matin, après une nuit fort inconfortable, le curé Lussier chargea son bedeau d'annoncer aux paroissiens qu'il serait dans l'incapacité de dire sa messe quotidienne pendant les deux prochaines semaines. Au déjeuner, il demanda à son jeune vicaire de poursuivre à sa place les visites paroissiales, après lui avoir donné quelques conseils pratiques. Il l'encouragea à se passer des services du père Groleau et à prendre la route seul, à bord d'un boghei prêté par le forgeron Crevier.

Chapitre 9

La nouvelle servante

Durant les jours suivants, le froid se maintint, mais il n'était toujours pas tombé encore le moindre flocon de neige. Si les enfants déploraient d'être privés de neige en cette période de l'année, les adultes, pour leur part, s'en réjouissaient.

— J'espère que le Germain se rappelle que c'est à matin qu'on fait boucherie, fit Ernest Veilleux en rentrant à la maison après être allé livrer ses bidons de lait à la fromagerie Boudreau, au village.

— Je pense qu'on peut se fier à lui, dit Yvette en s'assoyant à ses côtés à table.

— En tout cas, s'il est pas arrivé après le déjeuner, on va commencer à couper la viande sans lui.

— Je vois pas pourquoi il serait en retard, déclara Yvette. Il a pas à aller courir au village pour aller porter son lait, lui.

Ernest se contenta de lui jeter un regard mauvais, mais il n'ajouta rien. L'avant-veille, soit le lendemain de l'accident survenu au curé Lussier, le cultivateur avait tué une vache et, avec l'aide de son fils Gérald, il l'avait vidée avant de la suspendre au bout d'une chaîne dans l'entrée de la grange, hors de portée des animaux. Il avait été entendu avec le troisième voisin qu'il viendrait leur donner un coup de main pour découper la viande le jeudi matin.

Yvette finissait à peine sa phrase qu'on entendit un bruit d'attelage à l'extérieur.

— Tiens, quand on parle du loup, fit Anne en regardant dehors par l'une des fenêtres de la cuisine. C'est lui qui arrive.

Germain Fournier poursuivit sa route jusque devant la grange où il descendit de voiture. Le jeune homme attacha son cheval et se mit à sortir des objets de sa voiture.

— Qu'est-ce qu'il fait? demanda Ernest Veilleux encore attablé.

— Il a pas l'air de vouloir entrer dans la maison, répondit Anne en se tordant le cou pour voir ce que faisait le visiteur. Il est devant la grange et il attend.

— Il doit être trop gêné pour entrer, fit remarquer Yvette Veilleux. Jérôme, va le chercher et dis-lui qu'on n'a pas fini de déjeuner et qu'on l'attend pour boire une tasse de thé.

L'adolescent se leva et sortit de la maison en grommelant. Il revint deux minutes plus tard en compagnie de Germain Fournier.

— Entre, Germain, l'accueillit Yvette Veilleux. Viens boire quelque chose de chaud le temps qu'on finisse de manger.

Visiblement mal à l'aise, le jeune homme enleva sa casquette et déboutonna son manteau avant de s'asseoir au bout du long banc occupé par Jean-Paul, Léo et Adrien. Céline et Anne le regardèrent s'installer à table, ce qui eut pour conséquence de le faire rougir.

— As-tu déjeuné au moins? lui demanda Ernest Veilleux.

— Oui, merci, monsieur Veilleux.

En posant la tasse de thé bouillant devant le jeune cultivateur, Yvette Veilleux subitement se rendit compte qu'il y avait quelque chose de changé chez lui. Il lui fallut quelques instants avant de voir que Germain Fournier était soigneusement peigné ce matin-là et qu'en plus, il s'était rasé de près. Elle n'en tira aucune conclusion et se garda bien d'en faire la remarque pour ne pas gêner davantage son jeune voisin.

— La vache est prête à être découpée, annonça Ernest. Mais je t'avertis : c'est une grosse vache qui pourrait ben nous donner un peu plus que trois cents livres de viande. Si on a le temps, on pourra toujours s'occuper du cochon après. Qu'est-ce que t'en penses ?

— C'est ben correct.

— On va travailler dans l'entrée de la grange. On a installé une table avec des chevalets et des madriers hier. Ma femme et mes filles ont déjà préparé tout ce qu'il faut. Il y a aussi de la jute en masse pour envelopper la viande.

— J'ai apporté mes couteaux, se contenta de dire Germain Fournier. Je suis habitué de travailler avec, ajouta-t-il à titre d'excuse.

Après le départ d'Adrien, de Léo et de Jean-Paul pour l'école, tous se ceignirent d'un large tablier et se dirigèrent vers la grange dont la porte fut ouverte par Ernest Veilleux. La bête était suspendue à trois pieds du sol, à faible distance de la table improvisée. Pendant qu'on préparait les récipients et la jute, Germain Fournier se mit en devoir d'enlever avec soin la peau de l'animal.

Il fallut à peine un peu plus de trois heures pour débiter entièrement la vache en rôtis, en tranches et en cubes. Germain Fournier démontrait une telle dextérité dans son rôle de boucher qu'Ernest Veilleux renonça rapidement à se mesurer à lui. Il se contenta de le seconder et d'aider sa femme et ses enfants à envelopper la viande fraîchement coupée, avant qu'ils aillent la déposer dans le grand coffre en bois installé dans la remise, au bout de la cuisine d'été.

De temps à autre, Germain Fournier s'arrêtait de trancher quelques instants pour permettre aux Veilleux de nettoyer la table improvisée. À deux ou trois occasions, cet avant-midi-là, Yvette Veilleux surprit le regard du jeune cultivateur posé sur sa fille Céline occupée à envelopper la viande. La mère de famille ne dit rien, mais un pressentiment se forma dans son esprit.

Elle n'avait pas tout à fait tort de soupçonner quelque chose.

~

Depuis sa visite chez les Veilleux à la mi-octobre pour inviter Ernest à participer au ramassage collectif du lait, Germain Fournier était en proie à toutes sortes de sentiments contradictoires… Et ces sentiments lui étaient inspirés par Céline Veilleux. La vue de la jeune fille de vingt ans avec sa taille élancée, ses cheveux courts, son petit nez retroussé et ses joues marquées par des taches de son l'avait singulièrement ému. En fait, cette vision n'avait pas cessé de le hanter depuis.

Le jeune homme s'était d'abord traité de tous les noms en se disant à mi-voix qu'il la voyait depuis qu'elle était enfant et qu'elle n'avait rien de spécial. De plus, elle avait dix ans de moins que lui. Malgré tout, son imagination ne le laissait pas en repos. Il voyait Céline partout et il en était peu à peu venu à lui tenir des conversations dont il formulait les questions et les réponses.

Finalement, n'en pouvant plus, il avait cherché divers moyens de revoir la jeune fille, sans pour autant paraître ridicule. C'est ainsi qu'il avait opté pour la grand-messe du dimanche parce qu'elle y allait toujours avec ses parents. Il avait vite pris l'habitude d'arriver à l'église avant les Veilleux pour avoir le plaisir de voir entrer la jeune fille aux côtés de ses parents. Assis à une dizaine de bancs derrière celui occupé par les Veilleux, il ne cessait de regarder à la dérobée le profil de Céline durant la messe. À la fin de la cérémonie, il s'empressait de quitter l'église pour ne pas sentir son regard indifférent glisser sur lui comme si elle ne le voyait pas lorsqu'elle passait dans l'allée.

Bref, Germain Fournier était malheureux. Aussi étonnant que cela puisse paraître, il était tombé amoureux fou d'une fille qui ne lui avait jamais adressé la parole… Et la situation risquait de s'éterniser parce qu'il ne se voyait pas en train de faire les premiers pas, tant il craignait d'essuyer une rebuffade comme il en avait vécu quelques années auparavant.

Adolescent, les filles s'étaient souvent moqué des traits grossiers de son visage, mais leurs moqueries s'étaient faites franchement plus méchantes quand l'acné l'avait rendu un peu plus repoussant. S'il n'avait jamais hésité à faire ravaler à coups de poing les remarques désobligeantes des garçons de son âge sur son apparence, les ricanements des filles l'avaient toujours laissé démuni, désemparé, malheureux.

Il faut dire que Germain Fournier avait mis beaucoup de temps avant d'accepter d'être rejeté par les filles de Saint-Jacques-de-la-Rive. Il avait bien été invité à quelques veillées familiales du vivant de ses parents, mais elles lui avaient toutes laissé un souvenir amer. Chaque fois qu'il s'était décidé à inviter une jeune fille à danser, cette dernière avait rapidement trouvé une excuse pour ne pas se laisser entraîner sur la piste de danse. Quelques années auparavant, un lointain cousin de sa mère vivant à Yamaska avait même pris la peine de l'inviter à une fête du jour de l'An à laquelle il avait aussi convié des voisins dotés de six filles à marier plus ou moins jolies. Les demoiselles Dansereau lui avaient à peine adressé la parole et elles avaient préféré papoter entre elles plutôt que de danser avec lui. Cette soirée avait été sa dernière tentative sérieuse de rencontrer une jeune fille prête à se laisser fréquenter. À compter de ce jour-là, il s'était refermé un peu plus sur lui-même, résistant avec succès à tous les efforts de ses parents de le tirer de son isolement.

— J'ai pas le goût et je suis fatigué de ma journée. Laissez-moi donc tranquille, avait-il pris l'habitude de leur dire quand ils l'incitaient à aller veiller à Pierreville ou même seulement à aller traîner une heure ou deux devant chez Hélèna.

— T'aimerais pas ça rencontrer une bonne fille ? lui demandait parfois sa mère, un peu avant de mourir.

— Je suis ben comme ça, m'man, lui répondait-il sans préciser.

Au fond, Germain Fournier, célibataire de trente ans, préférait imaginer la femme idéale que risquer de se faire rabrouer ou pire, de faire rire de lui.

⁓

Le jeune homme refusa de dîner chez les Veilleux, mais il accepta de revenir après le repas pour saigner leur cochon et le dépecer, comme il l'avait fait la veille pour le sien.

— Drôle de gars, ne put s'empêcher de dire Ernest en rentrant dans la maison.

— Peut-être, mais il est pas mal bon pour faire boucherie, ajouta Céline en retirant le tablier maculé de sang qu'elle avait porté tout l'avant-midi.

Cet après-midi-là, Gérald et Ernest capturèrent l'un des quatre porcs que la famille avait engraissés depuis près d'un an.

— Voulez-vous que je vous l'égorge ? demanda Germain en saisissant l'un de ses couteaux.

Le porc, suspendu par les pattes arrière au crochet de l'entrée de la grange, couinait tant et plus.

— Si tu veux, concéda Ernest Veilleux. Je vais tenir la chaudière pour le sang. On va faire du bon boudin.

— Ouach ! Ça, ça me donne mal au cœur ! s'écria Céline, debout derrière son père.

— On gaspillera rien, la gronda sa mère. Tu vas brasser le sang avec moi pour l'empêcher de faire des caillots.

Germain plongea le couteau dans la gorge du porc et le sang gicla. Pendant qu'Ernest tenait le seau, le jeune cultivateur rassembla tout son courage pour proposer :

— Si ça donne mal au cœur à Céline, madame Veilleux, je peux m'occuper du boudin pendant qu'elle grattera la peau du cochon. Moi, ça me dérange pas.

— Si tu veux, Germain.

La jeune fille leva la tête et adressa au voisin un sourire de reconnaissance. Ce sourire alla jusqu'au cœur du boucher d'un jour qui en conçut un immense plaisir.

Au milieu de l'après-midi, tout était terminé. Il ne restait à Yvette et à ses filles qu'à hacher le mélange à saucisse et à confectionner ces dernières. Toute la viande fut déposée dans le coffre.

— On est chanceux, dit Ernest en finissant de nettoyer la table. On va avoir une bonne heure pour se reposer un peu avant le train. Il me restera juste à gratter la peau de la vache.

— Voulez-vous toujours que je vous fume vos jambons ? demanda le voisin en lavant ses couteaux avant de les envelopper dans un vieux linge propre. J'ai allumé mon fumoir hier après-midi et j'ai six gros jambons qui sont déjà en train de fumer avec de l'écorce d'érable.

— On voudrait pas ambitionner, intervint Yvette, tentée.

— Si je vous l'offre, madame Veilleux, c'est que ça me dérange pas, fit le voisin en lui adressant un sourire timide.

— T'es ben fin de faire ça pour nous autres, accepta l'épouse d'Ernest Veilleux.

Avant que le jeune voisin quitte, Ernest ne put s'empêcher de lui demander :

— Puis, le ramassage du lait, est-ce que ça marche comme tu veux ?

— Numéro un, monsieur Veilleux. Remarquez que mon tour est pas encore venu de ramasser, mais tout marche comme sur des roulettes. J'ai juste à laisser mes bidons pleins sur la plate-forme tous les matins et, à la fin de l'avant-midi, je les retrouve vides à la même place. En plus, il y a pas de mélange dans les comptes. Boudreau écrit tout ce qu'on lui envoie et il nous paye, comme avant, à la fin de la semaine, si on veut. Pas avoir à atteler et à dételer tous les avant-midi, je trouve ça ben commode.

— Tant mieux, dit Ernest en dissimulant du mieux qu'il pouvait son dépit.

— Et vous, monsieur Veilleux, ça vous tente toujours pas d'embarquer avec nous autres ?

— J'y pense, répondit le cultivateur, volontairement évasif. Jusqu'à maintenant, il y a pas d'avantage pour moi parce que je me trouve toujours une commission ou deux à faire au village tous les matins, ajouta-t-il en mentant effrontément.

Germain Fournier quitta les Veilleux en emportant non seulement tous les jambons à fumer des Veilleux, mais aussi une soixantaine de livres de bœuf que ses voisins avaient absolument tenu à lui offrir pour tout le travail qu'il avait accompli. Pourtant, le jeune homme aurait échangé toute cette viande contre un autre sourire lumineux de la belle Céline.

Alors qu'il retournait chez lui dans le jour déclinant, il ne pouvait s'empêcher de se demander quand il pourrait revoir la jeune fille ailleurs qu'à l'église.

— Peut-être la semaine prochaine, quand je vais ramasser le lait, se dit-il avec un vague espoir.

~

Le lendemain, un peu avant midi, le curé Lussier rentra au presbytère, le visage rouge et la sueur au front. Agathe Cournoyer vint au-devant du prêtre pour l'aider à enlever son manteau qui avait été uniquement posé sur ses épaules.

— Si ça a de l'allure de se mettre dans un état pareil ! s'écria-t-elle en le voyant claudiquer en s'appuyant lourdement sur une grosse canne trouvée au fond d'un placard.

— C'est rien, c'est rien, fit le prêtre en esquissant un mouvement d'impatience. C'est juste cette maudite cheville foulée qui me fait un mal de chien. Je peux pas m'appuyer dessus et l'épaule m'élance sans bon sens.

— Vous êtes sûr que vous voulez pas que je demande à Joseph Groleau d'aller chercher le docteur Courchesne ?

— Non, ça vaut pas la peine. Il peut pas faire grand-chose.

— Comme vous le voudrez, monsieur le curé. Mais il me semblait qu'il vous avait dit de rester tranquille et de bouger le moins possible.

— C'est ce que je fais.

— Mais non, c'est pas ce que vous faites, monsieur le curé. Vous êtes pire qu'un enfant à soigner, le réprimanda la vieille ménagère. On dirait que vous aimez souffrir pour rien. Par exemple, vous étiez pas obligé de risquer de tomber dans l'escalier juste pour aller voir si tout était correct à l'église. Restez donc tranquille pendant que l'abbé Martel finit les visites paroissiales.

— C'est ce que je vais faire, je crois bien, promit le prêtre en s'essuyant le front avec un large mouchoir qu'il venait de tirer de l'une des poches de sa soutane.

— Ah ! Pendant que j'y pense, j'ai laissé le courrier sur votre bureau.

— C'est correct, fit le prêtre. L'abbé Martel est pas revenu ?

— Il est revenu, mais il a dû repartir tout de suite parce que madame Ouellette l'a fait demander. Il paraît que son vieux père va plus mal.

Antoine Lussier ne dit rien et s'engouffra en clopinant dans son bureau où l'attendaient trois ou quatre lettres qu'il parcourut les unes à la suite des autres, après s'être assis avec précaution dans son fauteuil. Lorsqu'il replia la dernière, il appela sa cuisinière sans se lever. Agathe Cournoyer quitta sa cuisine et vint se planter dans l'entrée de la pièce.

— Madame Cournoyer, j'ai une bonne nouvelle pour vous, lui annonça Antoine Lussier, en esquissant un mince sourire. J'espère que vous êtes prête à recevoir chez vous la fille que j'ai demandée à la supérieure de l'orphelinat de Saint-Ferdinand pour vous aider, parce qu'elle arrive par le train demain avant-midi.

— Dites-moi pas ça ! s'exclama la vieille ménagère, heureuse.

Le curé Lussier jeta un coup d'œil à l'une des enveloppes déposées sur son bureau avant d'ajouter :

— La lettre de la supérieure a été postée au début de la semaine passée. J'aurais dû la recevoir pas mal avant aujourd'hui, mais ça sert à rien de se plaindre. Sœur Sainte-Anne dit qu'elle nous envoie une vraie perle.

— Elle est pas mal fine, déclara la servante dont le petit visage tout ridé n'était plus qu'un grand sourire.

— Je me méfie quand même un peu, reprit l'ecclésiastique. Si elle était si extraordinaire que ça, sa Gabrielle Paré, elle l'aurait gardée à l'orphelinat pour aider.

— Vous pensez ? demanda Agathe Cournoyer, soudain un peu inquiète.

— On verra bien, déclara le curé. En attendant, faites avertir Philibert Dionne de nous ramener cette fille de la gare de Pierreville lorsqu'il ira chercher la poste, demain matin.

~

Le samedi avant-midi fut particulièrement occupé au presbytère de Saint-Jacques-de-la-Rive. Après avoir passé près d'une heure avec l'abbé Martel à discuter des sujets des prêches qui seraient donnés durant l'avent, le curé Lussier s'enferma un long moment dans son bureau avec Honoré Beaudoin, le président de la fabrique paroissiale, pour discuter de l'organisation de la guignolée qui aurait lieu trois semaines plus tard ainsi que de l'ordre du jour de la réunion du conseil de fabrique, prévue pour le lundi soir suivant. Le premier des marguilliers venait à peine de quitter les lieux qu'on sonna à la porte du presbytère.

Le prêtre avait trop mal à la cheville pour aller voir qui venait d'arriver. Si le visiteur était pour lui, la servante viendrait le prévenir. Il n'eut pas à attendre longtemps. Quelqu'un frappa discrètement à la porte de son bureau.

— Oui. Qu'est-ce qu'il y a ? demanda-t-il en déposant devant lui son bréviaire, qu'il venait à peine d'ouvrir.

— Le postier vient de nous laisser la jeune fille envoyée par l'orphelinat, monsieur le curé, dit Agathe Cournoyer à voix basse.

— Bon. Faites-la entrer.

Antoine Lussier retira ses lunettes à monture métallique qu'il ne portait que pour lire et regarda entrer dans la pièce une jeune fille à l'air un peu intimidé portant un vieux manteau gris de toute évidence un peu trop grand pour elle et coiffée d'un bonnet de la même couleur.

— Tu peux enlever ton manteau et ton chapeau, lui proposa le prêtre. Il fait pas mal chaud ici.

— Merci, monsieur le curé, répondit la visiteuse en esquissant un mince sourire embarrassé.

Antoine Lussier l'examina pendant qu'elle retirait son manteau. C'était une grande jeune fille svelte, vêtue d'une robe noire ornée d'un petit collet blanc. Sa chevelure châtain clair était retenue par un ruban et mettait en valeur un visage ouvert aux pommettes hautes. Il se dégageait de toute sa personne un étrange mélange de timidité et d'énergie.

Le curé Lussier l'invita à s'asseoir.

— La supérieure de Saint-Ferdinand m'a pas dit grand-chose sur toi. Tout ce qu'elle m'a écrit, c'est que tu t'appelles Gabrielle Paré et que tu viens d'avoir dix-neuf ans. C'est ça ?

— Oui, monsieur le curé.

— T'es restée combien de temps à Saint-Ferdinand ?

— Je suis toujours restée là, monsieur le curé, murmura l'orpheline… depuis l'âge de deux mois.

— Tes parents ?

— Je les ai pas connus.

— En tout cas, ils s'appelaient Paré, non ?

— Non. C'est un nom que les sœurs m'ont donné quand elles m'ont fait baptiser.

— Bon. Est-ce que c'est la première fois que t'es placée en dehors de l'orphelinat?

— Oui, monsieur le curé.

— Sais-tu pourquoi tu es ici?

— Sœur Sainte-Anne m'a dit que vous aviez demandé quelqu'un pour aider votre servante.

— C'est en plein ça. Il paraît que t'es bonne dans une cuisine?

— Je me débrouille, monsieur le curé.

— Parfait. La supérieure t'a aussi expliqué, je suppose, que tu es placée sous ma responsabilité et que si tu ne conviens pas, je vais te renvoyer à Saint-Ferdinand.

Gabrielle hocha la tête. Tout, semblait-il, lui avait été expliqué avant son départ de l'orphelinat.

— Inquiète-toi pas, voulut la rassurer Antoine Lussier. On te fera pas de misères ici. Tu vas rester chez madame Cournoyer, dans la petite maison blanche, de l'autre côté de la route, en face du presbytère. Elle va te traiter comme sa propre fille.

— Merci, monsieur le curé.

— Madame Cournoyer, c'est la dame qui t'a ouvert. Tu peux maintenant aller la rejoindre à la cuisine. Elle va t'expliquer ce que t'as à faire, dit le prêtre.

À midi, le curé Lussier et l'abbé Martel entrèrent dans la salle à manger. Au centre de la table, une soupière remplie de soupe aux légumes fumante et une miche de pain les attendaient déjà. Par la porte entrouverte de la cuisine, les ecclésiastiques purent entendre les deux femmes parler à mi-voix alors qu'elles étaient à préparer le reste du repas. Soudainement, le rire cristallin de la nouvelle servante fit sourire le curé.

— On dirait bien que notre Agathe a pas pris grand temps pour apprivoiser la petite nouvelle, laissa-t-il tomber avec un certain contentement.

Chapitre 10

La fabrique

Le lendemain matin, après la grand-messe, Thérèse Tremblay s'empressa d'aller à la rencontre de quelques paroissiennes dès sa sortie sur le parvis de l'église. À titre de présidente des Dames de Sainte-Anne, il lui fallait trouver de toute urgence le plus possible de personnes de bonne volonté pour préparer les paniers de Noël à l'occasion de la guignolée. Elle savait pouvoir compter sur des voisines immédiates comme Yvette Veilleux et Rita Hamel, mais c'était nettement insuffisant pour la tâche qui les attendrait.

Pendant ce temps, Eugène avait allumé sa pipe tout en poursuivant une discussion animée avec plusieurs hommes regroupés autour de son beau-frère, Wilfrid Giguère, près des voitures. Un peu plus loin, Ernest Veilleux était en grande conversation avec Joseph Groleau, Adélard Crevier, Bruno Pierri et quelques autres.

— Les hommes peuvent bien dire qu'on aime ça jacasser, dit en riant Yvette Veilleux qui montrait les deux groupes d'hommes à ses voisines.

— On le sait depuis longtemps qu'ils donnent pas leur place quand il s'agit de mémérer, ajouta Rose-Aimée Turcotte en se gourmant.

— Comment ça se fait que tu sais ça, toi, Rose-Aimée ? lui demanda Marthe Giguère, narquoise.

La célibataire d'une quarantaine d'années, qui n'était pas dotée d'un grand sens de l'humour, resta muette un instant.

— Voyons, Marthe, tu sais bien que notre Rose-Aimée a dû trouver ça dans un des livres qu'elle a lus, dit Emma Tougas en souriant.

— Je pense que vous essayez de me faire fâcher, là, reprocha Rose-Aimée, incertaine, en regardant les femmes qui se moquaient gentiment d'elle.

— Mais non, Rose-Aimée, on fait juste des farces, voulut la rassurer Yvette Veilleux.

Un peu plus loin, à l'écart, Henri Dupré, du rang du Petit-Brûlé, s'entretenait avec Clément Tremblay et deux autres jeunes de Saint-Jacques-de-la-Rive.

— La Price ouvre un autre chantier en haut de La Tuque la semaine prochaine, annonça Dupré. Un de mes cousins y monte pour l'hiver et je vais faire comme lui, même s'il est déjà pas mal tard pour faire ça. Demain matin, je prends le train de bonne heure. Il paraît que l'ouvrage manque pas et que les gages vont être bons. Je vais redescendre seulement avec la drave à la fin du printemps, les poches bourrées ben dur d'argent.

— Ça fait tout un changement avec les années passées, fit remarquer Clément Tremblay qui avait essayé sans succès de s'engager les deux dernières années.

— Mon cousin m'a dit que les affaires de la compagnie reprennent. Elle a ouvert cette année ses deux vieux chantiers et a réengagé tout son monde. En plus, elle ouvre le chantier où je veux me faire engager.

— Mon oncle Marcel travaille au gouvernement, intervint un certain Lazure du rang Saint-Paul. Il dit que la récession est finie et qu'il y a de moins en moins de chômeurs. Il paraît qu'il y a des grands syndicats qui vont forcer les *boss* à payer des bons salaires.

— T'es mieux de pas parler de syndicat dans un chantier, mon Hervé, le prévint Dupré. J'ai fait un chantier il y a trois ans et je te dis tout de suite que la vie est pas rose. Mais je te garantis qu'il y a pas un maudit syndicat qui va entrer là. C'est pas une place pour les feluettes, ajouta le jeune homme avec la condescendance de celui qui a l'avantage d'avoir connu ce genre de vie.

— Il faut pas exagérer, modéra Hervé Lazure. C'est tout de même pas l'enfer. Mon père et mes frères sont montés dans les chantiers pendant des années et personne en est mort.

— J'ai pas dit que c'était l'enfer, j'ai dit que c'était pas facile. Se lever à quatre heures et demie tous les matins que le bon Dieu amène pour aller bûcher à des températures de − 25 toute la journée avec un *boss* sur le dos tout le temps, c'est pas le paradis. En plus, dormir tassés dans le camp et manger presque toujours la même chose, c'est pas la joie non plus. Mais il y a la paye, et ça, ça fait oublier tout le reste. Est-ce qu'il y en a qui ont le goût de monter avec moi demain matin?

Les jeunes se consultèrent du regard pendant un moment.

— Toi, Clément? Tu m'as pas dit que t'avais essayé de te faire engager l'année passée?

— Oui, et même l'année d'avant. Ils engageaient pas.

— Cette année, t'es chanceux: tu te ferais engager tout de suite. Ils ont besoin d'hommes.

— Il va falloir que j'en parle chez nous, conclut Clément. Moi, je voudrais ben. Ça doit être le *fun* d'avoir un peu d'argent dans ses poches et de voir autre chose que Saint-Jacques… Bon. Il faut que j'y aille, dit le jeune homme en lançant un regard vers son père qui se dirigeait avec sa mère et sa sœur Aline vers leur voiture. Si je peux y aller, j'irai te voir cet après-midi, chez vous.

Sur ce, Clément Tremblay, songeur, regagna la voiture dans laquelle les siens venaient de prendre place.

Durant le repas, le jeune homme ne dit pratiquement pas un mot. Il fallut que sa mère fasse allusion aux jeunes avec qui il avait discuté après la messe pour qu'il se décide à parler.

— Il va y en avoir pas mal moins dimanche prochain, dit-il.

— Pourquoi ça?

— Ben, il y en a plusieurs qui vont monter au chantier demain matin. Dupré m'a dit qu'ils viennent d'en ouvrir un nouveau à La Tuque et que la Price engage.

Son père cessa un instant de tremper son pain dans le sirop d'érable pour le regarder.

— Ah bon! se contenta de dire Thérèse Tremblay en se levant pour aller chercher une autre miche de pain dans la huche.

— Moi, j'ai pas mal envie d'y aller aussi, finit par dire le jeune homme. Ça fait deux ans que je veux me faire engager.

— Pour la drave aussi? demanda sa sœur Claire.

— Ben non. Je jumperais avant la drave. Il paraît que la compagnie garde juste ceux qui veulent pour la faire.

— Voyons donc, Clément, t'es pas pour faire ça à ton père! dit sa mère en reprenant sa place à table. Il était entendu que vous coupiez du bois tout l'hiver sur notre terre à bois pour aller en vendre une bonne partie à Pierreville. Vous aviez même parlé de découper de la glace sur la rivière…

— Oui, je le sais, admit son fils, mal à l'aise, mais je pensais pas qu'on rouvrirait des chantiers cet hiver et qu'on engagerait.

— Je pourrais peut-être y aller avec toi, intervint son frère Gérald, et…

— Whow! Toi, t'as juste seize ans, l'interrompit sa mère avec brusquerie. Tu vas attendre que le nombril te sèche avant de partir travailler dans un chantier. De toute façon, c'est parler pour rien : il y a pas un chantier qui engage des jeunes de ton âge.

— On sait ben. Moi, j'ai jamais le droit de rien faire, se plaignit l'adolescent.

— Oui, t'as le droit de te taire, lui ordonna sèchement sa mère.

Autour de la table, il y eut un long moment de silence. Claire, aidée par sa sœur Aline, se mit à ramasser la vaisselle sale pendant que la petite Jeannine commençait à ranger la nourriture déposée sur la table.

— Et vous, p'pa, qu'est-ce que vous en pensez ? demanda Clément en tournant la tête vers son père qui, jusqu'alors, n'avait pas prononcé un mot.

— Penses-y ben comme il faut avant de te décider, se contenta de dire Eugène Tremblay à son fils aîné. Tu feras ce que tu voudras.

Là-dessus, le père de famille quitta la pièce et entra dans sa chambre à coucher pour sa sacro-sainte sieste du dimanche après-midi.

— Ce serait pas bien fin de ta part de le laisser travailler tout seul tout l'hiver, chuchota Claire à son frère.

— Aïe, la grande, mêle-toi donc de tes affaires ! s'emporta Clément, tiraillé par l'indécision.

— En plus, moi, je suis pas un coton, intervint Gérald. Si Clément est pas là, je suis capable de prendre sa place.

— Toute une aide ! se moqua l'aînée en tournant le dos à ses deux frères.

— Claire, arrête de faire étriver tes deux frères et viens laver la vaisselle avec nous autres, l'invita sa mère à mi-voix.

— Vous direz à p'pa que j'ai attelé pour aller faire un tour chez les Dupré dans le Petit-Brûlé, dit le jeune homme avant de quitter la maison.

~

Au milieu de l'après-midi, Eugène venait à peine de finir sa sieste quand il vit arriver chez lui Wilfrid et Marthe Giguère. Après avoir retiré leur manteau, le maire et sa femme s'installèrent à la table de cuisine. Pendant que Thérèse parlait de ses projets de courtepointes avec sa sœur et sa fille Claire à une extrémité de la table, les deux beaux-frères s'entretenaient de l'élection du nouveau marguillier pour remplacer Ludger Parenteau le lendemain soir. Il en avait été largement question à la fin de la grand-messe.

— J'ai parlé tantôt à Tit-Phège Turcotte, dit le maire. Tu le connais comme moi : il aime ça fouiner. Il est allé jaser dans le groupe de ton voisin après la grand-messe.

— Ah oui ?

— Il paraît qu'on parlait pas mal du prochain marguillier. Veilleux avait l'air pas mal sûr d'être nommé sur le conseil de fabrique. Il paraîtrait que le curé lui a presque promis la place.

— Elle serait bonne, celle-là ! ne put s'empêcher de s'exclamer Eugène, immédiatement en proie à la jalousie. Mais ça serait pas surprenant, avec son cousin !

Les femmes cessèrent de parler entre elles pour écouter ce que les hommes disaient.

— Ça se pourrait ben qu'il soit nommé, reprit le grand homme maigre en passant ses doigts dans sa chevelure clairsemée.

— Dans ce cas-là, je peux te garantir que le curé en entendrait parler en maudit, reprit son beau-frère.

— Veilleux a tout de même l'âge et il a jamais été marguillier, lui fit remarquer le maire, se faisant l'avocat du diable.

— Ouais! Je le vois déjà trônant comme un petit coq dans le premier banc en avant de l'église ou en train de passer la quête durant la messe, dit Eugène, mi-figue mi-raisin.

— C'est sûr que ce serait ben à ton tour d'être sur le conseil, reconnut Wilfrid.

— Ça pourrait être ton tour aussi, fit Eugène, magnanime. Si t'étais nommé, ça me dérangerait pas pantoute.

— Pour te dire ben franchement, j'ai déjà ben assez des troubles de la mairie, dit le maire, sans cacher tout à fait son envie de devenir le prochain marguillier.

— En tout cas, le curé est ben mieux de se *watcher* demain soir quand le conseil va se réunir pour l'élection. Tout le monde sait dans la paroisse que c'est lui qui accepte ou non celui que les marguilliers proposent.

De toute évidence, Thérèse en avait assez entendu et elle laissa éclater sa colère.

— Vous deux, ça va faire! s'écria-t-elle. Monsieur le curé nommera bien qui il voudra et c'est pas à vous autres de lui dire ce qu'il a à faire. Vous viendrez pas débiner un prêtre dans ma maison.

— Whow, la Dame de Sainte-Anne! Fâche-toi pas, dit son mari en riant jaune. On faisait juste parler.

— Si ça vous fait rien, j'aimerais mieux que vous parliez d'autre chose.

— Thérèse a raison, approuva Marthe. On dirait que vous êtes en train de virer fous avec cette histoire-là.

Les Tremblay ne revirent Clément qu'à l'heure du train, à la fin de l'après-midi. Quand il pénétra dans l'étable, vêtu de ses habits de travail, il s'arrêta un instant auprès de son père occupé à laver les bidons de lait qui seraient utilisés pour la traite.

— J'ai ben pensé à mon affaire, p'pa, lui dit-il. Je pense que je vais rester avec vous autres cet hiver. Je trouve qu'il est déjà pas mal tard pour monter au chantier. De toute façon, on manquera pas d'ouvrage ici.

— C'est ben correct, fit Eugène, apparemment soulagé de pouvoir compter sur l'aide de son fils durant les mois à venir.

Quand Eugène Tremblay mit sa femme au courant de la décision de leur fils au moment où ils se retrouvèrent seuls en fin de soirée, Thérèse ne put s'empêcher de pousser un profond soupir de soulagement.

— Tant mieux. Je vais dormir pas mal plus tranquille de le savoir à la maison.

— Je le sais. Tu vas pouvoir continuer à jouer à la mère poule et à le couver, la taquina gentiment son mari.

— Je le couve pas, se défendit Thérèse. Les chantiers m'ont toujours fait peur depuis le temps où mon père et mes frères y allaient tous les hivers. Si on tombe malade là-bas ou s'il arrive un accident, il y a pas de docteur. À dix ou quinze milles dans le bois, avec de la neige à mi-jambes, un homme a toutes les chances de crever comme un chien sans être soigné.

— Ouais, approuva son mari.

— Sans parler qu'un jeune prend goût à vivre ailleurs que sur une terre. T'en connais comme moi qui se sont arrêtés en ville en revenant du chantier et qui ont décidé de vivre là.

— Ça, c'est sûr que ça s'est vu, fit Eugène.

— Regarde le garçon d'Arthur Boisvert. En descendant du chantier, il s'est arrêté à Montréal et il s'est trouvé une *job* qui lui permet de venir faire le gros riche une fois par année au village, quand il vient voir ses vieux parents. La même chose avec le petit Dumoulin. Puis, il y a Albert Veilleux.

— Lui, c'est pas la même chose. C'était parce qu'il était trop peureux pour aller se battre de l'autre bord qu'il est allé se cacher en ville.

— Dans le temps, tu lui donnais pourtant raison, lui fit remarquer sa femme.

— Bon, c'est correct. En tout cas, là, tu peux arrêter de te faire des peurs pour rien, ton gars y va pas au chantier, conclut Eugène en secouant sa pipe dans le poêle à bois avant d'y jeter deux grosses bûches pour la nuit.

⁓

Le lendemain soir, Eugène Tremblay trouva la soirée interminable. Assis près du poêle qu'il alimentait de temps à autre en y jetant quelques rondins, il demeurait silencieux, se contentant de fumer sa pipe. Quand Thérèse lui avait offert de venir jouer aux cartes avec Clément, Claire et elle, il s'était contenté de refuser en disant qu'il « n'avait pas la tête à ça ». Son fils Gérald prit sa place et on le laissa tranquille dans son coin.

Il était évident que l'homme se rongeait les sangs et mourait d'envie de connaître les résultats de l'élection qui, à cette heure-là, devait être terminée. Évidemment, pas moyen de savoir qui avait été élu avec un conseil où on ne trouvait que des bleus ! Il n'était tout de même pas pour atteler et aller traîner au village. Aussi tard dans la soirée, le magasin général était fermé depuis longtemps.

Pendant un moment, Eugène pensa que s'il avait été élu, Beaudoin, le président de la fabrique, serait probablement venu lui annoncer la bonne nouvelle. Si c'était Veilleux, il aurait fait la même chose. Il ne se rappelait pas avoir entendu quelqu'un passer sur la route durant toute la soirée. Alors, le cultivateur, sans trop le montrer, se mit à jeter des regards vers la fenêtre près de laquelle il était assis. Il guetta en cachette le moindre bruit indiquant qu'un attelage passait sur la route.

Durant toute la prière en famille, récitée à genoux, dans la cuisine, son esprit ne cessa de vagabonder. À vingt-deux heures précises, déprimé, le cultivateur déposa deux grosses bûches d'érable dans le poêle et remonta l'horloge, comme chaque soir avant de se coucher. Ensuite, il se dirigea vers la chambre où sa femme venait de le précéder. Thérèse n'avait fait aucune allusion à l'élection de la soirée, mais elle se doutait bien de ce qui rendait son mari si morose. Au moment de s'étendre à ses côtés, elle l'embrassa sur une joue en lui disant :

— T'en fais pas. Tu finiras ben par le savoir demain.

— De quoi tu parles ? lui demanda Eugène sur un ton agacé au moment où il se soulevait sur un coude pour souffler sur la mèche de la lampe à huile.

— Eugène Tremblay, prends-moi pas pour une folle ! T'as pas arrêté de te ronger les sangs de la soirée en pensant à l'élection du marguillier.

— Achale-moi pas avec ça !

— Si le bon Dieu veut que t'aies été nommé, tu vas l'être.

— C'est ça, fit Eugène, légèrement sarcastique. Bonne nuit.

Eugène Tremblay dormit fort mal cette nuit-là. En rêve, il vit le nouveau marguillier, un Ernest Veilleux triomphant, présenté officiellement à la fin de la grand-messe à toute l'assistance par le curé Lussier. Sur le parvis de l'église, tous les paroissiens se pressaient autour du candidat élu pour le féliciter et lui serrer la main. Il se réveilla en sursaut à l'aube, le front couvert de sueur, au moment où Veilleux lui indiquait avec un air sardonique une place dans le jubé après lui avoir refusé catégoriquement la location du banc que la famille Tremblay avait toujours occupé dans l'église.

Le cultivateur posa les deux pieds sur le plancher froid de la chambre, ce qui eut pour effet immédiat de le réveiller tout à fait. En grommelant, il se leva et alla allumer le poêle dans la cuisine avant de revenir s'habiller dans la chambre. Il était l'heure d'aller soigner les animaux. Il entendait déjà les garçons bouger à l'étage.

Quand il rentra de l'étable avec ses deux fils pour déjeuner, Thérèse se garda bien de faire la moindre allusion au fait qu'il n'avait pas cessé de bouger durant la nuit. Dès la dernière bouchée avalée, Eugène quitta la table et s'habilla pour sortir.

— Je vais aller chez Crevier avec le Noir, dit-il. J'ai remarqué qu'il boite. Il doit avoir un fer pas correct.

— Voulez-vous que j'y aille à votre place, p'pa ? offrit Clément.

— Non, c'est correct. J'en ai pas pour longtemps.

Quand Thérèse vit son mari s'engager sur la route quelques minutes plus tard, elle ne put s'empêcher de dire à Claire, debout à côté d'elle :

— Pour moi, ton père va nous revenir bien déçu du village. J'ai l'impression qu'il a pas été élu. Je pense que ce qui le travaille le plus, c'est que le voisin soit élu plutôt que lui.

Fait étrange, l'élection du nouveau marguillier n'avait pas du tout troublé l'atmosphère de la maison voisine, et ce n'était sûrement pas parce qu'Ernest était devenu subitement moins vindicatif. L'explication était fort simple : le curé Lussier avait clairement mis les choses au point quand son cousin s'était arrêté au presbytère le samedi précédent pour prendre des nouvelles de sa santé. Le gros prêtre l'avait reçu dans son bureau, la jambe étendue sur un tabouret et le bras en bandoulière.

— Ernest, je veux que tu saches que je suis certain que tu ferais un bien bon marguillier, avait déclaré le prêtre quand son cousin avait abordé la question de l'élection du remplaçant de Ludger Parenteau, qui devait avoir lieu deux jours plus tard.

— Merci, Antoine.

— Le problème, c'est que tu pourras jamais l'être tant et aussi longtemps que je vais être curé ici.

Le visage aux traits mobiles du petit homme nerveux s'était immédiatement figé.

— Je sais que t'aimerais ça et je te comprends, avait repris Antoine Lussier, mais c'est pas possible parce que le monde jaserait trop si je laissais le conseil te nommer.

— Ben, voyons ! avait protesté le cultivateur.

— Et c'est un peu ta faute, avait poursuivi le pasteur. Depuis que je suis arrivé ici, j'ai pas arrêté de te dire de faire la paix avec ton voisin. À votre âge, vous êtes plus des enfants, batèche ! Mais non, vous êtes tous les deux pareils. Vous vous guettez comme deux chiots qui veulent le même os et vous pourrissez l'atmosphère de la paroisse. Montre-toi plus intelligent qu'Eugène Tremblay : fais les premiers pas.

— Il en est pas question ! s'était entêté Ernest. Il m'en a fait trop voir. Je peux pas le sentir.

— Tu vois, c'est à cause de ça que je peux pas accepter que tu sois nommé marguillier. Si je faisais ça, la moitié de la paroisse serait enragée après moi.

— Et lui ? demanda Ernest, dépité.

— Pas plus lui que toi, avait déclaré le curé Lussier sur un ton péremptoire. Tant que vous vous accorderez pas, il y aura pas de place pour vous autres sur le conseil de fabrique.

Ernest Veilleux avait quitté le presbytère fort déçu et avait mis quelques heures à accepter le verdict de son cousin. Cependant, le lendemain, après la grand-messe, il avait tout de même pris un malin plaisir à déclarer devant quelques hommes que son cousin lui avait clairement laissé entendre qu'il avait toutes les chances d'être élu marguillier le lendemain soir. Il était certain que la nouvelle irait jusqu'aux oreilles de son ennemi et le ferait rager, du moins durant quelques heures.

~

Eugène Tremblay se garda bien de s'arrêter à la forge d'Adélard Crevier ce matin-là. Les fers de son cheval étaient en très bon état et n'avaient nullement besoin d'être examinés par le maréchal-ferrant. Tant mieux. Il n'hésitait pas à faire appel aux services de Crevier lorsque c'était nécessaire, mais ordinairement, il l'évitait parce que c'était un conservateur à tout crin très proche de Veilleux. De plus, comme l'homme visait ouvertement la mairie de Saint-Jacques-de-la-Rive et ne se privait pas d'attaquer son beau-frère Wilfrid à la moindre occasion, il ne l'aimait pas beaucoup.

Le cultivateur préféra plutôt se rendre au magasin général où il pourrait acheter quelques livres de clous qui finiraient toujours par servir. Aussi tôt dans la matinée, il ne trouva dans le magasin qu'Hélèna Pouliot en train de suspendre divers articles à des crochets fixés derrière son comptoir.

— Tiens, Eugène ! s'exclama la célibataire osseuse en penchant la tête pour mieux regarder le nouvel arrivant par-dessus ses petites lunettes à monture d'acier. T'es de bonne heure à matin. Est-ce que c'est ta femme qui t'a jeté dehors parce que t'étais plus endurable ?

— Pantoute, Hélèna, répondit l'homme avec un sourire forcé. J'ai juste besoin de cinq livres de clous de deux pouces.

Eugène connaissait assez la réputation de commère de cette femme d'une cinquantaine d'années pour savoir qu'il allait apprendre toutes les nouvelles de la paroisse en quelques minutes… Il ne s'était pas trompé.

— T'arrives juste au moment où Honoré Beaudoin vient de partir, dit-elle en se dirigeant vers une boîte remplie de clous. Il paraît que l'élection du marguillier l'a fait coucher pas mal tard, hier soir.

— Ah !

— Tu savais que c'était hier soir que ça devait se faire ?

— Il me semble ben que c'est ce que monsieur le curé a annoncé en chaire avant-hier, dit Eugène en s'efforçant de prendre un ton détaché.

— Honoré Beaudoin a dit que ça avait fini trop tard pour qu'il ait le temps d'aller avertir celui qui a été élu à la place de Ludger Parenteau.

Eugène Tremblay ne trouva rien à dire et, le cœur battant, il attendit la nouvelle.

— Tu devineras jamais qui a été élu, poursuivit la célibataire sur un ton narquois, en le dévisageant avec soin.

— Qui a été nommé ? finit-il par demander, la gorge sèche tant il était énervé.

— Edmond Drolet.

— Edmond Drolet! répéta Eugène, abasourdi. Mais tu trouves pas qu'il est pas mal jeune pour être marguillier? s'empressa-t-il d'ajouter pour cacher sa déconvenue.

— C'est vrai qu'il est juste au commencement de la trentaine, reconnut Hélèna en déposant une troisième poignée de clous dans un gros sac brun. Mais il faut pas oublier qu'il est père de famille et même s'il est revenu estropié de la guerre, c'est un homme qui arrête pas de travailler pour faire vivre sa famille. Moi, je le trouve ben à ses affaires, ce jeune-là.

— C'est vrai qu'il a ben du mérite, reconnut Eugène. Je suis sûr qu'il va faire une bonne *job* au conseil.

Sur ces mots, il paya Hélèna et quitta le magasin général. Sur le chemin du retour, le cultivateur fut tout surpris d'éprouver aussi peu d'amertume à la pensée de ne pas avoir été élu. À peine était-il tenaillé par un mince regret. Il salua Germain Fournier au passage, au moment où le jeune homme finissait de charger les bidons de lait que Bruno Pierri avait déposés sur sa plate-forme, en bordure du chemin. Quelques instants plus tard, il arrêta son boghei près de la remise, détela son cheval et le mena à l'écurie avant de rentrer dans la maison.

— Seigneur! s'exclama Thérèse en le voyant entrer, on peut pas dire que t'as traîné en chemin. Adélard Crevier a fait ça vite.

— J'ai pas eu à aller à la forge, en fin de compte, admit son mari, en enlevant son manteau. Le fer du cheval était correct. C'était juste une roche qui le faisait boiter. J'en ai profité pour acheter des clous chez Hélèna.

— As-tu fini par savoir qui a été élu marguillier?

— Ben oui.

— Qui est-ce?

— Le petit Drolet du rang Saint-Pierre, annonça Eugène sans la moindre trace de dépit dans la voix.

— T'es pas trop déçu, j'espère ?

— Pantoute.

Thérèse Tremblay regarda durant un bref moment son mari en train de bourrer paisiblement sa pipe et elle crut comprendre. Il ne lui mentait pas en affirmant qu'il n'était pas déçu. L'important pour lui était qu'Ernest Veilleux n'ait pas été élu. Il trouvait probablement plus de plaisir à imaginer l'amère déception de son voisin qu'il en aurait peut-être eu à être élu au conseil de la fabrique paroissiale.

Chapitre 11

La première tempête

Le mercredi suivant, à la fin de l'avant-midi, Ernest Veilleux et son fils Jérôme venaient à peine de quitter Pierreville après avoir livré deux cordes de bois à une cliente lorsque le vent se leva et se mit à souffler du nord. Immédiatement, le froid se fit plus cinglant. Le ciel, uniformément gris depuis deux jours, vira progressivement au noir. Le cheval dut sentir ce changement brusque de température parce qu'il devint plus nerveux.

— Whow ! Whow ! hurla le conducteur pour le calmer en tirant légèrement sur les guides.

— Je pense qu'il va neiger, p'pa, fit l'adolescent en enfonçant plus profondément sa casquette sur sa tête.

— Ça s'en vient, c'est sûr, lui affirma son père. On va en avoir toute une. Regarde, le ciel est en train de devenir tout noir. Quand ça va se mettre à tomber, on a intérêt à pas traîner dans le chemin.

Comme si le ciel n'attendait que ce signal, les premiers flocons se mirent à virevolter dans l'air. Puis, en quelques instants, l'horizon disparut. La nature se déchaîna. La neige se mit à tomber de plus en plus dru, poussée à l'horizontale par un vent hurlant.

Stupéfaits, les Veilleux se retrouvèrent prisonniers d'une sorte de rideau opaque et glacé qui leur coupait le souffle et les aveuglait en même temps.

— Torrieu ! jura Ernest Veilleux, la tête enfoncée dans son col de manteau qu'il avait relevé précipitamment. On voit même plus le chemin.

Il enfonça plus profondément sa casquette de drap après en avoir abaissé les oreillettes et il plissa les yeux pour ne pas se laisser aveugler par la neige. Il dut tout de même ralentir encore son attelage pour ne pas risquer de sortir de la route et verser dans le fossé. À ses côtés, Jérôme se protégeait le visage du mieux qu'il le pouvait avec son écharpe de laine.

Les quelques milles qui restaient à franchir jusqu'à la ferme leur parurent durer une éternité, et c'est complètement frigorifiés que le père et le fils finirent par arriver à la maison, au bout du rang Sainte-Marie. En pénétrant dans la cour, Ernest cria à son fils :

— Il était temps qu'on arrive ! On va dételer devant la remise et laisser la voiture là. J'ai ben l'impression qu'elle servira pas avant le printemps prochain.

Quelques minutes plus tard, Ernest et Jérôme s'empressèrent d'entrer dans la maison après un bref arrêt sur la galerie pour se débarrasser de la plus grande partie de la neige qui les couvrait.

— Seigneur ! s'exclama Yvette en venant les accueillir à la porte. J'ai bien pensé que vous vous arrêteriez quelque part en chemin pour vous mettre à l'abri. J'ai jamais vu une tempête arriver si vite.

— Ça a commencé à tomber juste après qu'on soit sorti du village, dit Ernest avec mauvaise humeur en retirant son manteau. Ça aurait servi à rien de s'arrêter là. T'imagines un peu de quoi va avoir l'air le chemin quand ça va arrêter de tomber. J'ai ben l'impression que c'est parti pour des heures.

— En tout cas, organisez-vous pas pour mettre de la neige partout sur mon plancher. Céline l'a lavé après le déjeuner.

Ernest ne dit rien. Il se dépêcha d'aller se verser une tasse du thé que sa femme gardait toujours au chaud sur le poêle avant de s'asseoir dans sa chaise berçante placée à la droite du poêle, devant l'une des fenêtres.

— Il faisait tellement noir qu'on a été obligées d'allumer la lampe à huile, reprit Yvette en venant rejoindre Anne et Céline, debout près de la table, en train de préparer le dîner.

Ernest avait soulevé un coin du rideau de la fenêtre et scrutait la route.

— J'espère que la petite Dandurand va être assez intelligente pour garder les enfants à l'école, dit-il en parlant de la jeune institutrice. On voit même pas de l'autre côté du chemin. J'ai même de la misère à voir notre boîte à lettres.

— La maîtresse d'école est pas folle, le rassura Yvette. Elle laissera jamais les enfants prendre le chemin dans une tempête pareille. Jérôme, quand tu te seras assez réchauffé, tu me rempliras le coffre à bois, lui demanda sa mère en se tournant vers l'adolescent qui ne cessait de se frotter les mains au-dessus du poêle pour les réchauffer.

À l'extérieur, les hurlements du vent devenaient assourdissants et déjà la neige s'accumulait au pied des obstacles. Dans la cuisine, la chaleur dégagée par le poêle à bois procurait une réconfortante impression de sécurité. Anne abandonnait sa tâche de temps à autre pour aller voir par la fenêtre.

— Ça te sert à rien de manger les fenêtres, la réprimanda sa mère. Il y a rien à faire que d'attendre que ça finisse.

On dîna à l'heure habituelle chez les Veilleux. Après sa sieste, Ernest décida de sortir de la maison.

— Viens, Jérôme, dit-il à l'adolescent. On va aller voir avant qu'il fasse trop noir si la gratte est correcte et en même temps, on va vérifier la *sleigh*.

Tous les deux s'emmitouflèrent et quittèrent la maison, penchés vers l'avant pour lutter contre le vent violent qui soufflait. La neige arrivait déjà à la hauteur de la seconde marche de l'escalier et elle s'était accumulée sur la galerie.

— Vous devriez les voir aller, m'man, fit Céline qui avait toute la peine du monde à apercevoir son père et son frère se diriger vers la grange. Ils ont de la misère à avancer tellement il vente fort. Je peux même pas voir l'étable d'ici.

Ernest et son fils, de la neige à mi-jambes, parvinrent à se rendre à la grange et ils firent glisser la porte sur son rail. Dès qu'ils furent entrés dans le bâtiment, le père s'empressa de la refermer avant que la neige s'engouffre dans les lieux et il alluma le fanal suspendu à un clou près de l'entrée.

Les deux hommes tirèrent dans un espace dégagé ce qu'ils appelaient la gratte. Il s'agissait d'un appareil rudimentaire constitué de trois épais madriers d'une douzaine de pieds de longueur reliés entre eux par des travers solides. On fixait aux deux extrémités de l'ensemble des chaînes de longueur inégale qu'on attachait au harnais d'un ou de deux chevaux. Le tout était lourdement lesté. Les madriers, tirés en oblique, repoussaient alors la neige sur le côté. Depuis plusieurs générations, les fermiers de la région se servaient de ce type d'appareil tant pour repousser la neige qui les empêchait d'avoir accès à leurs bâtiments que pour déneiger la portion de route qui longeait leur ferme, comme la loi les obligeait à le faire.

Après vérification, la gratte des Veilleux semblait en bon état et prête à servir.

— Quand ça se calmera, déclara le père de famille, on attellera les chevaux et on la passera. Pas avant. Pour l'instant, on va nettoyer un peu la *sleigh*.

Le père et le fils eurent beaucoup plus de mal à dégager le traîneau en bois monté sur des patins élevés parce qu'on y avait empilé toutes sortes d'objets depuis le printemps précédent.

— Je l'avais dit à ta mère qu'on aurait été ben mieux de la mettre dans la remise avec le boghei et la charrette, dit Ernest, mécontent. Si on avait fait ça, on serait pas pognés à tout enlever ce maudit barda-là.

Durant plusieurs minutes, le père et le fils travaillèrent à la seule lueur du fanal, dans la grange où le vent finissait par s'infiltrer en rugissant.

— Pendant qu'on y est, on est aussi ben de sortir le gros traîneau aussi. On va finir par en avoir besoin, dit Ernest à son fils en dégageant avec effort un large traîneau en bois massif, qui servait habituellement au transport du bois ou des charges.

Lorsqu'ils eurent fini, Ernest tendit le fanal à son fils.

— Aussi ben aller à l'étable tout de suite et se débarrasser du train. C'est presque l'heure de toute façon. Après, on s'encabanera, à moins d'être obligés d'aller chercher tes frères à l'école.

À leur sortie de la grange, la neige tombait toujours aussi dru et le vent ne s'était pas calmé. Ils eurent même du mal à parcourir les quelques pieds qui les séparaient de l'étable.

Lorsqu'ils finirent de traire et de nourrir la quinzaine de vaches, l'obscurité était définitivement tombée. Après être allés voir au poulailler si les poules avaient suffisamment à manger, le père et le fils prirent le chemin de la maison. Au moment où ils allaient mettre le pied sur la première marche de l'escalier conduisant à la galerie, ils entendirent des cris en provenance de la route. Ernest Veilleux s'arrêta et fouilla les ténèbres qui l'entouraient en se protégeant les yeux du mieux qu'il pouvait de la neige qui tombait. Jérôme se pencha vers son père et hurla pour se faire entendre :

— Avez-vous entendu des cris, p'pa ?

— Ouais. Je me demande qui…

Le cultivateur n'eut pas à s'interroger plus longtemps. Brusquement, il vit apparaître le petit traîneau de Philibert Dionne tiré par huit gros chiens. L'étrange attelage vint s'arrêter près de la maison après que le postier eut crié un ordre à ses bêtes. Adrien, Léo et Jean-Paul Veilleux descendirent du traîneau en riant.

— Veux-tu me dire ce que tu fais sur le chemin en pleine tempête, Philibert ? lui cria Ernest Veilleux en voyant l'homme couvert de neige attacher son traîneau au garde-fou de la galerie. Arrive. Entre te réchauffer un peu dans la maison.

Les jeunes, excités, s'étaient déjà précipités à l'intérieur. Philibert Dionne précéda Ernest et son fils Jérôme à l'intérieur en n'accordant aucune attention aux jappements de ses chiens. Tout ce monde se secoua sur le paillasson.

— Merci pour mon plancher propre, fit Céline, mécontente de voir autant de neige le souiller.

— C'est juste de la neige, énerve-toi pas, rétorqua Jérôme.

— Envoye, Philibert, ôte ton manteau et viens boire un petit remontant, fit Ernest en enlevant ses bottes.

Le postier ne se fit pas prier pour enlever son lourd manteau de chat sauvage et sa tuque pendant que son hôte sortait une bouteille de caribou de l'armoire et lui en versait une bonne rasade.

— Ça, ça réchauffe le Canayen, dit le postier avec enthousiasme après avoir avalé le contenu de son verre.

— Tu m'as toujours pas expliqué pourquoi t'es sur le chemin à la noirceur ? lui demanda Ernest en versant un second verre à son invité.

Le petit homme rondelet à la calvitie bien marquée avala la moitié de son second verre avant de répondre à son hôte.

— Comme tu peux voir, j'ai pris le chemin pour aller reconduire les enfants pognés à l'école, finit-il par répondre.

— T'es pas si pressé que ça, assis-toi une minute, l'invita Yvette qui venait de la chambre située au pied de l'escalier.

Philibert Dionne accepta l'invitation et prit un siège.

— Je finissais de passer la malle à midi quand je me suis fait pogner par la tempête. J'étais en boghei et j'ai eu toute la misère du monde à rentrer à la maison. Quand je me suis arrêté à l'école du village, la petite Dandurand m'a dit qu'elle avait déjà envoyé les enfants qui restaient le plus près de l'école, mais qu'elle gardait les autres parce que c'était trop dangereux de les envoyer sur le chemin avec la tempête qui commençait. Je lui ai dit que j'étais pour attendre chez nous jusqu'à la fin de l'après-midi et que si c'était pas calmé à ce moment-là, j'attellerais mes chiens à mon petit traîneau, comme je le fais chaque fois que les chemins sont laids, l'hiver. Je lui ai promis que je viendrais chercher les enfants pour les ramener chez eux. C'est ce que j'ai fait avec les petits Tremblay à côté tout à l'heure. Quand j'ai vu que t'étais pas venu chercher les tiens, j'ai fait la même chose avec eux autres.

— J'étais prêt à y aller avec la *sleigh* avant le souper, répliqua Ernest, qui avait senti une sorte de blâme dans la dernière phrase du vieux postier.

— Tu serais jamais passé, déclara Philibert Dionne, sûr de lui. Il y a des places où le vent a fait des bancs de neige de trois à quatre pieds de haut au milieu du chemin. Même mes chiens ont eu de la misère à passer. Je te le dis, on voit même plus les piquets de clôture à ben des places. C'est pas mal dangereux de sortir de la route.

— En tout cas, t'es ben smatte de nous avoir ramené les jeunes, le remercia Ernest.

— Tu soupes avec nous autres, l'invita Yvette.

— J'haïrais pas ça, mais ma femme va s'inquiéter de voir que je reviens pas. Ce sera pour une autre fois.

Là-dessus, Philibert Dionne se leva et remit son manteau et ses bottes.

— As-tu l'intention d'aller chercher la malle à la gare de Pierreville demain matin avec tes chiens ? lui demanda Ernest.

— Si la tempête est pas finie, j'aurai pas le choix. De toute façon, j'ai ben peur d'être obligé de le faire parce que je pourrai pas attendre que chaque cultivateur ait dégagé sa portion de chemin pour monter à Pierreville. Chaque hiver, c'est la même histoire : il y en a qui se traînent les pieds et qui attendent pas mal tard pour nettoyer. C'est de valeur que ce soit comme ça parce que c'est pas mal plus vite avec mon cheval et ma *sleigh*.

— C'est sûr que c'était pas mal mieux du temps que Desjardins était maire, déclara Ernest.

— Je sais pas trop, fit prudemment le postier, peu désireux de s'engager dans la querelle qui opposait le clan Veilleux à celui de Tremblay.

— Rappelle-toi, Philibert, quand le gros Desjardins était maire. Lui, il se gênait pas pour venir avertir ceux qui entretenaient pas leur bout de chemin assez vite. Tu verras pas Wilfrid Giguère faire ça. Il a ben trop peur de perdre un vote aux prochaines élections.

— Ça se peut, dit Dionne, la main sur la poignée de la porte. Bon. Il faut que j'y aille. À la prochaine et merci pour vos politesses.

Le postier quitta la maison et replongea dans la tempête qui n'avait vraiment pas l'air de s'essouffler.

— En tout cas, nous autres, on sort pas de la maison de la soirée, déclara Ernest aux siens. Au chaud, proches du poêle, on va être ben.

Après le repas, les plus jeunes s'installèrent au bout de la table pour apprendre leurs leçons à la lueur de la lampe à huile pendant qu'Yvette et ses deux filles découpaient des carrés de tissu dans de vieux vêtements avec l'intention de fabriquer une courtepointe.

Vers vingt et une heures trente, Ernest donna le signal du coucher. Il jeta un coup d'œil par la fenêtre.

— Le vent va ben finir par tomber, dit-il à sa femme. Mais là, il fait trop noir pour voir s'il neige toujours aussi fort. Pour moi, demain matin, ça va être fini, cette tempête-là.

— On fait la prière, annonça Yvette en allant ranger ses ciseaux pendant qu'Anne et Céline plaçaient les carrés de tissu dans une poche de jute.

Après la prière en famille, les jeunes montèrent à l'étage. Ernest mit une grosse bûche d'érable dans le poêle avant de prendre la direction de la chambre à coucher où sa femme était déjà en train de se déshabiller.

⁓

Quelques arpents plus loin, chez les Tremblay, tout le monde se mit au lit un peu après vingt-deux heures. Bien enfouis sous d'épaisses couvertures, chacun s'endormit au son du vent qui hurlait à l'extérieur, comme prêt à arracher la toiture.

Soudain, Thérèse ouvrit les yeux dans le noir. Elle aurait été incapable de préciser depuis combien de temps elle dormait, mais quelque chose venait de la réveiller. Aux aguets, elle attendit dans le noir. Des bruits sourds semblant provenir de la cuisine lui parvinrent alors. Elle s'assit dans le lit et secoua sans ménagement son mari qui ronflait à ses côtés.

— Eugène! Eugène! Réveille-toi! Il y a quelqu'un qui frappe à la porte.

— Voyons donc! protesta le cultivateur en reprenant difficilement pied dans la réalité. Pour voir s'il y a quelqu'un d'assez fou pour sortir la nuit en pleine tempête.

— Écoute! lui ordonna Thérèse en tendant l'oreille. Je te le dis qu'il y a quelqu'un dehors! répéta-t-elle en allumant la lampe à huile déposée sur sa table de chevet. Va voir ce que c'est!

Eugène Tremblay posa les pieds sur le plancher froid de la chambre et enfila son pantalon en ronchonnant. Dès qu'il ouvrit la porte de la chambre, le mari et la femme entendirent beaucoup plus clairement le bruit. Quelqu'un criait et frappait bien à coups redoublés à la porte.

— Baptême! C'est pourtant vrai! s'écria le cultivateur en saisissant la lampe à huile que lui tendait Thérèse, encore assise dans le lit.

L'homme à la stature imposante se précipita dans la cuisine et alla ouvrir la porte. Des flocons de neige poussés par une bourrasque de vent entrèrent dans la maison en même temps que le visiteur couvert de neige. Eugène eut d'abord du mal à l'identifier à la lueur incertaine de sa lampe qu'il tenait à bout de bras.

— Sacrifice! Mais c'est Georges?

— Bonsoir, monsieur Tremblay, dit le voisin, tout énervé, en secouant un peu la neige qui le couvrait.

— Veux-tu ben me dire ce que tu fais dehors en pleine nuit dans une tempête pareille?

À ce moment-là, Thérèse, enveloppée dans une épaisse robe de chambre, sortit de sa chambre. Elle devina tout de suite la raison de la présence de leur jeune voisin.

— Rita est pas en train d'accoucher ?

— En plein ça, madame Tremblay, fit Georges Hamel, la voix tendue. Les douleurs ont commencé tout à l'heure. Avec cette tempête-là, je suis pas capable d'aller chercher le docteur Courchesne et je sais pas trop quoi faire... Pour chacun des trois autres, le docteur est venu à temps, mais là...

— Donne-moi une minute pour m'habiller, j'arrive, déclara la femme d'Eugène Tremblay en disparaissant dans sa chambre.

— Qu'est-ce que ça donne dehors ? demanda Eugène pour faire patienter le père survolté.

— Il neige toujours autant, répondit le jeune homme, pressé de repartir.

— T'es pas venu à pied ?

— Non, je me suis dépêché d'atteler le traîneau, mais mon cheval a eu ben de la misère à se rendre jusqu'à chez vous tellement il y a épais de neige dans le chemin.

— Est-ce que j'ai besoin d'apporter quelque chose ? demanda Thérèse en sortant de sa chambre déjà vêtue d'une robe.

— Rita avait tout préparé, fit le voisin, la main déjà sur la poignée de la porte.

Thérèse Tremblay enfila son manteau après avoir chaussé ses bottes et fit signe à Georges Hamel qu'elle était prête à partir.

— Je reviendrai quand tout sera fini, dit-elle à son mari avant de sortir dans la tourmente.

La tête et le visage protégés par une écharpe, elle prit place dans le traîneau arrêté au pied de l'escalier. La neige tombait toujours autant et le vent la faisait tourbillonner.

Georges Hamel cria à son cheval d'avancer, mais il dut utiliser son fouet pour décider la bête à affronter le mur blanc qui se dressait devant elle. Même si les Hamel habitaient la ferme voisine, il fallut plusieurs minutes pour couvrir la distance entre les deux maisons. Lorsque Thérèse descendit du traîneau près de la galerie, elle cria au conducteur qu'il pouvait aller mettre son cheval à l'abri à l'écurie avant d'entrer dans la maison.

À quarante-six ans, la femme avait une bonne expérience de l'accouchement et il lui était arrivé à trois ou quatre reprises d'aider à la délivrance d'une future mère. À son entrée dans la maison des voisins, les lieux étaient silencieux. Les enfants devaient dormir à l'étage. Une lampe éclairait chichement la cuisine et une autre était allumée dans la chambre du rez-de-chaussée. Après avoir rapidement enlevé son manteau, Thérèse Tremblay se dirigea vers la chambre où elle trouva sa jeune voisine déjà en proie à des contractions.

— J'ai bien l'impression que tu vas devoir te contenter de moi pour t'aider à accoucher, dit-elle à Rita Hamel en réponse aux remerciements de la jeune mère.

— Ça me rassure pas mal que vous soyez là, madame Tremblay, avoua la jeune voisine en grimaçant à l'arrivée de nouvelles contractions. Ma mère doit venir demain matin pour m'aider, mais j'ai bien l'impression qu'elle va arriver après le petit.

— Tant mieux si ça te rassure que je sois là. Est-ce que tes contractions sont rapprochées ? demanda Thérèse.

— Aux cinq minutes à peu près.

— Est-ce que tes trois autres accouchements ont été faciles ?

— J'ai pas eu de problème, affirma Rita au moment où son mari entrait dans la pièce.

— Georges, toi, tu vas me mettre de l'eau à bouillir sur le poêle et placer sur la table de cuisine tout ce qu'il faut pour nettoyer le petit quand il va arriver, lui dit sa voisine en se tournant vers lui. On n'a pas besoin de toi dans la chambre. Ferme la porte en sortant.

Le jeune père de famille quitta la pièce avec un certain soulagement et s'empressa de déposer une pleine bouilloire d'eau sur le poêle, qu'il alimenta. Ensuite, il se mit à faire les cent pas dans la cuisine pendant qu'il entendait les chuchotements en provenance de sa chambre. Plus d'une demi-heure passa avant qu'un cri déchirant le fasse sursauter. Il y eut des conseils pressants formulés par la voisine, conseils suivis par d'autres cris. Un enfant se réveilla à l'étage et se mit à pleurnicher. Le père monta rapidement le consoler après s'être emparé de la lampe à huile déposée sur la table de cuisine.

Quand Georges Hamel descendit deux minutes plus tard, il retrouva Thérèse Tremblay debout au centre de la cuisine, le front couvert de sueur.

— Est-ce qu'il y a un problème ? demanda le jeune homme, soudain alarmé.

La voisine sembla hésiter un moment avant d'avouer :

— On aurait bien besoin du docteur.

— Comment ça ?

— Le petit se présente par le siège. J'arrive pas à le virer de bord. J'ai jamais eu à faire ça.

— Qu'est-ce que je peux faire ? demanda Georges Hamel, de plus en plus énervé. Je vais aller chercher le docteur à Pierreville, ajouta-t-il en se dirigeant déjà vers le crochet auquel était suspendu son manteau.

— Ça servirait à rien, dit Thérèse Tremblay. Tu pourras jamais être revenu à temps, en supposant que tu sois capable de te rendre.

— Je suis pas pour laisser ma femme et mon petit crever sans rien faire ! protesta le jeune homme en élevant la voix.

Il y eut un cri en provenance de la chambre et Georges fit un pas vers la pièce. Sa voisine le saisit par le bras pour l'empêcher d'entrer. Soudain, ses traits s'éclairèrent.

— Attends ! Je viens d'y penser. La femme de Bruno Pierri m'a déjà dit qu'elle était sage-femme dans son village, en Italie. Ça se peut qu'elle, elle sache quoi faire. Dépêche-toi. Attelle et va la chercher.

Pendant que le jeune cultivateur s'habillait, Thérèse prit la peine de lui préciser :

— Frappe pas à la porte, ils t'entendront peut-être pas. Va cogner à leur fenêtre de chambre.

Sans un mot, le futur père quitta la maison en courant et Thérèse Tremblay rentra dans la chambre procurer des encouragements à Rita Hamel, qui commençait à s'épuiser sérieusement. Et les minutes d'une attente insoutenable s'étirèrent, ponctuées par les cris de plus en plus faibles de la jeune femme en proie aux douleurs de l'enfantement.

Puis, il y eut des bruits de pas sur la galerie. La porte de la maison s'ouvrit sur Maria Pierri, une petite femme boulotte âgée d'une quarantaine d'années dont les cheveux étaient aussi noirs que les yeux. L'Italienne referma la porte, salua Thérèse venue à sa rencontre et enleva son manteau et ses bottes.

— J'ai bien pensé que vous arriveriez jamais, dit Thérèse.

— J'ai jamais vu une tempête comme ça, avoua la femme de Bruno Pierri avec son accent chantant. Le cheval voulait plus avancer.

— L'enfant se présente mal, murmura Thérèse à la nouvelle arrivée.

— Tant que ce n'est pas le cordon passé autour du cou du bébé, on peut toujours essayer de faire quelque chose, la rassura la voisine, en allant tout de suite vers l'évier pour se laver les mains.

— Je me suis pas trompée en me rappelant que vous avez été sage-femme en Italie ?

— Vous avez de la mémoire, madame Tremblay, répondit Maria Pierri en suivant Thérèse dans la chambre où Rita Hamel était alitée.

Un quart d'heure plus tard, quand Georges rentra dans la maison après être allé conduire son cheval à l'écurie, la porte de la chambre était fermée. Il entendit encore des murmures puis un grand cri poussé par sa femme. Son cœur battant la chamade, il se précipita vers la porte au moment même où celle-ci s'ouvrait. Thérèse Tremblay apparut devant lui et le repoussa doucement du plat de la main vers la cuisine.

— Ton petit vient d'arriver. Prépare-moi un bol d'eau tiède et mets-le sur la table avec les serviettes et le linge du petit. J'arrive avec dans une minute.

— Et ma femme ?

— Inquiète-toi pas. Elle va bien. Madame Pierri connaît son affaire.

Soulagé au-delà de toute expression, le jeune père s'empressa de préparer ce que sa voisine venait de lui demander et il attendit avec impatience de voir son enfant et sa femme. Quelques instants plus tard, Thérèse Tremblay sortit de la chambre en portant dans ses bras une petite chose toute fripée. Elle déposa le bébé sur le drap étendu sur la table et fit rapidement sa toilette avant de l'emmailloter et de le rapporter à sa mère, épuisée, mais fière de tenir dans ses bras son quatrième enfant.

Pendant que le père s'approchait de sa femme et du petit, Thérèse Tremblay et Maria Pierri quittèrent la pièce et allèrent se laver les mains dans la cuisine.

Moins de quinze minutes plus tard, Georges déposa le bébé dans son berceau installé au pied du lit et éteignit la lampe pour laisser sa femme se reposer enfin. Après avoir refermé la porte de la chambre derrière lui, il offrit une tasse de thé aux deux femmes. Ces dernières finissaient de boire leur thé quand le bruit d'un attelage se fit entendre à l'extérieur. Au même moment, l'horloge sonna six coups. Georges alla ouvrir et découvrit Eugène Tremblay debout sur le seuil.

— Est-ce que ton petit est arrivé? demanda-t-il au jeune homme en pénétrant dans la cuisine.

— Il vient juste d'arriver, lui répondit Thérèse en se levant de la chaise berçante où elle s'était assise.

— Ça s'est ben passé?

— Une chance qu'on a eu madame Pierri, reconnut Thérèse.

— Nous étions deux, fit modestement l'épouse de Bruno.

— Parfait, dit Eugène. J'ai pensé venir te chercher avant d'aller faire le train, ajouta-t-il à l'intention de sa femme. La neige vient de s'arrêter et il vente presque plus.

— Tant mieux, ne put s'empêcher de dire Maria.

— Si tout est fini, je peux aussi vous ramener chez vous, lui proposa Eugène.

— Merci, dit l'Italienne, se dirigeant déjà vers son manteau déposé sur une chaise.

— Ta nuit va être courte, mon pauvre Georges, poursuivit Eugène. T'as ton train à faire et tes enfants sont à la veille de se réveiller.

—J'en ai ben peur, monsieur Tremblay, reconnut Georges. Mais la belle-mère va finir par arriver durant l'avant-midi et elle va me donner un coup de main. Je vais attendre qu'elle soit là pour aller enregistrer le petit au presbytère. Monsieur le curé aime pas qu'on attende trop pour faire baptiser.

— C'est normal, dit Thérèse. Il a toujours peur qu'un petit aille dans les limbes s'il lui arrivait quelque chose avant d'être baptisé.

— Si c'est comme ça, intervint Maria Pierri en déposant son manteau sur la chaise où il était un instant auparavant, je vais rester pour m'occuper des *bambini*. Mon Bruno est capable de se débrouiller tout seul pour le déjeuner.

Les Tremblay quittèrent la maison des Hamel et rentrèrent chez eux. Il faisait encore nuit et la tempête avait laissé derrière elle des accumulations de neige impressionnantes. À leur arrivée dans la maison, les parents découvrirent Claire déjà en train de préparer le déjeuner familial dans une cuisine toute chaude. La jeune femme abandonna ses plats pour aller au-devant de sa mère.

— Puis, m'man, qu'est-ce que Rita a eu?

— Un beau garçon.

— Ça s'est bien passé?

— Ça a été pas mal difficile. Une chance que j'ai eu de l'aide de madame Pierri. Elle est bien fine, cette femme-là. Même si Georges est allé la réveiller au milieu de la nuit, elle est restée chez les Hamel pour prendre soin des enfants pendant que Georges va faire son train et dormir une heure ou deux.

— J'aurais pu aller m'occuper des petits.

— J'allais te proposer, mais elle a été plus vite que moi.

— Les garçons sont déjà à l'étable, p'pa, dit la jeune fille en se tournant vers son père. J'ai envoyé Jeannine nourrir les poules et Lionel s'occupe des cochons.

— Bon. Dans ce cas-là, je vais aller donner un coup de main à faire le train, conclut son père avant de sortir.

Thérèse enleva ses bottes et son manteau. Soudain, la fatigue ralentissait ses mouvements et elle avait du mal à garder les yeux ouverts.

— Approchez, m'man. Venez manger un morceau avant d'aller vous coucher, l'invita son aînée. Après ça, vous allez dormir mieux.

Thérèse Tremblay fit un effort pour venir s'attabler. Sa fille lui prépara des œufs et du pain grillé.

À l'extérieur, Eugène fit avancer son cheval jusque devant la remise et il l'attacha à l'anneau scellé dans le mur avant de se diriger difficilement vers l'étable, de la neige à mi-jambes. Deux fanaux étaient allumés et suspendus à des piliers du vieux bâtiment.

— Bon. On va essayer de se sortir de toute cette neige qui nous est tombée dessus depuis hier, déclara-t-il à ses fils en frappant bruyamment les pieds contre le sol pour en faire tomber la neige. Clément, tu vas atteler les chevaux et passer la gratte dans la cour. J'ai laissé le Noir devant la remise. Je vais finir le train avec Gérald. Lionel, t'as nourri les cochons?

— Oui, p'pa, répondit l'adolescent.

— Parfait. Tu vas aller nettoyer la plate-forme et déneiger un peu autour pour que Germain Fournier ait pas trop de misère à ramasser le lait quand il va passer, si jamais il est capable de passer sur la route. Après, tu nettoieras l'escalier et la galerie.

Sur ce, le père s'empara du petit banc et du seau que Clément tenait et il se mit à traire la vache dont son fils s'apprêtait à s'occuper.

Lorsque Clément quitta l'étable, il lui sembla être accueilli par un froid plus vif qu'au moment où il était entré dans le bâtiment avec son frère Gérald quelques minutes plus tôt. Les premières lueurs de l'aube venaient d'apparaître dans le ciel. Cette clarté grisâtre lui permit de voir que si à certains endroits, l'accumulation de neige n'atteignait qu'une douzaine de pouces, ailleurs, à cause des vents violents qui n'avaient cessé de souffler durant toute la tempête, il y en avait près de trois pieds d'épaisseur.

Le jeune homme alla dételer le cheval laissé par son père près de la remise et il s'ouvrit péniblement un chemin jusqu'à l'écurie en le tenant par la bride. Il repoussa du mieux qu'il pouvait la neige qui arrivait jusqu'au milieu de la porte avant de pénétrer dans le bâtiment. Il harnacha les deux chevaux, les fit sortir et les conduisit jusqu'à la porte de la grange voisine. En jurant, il parvint difficilement à attacher les chaînes de la gratte aux harnais.

Un peu après sept heures, le soleil se leva enfin dans un ciel libéré de tout nuage. La neige étincelait et semblait saupoudrée de millions de minuscules diamants. Clément, en équilibre instable sur la gratte, hurlait pour faire avancer les chevaux qui peinaient à repousser une telle quantité de neige sur le côté. À un certain moment, il aperçut son plus jeune frère debout sur la plate-forme, au bord du chemin, en train de pelleter l'épaisse couche de neige qui la couvrait.

— Hue! Avance! Avance! hurla-t-il aux deux chevaux qui ne cherchaient qu'à s'arrêter.

Il fallut près de deux heures de travail intense à Clément et Lionel pour dégager la cour et les entrées des bâtiments.

Comme son père et Gérald n'étaient pas encore sortis de l'étable, Clément entreprit même de passer la gratte sur une petite portion de la route. Il ne cessa son travail qu'en les voyant en train de traverser la cour avec les bidons de lait. Un peu avant huit heures, le jeune homme décida alors d'accorder enfin un répit bien mérité aux chevaux fatigués. Il les conduisit près de l'écurie et il déposa sur eux une épaisse couverture. Avant de suivre son père et son frère qui venaient d'entrer dans la maison, il donna aux bêtes une bonne mesure d'avoine.

— T'avais l'air d'en arracher sur la route, lui fit remarquer son père à son entrée dans la maison.

— Je comprends. Les chevaux enfoncent dans la neige jusqu'au ventre à certaines places, lui expliqua Clément. Le Noir a dû en arracher quand vous êtes allé chez Hamel ?

— Pas mal, reconnut son père. Et c'était pas mieux pour en revenir.

— Pour moi, j'en ai pour une bonne partie de l'avant-midi juste à nettoyer notre section, p'pa.

— Si c'est comme ça, je suis pas sûr que Germain Fournier va ramasser le lait cet avant-midi.

— En tout cas, la plate-forme est déneigée, annonça le jeune Lionel. J'ai même pelleté un peu autour pour qu'il puisse s'approcher.

— Parlez pas trop fort, intervint Claire en déposant un grand plat d'omelette au milieu de la table. M'man dort.

— Après le déjeuner, reprit son père, un ton plus bas, en se servant une large portion de l'omelette, on va mettre nos raquettes et aller couper des branches de sapinage. Quand t'auras fini de nettoyer la route, Clément, on les plantera tous les cinquante pieds sur le bord du chemin pour ben le baliser. Comme ça, on aura fait ce qu'on avait à faire.

Au même moment, à la ferme voisine, Ernest Veilleux chargeait Jérôme, Anne et Céline du même travail.

⁓

Ce matin-là, comme tous ses voisins, Germain Fournier avait entrepris avec courage de se libérer de ce carcan de neige que la nature lui avait envoyé. Comme il ne pouvait compter sur l'aide de personne, il avait dû se lever plus tôt que tout le monde, soit un peu après quatre heures, pour dégager les entrées de la maison et de l'étable avant d'aller traire ses vaches. Le jeune cultivateur entreprit même de déneiger sa cour avant d'entrer déjeuner, mais il ne le fit pas sans maugréer contre le mauvais sort qui voulait que la première tempête de neige de la saison lui tombe dessus durant la semaine même où il était responsable du ramassage du lait.

Après un rapide déjeuner dans une maison glaciale où le poêle à bois avait eu le temps de s'éteindre parce qu'il n'avait pu venir y jeter quelques rondins, le jeune homme s'apprêtait à sortir un peu après huit heures quand il détecta, en regardant par la fenêtre de la cuisine, un mouvement à gauche, près de sa grange.

— C'est quoi, ça? fit Germain, intrigué.

Il scruta l'endroit de plus belle. Il se demanda durant un moment s'il n'avait pas imaginé quelque chose. Avec une telle épaisseur de neige, il ne voyait pas ce qui aurait pu se déplacer à cet endroit. Une minute plus tard, il entrevit une tête fine se profiler entre la grange et l'étable, tête qui disparut presque aussitôt.

— Ah ben, maudit! Un chevreuil! s'exclama le célibataire.

Sans perdre un instant, il se précipita vers le fusil de chasse suspendu au fond du placard dans la cuisine et il s'empara de la boîte de balles rangée sur la première étagère. Les mains tremblantes, il chargea l'arme. Il y avait plus de dix ans qu'il n'avait pas abattu un chevreuil et il ressentait la même excitation incontrôlable qu'il avait éprouvée à cette époque où il avait découvert la bête dans le boisé, au bout de la terre paternelle.

Germain Fournier sortit silencieusement de la maison en évitant de faire claquer la porte derrière lui et, le cœur battant, il traversa toute sa cour sur la pointe des pieds, craignant à tout moment que la bête ne soit déjà partie. Il ne la voyait pas. Il espérait seulement qu'elle était cachée par le mur de la grange derrière laquelle elle avait dû découvrir un reste de foin abandonné par ses vaches avant qu'il les enferme pour l'hiver.

Parvenu devant la grange, le chasseur décida de contourner le bâtiment par la droite, avançant péniblement dans la neige qui lui arrivait à mi-cuisses à cet endroit. Il s'éloignait ainsi de son gibier pour ne pas l'alerter... s'il était encore derrière le bâtiment.

Germain fit une prière silencieuse pour retrouver la bête là où il avait cru la voir de la fenêtre de la maison. En arrivant au coin du bâtiment, il entendit un léger frottement contre le mur. Il allongea lentement le cou pour s'assurer qu'il ne se trompait pas. Contrairement à ce qu'il avait cru, il n'y avait que peu de neige à l'arrière de la grange. La veille, le vent avait soufflé dans l'autre direction. Le cœur de Germain Fournier cessa de battre un bref moment quand il découvrit à moins de trente pieds de lui un gros chevreuil occupé à brouter un peu de foin, à l'abri du mur de la grange.

Le chasseur épaula sans perdre un instant et tira. À une aussi faible distance, il avait peu de chance de rater son coup. La bête s'écroula comme une masse. Germain se précipita pour s'assurer qu'elle était bien morte. Il l'avait atteinte en pleine tête. Toute l'excitation qui l'avait habité durant quelques minutes le quitta brusquement.

Il abandonna son gibier sur place et, sans perdre un instant, alla chercher son cheval qu'il mena derrière la grange. Il lui fit tirer la carcasse de l'animal jusqu'à la porte de la grange où il la suspendit au bout d'une chaîne.

Armé de son meilleur couteau, il s'empressa d'éviscérer la bête avant que le froid ne rende ce travail trop difficile. Après avoir jeté les viscères à ses porcs, il hésita un moment entre dépecer tout de suite son gibier ou atteler son cheval à son lourd traîneau pour essayer d'effectuer le ramassage du lait dans le rang. Il opta finalement pour s'occuper d'abord de son chevreuil, en se disant que le temps qu'il prendrait pour le dépecer permettrait à ses voisins de mieux déneiger la route.

Chapitre 12

La guignolée

À la mi-décembre, le presbytère de Saint-Jacques-de-la-Rive bruissait d'activité. Ce mercredi-là, le curé Lussier était d'excellente humeur après avoir accompagné jusqu'à la porte l'abbé Dorais, responsable de la tenue des registres paroissiaux dans le diocèse de Nicolet. Ce vieil ami de monseigneur Côté n'avait rien trouvé à redire à la tenue des registres paroissiaux, allant même jusqu'à féliciter l'abbé Martel pour sa belle écriture. Le dîner avait été particulièrement agréable et le pasteur avait régalé son hôte de diverses péripéties survenues à des paroissiens lors de la fameuse tempête de la semaine précédente.

— Ça nous a tout de même pris deux ou trois jours pour nous dépêtrer de toute cette neige, avait conclu Antoine Lussier.

— Cette tempête-là m'a retardé d'une semaine dans ma tournée des paroisses, avait répliqué à son tour l'abbé Dorais. Normalement, aujourd'hui, je devrais être à la cathédrale, en train de voir à ce que la crèche de Noël soit bien installée. Monseigneur va comprendre que je peux pas être à deux places à la fois, ajouta le prêtre avec un fin sourire.

Avant de quitter, le visiteur avait tenu à féliciter la cuisinière pour l'excellent repas qu'elle leur avait servi. Il avait paru surpris d'en découvrir deux au lieu d'une seule dans la cuisine.

— Gabrielle cuisine aussi bien que moi, avait affirmé Agathe Cournoyer en remerciant l'abbé Dorais.

— Vous êtes gâté, monsieur le curé, avait fait remarquer l'abbé avec une pointe d'envie. Vous avez deux cuisinières pour vous mijoter de bons petits plats. Il faudrait pas que je parle de ça à monseigneur, il viendrait vous en voler une, c'est certain.

Le curé Lussier, flatté, avait accueilli le compliment avec un rire bon enfant.

De fait, l'orpheline avait eu tôt fait de conquérir aussi bien sa vieille logeuse que le curé et son vicaire. En moins d'une semaine, elle avait prouvé à tous qu'elle était d'une efficacité assez exceptionnelle. Elle était douée d'un talent de cuisinière indéniable et elle ne craignait pas le dur travail de ménagère. De plus, elle faisait preuve d'un caractère égal assez agréable.

Il avait suffi de peu de temps pour qu'Agathe Cournoyer reconnaisse ses mérites et la défende devant Hélèna Pouliot, toujours prompte à juger et à médire. Gabrielle Paré n'était arrivée au presbytère que depuis deux jours quand l'épicière, debout derrière son comptoir, avait demandé à la vieille cuisinière du curé venue acheter de la mélasse :

— Est-ce que c'est vrai, madame Cournoyer, que vous avez de l'aide, à cette heure, au presbytère ?

— Oui, s'était contentée de répondre la vieille dame.

— J'ai entendu dire que c'était une fille qui vient d'un orphelinat.

— C'est en plein ça, avait fait la ménagère sur un ton peu amène, sans donner plus d'explications.

— J'espère que vous surveillez l'argenterie du presbytère, avait repris Hélèna en pinçant les lèvres. Vous savez, du monde dont on connaît ni le père ni la mère, il y a pas moyen de savoir si c'est honnête ou pas.

— Inquiétez-vous pas pour ça, avait répliqué la servante d'une voix cinglante. Cette fille est aussi honnête que vous et moi.

— C'est une bonne nouvelle, avait reconnu l'épicière en esquissant une moue qui donnait l'impression de ne pas y croire. Mais vous, madame Cournoyer, je vous admire d'accueillir comme ça, chez vous, une fille sortie d'un orphelinat. Moi, j'en dormirais pas. Si c'était une fille malfaisante, elle pourrait bien mettre le feu chez vous pendant que vous dormez. Vous savez, avec du monde de même…

— Voyons, madame Pouliot, dites donc pas n'importe quoi! s'était emportée Agathe Cournoyer. C'est une orpheline, pas une meurtrière.

Sur ce, la servante, mise de mauvaise humeur par cette conversation, avait déposé les cinq cents que coûtait la mélasse et elle était sortie de l'épicerie sans même se retourner.

~

L'abbé Dorais n'avait pas quitté le presbytère depuis une heure qu'Honoré Beaudoin, le président de la fabrique, s'y présentait pour rencontrer le curé Lussier. Il s'agissait de mettre la dernière main à la préparation de la guignolée prévue pour le lendemain. Le petit homme d'une quarantaine d'années à demi chauve fut reçu par une Gabrielle Paré souriante qui le fit passer dans la salle d'attente, le temps de prévenir le prêtre.

Cinq minutes plus tard, Antoine Lussier invita son marguillier à entrer dans son bureau.

— Vous voilà rendu avec une bien jeune servante, monsieur le curé, fit remarquer Honoré Beaudoin sur un ton guilleret en s'assoyant. En plus, elle est pas laide pantoute.

Le curé Lussier n'apprécia pas ce genre de remarque non dénuée de sous-entendus et il jeta un regard sévère à l'homme assis devant lui.

— Énerve-toi pas avec ça, Honoré, et surtout, va pas te faire des idées. Gabrielle Paré est là pour donner un coup de main à madame Cournoyer. Elle reste chez elle et c'est elle qui s'en occupe. Bon. On a assez perdu de temps. Est-ce que tout est prêt pour la guignolée?

— Je crois pas avoir rien oublié.

— As-tu assez de monde pour ramasser et aussi pour faire les paniers de Noël?

— On a déjà pas mal d'affaires qui ont été apportées toute la semaine à l'école du village, monsieur le curé. Demain, j'ai des hommes qui vont faire la tournée de la paroisse en passant dans tous les rangs pour ramasser de la nourriture et du linge. J'ai prévu deux hommes avec un traîneau par rang. Comme l'année passée, on va faire les paniers à l'école du village. Thérèse Tremblay m'a dit qu'il y aurait des Dames de Sainte-Anne qui se feraient aider par des jeunes de la paroisse. Aussitôt que les paniers vont être prêts, je vais faire la distribution avec le maire.

— Pourquoi avec le maire? demanda Antoine Lussier.

— Parce qu'il s'est proposé et que c'était un peu malaisé de refuser son aide, monsieur le curé.

— Je veux bien le croire, mais je voudrais pas que la guignolée devienne une affaire politique dans la paroisse. Il manquerait plus que ça.

— Je pense pas que Wilfrid Giguère fasse ça pour bien se faire voir et...

— C'est correct, l'interrompit le prêtre avec agacement. Parlant d'aide, demande donc à Germain Fournier de venir donner un coup de main.

— C'est que mes équipes de ramassage sont déjà organisées, monsieur le curé, protesta le premier marguillier de Saint-Jacques-de-la-Rive.

— Je veux pas que tu l'envoies faire du porte-à-porte, fit Antoine Lussier. J'aimerais juste qu'il aide à faire les paniers.

— Si vous voulez, mais il me semble que Thérèse Tremblay m'a dit qu'elle avait déjà pas mal de monde pour l'aider.

— Ça en fera un de plus, se contenta de rétorquer le curé sans offrir plus d'explications.

Le prêtre avait subitement pensé que ce serait une bonne idée d'obliger le jeune homme à sortir de chez lui, le temps d'un avant-midi, pour rencontrer des jeunes filles de la paroisse venues aider à la préparation des paniers de Noël. Il n'avait pas été sans remarquer sa timidité et il se souvenait encore de sa maison négligée.

— Qu'est-ce qu'on fait pour la liste de ceux qui ont demandé de l'aide, monsieur le curé ?

— J'y ai jeté un coup d'œil et…

— J'ai vu le nom d'Elphège Turcotte et de sa sœur.

— Oui, moi aussi. Elphège s'est même déplacé pour venir demander un panier de Noël à l'abbé Martel.

— Est-ce qu'on va leur en apporter un ? demanda Honoré Beaudoin. Il me semble que tous les deux sont en bonne santé et ils ont pas d'enfants à nourrir, comme les Tougas, par exemple. C'est connu dans la paroisse qu'ils sont paresseux comme des ânes. Si ça se trouve, Rose-Aimée fait pas la cuisine dans le temps des fêtes parce qu'elle compte sur les autres pour les nourrir, elle et son frère. Elle aime mieux lire que faire à manger.

Antoine Lussier réfléchit un instant avant de répondre.

— Non. Aide-toi et le ciel t'aidera, laissa tomber sèchement l'ecclésiastique. On encouragera pas la paresse. C'est un vice. Pour la liste, j'ai vu que t'avais barré le nom des Drolet. Pourquoi? Parce qu'Edmond Drolet est devenu marguillier?

— C'est pas moi, monsieur le curé, c'est Wilfrid Giguère, leur voisin.

— De quoi il se mêle, notre maire? demanda le curé Lussier en haussant le ton.

— Il dit qu'il les connaît bien et il est sûr que ça va les insulter à mort si on leur laisse un panier. Vous remarquerez qu'ils en ont pas demandé non plus. L'idée vient de Thérèse Tremblay qui pensait faire un bon coup. D'après Wilfrid, ils sont trop fiers pour accepter la charité publique.

— Bon. C'est correct, accepta le curé. Pour le reste de la liste, il y a pas de problèmes. Remarque qu'il y aurait les Tougas qui devraient être capables de mieux se débrouiller avec leurs grands garçons, mais ils sont mous tous les deux.

— Ça marche comme ça, fit le marguillier en se levant. Est-ce qu'on va vous voir, vous ou l'abbé Martel, demain?

— Je vais essayer d'aller faire un tour demain avant-midi, promit le curé Lussier. Mais je vais au moins vous envoyer ma nouvelle servante pour donner un coup de main. Oublie pas de dire à Germain Fournier qu'on a besoin de lui demain.

Sur la promesse de s'en souvenir, le président de la fabrique quitta le presbytère et rentra chez lui.

Le lendemain, le soleil se leva dans un ciel sans nuage. Il faisait un froid sec et tous les rangs de Saint-Jacques-de-la-Rive étaient bien dégagés. La première tempête de la saison, la semaine précédente, avait laissé des bordures de près de trois pieds de hauteur bien balisées par des branches de sapin.

Dès le début de l'avant-midi, on pouvait entendre les clochettes des attelages de ceux qui avaient entrepris la tournée des fermes pour ramasser la nourriture et les vêtements que les gens destinaient aux pauvres de la paroisse.

Dans la classe unique de l'école du village, les pupitres avaient été repoussés le long des murs et déjà quelques femmes et jeunes filles, sous la direction de Thérèse Tremblay, triaient ce qui avait été apporté là durant la semaine. On attendait avec une certaine fébrilité l'arrivée de la première *sleigh* chargée de provisions pour commencer la préparation des paniers de Noël.

Un peu plus tôt, Jérôme Veilleux était venu conduire sa sœur Céline avant de retourner à la ferme paternelle. La mère, légèrement grippée, n'avait pu quitter la maison. Par ailleurs, il n'était pas question qu'Ernest Veilleux fasse la tournée pour la guignolée. Il y avait de trop fortes chances pour qu'il se retrouve face à face avec son voisin, Eugène Tremblay.

Par ailleurs, ce dernier avait toujours résisté aux efforts de sa femme, Thérèse, de le faire participer à cette œuvre paroissiale pour les mêmes raisons. S'il ne s'était pas opposé à ce que son fils Clément aille faire la tournée après avoir laissé sa mère à l'école du village, il refusait de prendre une part active à cette activité charitable. Bref, les deux ennemis irréconciliables ne voyaient aucun inconvénient à ce que les leurs participent à la guignolée pourvu qu'on ne les oblige pas à se côtoyer.

Lorsque Gabrielle Paré était entrée dans la classe, Thérèse Tremblay, prévenue le matin même par Agathe Cournoyer, présenta la jeune fille aux personnes présentes. Un peu intimidée par la dizaine de personnes présentes, l'orpheline se mit au travail discrètement, se contentant d'écouter les autres échanger des remarques souvent humoristiques. À Thérèse Tremblay et à une autre dame du même âge s'étaient jointes quatre jeunes filles d'une vingtaine d'années et deux hommes maintenant occupés à transporter les boîtes trop lourdes.

En pénétrant dans l'école du village quelques minutes plus tôt, Germain Fournier avait craint durant un instant être le seul homme au milieu de toutes ces femmes. Il avait rougi violemment quand toutes les têtes s'étaient tournées dans sa direction à son entrée. Heureusement qu'il avait alors aperçu Albert Desrosiers, le fils d'un culti-vateur du rang Saint-Paul, en train d'empiler des bûches près du poêle. Le jeune célibataire s'était immédiatement dirigé vers lui. Quand Honoré Beaudoin s'était arrêté chez lui, la veille, pour lui demander de venir aider, sa première réaction avait été de se trouver une excuse pour ne pas y aller.

— T'auras pas à faire la tournée, s'était empressé de lui expliquer le marguillier. T'auras juste à donner un coup de main à l'école du village et ce sera pas long. Chacun fait sa part, Germain. En plus, ça te donnera la chance de jaser avec tes voisins. Il y en a plusieurs qui vont venir. Immédiatement, Germain avait songé qu'il y avait de fortes chances que Céline Veilleux soit présente et il avait promis d'être là.

Ce matin-là, il avait soigné sa toilette après avoir déjeuné. Il avait bien fait. Céline Veilleux était le premier visage qu'il avait aperçu en entrant dans l'école. Son cœur avait fait un bond en la voyant. Tout en travaillant, il ne manquait pas une occasion de l'examiner à distance, attendant la chance de s'approcher d'elle pour lui parler.

Moins d'une heure plus tard, le premier traîneau s'arrêta devant l'école et Clément Tremblay fut le premier à entrer dans la classe, les bras chargés d'une boîte de victuailles. Armand Parenteau le suivait.

— On en a plein le traîneau, fit Clément en déposant la boîte sur un pupitre.

Albert Desrosiers et Germain Fournier se précipitèrent à l'extérieur pour aider à décharger le véhicule. Quand tout eut été transporté à l'intérieur, Clément enleva sa tuque et entreprit de déboutonner son manteau. Le jeune homme d'une taille légèrement supérieure à la moyenne avait un visage ouvert éclairé par deux yeux bruns pétillant de malice. Son épaisse chevelure brune ondulée et son large sourire lui avaient toujours assuré passablement de succès auprès des jeunes filles, et il en avait conscience.

— Si ça te fait rien, m'man, on va se réchauffer un peu avant de retourner dehors, dit-il à sa mère en regardant autour de lui.

Sans attendre la réponse de sa mère, le jeune homme s'approcha, tout sourire, de Céline Veilleux penchée sur le contenu d'une boîte déposée devant elle.

— Mais c'est ma petite voisine, dit-il à mi-voix. Sais-tu qu'un peu plus, je te reconnaissais pas.

— Arrête donc, Clément Tremblay. Tu restes à côté de chez nous, badina Céline.

— C'est vrai, mais on peut pas dire que tu passes ton temps sur le chemin. En plus, je te vois jamais à la basse-messe le dimanche.

— Peut-être parce que je vais à la grand-messe, répliqua Céline en affichant un air frondeur.

— En tout cas, avec des cheveux comme ça, je t'aurais remarquée si je t'avais vue.

— Qu'est-ce qu'ils ont, mes cheveux? demanda la jeune fille, soudain sur la défensive.

— Ils ont que je les trouve pas mal beaux. Ça te fait ben, cette coiffure-là. Ça te donne tout un genre.

La jeune fille, peu habituée aux compliments, rougit légèrement. Germain Fournier, au travail à l'autre extrémité de la pièce, ne put s'empêcher de grimacer en voyant le jeune homme s'entretenir aussi familièrement avec l'objet de son adoration. Pour sa part, Thérèse Tremblay jeta un bref regard à son fils aîné en réprimant mal un sourire.

— Regarde mon Clément, murmura-t-elle à Rolande Bilodeau, une digne mère de famille du rang des Orties. Il peut pas s'empêcher de chanter la pomme à toutes les filles qu'il rencontre. Son père tout craché quand il avait son âge.

— Dis donc, Clément Tremblay, reprit Céline avec un sourire espiègle, j'avais entendu dire que tu fréquentais Marie Bourgeois de Saint-Gérard. Je suis sûre qu'elle serait de bonne humeur de t'entendre me parler comme tu le fais.

— Dis-le pas à personne, mais c'est fini depuis longtemps entre elle et moi, rétorqua Clément sans perdre pied. En plus, Marie a toujours été juste une amie.

— Tiens! Voyez-vous ça! se moqua Céline en adressant tout de même au garçon son sourire le plus enjôleur.

— Avoir su qu'il y avait une aussi belle fille qui restait juste à la porte d'à côté, tu peux être certain que je serais jamais allé si loin que ça.

Céline rougit de plus belle.

— Est-ce que je peux te ramener chez vous quand t'auras fini?

— Il en est pas question, répondit la jeune fille avec un air horrifié.

— Attends, dis pas non trop vite, la supplia Clément. Il y aurait pas de danger, on aurait ma mère comme chaperon. Je dois la ramener.

— T'es bien fin, Clément, mais mon frère Jérôme doit venir me chercher et il serait enragé d'être venu pour rien au village.

— C'est ben de valeur.

— En plus, je pense pas que mon père aimerait bien gros qu'un Tremblay me ramène à la maison.

— Écoute, Céline. On n'est pas pour s'embarquer dans les vieilles histoires de nos pères, non ?

La jeune fille hocha la tête en signe de dénégation.

— Roméo, il est temps qu'on reparte, fit Parenteau en tapant sur l'épaule de son partenaire. Grouille. J'aimerais ben qu'on en finisse avant le dîner.

—J'espère que tu seras pas partie avant que je revienne, chuchota Clément à Céline avant de suivre le grand Parenteau qui ouvrait déjà la porte pour sortir.

Pendant tout ce temps, Germain Fournier, incapable d'entendre les paroles échangées entre Céline et Clément Tremblay, était à la torture. Il se traitait de tous les noms de ne pas avoir osé s'approcher plus rapidement de la jeune fille. Maintenant, l'autre l'avait devancé et il se sentait défavorisé. La lutte pour conquérir le cœur de la fille d'Ernest Veilleux était par trop inégale. Le Clément était plus jeune et plus grand que lui. Avec ses cheveux bouclés et sa figure agréable, il n'avait aucun mal à retenir l'attention des filles. En plus, il savait leur parler et il n'était pas timide. La vie était vraiment trop injuste ! Pendant un long moment, il balança entre quitter immédiatement la place pour rentrer chez lui ou terminer le travail. Finalement, il choisit de finir ce qu'il avait commencé, craignant que son départ précipité soit mal interprété.

Quelques instants plus tard, Gabrielle Paré vint travailler près de Céline. Les deux jeunes filles avaient à peu près la même taille, mais le chignon sage de la servante du curé lui conférait un air plus austère. Si Céline avait un visage rond et mutin parsemé de quelques taches de rousseur, celui de Gabrielle était différent, mais non moins joli, avec ses pommettes hautes et ses yeux bleus.

— On dirait que tu manques pas d'amoureux, chuchota-t-elle à Céline en s'efforçant d'afficher un air envieux.

— Pourquoi tu me dis ça ? demanda Céline, qui ne lui avait adressé que quelques mots depuis son arrivée.

— Il y a le beau garçon qui vient de partir, puis l'autre…

— Quel autre ? fit Céline, surprise.

— Celui qui a les cheveux longs et les épaules larges. Celui qui a une chemise verte.

— Germain Fournier ? Mais c'est pas mon amoureux, protesta vivement la jeune fille.

— On le dirait pas à voir de quelle façon il te mange des yeux depuis qu'il est arrivé, reprit Gabrielle Paré.

— Il manquerait plus que ça. Germain, c'est un voisin dans notre rang. Il a au moins dix ans de plus que moi. Je me rappelle même pas s'il m'a déjà parlé une seule fois.

— Peut-être parce qu'il est gêné, suggéra la jeune servante avec un demi-sourire.

— Je le sais pas, admit Céline Veilleux. En plus, on peut pas dire qu'il est bien beau avec tous ces trous qu'il a dans le visage. Il a même pas une belle façon.

La jeune femme releva brusquement la tête et jeta un regard en direction de Germain qui, à ce moment-là, la regardait à la dérobée. Il détourna vivement la tête quand il rencontra son regard.

— Ce pauvre Germain, poursuivit Céline un ton plus bas. Depuis que sa mère est morte l'été passé, il vit tout seul sur sa terre. Pour moi, il est en train de se faire des accroires.

Durant près d'une heure, tous les bénévoles travaillèrent sans relâche. À deux reprises, on leur apporta une quantité appréciable de vêtements et de nourriture.

— Je pense bien qu'il nous reste juste la *sleigh* de mon garçon à arriver, déclara finalement Thérèse Tremblay aux personnes qui l'aidaient. Après, on va avoir fini. Il restera à Honoré Beaudoin à aller faire la distribution avec mon beau-frère.

Au moment où elle finissait de parler, Germain, le visage fermé, déposa devant elle une boîte de pots de marinades.

— Pendant que j'y pense, Germain, dit Thérèse, j'ai entendu dire que t'as tué un gros chevreuil durant la tempête.

— Après la tempête, madame Tremblay, précisa son jeune voisin sur un ton peu aimable.

— Vas-tu manger cette viande-là? Il paraît que ça goûte le sapinage sans bon sens.

— Pourquoi pas? fit l'autre en cachant mal sa mauvaise humeur. Bruno Pierri mange ben des lapins, lui.

— Oui, mais lui, c'est pas pareil. C'est un Italien.

— En tout cas, je vais essayer, conclut Germain, en s'éloignant déjà vers le fond de la pièce.

Le célibataire venait à peine de finir de parler qu'il retrouva à ses côtés la nouvelle servante du curé Lussier.

— Bonjour, monsieur Fournier. On se connaît pas, mais je suis la nouvelle cuisinière au presbytère.

Le jeune homme figea devant l'inconnue qui lui adressait la parole et ne sut pas quoi lui dire.

— Je vous ai entendu parler de chevreuil. En avez-vous déjà mangé ?

— Oui, une fois, répondit difficilement Germain.

— Est-ce que c'était bon ?

— Ça fait tellement longtemps que je me rappelle plus.

— Moi, j'en ai fait cuire l'année passée. Quelqu'un du village en avait donné un quartier à mon orphelinat. La sœur responsable de la cuisine m'a donné une recette pour le préparer. Je vous dis que c'était pas mal bon et que ça goûtait pas le sapinage pantoute. Dans le livre que j'ai apporté, j'ai une bonne recette.

Gabrielle vit une étincelle d'intérêt s'allumer dans l'œil de Germain Fournier, ce qui l'encouragea à poursuivre son opération charme.

— Est-ce que vous aimeriez ça, avoir ma recette ?

— C'est sûr.

— Vous allez à quelle messe demain matin ?

— À la grand-messe.

— Bien. Si ça fait votre affaire, je vais vous écrire la recette à soir sur un bout de papier et je vous la donnerai après la messe.

Germain la remercia d'un signe de tête et poursuivit son travail. Contre toute logique, il était soulagé de voir la servante du curé s'éloigner de lui. Il n'aurait pas voulu que la belle Céline croie qu'il s'intéressait à une autre fille qu'elle.

~

Vers onze heures et demie, Clément Tremblay et le grand Parenteau arrivèrent avec les dernières provisions.

L'arrivée des deux derniers bénévoles coïncida avec la courte visite du curé Lussier, venu se rendre compte par lui-même de l'ampleur des dons de ses paroissiens.

— On manquera de rien cette année, monsieur le curé, déclara fièrement Thérèse Tremblay. Regardez le nombre de paniers de Noël qu'on a pu faire.

— Tant mieux, répondit le pasteur. Si on en a trop, on pourra toujours en apporter quelques-uns au curé Lajeunesse de Pierreville. Il en manque chaque année. Honoré Beaudoin et le maire vont les livrer cet après-midi de manière à ce que la maîtresse d'école les ait pas dans les jambes demain matin.

Après avoir aidé à vider la dernière *sleigh*, Germain Fournier ne rentra pas à l'intérieur. Il se contenta de monter dans son traîneau et de rentrer chez lui, la mine sombre. Pendant ce temps, Clément Tremblay mettait à profit les dernières minutes le séparant du départ de sa mère et de l'arrivée de Jérôme Veilleux, qui allait venir chercher sa sœur. Il attira Céline dans un coin de la classe pour tenter d'obtenir un rendez-vous.

— Si j'allais chez vous demain après-midi, est-ce que tu m'inviterais à entrer et à passer au salon ? demanda le jeune homme sans s'embarrasser de détours.

— Pour quoi faire ? fit la jeune fille d'un air ingénu.

— Je pensais que t'avais compris. J'aimerais pas mal ça être ton cavalier.

— Moi, je t'inviterais peut-être à entrer, déclara Céline, moqueuse, mais j'ai bien peur que mon père te fasse sortir bien plus vite que t'auras entré avec un bon coup de pied dans le derrière. Tu connais pas mon père, toi. Il est pas mal mauvais !

— Mais je lui ai rien fait, moi, à ton père, protesta Clément, indigné.

— Je le sais bien, mais on le changera pas.

— À partir de demain, j'ai l'intention d'aller à la grand-messe pour au moins te voir. Si j'allais lui parler à la fin de la messe ?

— Il te regardera même pas.

— Il y a sûrement un moyen pour qu'on se fréquente, insista Clément, d'un air malheureux. Nos mères s'entendent ben. Pourquoi mon père s'entendrait pas avec le tien ?

Céline ne répondit rien, très flattée de constater que le jeune homme tenait absolument à la fréquenter.

— J'y pense. Je vais aller chez vous au jour de l'An. Ton père pourra pas refuser de me donner la main ce jour-là. Là, je vais en profiter pour lui demander le droit de venir veiller chez vous.

— Et s'il refuse ?

— Je vais essayer pareil.

— Correct. Je vais t'attendre, fit Céline, le cœur battant plus rapidement.

Sur le chemin du retour, Clément, excité par cette rencontre avec sa jeune voisine et sa promesse de l'attendre, ne put s'empêcher de dire à sa mère :

— Savez-vous, m'man, que j'avais pas remarqué que la petite voisine était pas mal fine.

— Imagine-toi donc qu'on s'en est aperçu, rétorqua sa mère assez sèchement. Ça va jaser dans tout le village.

— Puis après ? J'ai rien fait de mal. Je lui ai juste demandé si je pourrais pas aller veiller avec elle.

— Es-tu malade, Clément Tremblay ? s'emporta sa mère. Ton père va prendre ça mal et le père de Céline voudra jamais.

— Eux autres et leur maudite vieille chicane ! s'écria le jeune homme, contrarié. C'est ben de valeur, mais je vais essayer pareil.

Cette nuit-là, Germain Fournier dormit très peu, écartelé entre sa timidité et son amour pour celle qu'il aimait en secret depuis déjà plusieurs semaines. Assis frileusement près de son poêle, il avait passé la soirée et la nuit à imaginer des dizaines de scénarios qui lui permettraient de se déclarer avec une chance d'être accepté.

Au petit matin, malheureux comme les pierres, il décida d'en avoir le cœur net une fois pour toutes. Il parlerait aux Veilleux après la messe et il leur demanderait la permission de fréquenter leur fille. Singulièrement ragaillardi par cette décision, le timide s'endimancha après avoir soigné ses animaux et il attendit avec impatience l'heure de la grand-messe.

Ce n'est qu'au moment de partir qu'il se souvint de la promesse de la cuisinière du curé de lui donner sa recette pour cuire la viande de chevreuil après la messe.

— J'espère qu'elle me fera pas manquer les Veilleux, s'inquiéta-t-il à haute voix. Si ça se trouve, elle y aura même pas pensé.

Toutefois, le jeune homme ne voulut pas être distrait de son objectif et il décida de partir plus tôt et de se présenter au presbytère avant la messe pour lui offrir un rôti de chevreuil. Ainsi, elle lui remettrait la recette et il n'aurait pas à se préoccuper d'elle après la cérémonie.

Ce fut Agathe Cournoyer qui vint lui ouvrir lorsqu'il sonna à la porte du presbytère une vingtaine de minutes avant la messe. Elle le fit passer dans la cuisine quand il lui déclara d'un air embarrassé vouloir dire deux mots à Gabrielle.

— Je vous ai apporté un peu de viande de chevreuil en échange de votre recette, lui dit-il. Je voulais pas la laisser dans la *sleigh* durant la messe.

— Vous êtes bien fin, fit la jeune cuisinière en s'emparant du paquet grossièrement enveloppé dans du papier brun. Je vous avais pas oublié, vous savez. La preuve, voilà la recette que j'ai transcrite hier soir pour vous, ajouta Gabrielle en lui tendant une feuille pliée en quatre qu'elle venait de tirer de la poche de son tablier.

— Merci beaucoup pour le dérangement. Bon. Il faut que j'y aille. La messe est à la veille de commencer.

Sur ce, Germain Fournier, sa casquette à la main, se dirigea vers la porte du presbytère, suivi de près par Agathe Cournoyer.

~

Après être allé vérifier si la couverture déposée sur le dos de son cheval n'avait pas glissé, Germain entra dans l'église derrière un groupe de paroissiens et il alla prendre place dans le banc dont il avait renouvelé la location pour l'année, le mois précédent. Céline Veilleux était déjà là, assise une dizaine de sièges devant lui, en compagnie de ses parents et de ses deux plus jeunes frères. Il jeta un long regard à la nuque fragile de la jeune fille avant de baisser les yeux, dans une fausse attitude de recueillement.

La grand-messe de ce troisième dimanche de l'avent fut à la fois trop longue et trop courte. Germain, en proie à une étrange exaltation, ne participa en rien au saint sacrifice. Il était à mille lieues de ce qui se passait autour de lui. Dans quelques minutes, toute sa vie allait être bouleversée. À la fin de la messe, il demanderait la permission à Ernest Veilleux de fréquenter sa fille et cette dernière ne pourrait qu'accéder à sa demande en voyant à quel point il l'aimait. À partir d'aujourd'hui, il allait faire en sorte qu'elle ne voie que lui. Il allait la gâter.

Le jeune homme sursauta légèrement en voyant celle qu'il aimait revenir lentement de la sainte table après avoir reçu la communion. La messe achevait déjà et il était en train d'oublier les quelques phrases à dire à Céline, phrases qu'il avait répétées cent fois depuis son départ de la maison. Quelques minutes plus tard, l'*Ite missa est* prononcé d'une voix de stentor par le curé Lussier le tira de ses réflexions. Les fidèles envahirent alors les allées, pressés de gagner la sortie. Comme il l'avait planifié, le jeune cultivateur attendit que la famille Veilleux soit passée près de lui pour lui emboîter le pas. Il voulait parler au père avant qu'il n'aille rejoindre des parents ou des connaissances sur le parvis pour discuter, comme il le faisait pratiquement tous les dimanches.

Le jeune homme eut de la chance. Le père de Céline s'éloignait des siens à l'instant où il arrivait derrière lui.

— Monsieur Veilleux, est-ce que je peux vous dire deux mots ? lui demanda-t-il d'une voix blanche.

Ernest Veilleux s'arrêta au moment où il allait poser le pied sur la première marche de l'escalier.

— Ben sûr, Germain. Qu'est-ce qu'il y a ?

Germain Fournier sentit la sueur lui couler dans le dos malgré la température glaciale.

— Je sais que c'est pas ben ben la place pour ça, fit-il à mi-voix, mais… mais j'aurais aimé savoir si ça vous dérangerait que je fréquente votre fille.

— Céline ?

— Oui, répondit l'autre d'une voix un peu étranglée.

— Moi, ça me dérangerait pas pantoute, mon Germain, mais c'est pas à moi que tu dois poser la question. Va demander ça à ma fille. Si elle accepte, il y aura pas de problème.

Germain Fournier se sentit envahi par une vague de reconnaissance envers son voisin. Le sourire lui revint et il respira soudain beaucoup plus librement.

Ernest Veilleux tourna la tête dans toutes les directions avant de lui dire.

— Tiens, profites-en donc. Elle vient de lâcher Rita Hamel et elle traverse chez Hélèna.

Germain ne se fit pas répéter l'invitation. Il quitta précipitamment Ernest Veilleux et il se dirigea vers la jeune fille, qu'il rejoignit au moment où elle allait monter les trois marches conduisant à la large galerie donnant accès à la porte de l'épicerie. Une demi-douzaine de jeunes de la paroisse, debout près de la porte, chahutaient en fumant. Clément Tremblay venait de s'écarter légèrement du groupe pour adresser une œillade et un large sourire à Céline, tout en s'assurant au préalable de ne pas être vu par le père de cette dernière. Germain ne vit rien, trop occupé à rassembler tout son courage pour parler à la jeune fille.

— Céline! Céline!

Le jeune cultivateur dut élever la voix un peu plus pour que Céline Veilleux détourne son attention de Clément Tremblay et se retourne pour voir qui la hélait. Elle s'arrêta, stupéfaite de constater que Germain Fournier s'adressait à elle.

— Oui? demanda-t-elle, agacée d'être dérangée au moment où elle s'apprêtait à glisser un mot à Clément Tremblay.

— J'aimerais te parler une minute, fit Germain, la gorge sèche et le visage en feu, à l'affût du moindre signe d'encouragement de la belle.

— Je m'en allais chercher du fil chez Hélèna, dit la jeune fille en cachant assez mal son impatience.

— Ce sera pas long, reprit Germain, un rien suppliant.

— Bon. C'est correct, consentit la jeune fille, renonçant momentanément à monter l'escalier.

Elle fit quelques pas en direction de Germain Fournier et attendit, balançant doucement sa bourse.

— Je viens de parler à ton père.

— Oui ?

— Je lui ai demandé… Je lui ai demandé s'il voulait que je vienne veiller avec toi de temps en temps, poursuivit péniblement Germain, de plus en plus rouge.

— Puis ? demanda sèchement Céline, qui venait subitement de comprendre ce qui se passait.

— Ben. Il m'a dit qu'il avait rien contre si t'étais d'accord. Il m'a dit que j'avais juste à t'en parler.

Céline, estomaquée par la demande, ne parvenait pas à détacher son regard du visage ingrat de son amoureux transi. Il lui fallut un long moment avant de rassembler ses idées et d'être en mesure de répondre à sa demande.

— Écoute, Germain. J'ai rien contre toi, mais j'ai juste vingt ans et je me sens pas prête à avoir déjà un cavalier. T'es fin d'avoir pensé à moi, mais je te ferais perdre ton temps.

— Je com… Je comprends, balbutia Germain dont le visage était brusquement devenu tout pâle.

Déjà, Céline se détournait de lui avec l'insouciance de la jeunesse et montait l'escalier. Germain Fournier, le cœur en morceaux, se hâta vers sa *sleigh* sans regarder personne. Il enleva la couverture sur le dos de son cheval et la lança dans le véhicule sans la plier avant de saisir les guides et de faire avancer son attelage. Le cœur lui faisait mal. Tous les beaux projets d'avenir qu'il avait bâtis depuis des semaines venaient de s'écrouler. Céline Veilleux ne l'aimait pas et ne l'aimerait jamais. Pire : elle avait semblé surprise qu'il ait pu croire un seul moment qu'elle accepterait qu'il la fréquente.

— Maudit fou ! ne cessait-il de se répéter tout au long du trajet qui le ramenait à la maison. Pour voir si une belle fille comme elle allait accepter que t'ailles veiller avec elle ! Tu t'es pas regardé dans un miroir ! Il y a pas une fille de Saint-Jacques qui le voudrait...

Plus il approchait de sa ferme, plus il était en proie à une colère incontrôlée contre lui, rage générée par la honte d'avoir été repoussé encore une fois.

— T'as l'air fin, là, maudit sans-dessein ! finit-il par se dire à haute voix. Ça prendra pas de temps que tout le village va être au courant et tout le monde va rire de toi dans ton dos.

Des larmes de rage et d'humiliation lui brouillaient la vue à la pensée de s'être donné en spectacle.

À son arrivée à la maison, il jeta quelques rondins sur les tisons qui restaient dans le poêle et il alla se jeter sur son lit sans prendre la peine de dîner et d'enlever ses vêtements du dimanche. Il était si fatigué après sa nuit d'insomnie qu'il s'endormit immédiatement et ne se réveilla qu'à la fin de l'après-midi.

Après être allée acheter du fil chez Héléna, Céline n'avait pu adresser que quelques mots à Clément Tremblay qui l'avait suivie à l'intérieur du magasin général. Quand elle sortit, elle rejoignit quelques jeunes filles regroupées non loin des *sleighs*.

Les hommes de la paroisse avaient formé trois ou quatre groupes au pied de l'escalier du parvis, tandis que les femmes s'étaient éloignées d'eux d'une bonne quinzaine de pieds pour ne pas être dérangées tant par les jurons que par les éclats de voix de leurs maris. Dans le groupe où Ernest Veilleux discutait de politique avec trois autres cultivateurs de la paroisse, Adélard Crevier, le forgeron à la musculature impressionnante, dit à voix basse quelque chose qui provoqua le silence et incita ses auditeurs à tourner la tête vers le groupe voisin, où Wilfrid Giguère pérorait.

— J'ai rencontré Gilbert Frenette, le maire de Sainte-Monique, hier après-midi, à Pierreville, dit le gros forgeron en feignant d'ignorer la proximité du maire de Saint-Jacques. Je vous dis que j'en ai appris une belle.

Immédiatement, le silence se fit dans le groupe du maire. Eugène Tremblay, debout près de son beau-frère, donna un coup de coude à Charles Boudreau qui fit signe à ses deux frères de se taire pour mieux entendre ce que le forgeron avait à dire.

— Vous devinerez jamais ce que Frenette m'a dit? Il m'a dit que Joyal lui avait promis le pont pour le printemps prochain.

— C'est pas vrai! s'exclama Ernest Veilleux, faussement scandalisé.

— Ben oui, mon Ernest. Il paraîtrait même que le gouvernement lui a envoyé un ingénieur pour examiner la place où le pont va être construit, aussitôt que les glaces vont avoir lâché sur la rivière.

— Ah ben! Ça, c'est écœurant! s'emporta Desjardins, outré.

— C'est drôle, mais ça me surprend même pas, reprit Veilleux, sur un ton fielleux. Depuis quand on peut croire ce que promet un maudit libéral? Je vous l'ai toujours dit qu'on n'aurait jamais rien d'autre que des menteries de Joyal. Ça et rien, c'est la même chose...

— Minute, vous autres! intervint Wilfrid Giguère en s'avançant vers le groupe voisin. Avant de vous énerver et de baver sur notre député, il faudrait peut-être d'abord vérifier les commérages qui sont colportés.

— Est-ce que t'es en train de me traiter de menteur, Wilfrid Giguère? demanda le forgeron, menaçant, en faisant deux pas vers son adversaire politique.

— C'est pas ce que je dis, répliqua le grand homme maigre en ne reculant pas d'un pas. Je dis que Frenette peut avoir tout inventé. Tout le monde sait que c'est un bleu et on a pu voir ce que vaut la parole d'un bleu depuis la conscription.

Ce rappel de la trahison du gouvernement conservateur de Borden produisit un effet immédiat. Un silence pesant tomba sur les hommes présents. Personne n'avait oublié la conscription imposée de force aux Canadiens français de la province trois ans auparavant. On se souvenait encore trop bien des émeutes de 1917 et des milliers de Canadiens tués dans une guerre qui ne les concernait même pas. On se rappelait surtout avec amertume de l'annulation de l'exemption accordée aux fils de cultivateurs.

— Ouais, on dit ça, intervint Ernest Veilleux. Mais qu'est-ce que Gouin et son gouvernement libéral ont fait quand c'est arrivé ? Rien, comme d'habitude. Avec leurs grandes gueules, ils nous ont tous fait passer pour des lâches.

— Et tout le monde sait ben qu'il y a pas plus lâche pourtant qu'un libéral, ajouta Crevier, triomphant.

— Je vais te montrer si on est des lâches, s'emporta subitement Wilfrid Giguère en se précipitant vers le gros homme dans l'intention de le frapper.

Au moment où les deux adversaires étaient prêts à en découdre et à se jeter l'un contre l'autre sous les encouragements bruyants de leurs partisans, Bruno Pierri et Honoré Beaudoin s'interposèrent et les repoussèrent vers leur groupe respectif. Des cris effarouchés des femmes ameutèrent les autres personnes présentes à qui l'altercation avait échappé.

— Aïe ! Ça va faire ! dit le président de la fabrique. Attendez-vous que monsieur le curé vienne s'en mêler ? Vous êtes devant l'église et vous donnez tout un exemple aux jeunes !

Marthe Giguère s'approcha précipitamment de son mari et l'entraîna vers leur *sleigh*. L'épouse du maréchal-ferrant, une petite femme autoritaire, ordonna à son mari d'une voix cassante de la ramener à la maison immédiatement.

— Cré maudit! se moqua Antonius Tougas, j'en connais un qui va se faire parler dans la face en rentrant à la maison.

— Il sera pas le seul, affirma Yvette Veilleux en faisant signe à son mari qu'elle voulait retourner à la maison, elle aussi.

Le couple retourna vers la *sleigh* familiale où les garçons et Céline l'attendaient déjà. Durant tout le trajet de retour, il ne se dit pratiquement rien dans le véhicule. Les passagers et le conducteur étaient trop occupés à se protéger le visage du froid pour avoir envie d'échanger. En passant devant chez Germain Fournier, Céline aperçut le jeune cultivateur sortant de son écurie. Elle détourna la tête.

À leur arrivée à la maison, la jeune fille et ses frères enlevèrent leurs manteaux et leurs bottes. Leur mère se dirigea immédiatement vers sa chambre pour aller changer de robe.

— Allez ôter votre linge propre, ordonna-t-elle à ses enfants avant de refermer derrière elle la porte de sa chambre. On va dîner dans cinq minutes.

Quand Ernest Veilleux pénétra dans la cuisine après avoir dételé le cheval, la vue de Céline en train d'aider sa sœur Anne à servir le repas lui fit penser à Germain Fournier.

— Est-ce que Germain Fournier est allé te parler après la messe? demanda-t-il à sa fille en prenant place à table.

— Qu'est-ce qu'il lui voulait? demanda Yvette, surprise par la question de son mari.

— J'ai oublié de te le dire, fit son mari. Quand notre voisin est venu me parler après la messe, t'étais déjà en train de jaser avec Emma Tougas et d'autres femmes. Germain voulait savoir si j'étais d'accord pour qu'il vienne veiller avec notre fille.

— Avec Céline ?

— Vois-tu une autre de nos filles en âge de recevoir ? s'impatienta Ernest.

— Puis ?

— Puis je lui ai dit qu'il avait juste à lui demander si elle voulait. Qu'est-ce que je pouvais lui répondre ?

Le père et la mère tournèrent la tête vers leur fille, attendant sa réponse.

— Il est venu me voir, p'pa. Mais je lui ai dit que je me trouvais encore trop jeune pour avoir un cavalier.

— Trop jeune à vingt ans ! s'exclama Ernest, apparemment déçu par la décision de sa fille.

— Je le connais pas, moi, Germain Fournier. En plus, je le trouve trop vieux pour moi et il est pas bien beau.

Anne ricana, mais un regard meurtrier de son père la fit taire.

— C'est une belle tête folle qu'on a là ! s'emporta Ernest Veilleux en s'adressant à sa femme. Fournier a pas plus que trente ans et il a une terre et une maison à lui.

— Si t'avais accepté de le recevoir, t'aurais appris à le connaître, ma fille, reprit sa mère avec plus de douceur. Je suis certaine que Germain est pas un mauvais garçon.

— J'ai juste vingt ans, m'man, plaida la jeune fille.

— Attends-tu de te réveiller vieille fille comme la Claire Tremblay d'à côté pour te mettre à te chercher un mari ? lui demanda son père, hargneux. Tu vas vite t'apercevoir que les hommes aiment pas mal plus les femmes jeunes que celles qui ont coiffé la sainte Catherine.

— Puis, qu'est-ce que la beauté vient faire là-dedans ? demanda à son tour Yvette Veilleux à sa fille. Un homme a pas besoin d'être beau. D'abord qu'il est vaillant et qu'il a du cœur, c'est tout ce dont une femme peut rêver.

— J'espère, en tout cas, que tu regretteras pas un jour d'avoir refusé qu'il te fréquente, conclut son père sur un ton tel qu'il mettait fin à la discussion.

Lorsque les jeunes eurent quitté la cuisine après le dîner, Yvette put enfin dire à son mari ce qu'elle avait sur le cœur depuis la scène au village.

— Tu trouves pas que t'aurais pu éviter de jeter de l'huile sur le feu après la messe ? lui demanda-t-elle, mécontente.

— De quoi tu parles ? dit Ernest en vidant la cendre de sa pipe dans le poêle.

— Fais donc pas l'innocent, Ernest Veilleux ! Comme si tu savais pas ce que je veux dire ! Je suis sûre que c'est toi qui as poussé Crevier à étriver le maire avec l'affaire du pont...

— Tu racontes n'importe quoi, la coupa son mari.

— Laisse faire. Ça me surprendrait même pas que t'aies encouragé Adélard Crevier à tout inventer juste pour faire enrager les rouges. En tout cas, s'il y a plus moyen de se parler comme du monde après la messe, on reviendra tout de suite après, comme des sauvages.

Ernest ne se donna pas la peine de répondre. Il haussa les épaules avant de bourrer sa pipe avec du tabac qu'il avait haché la veille.

Chapitre 13

Noël

La semaine précédant Noël fut une période d'intense activité dans presque tous les foyers de la paroisse. La température fléchit un peu et quelques chutes de neige sans conséquence vinrent napper le paysage d'une nouvelle couche de blanc.

Chez les Tremblay, Thérèse et Claire avaient entrepris de cuisiner pour les fêtes pendant qu'Eugène et ses deux fils allaient bûcher pratiquement chaque jour, malgré l'épaisseur de la neige dans le sous-bois. À la demande de sa mère, Gérald avait rapporté un sapin dès la première journée durant laquelle il avait accompagné son père dans le bois. Le soir même, Claire, aidée de sa jeune sœur Jeannine, avait décoré l'arbre avec des guirlandes un peu défraîchies et des petits bas rouges découpés dans du feutre.

— Quand Aline va tomber en vacances, annonça la mère quelques jours avant Noël, elle va faire un peu de ménage en haut avec Jeannine. À quinze et dix ans, elles sont capables de nous donner un coup de main.

Chez les Veilleux, les occupations étaient identiques. Yvette et ses deux filles cuisinaient déjà depuis quelques jours pour être en mesure de nourrir la parenté qu'on allait recevoir durant le temps des fêtes. Pour la plus grande joie de la mère, Albert et Maurice avaient écrit qu'ils viendraient célébrer Noël avec la famille et deux frères d'Ernest habitant Sorel s'étaient déjà invités à souper le soir du jour de l'An.

Par conséquent, la maison des Veilleux embaumait de toutes sortes d'odeurs appétissantes qui faisaient saliver Adrien, Léo et Jean-Paul à leur retour de l'école, chaque après-midi.

Après avoir confectionné une douzaine de pâtés à la viande et des tartes au sucre, aux raisins, aux dattes, aux œufs et à la mélasse, les cuisinières avaient préparé du ragoût et fait cuire deux gros jambons qui avaient été fumés par Germain Fournier. De plus, Yvette avait tenu à faire cuire des brioches à la cannelle et plusieurs douzaines de beignes. Le matin de la veille de Noël, toutes les provisions étaient prêtes et les jeunes piaffaient d'impatience devant toutes ces bonnes choses qu'on avait entreposées au froid, dans la cuisine d'été.

— Il reste juste à faire du sucre à la crème et du fudge, les filles, déclara Yvette, satisfaite. Vous allez vous en occuper pendant que je vais voir si les chambres sont assez propres en haut.

— On pourrait peut-être goûter aux beignes, suggéra Jérôme pour taquiner sa mère. Tout d'un coup qu'ils sont pas mangeables, Albert et Maurice vont aller raconter ça à tout le monde dans la parenté.

— Laisse faire, toi, le rembarra Céline. Ça a été assez d'ouvrage à faire tout ce manger-là, on te laissera pas toucher à rien avant le réveillon. Je te le garantis.

— C'est pas Marcelle qui aurait dû entrer chez les sœurs, répliqua l'adolescent, c'est toi. T'es bête comme tes pieds.

— Mon espèce d'effronté! lui dit Céline en le menaçant d'une grande cuillère.

— P'pa, est-ce qu'on va bûcher cet avant-midi? demanda l'adolescent à son père.

— Ouais, on y va.

Assis devant la fenêtre, Ernest Veilleux regarda à l'extérieur quand il entendit un traîneau entrer dans sa cour.

— Ça parle au diable! s'exclama-t-il. Pas encore Tit-Phège Turcotte! Ça fait deux fois qu'il vient cette semaine, ajouta le cultivateur avec mauvaise humeur. Ce maudit fatigant-là pourrait pas aller s'échouer ailleurs de temps en temps!

— Je pense, p'pa, qu'il haït pas trop votre caribou, lui fit remarquer son fils de seize ans.

— Ouais! Puis en plus, il colle jusqu'à temps qu'on l'invite à dîner, compléta son père en se levant de sa chaise berçante.

On entendit des bruits de pas sur la galerie. Elphège Turcotte heurtait ses pieds l'un contre l'autre pour en faire tomber la neige. Il frappa à la porte des Veilleux. Ernest alla lui ouvrir en traînant un peu les pieds.

À quarante-huit ans, Elphège Turcotte était un célibataire à la laideur sympathique. L'homme de taille moyenne n'avait déjà plus qu'une couronne de cheveux poivre et sel. Son menton en galoche faisait oublier la taille fort respectable de son nez. Il était toujours de bonne humeur et d'un optimisme à toute épreuve. «Le jour où Tit-Phège Turcotte s'en fera avec quelque chose, disait-on à Saint-Jacques-de-la-Rive, c'est qu'il va être pas loin de son lit de mort.»

Mais il ne faut surtout pas croire qu'Elphège Turcotte ne comptait que des admirateurs. Bien au contraire. On ne se gênait pas dans la paroisse pour les critiquer, lui et sa sœur. Tous les deux avaient la regrettable réputation d'être de fieffés paresseux, toujours prêts à profiter de la bonté des gens. Si Rose-Aimée passait le plus clair de ses journées à lire dans sa chaise berçante, son frère préférait traîner chez les voisins plutôt que de s'occuper de la petite ferme dont ils avaient hérité de leurs parents.

— Je passais devant chez vous, dit le visiteur en entrant. Je me suis dit que j'étais pas pour te faire l'insulte de pas m'arrêter te dire bonjour.

— C'est ben poli de ta part, répliqua Ernest sans aucun enthousiasme. Viens t'asseoir une minute pour te réchauffer. Justement, j'allais partir bûcher avec mon gars.

— Je voudrais surtout pas t'empêcher d'aller travailler, fit le visiteur en prenant place tout de même dans la chaise berçante que lui désignait son hôte.

— Toi, t'as pas encore commencé à bûcher?

— Non, mais après les fêtes, il va falloir que je le fasse. C'est pas facile tout seul. J'ai pas la chance d'avoir, comme toi, un grand gars pour m'aider.

— Il y a rien qui t'empêche de te marier, mon Tit-Phège, plaisanta Ernest.

— Je le sais ben. Sais-tu, je regarde tes deux filles, là. Je me demande laquelle ferait le plus mon affaire, dit en riant Elphège Turcotte en adressant un clin d'œil à son hôte.

— Je pense que t'es mieux de regarder pour une femme un peu plus vieille, intervint Yvette en descendant l'escalier intérieur qui conduisait à l'étage. Mes filles seraient jamais capables d'endurer les manies d'un vieux garçon comme toi.

— Surtout que j'ai pas une grosse santé.

— Bon, qu'est-ce que t'as encore? lui demanda Yvette, habituée aux maladies imaginaires de son invité.

— Je le sais pas trop. On dirait que je commence une bonne grippe.

— Comment tu soignes ça d'habitude?

— Souvent, un petit verre de caribou, ça m'aide pas mal.

— Tu penses? demanda Ernest en réprimant mal un sourire.

— Moi, en tout cas, ça me fait pas mal de bien.

— Jérôme, sors-moi donc la bouteille de caribou de l'armoire, commanda Ernest à son fils.

Ernest Veilleux versa une bonne rasade d'alcool dans un verre qu'il tendit à son visiteur.

— Tiens, mon Tit-Phège, soigne-toi.

L'autre avala le liquide sans esquisser la moindre grimace, même si l'alcool avait un goût très amer.

— Après avoir bu ça, moi, je te conseillerais d'aller te coucher en dessous d'une bonne pile de couvertes, fit Yvette, mi-sérieuse. Tu vas suer et ça va faire sortir le méchant. Demain, tu vas te sentir comme un jeune homme.

— Je pense que c'est ça que je vais faire, annonça Elphège Turcotte en se levant lentement.

— Maudit que ça sent bon chez vous! reprit-il en reniflant bruyamment. Qu'est-ce que ta femme et tes filles sont en train de faire cuire?

— Ça, c'est l'affaire des femmes, je m'en mêle pas, déclara sèchement Ernest. Tout ce que je sais, c'est qu'il est pas question de toucher à rien avant le réveillon.

Près de la table, Céline et Anne, occupées à mélanger les divers ingrédients pour leur recette de sucre à la crème et de fondant au chocolat, échangèrent un sourire de connivence.

— Batèche! C'est de valeur que ma sœur ait pas le tour de faire la cuisine, fit Turcotte en adoptant un air misérable. Il me semble que ce serait tellement bon une bonne tourtière ou une bonne tarte des fois.

Elphège Turcotte attendit vainement une réplique d'Ernest Veilleux. Vêtu de son épais manteau de drap brun, il prenait tout son temps à le boutonner.

— Attends, Elphège, finit par dire Yvette Veilleux, toujours aussi généreuse. Tu vas apporter une tourtière à Rose-Aimée. Vous la mangerez au réveillon.

Yvette alla chercher un pâté à la viande dans la cuisine d'été et le mit dans un sac qu'elle tendit à Elphège Turcotte.

— T'es ben fine, Yvette, la remercia-t-il. Je vais te rapporter ton assiette de tôle.

Quand l'importun eut enfin quitté la maison, Ernest ne put s'empêcher de grommeler :

— Le maudit quêteux ! Je te gage cinq cennes qu'il s'en va quémander aussi à côté. Quand il va avoir fini sa tournée dans le rang, sa *sleigh* va être pleine de manger et il va avoir avec sa sœur un aussi bon repas que nous autres sans qu'elle ait eu à faire à manger.

— Ernest, quand on fait la charité, on n'a pas à critiquer, le réprimanda sa femme.

— Aïe ! Yvette Dubé, viens pas me faire des sermons dans ma maison comme le curé Lussier, la rembarra sèchement son mari.

⁓

Ça sentait aussi bon au presbytère en cette veille de Noël. Depuis trois jours, Agathe Cournoyer et Gabrielle Paré faisaient mijoter sur le poêle toutes sortes de bonnes choses dont les odeurs se répandaient dans tout l'édifice.

Le curé Lussier, installé au salon, lisait pour la centième fois la lettre pastorale de monseigneur Côté, lettre dont il avait prévu de s'inspirer dans son sermon de la messe de minuit. Même s'il l'avait déjà lue à plusieurs reprises à ses ouailles durant les derniers mois, les sujets abordés dans la missive du vieux prélat de quatre-vingt-deux ans restaient d'actualité, surtout durant la période des fêtes. Il ne fallait pas que ses paroissiens succombent à l'ivrognerie, aux danses lascives et au cinéma. Il était nécessaire de se montrer d'autant plus vigilant et sévère que monseigneur Côté n'était pas parvenu à empêcher l'ouverture d'une salle de cinéma à Pierreville. Une autre invention du diable. Comme si ça avait de l'allure d'asseoir dans l'obscurité des hommes et des femmes ! Une véritable occasion de pécher !

Le prêtre fut interrompu dans sa lecture par l'arrivée de son vicaire. Il jeta un coup d'œil au jeune homme par-dessus ses lunettes qui avaient glissé sur son nez.

— Est-ce que tout est prêt pour ce soir, l'abbé ?

— Oui, monsieur le curé. J'ai eu pas mal de monde à la confesse une bonne partie de l'après-midi.

— Tant mieux.

— C'était pas facile de garder un climat de piété avec la chorale qui répétait dans le jubé, surtout que ça avait l'air de brasser un peu.

— Bon. Ça, c'est encore Adrien Caron. Comme chaque année, notre maître chantre doit trouver que la chorale l'enterre quand il chante *Adeste fideles* et que mademoiselle Perreault joue trop fort quand elle l'accompagne pour son *Minuit, chrétiens*. C'est la même histoire chaque Noël.

— Tout ce que je sais, c'est que ça discutait pas mal fort. J'ai même dû sortir du confessionnal pour leur demander de baisser la voix.

— Je vous parie que nous allons voir arriver Clémence Perreault, tout énervée, avant le souper. Comme chaque année, elle va se plaindre d'Adrien et menacer de laisser tomber la chorale et, évidemment, elle se laissera persuader de continuer. Si elle vient après le souper, pendant que je confesserai, vous me l'enverrez à l'église pour que je la calme.

— D'accord, monsieur le curé.

Il y eut un bref silence entre les deux prêtres. Au moment où l'abbé Martel allait ouvrir son bréviaire, son supérieur reprit :

— Vous m'avez bien dit que vous aviez rien de prévu pour demain, l'abbé ?

— Non, monsieur le curé. J'irai peut-être voir mes parents à Drummondville si mon frère pense à venir me chercher au jour de l'An et surtout, si ça dérange pas vos plans.

— C'est parfait. Demain soir, s'il fait beau, je vais aller souper chez ma sœur à Yamaska et au jour de l'An, vous pourrez aller visiter votre parenté. Vous vous rappelez que je vous ai dit qu'à Noël et au jour de l'An, notre cuisinière prend toujours congé après le dîner. Ça va être la même chose cette année. Ordinairement, madame Cournoyer nous laisse notre souper à réchauffer nous-mêmes. Cette année, même si elles sont deux, je vais leur donner le même congé.

— Il y a pas de problème, monsieur le curé, fit le vicaire, accommodant.

~

Au début de la soirée, une petite neige folle se mit à tomber sur Saint-Jacques-de-la-Rive et la région. Dans le rang Sainte-Marie, des lampes à huile brillaient faiblement dans presque tous les foyers en cette veille de la Nativité. À vrai dire, il n'y avait que la maison de Germain Fournier qui était plongée dans le noir. Pourtant, le propriétaire devait être présent puisque de la fumée sortait de la cheminée.

Deux maisons plus loin, chez les Tremblay, on avait dressé la table du réveillon dès qu'on eut lavé et rangé la vaisselle du souper. Aline avait accepté d'aller garder les jeunes enfants des Hamel pour permettre à Georges et à Rita d'aller à la messe de minuit. Sa sœur Claire, pour sa part, avait choisi de demeurer à la maison pour voir à la cuisson de ce qui allait être servi au réveillon. Elle irait à la basse-messe, le matin de Noël en compagnie d'Aline. Ainsi, ses parents et ses frères pourraient s'entasser dans la *sleigh*.

Pendant ce temps, les Veilleux étaient déjà en train de se préparer au départ pour l'église.

— On part pas plus tard qu'à dix heures avait déclaré Yvette aux siens.

— Sacrifice ! m'man, s'était exclamé Albert arrivé par le train à la fin de l'après-midi avec son frère Maurice, on va avoir le temps de ressasser nos vieux péchés en masse en arrivant aussi de bonne heure.

— Si tu vas au village à pied avec tes frères, lui fit remarquer son père, t'arriveras pas si de bonne heure que ça. As-tu déjà oublié qu'il y a un bon mille et demi à marcher ?

— Vous pourriez atteler l'autre cheval au gros traîneau et nous autres, on irait à l'église avec la *sleigh*, reprit Yvette Veilleux.

— Bien non, m'man. Il fait doux dehors. Ça va juste nous faire du bien de marcher après le bon souper que vous nous avez servi, intervint Maurice, le frère mariste.

— Attends de voir ce que tu vas manger au réveillon, promit sa mère, heureuse de voir ses deux grands fils de nouveau à la maison. Ça va te donner des couleurs.

— Je pourrais peut-être aller à la messe à pied avec les garçons, proposa Céline, sur un ton faussement désinvolte.

La jeune fille n'avait cessé de chercher des moyens de rencontrer Clément depuis le dimanche précédent. Elle venait de penser qu'elle pourrait bien avoir l'occasion de le croiser sur la route et, peut-être même, de monter dans la *sleigh* des Tremblay en route vers le village.

— Il en est pas question, fit sa mère. C'est pas la place d'une fille de ton âge de courir les chemins à la noirceur.

— Mais m'man, il va y avoir Albert, Maurice et Jérôme.

— Non. T'embarques dans la *sleigh* avec les jeunes, déclara sa mère sur un ton sans appel. À moins que t'aimes mieux rester ici avec Anne pour préparer la table du réveillon. Tu pourrais toujours aller à la basse-messe, demain matin.

— Non. C'est correct, se résigna la jeune fille, à contre-cœur.

Au village de Saint-Jacques-de-la-Rive, la soirée de la veille de Noël était sûrement la seule de l'année où il régnait une telle activité. Dès dix heures, les membres de la chorale s'étaient engouffrés dans l'église pour une dernière répétition. Une demi-douzaine de paroissiens les avaient suivis pour aller se confesser au curé Lussier. Déjà, des berlots, des *sleighs*, de gros traîneaux et quelques catherines étaient garés devant le temple. Quelques conducteurs avaient eu la sagesse de s'entendre au préalable avec des amis, des parents ou des connaissances vivant au village pour abriter leur cheval dans leur écurie, le temps de la cérémonie. Ils revenaient lentement à pied sur la route, se rangeant prudemment le long du banc de neige quand ils entendaient les grelots d'une *sleigh* qui approchait.

À onze heures et demie, il ne restait plus une place assise libre dans l'église. Il régnait à l'intérieur de l'édifice une chaleur d'étuve. Les bancs avaient été pris d'assaut par leurs locataires et leurs invités avaient tant bien que mal trouvé des places ailleurs. Déjà, les marguilliers, chargés de trouver des sièges aux fidèles demeurés debout à l'arrière, ne savaient où donner de la tête et patrouillaient sans cesse chacune des trois allées, à la recherche de places libres.

Quand le curé Lussier pénétra dans le chœur, encadré par ses deux servants de messe, la chorale entonna le chant d'entrée avec une force qui fit vibrer les vitraux. À l'arrière de l'église, une trentaine d'hommes se tenaient debout. Certains d'entre eux avaient cédé leur place assise à des femmes, poussés autant par esprit de galanterie que par le secret désir de s'esquiver à l'extérieur durant le sermon de leur pasteur pour fumer ou boire un coup.

Jusqu'à la lecture de l'Évangile, le recueillement fut exemplaire dans le temple. La plupart des fidèles avaient déboutonné leur épais manteau et faisaient des efforts louables pour demeurer bien éveillés, même s'ils dormaient habituellement depuis longtemps à une heure aussi tardive. Par contre, il en allait tout autrement pour certains hommes qui avaient commencé leurs libations au cours de la soirée. Certains d'entre eux somnolaient et même ronflaient sans aucune retenue, malgré les coups de coude décochés par leurs femmes.

Debout entre son frère Maurice et sa mère, Céline jetait souvent des coups d'œil derrière elle pour tenter d'apercevoir Clément Tremblay qu'elle savait présent dans l'église. À un certain moment, elle aperçut le jeune homme près de son père, à quelques bancs de distance, et elle lui adressa un sourire timide auquel le jeune homme répondit par un léger signe de reconnaissance. Yvette Veilleux leva le nez de son missel à ce moment-là et s'aperçut du manège de sa fille.

— Arrête de faire la girouette et suis la messe, lui murmura-t-elle sèchement en se penchant vers elle.

Dès que le curé Lussier monta en chaire, une dizaine de paroissiens debout à l'arrière en profitèrent pour se glisser subrepticement à l'extérieur pour allumer leur pipe.

Quelques-uns tirèrent même de l'une de leurs poches un flacon de whisky qu'ils firent circuler.

Pendant ce temps, le célébrant avait entrepris de commenter d'une voix puissante des extraits de la lettre pastorale de l'évêque de Nicolet. Ses premières paroles avaient eu le don de faire sursauter violemment un bon nombre de dormeurs. Le pasteur de Saint-Jacques-de-la-Rive condamna surtout les danses lascives et l'abus d'alcool que les rencontres du temps des fêtes n'allaient pas manquer de susciter. Encore une fois, il brandit les flammes de l'enfer qui attendaient non seulement les pécheurs, mais aussi les parents coupables de complaisance.

À la fin de la messe, lorsque le maître chantre entonna le *Minuit, chrétiens*, les fidèles s'empressèrent de gagner la sortie de l'église, à la recherche d'une bouffée d'air frais. On ne demeura sur le parvis que le temps de souhaiter un joyeux Noël aux connaissances et aux parents avant de monter dans les *sleighs* et les berlots où on se couvrit frileusement d'épaisses couvertures. Avant le départ, chaque conducteur alluma un fanal qu'il suspendit à l'avant de son véhicule. Les attelages quittèrent un à un le centre du village au son des grelots. Au loin, ils ressemblaient à des lucioles se déplaçant dans l'obscurité. Subitement, les gens étaient pressés d'aller réveillonner.

Cette nuit-là, bien peu de gens passant devant la petite maison grise de Germain Fournier remarquèrent l'absence de lumière aux fenêtres. Yvette Veilleux fut pourtant l'une d'entre elles.

— Je me souviens pas d'avoir vu Germain à la messe, dit-elle à son mari au moment où la *sleigh* passait devant la maison du célibataire.

— Moi non plus. Pour moi, il est pas venu à la messe de minuit. Tu sais comment il est sauvage. Il va probablement aller à la basse-messe demain matin.

En réalité, le jeune cultivateur, le cœur lourd des souvenirs des Noëls de son enfance, s'était couché bien avant minuit et avait difficilement trouvé le sommeil.

À leur arrivée à la maison, les Veilleux découvrirent les plus âgés de leurs fils en train de descendre de la carriole des Hamel. Georges et Rita refusèrent poliment l'invitation de leurs voisins de se joindre à eux pour le réveillon en prétextant devoir rentrer pour libérer leur gardienne.

~

À Noël, le temps demeura clément, pour le plus grand plaisir des gens. Chez les Veilleux, les excès de table de la nuit précédente avaient favorisé un sommeil lourd et causé des estomacs embarrassés. Il fallut tout de même préparer un souper de fête parce qu'Yvette avait invité un frère d'Ernest et sa femme, Amanda. Le couple sans enfant habitait Saint-Gérard, le village voisin.

— Attends que ma tante nous voie avec nos têtes, annonça Anne à sa sœur Céline. Elle va en faire tout un drame.

L'adolescente ne se trompait pas. Dès son entrée chez son beau-frère, Amanda, une femme âgée d'une cinquantaine d'années, remarqua les cheveux très courts de ses deux nièces, avant même d'enlever son manteau.

— Mon Dieu! Mais qu'est-ce qui vous est arrivé? s'écria sur un ton dramatique la visiteuse osseuse à la langue acérée.

Elle se tenait le cœur comme si le choc était à la limite du supportable.

— Rien, ma tante, répondit Céline, d'une voix légèrement exaspérée. On a juste une coupe à la mode.

La grande femme maigre s'empressa de faire le tour de chacune des jeunes filles avant de déclarer d'un air pénétré :

— Si ça a de l'allure d'arranger des belles filles comme ça ! C'est un vrai péché !

— Mais on est encore regardables, ma tante, fit Anne en arborant un petit air insolent.

— Occupe-toi pas de ta tante, fit Julien Veilleux, le frère aîné d'Ernest. Viens me donner un bec en pincette et je vais te dire, moi, que t'es la plus belle fille de Saint-Jacques.

Au souper, on fit honneur au ragoût, aux pâtés à la viande et aux tartes cuisinés par les femmes de la maison. Après le repas, on demeura un long moment à table pour s'échanger des nouvelles de la famille et s'informer des projets de chacun.

— Je suis content de te voir, Albert, déclara l'oncle Julien à son neveu. Je pense que ça fait au moins trois ans que je t'ai pas vu. C'est vrai que tu restes à Montréal maintenant. Mais sais-tu que moi, j'ai cinquante-six ans et je suis jamais allé là, ajouta le petit homme au crâne chauve.

— On peut mourir sans y être allé et ce serait pas bien grave, mon oncle, dit en plaisantant Maurice, le frère mariste.

— Ouais, je sais ben, mais j'haïrais pas ça aller voir de quoi ça a l'air, la grande ville. Ça doit pas être déplaisant des tramways, des rues éclairées, des magasins partout. Il paraît que maintenant, il y a même des petites vues dans des théâtres.

— C'est vrai, reconnut Albert avec une certaine fierté. Mais le plus important, c'est d'avoir l'électricité dans notre logement. Plus de lampes à huile et même plus d'éclairage au gaz. On a aussi l'eau courante. Plus besoin d'aller au puits ou d'aller dans des toilettes sèches, comme à la campagne. En plus, mon oncle, vous saurez qu'il y a des autobus depuis deux ans dans certaines rues de la ville. Ça va pas mal plus vite que les petits chars.

— C'est du luxe, ça! s'écria Julien Veilleux, enthousiaste.

— On finit par s'habituer à tout ça, reconnut le jeune homme au large visage marqué de taches de rousseur. Mais savez-vous, mon oncle, je pense que le plus beau, c'est le radio. Maudit que c'est plaisant d'écouter ça, le soir, tranquille, après une grosse journée d'ouvrage. Avant, il y avait juste CFCF, mais depuis septembre, on a CKAC, un poste juste en français.

— En as-tu un, toi? demanda Céline, envieuse.

— Ben oui. Je me suis acheté un Marconi l'automne passé. Je pense que c'est la plus belle dépense que j'ai jamais faite. Avec ça dans la maison, j'ai plus pantoute le goût de sortir le soir.

— Chanceux! C'est ça être moderne!

Durant tout l'échange, Ernest Veilleux ne dit pas un mot. Il se contenta de guetter en vain un signe de regret d'avoir abandonné le toit familial chez son fils de vingt-huit ans.

«Moderne»! pensa-t-il, amer. Les jeunes avaient juste ce mot-là à la bouche. Ils étaient persuadés que la vie paisible à la campagne était dépassée et sans intérêt. On aurait juré que vivre sur une terre n'était plus bon que pour les vieux incapables de s'adapter au progrès. On ne parlait plus maintenant que d'automobile, de radio, de film, de restaurant, de musique et d'électricité. Ça, c'était le progrès. Pourquoi peiner du matin au soir sur une terre quand on pouvait tout obtenir facilement en ville? Pourtant, il ne manquait pas de jeunes de la paroisse qui étaient revenus désenchantés d'un bref séjour à Montréal.

À les entendre, la vie en ville n'était pas aussi rose qu'on voulait bien le laisser croire. L'entassement dans des logis insalubres, le bruit et les journées de travail de douze à quatorze heures pour un salaire de famine semblaient être le prix à payer pour le progrès qui attirait tant les jeunes vers les villes.

Ernest fit un effort pour suivre avec plus d'attention la conversation entre son aîné et son frère.

— Où est-ce que tu restes? reprit Julien Veilleux.

— Pas loin du pont Jacques-Cartier. Sur Des Érables. Je suis resté en chambre pendant un an et, l'année passée, je me suis décidé à louer un petit appartement.

— Il y a aussi ben de la misère à Montréal, intervint sèchement Ernest Veilleux quand il se rendit compte que Céline, Anne et Jérôme suivaient la discussion avec attention.

Le jeune homme au visage poupin lissa durant un instant sa moustache avant de répondre.

— Ah ça, p'pa, on peut pas dire que la vie est facile pour tout le monde en ville, même si c'est pas mal moins pire depuis que la crise de 19 est finie. Il y a encore du monde qui crève de faim parce que la Saint-Vincent-de-Paul peut pas leur donner grand-chose. Il paraît qu'il y en a qui ont même pas assez d'argent pour s'acheter du bois ou du charbon pour se chauffer durant l'hiver.

— J'ai entendu dire par un gars de Saint-Gérard qu'il y a des pères de famille qui travaillent quatorze heures par jour et six jours par semaine pour cinq piastres par semaine, dit l'oncle Julien. Il y aurait même des compagnies qui engagent des enfants à quarante cennes pour dix heures d'ouvrage par jour.

— Moi aussi, j'ai entendu dire ça, reconnut Albert. Moi, je travaille pour le Canadien Pacifique. Je vide les trains. J'ai une paye chaque vendredi. Mais je vois souvent des gens qui ont l'air d'avoir faim et qui quêtent les deux cennes qu'il faut pour se payer un ticket de petit char.

— Tu vois, Julien, conclut Ernest avec un contentement évident. Quand on vit sur une terre, on est au moins sûrs de jamais manquer de manger.

Chapitre 14

Le jour de l'An

Dès le lendemain de Noël, les hommes retournèrent bûcher sur leur terre à bois, trop heureux de profiter du temps doux qui persistait sur la région. Pendant ce temps, les ménagères se remettaient à leurs fourneaux pour préparer les repas du jour de l'An. Pour leur part, les enfants étaient de plus en plus énervés à la pensée des étrennes qu'ils allaient peut-être recevoir le premier jour de l'année.

Chez les Tremblay, Thérèse, aidée par Claire et Aline, préparait de nombreux desserts qu'elle avait promis d'apporter à sa sœur Louisette, qui avait exigé d'être l'hôtesse de toute la famille au souper du jour de l'An, chez elle, à Saint-Zéphirin. Hervé Durand, le benjamin de la famille vivant aux États-Unis depuis vingt ans, avait écrit qu'il viendrait célébrer la première journée de 1923 avec sa femme et sa fille. Yvette attendait ce moment avec une impatience grandissante depuis que sa sœur lui avait communiqué le contenu de la lettre qu'il lui avait fait parvenir de Boston au début du mois de décembre.

— On a bien assez d'une demi-douzaine de tartes au sucre et d'un gâteau au chocolat, déclara Aline.

— Tu vas glacer une douzaine de beignes, lui commanda sa mère. On va être une trentaine chez ton oncle Henri. Il est pas question qu'on manque de desserts.

— Ça fait combien de temps que vous avez pas vu votre frère, m'man ? demanda Claire.

— Vingt ans. Il est parti de la maison à vingt et un ans et on l'a pas revu depuis. Pendant toutes ces années-là, on a juste reçu une ou deux lettres chaque année. Il paraît qu'il est allé rester deux ans dans l'Ouest avant de décider de déménager aux États. J'ai bien hâte de le revoir et surtout, de voir sa femme et sa fille.

— Si les chemins sont beaux, tempéra Claire.

— Parle pas de malheur, toi, fit sa mère, soudain alarmée. Il manquerait plus qu'une tempête nous empêche d'aller souper à Saint-Zéphirin ou l'empêche de venir nous voir. On va réciter une dizaine de chapelets pour avoir du beau temps au jour de l'An.

En entendant cette décision de sa mère, Aline jeta un regard furieux à sa sœur aînée, qui se contenta de lui répondre par une grimace.

~

Le presbytère de Saint-Jacques-de-la-Rive baignait dans une quiétude reposante en cet après-midi du 31 décembre. Seuls quelques bruits feutrés venaient de la cuisine où Agathe Cournoyer finissait de préparer le dîner des deux prêtres.

Pour sa part, Gabrielle Paré avait occupé la plus grande partie de l'avant-midi à faire le ménage de diverses pièces. Elle pénétra dans la cuisine.

— Donnez-moi ça, madame Cournoyer, dit-elle en tendant la main vers le couteau avec lequel la vieille dame s'apprêtait à découper un poulet, et reposez-vous un peu.

— Voyons donc, je suis pas si fatiguée que ça, dit la vieille dame en lui tendant tout de même l'ustensile.

Mais ses traits tirés et son air las montraient plutôt le contraire. Agathe Cournoyer se laissa tomber sur une chaise au bout de la table placée au centre de la cuisine et elle regarda la jeune fille dépecer la volaille avec une rare habileté.

— Il faudrait que tu te ménages toi aussi, ma belle, recommanda la vieille dame sur un ton affectueux. T'arrêtes pas du matin au soir. Quand c'est pas au presbytère, c'est à la maison. T'es pas une machine.

— Ayez pas peur, madame Cournoyer. Quand je suis fatiguée, je fais rien.

La vieille servante était de plus en plus entichée de l'orpheline. Elle était exactement à l'image de la fille qu'elle n'avait jamais eue. Vaillante et habile de ses mains, Gabrielle exécutait la plupart des travaux tant au presbytère que dans sa petite maison. Rien ne semblait la rebuter. En moins d'un mois, Agathe en était venue à éprouver à son endroit une réelle affection.

— De la fricassée de poulet, c'est pas bien nouveau comme dîner, constata la jeune fille.

— C'est sûr que c'est pas original comme le chevreuil que t'as pas encore fait cuire, répliqua la vieille servante, moqueuse.

— C'est vrai. J'avais complètement oublié cette viande-là.

Il y eut un court silence dans la pièce.

— Je me souviens pas non plus d'avoir revu le garçon qui nous l'a donnée, reprit Gabrielle.

— Germain Fournier? On dirait que ce pauvre Germain sort presque plus de chez eux. Je l'ai vu dimanche passé à la basse-messe. Je dirais qu'il a jamais été aussi sauvage. Il regarde plus personne.

— Pourquoi? Qu'est-ce qui lui est arrivé? demanda Gabrielle, intéressée.

— Je le sais pas trop. Emma Tougas m'a raconté avant-hier qu'elle avait entendu dire qu'il aurait demandé à la petite Veilleux d'être son cavalier, mais qu'elle a pas voulu. Il paraît qu'il l'aurait bien mal pris. Le pire, c'est qu'il est tout seul. En tout cas, les jeunes du village trouvent ça bien drôle, d'après elle.

— C'est triste, fit Gabrielle, d'un air songeur.

— La Céline est jeune et c'est à croire qu'elle trouve pas le Germain trop, trop à son goût. Il faut reconnaître aussi que Germain Fournier a jamais gagné un prix de beauté.

— C'est sûr.

— Mais je suis certaine que c'est un bon garçon, ajouta la vieille servante. Il a pas l'air de boire et il est travaillant. En plus, il a pris soin de sa mère quand elle est devenue veuve. Je pense que c'est un homme qui a du cœur.

— Au fond, c'est pas bien charitable de le laisser se morfondre tout seul dans le temps des fêtes, reprit l'orpheline en ramassant les os du poulet qu'elle venait de dépecer.

— D'autant que je pense pas que sa sœur Florence vienne le voir au jour de l'An. Sa sœur, c'est sa seule famille.

Il y eut un autre bref moment de silence dans la pièce, silence à peine troublé par le bruit du couteau sur la planche de bois sur laquelle Gabrielle hachait maintenant le poulet.

— Qu'est-ce que vous diriez, madame Cournoyer, si je préparais ma recette de chevreuil pour notre souper du jour de l'An ? J'aurais le temps de la faire, on n'a pas à préparer le souper de monsieur le curé.

— Pourquoi du chevreuil ? On a des tourtières.

— On pourrait en profiter pour inviter Germain Fournier et lui faire goûter son chevreuil. En même temps, ce serait faire preuve de charité chrétienne.

— C'est bien beau ton idée, mais quand est-ce qu'on va le voir pour l'inviter?

— On va bien le voir demain matin à la messe, madame Cournoyer. Si vous le voulez, je vais l'inviter.

— Fais à ta tête, ma fille, consentit la vieille dame d'assez bonne grâce, mais attends que je sois là avec toi. Il faudrait pas que le monde de la paroisse se mette à jacasser sur ton compte en te voyant parler toute seule avec lui.

Gabrielle Paré parvint à ne manifester aucun signe de joie particulière. Pourtant, elle venait d'imposer à sa logeuse une idée qui lui trottait dans la tête depuis le jour de la guignolée, soit tenter d'attirer l'attention du célibataire. Évidemment, il n'y avait encore rien de fait, mais il y avait de l'espoir. S'il acceptait de venir partager le souper qu'elle se proposait de lui offrir, elle parviendrait probablement à détourner son attention de Céline Veilleux et qui sait...

Le lendemain matin, la jeune fille poussa un léger soupir de soulagement lorsqu'elle vit Germain Fournier pénétrer dans l'église. Elle le suivit du regard pendant qu'il se rendait à son banc. Ses cheveux châtains étaient longs et en désordre, et il était mal rasé. Il présentait un visage fermé peu avenant.

— Il est là, madame Cournoyer, chuchota-t-elle à l'oreille de sa voisine de banc. On va pouvoir l'inviter après la messe.

— Ça se fait pas pour une jeune fille d'inviter toute seule un homme. Si tu fais ça, il va croire que t'as des intentions. Attends-moi, j'y vais avec toi, lui ordonna Agathe Cournoyer.

— Voyons donc, madame Cournoyer, protesta à voix basse Gabrielle. Vous l'avez regardé?

La ménagère du curé Lussier se contenta de taper légèrement sur le bras de la jeune fille avant de se remettre à prier.

En ce dernier dimanche de 1922, l'abbé Martel célébra la basse-messe dans une église à demi remplie. Dès qu'il eut quitté le chœur, précédé de son servant de messe, les fidèles se dirigèrent vers les portes. Gabrielle Paré et Agathe Cournoyer laissèrent passer devant elles Germain Fournier avant de le suivre. Sur le parvis, la jeune cuisinière du curé toucha le bras du célibataire au moment où il se coiffait de sa tuque.

— Monsieur Fournier.

Germain tourna la tête en sa direction et la découvrit en compagnie d'Agathe Cournoyer.

— Oui, fit-il en rougissant légèrement.

— En vous voyant, je me suis demandé si vous aviez commencé à manger de votre chevreuil.

Pendant un moment, Germain, emprunté, ne sut quoi répondre à celle qui l'avait interpellé.

— Non... Pas encore, finit-il par répondre d'une voix embarrassée.

— Comme ça, vous avez pas eu confiance dans la recette que je vous ai donnée ?

— Ben... C'est pas ça, mademoiselle. C'est que j'ai pas eu le temps de l'essayer.

— Qu'est-ce que tu dirais, Germain, de venir goûter à ton chevreuil chez nous, demain soir ? intervint Agathe Cournoyer. Gabrielle parlait justement de la faire pour le jour de l'An, cette recette-là.

L'invitation était si imprévue que Germain Fournier demeura d'abord sans voix. Il jeta un regard autour de lui, comme pour s'assurer que personne ne l'avait entendue. On aurait juré qu'il craignait une blague de mauvais goût.

Son regard finit par revenir se fixer sur les deux femmes qui lui faisaient face.

— Pis? fit Agathe Cournoyer, avec une certaine impatience.

— Ben... Je sais pas trop, madame Cournoyer. J'ai mon train à faire et...

— Écoute donc, Germain Fournier, as-tu peur qu'on t'empoisonne?

— Ben non, mais...

— Nous autres, on est toutes seules demain. C'est plate un jour de l'An quand t'as pas de visite. Si t'es tout seul toi aussi, il y a rien qui t'empêche de venir manger avec nous autres.

Germain sembla prendre une profonde inspiration avant de dire:

— Si c'est comme ça, c'est correct. Je vais venir. Mais je voudrais pas vous déranger.

— Mais non, monsieur Fournier, intervint Gabrielle en lui adressant son sourire le plus enjôleur. Il faut bien qu'on mange, nous autres aussi.

⁓

Le matin du jour de l'An, les gens se rendirent compte que le mercure avait sérieusement chuté, mais on ne voyait dans le ciel que quelques nuages effilochés poussés vers l'ouest par un vent léger.

En rentrant de la grand-messe à laquelle il avait assisté avec sa femme et trois de ses enfants, Eugène Tremblay trouva ses autres enfants dans la grande cuisine. On attendait visiblement son retour de l'église pour lui demander sa bénédiction paternelle. À titre d'aînée, Claire s'avança vers lui.

— P'pa, voulez-vous nous bénir ? lui demanda-t-elle en faisant signe à ses frères et sœurs de s'approcher.

Ému, comme chaque année, le père de famille laissa le temps à ses enfants de s'agenouiller devant lui avant de les bénir solennellement. Il adressa ensuite à chacun ses vœux de bonne année. Pendant ce temps, Thérèse, non moins émue que son mari, se tenait debout près du poêle.

— On mange et, après ça, il y aura peut-être des étrennes pour les plus fins, déclara-t-elle.

Après un solide repas, la mère sortit de sa chambre à coucher des petits paquets soigneusement enveloppés. À part les coffres à crayons destinés à Lionel et à Jeannine, tous les autres cadeaux étaient des tuques et des moufles tricotées en cachette, le soir, par Thérèse. Pour leur part, les enfants avaient mis ensemble leurs économies pour acheter chez Murray, à Pierreville, une pipe et une blague à tabac pour leur père ainsi qu'un chapelet en pierre du Rhin pour leur mère.

Au début de l'après-midi, il y eut une première surprise quand vint le temps de savoir qui demeurerait à la maison pour faire le train du soir. Pour la première fois depuis longtemps, les Tremblay ne recevaient pas au jour de l'An puisqu'ils étaient invités à Saint-Zéphirin. Celui qui resterait ne pourrait même pas avoir la chance de rejoindre la fête, faute de moyen de transport. La famille allait prendre la *sleigh*, et le berlot et on allait atteler les deux chevaux. Comme il n'était pas question de franchir à pied la douzaine de milles séparant Saint-Jacques-de-la-Rive de Saint-Zéphirin, il n'y aurait pas de fête pour celui qui resterait pour traire les vaches et nourrir les animaux.

— On va faire un tirage entre Gérald et Clément, déclara le père.

— Pourquoi on ajoute pas le nom de Claire aussi ? demanda Gérald. Elle est capable, comme nous autres, de faire le train.

— C'est pas la place d'une fille de rester toute seule à la maison, intervint sèchement sa mère. En plus, on va avoir besoin d'elle pour aider à servir le repas.

— Je vous dis qu'il y a des fois que moi aussi, j'aimerais ça être une fille, dit l'adolescent avec humeur.

— C'est vrai que ça te ferait pas mal bien, une belle petite robe, le taquina Aline.

— C'est pas nécessaire de faire un tirage, p'pa, dit tranquillement Clément Tremblay. Je vais rester.

— Tu vas rester ! s'exclama sa mère, surprise de voir son fils aîné renoncer aussi facilement au plaisir de danser et de s'amuser.

Pendant un court instant, Thérèse Tremblay regarda son fils avec un rien de soupçon. Son Clément était un joyeux luron qui aimait habituellement les fêtes. Le voir renoncer volontairement à une veillée ne pouvait que cacher quelque chose. Mais quoi ? Comme la décision semblait remplir Gérald de joie, la mère préféra ne pas chercher à en savoir plus.

Après avoir remis un peu d'ordre dans la cuisine, la famille Tremblay fit de grands frais de toilette avant de monter à bord de la *sleigh* et du berlot. Claire monta avec son père et sa mère dans le premier véhicule tandis que les autres s'entassèrent dans le second, que conduirait Gérald.

— Attends-nous pas pour te coucher, crut bon de préciser Eugène à son fils Clément. On sait pas à quelle heure ça va finir, cette veillée-là.

— Tu vas avoir quand même un bon souper, lui fit remarquer sa mère. Je t'ai sorti de la tourtière et du poulet. T'auras juste à les faire réchauffer après avoir fait le train.

Une heure plus tard, Germain Fournier entrait dans son étable dans l'intention de traire ses vaches et de les nourrir très tôt ce jour-là. Depuis le matin, il se demandait s'il devait ou non donner suite à la proposition d'Agathe Cournoyer et de l'autre servante. Il craignait d'avoir été invité par pitié et d'être l'objet d'un acte purement charitable, ce qu'il trouvait très humiliant.

— J'y vais pas! s'était-il dit cent fois. Je ferai pas rire de moi une autre fois!

Pourtant, plus la journée avançait, plus sa résolution de passer seul cette première journée de la nouvelle année fléchissait. C'était la première fois de sa vie qu'il était abandonné à lui-même un jour de l'An. Il y avait bien assez qu'il avait passé la journée de Noël, assis près du poêle, à regarder s'égrener les minutes à l'horloge de la cuisine.

— Si j'y vais, finit-il par se dire au début de l'après-midi, je resterai pas longtemps. À huit heures, je suis revenu.

Après s'être rasé avec soin et endimanché, le jeune cultivateur se figea au moment où il allait enfiler son manteau.

— Mais je peux pas arriver les mains vides, dit-il à haute voix. Je vais avoir l'air d'un quêteux.

Durant un moment, il regarda autour de lui à la recherche de ce qu'il pourrait bien offrir à ses hôtesses. Il opta finalement pour deux pots de marinades cuisinées par sa mère l'été précédent et un petit jambon qu'il avait lui-même fumé à la fin de l'automne.

Lorsqu'il se présenta à la porte de la maison d'Agathe Cournoyer, au village, un peu après dix-sept heures, il faisait déjà noir depuis un bon moment. Gabrielle Paré guettait son arrivée à la fenêtre depuis près d'une demi-heure. Elle ouvrit immédiatement la porte en le voyant secouer ses pieds sur la galerie.

— Vous pouvez aller installer votre cheval dans l'écurie derrière le presbytère, monsieur Fournier. Madame Cournoyer a demandé la permission à monsieur le curé, hier.

— Tenez, c'est pour vous, fit Germain en lui tendant le jambon et les deux pots de marinades. Je reviens dans cinq minutes.

Quand le célibataire revint, on le fit passer directement dans la cuisine. Rouge de confusion, il dut accepter d'être embrassé par les deux femmes à qui il souhaita une bonne année. Ensuite, on passa à table.

— Que tu me dises «vous», c'est correct, Germain, lui fit remarquer Agathe Cournoyer en prenant place à table, en face de lui. J'ai l'âge d'être ta grand-mère. Mais tu pourrais dire «tu» à Gabrielle. Je pense qu'elle est pas aussi vieille que moi, ajouta-t-elle en riant.

— C'est sûr, madame Cournoyer.

— Et toi, Gabrielle, arrête de l'appeler «monsieur Fournier». Ce pauvre Germain va finir par penser que tu parles à son père.

— Ça, c'est vrai, finit par reconnaître Germain, en souriant timidement.

Ce soir-là, Gabrielle servit son rôti de chevreuil dans une succulente sauce. Germain trouva le mets si délicieux qu'il en reprit sans se faire prier. Lorsque vint le temps du dessert, il était si repu qu'il eut du mal à avaler le morceau de gâteau au chocolat qu'on déposa devant lui.

— J'ai jamais rien mangé d'aussi bon, reconnut-il, mis à l'aise par les deux femmes.

— Dis ça à Gabrielle, affirma Agathe Cournoyer. C'est elle qui a tout fait. Elle a pas voulu que je touche à rien.

— C'est vrai, made… Gabrielle, fit le célibataire en se reprenant rapidement, mais d'une voix hésitante. C'était vraiment très bon.

Après le repas, les hôtesses ne voulurent jamais qu'il aide à laver la vaisselle et il dut se contenter de les regarder faire, confortablement assis dans l'unique chaise berçante de la maison.

— Qu'est-ce que vous diriez, les jeunes, de jouer une partie de cartes ? proposa Agathe après avoir retiré la nappe qui couvrait encore la table.

— On pourrait jouer à la dame de pique, ajouta Gabrielle en regardant Germain. De toute façon, il est encore pas mal de bonne heure. On est pas pour aller se coucher à l'heure des poules un soir de jour de l'An, pas vrai, Germain ?

— Pourquoi pas, accepta le célibataire.

La soirée fut si agréable que Germain Fournier ne vit pas le temps passer. Il fut tout surpris d'entendre sonner vingt-trois heures à l'horloge. Il se leva un peu à regret pour endosser son manteau et chausser ses bottes. Avant son départ de la maison, on se promit de répéter une rencontre aussi agréable.

Le jeune cultivateur était guilleret en marchant vers l'écurie située derrière le presbytère, de l'autre côté de la route. Pour la première fois depuis très longtemps, il se sentait heureux. À aucun moment de la soirée, il n'avait eu la moindre pensée pour Céline Veilleux. Il attela son cheval et prit la route pour regagner sa maison du rang Sainte-Marie, insouciant des quelques flocons qui commençaient à tomber.

Chez les Tremblay, Clément avait, lui aussi, soigné les animaux assez tôt pour se garder suffisamment de temps pour faire sa toilette et s'endimancher après avoir soupé. Maintenant que le moment était venu de passer à l'action, il se sentait beaucoup moins assuré qu'il ne l'était lorsqu'il avait promis à Céline de se présenter chez elle au jour de l'An pour forcer son père à accepter qu'il la fréquente. Ce qui lui avait semblé tout simple alors paraissait brusquement pas mal hasardeux. Les risques de se faire fermer la porte au nez avec pertes et fracas devant tous les invités existaient bel et bien, et la dernière chose que Clément désirait était bien de perdre la face devant la jeune fille.

Depuis le départ de sa famille pour Saint-Zéphirin, le jeune homme n'avait cessé de lorgner du côté des Veilleux où il avait vu arriver des invités depuis le milieu de l'après-midi. Il y aurait beaucoup de monde chez les voisins. L'imagination galopante du jeune soupirant ne cessait d'inventer des scénarios, et il avait de moins en moins envie de risquer l'aventure.

Finalement, un peu après sept heures, il prit son courage à deux mains et décida de se rendre à pied chez sa belle.

— Le pire qui peut m'arriver, se répéta-t-il cent fois en marchant sur la route, c'est que le bonhomme me claque la porte au nez. Pis après ? Au moins, j'aurai essayé.

Dès qu'il approcha de la maison, il entendit les bruits des conversations mêlés aux sons d'un violon et d'un accordéon. Des cris et des rires fusaient. De toute évidence, le souper était terminé et on avait commencé à danser. Les jambes un peu molles et plein d'appréhension, Clément Tremblay se décida à aller frapper à la porte. Il attendit quelques instants avant de recommencer plus fort quand il se rendit compte qu'on ne l'avait probablement pas entendu. Au moment où il allait frapper de nouveau, la porte s'ouvrit sur Maurice Veilleux. La soutane noire du jeune frère mariste avait quelque chose d'incongru dans cette fête bruyante.

— Entre, dit-il en reconnaissant Clément. Si je laisse la porte ouverte, les enfants vont attraper leur coup de mort.

Au même moment, une demi-douzaine d'enfants apparurent près de Maurice. Ils se poursuivaient en criant. Clément s'empressa d'entrer dans la pièce surchauffée et il demeura, emprunté, debout sur le paillasson. La plupart des invités n'avaient pas remarqué son arrivée. La table avait été repoussée dans un coin de la grande cuisine et les gens étaient assis sur des chaises et des bancs placés tout autour de la pièce. Au centre, une dizaine de danseurs tourbillonnaient.

— J'aimerais dire deux mots à ton père, si c'est possible, déclara Clément, de moins en moins à l'aise au milieu de tout ce tohu-bohu.

— Attends, je vais aller te le chercher. Il est en train de jaser avec mes oncles dans la cuisine d'été.

Durant la courte absence de l'ecclésiastique, Céline, assise aux côtés d'une cousine, adressa un signe discret de reconnaissance au visiteur, mais elle ne fit pas un mouvement pour s'approcher de lui. Brusquement, le jeune homme se retrouva en face d'Ernest Veilleux dont les sourcils froncés disaient assez le mécontentement qu'il éprouvait à voir un Tremblay, chez lui, debout sur son paillasson.

— Oui ? demanda-t-il sur un ton peu amène.

Yvette Veilleux s'était approchée des deux hommes, tout en demeurant un pas derrière son mari. La taille imposante d'Yvette faisait écran et empêchait tout invité trop curieux de voir ce qui allait se passer.

— Je viens vous souhaiter une bonne année et le paradis à la fin de vos jours, monsieur Veilleux, fit Clément Tremblay d'une voix un peu chevrotante, en tendant la main au voisin irascible.

Ce dernier ne put faire autrement que de saisir la main tendue vers lui.

— Pareillement, répondit Ernest par automatisme et sans aucune chaleur.

Clément Tremblay chercha de l'aide du regard autour de lui avant de se jeter résolument à l'eau.

— J'aurais voulu aussi vous demander…

— Quoi? demanda sèchement Ernest Veilleux, dont les yeux le fixaient avec dureté.

— J'aurais voulu vous demander la permission de… de fréquenter Céline, monsieur Veilleux.

— Rien que ça! s'exclama le voisin qui semblait sur le point d'exploser.

Yvette fit un pas en avant et posa une main sur le bras de son mari.

— Tu pourrais peut-être demander à Céline ce qu'elle en pense, suggéra-t-elle à mi-voix à son mari, en adressant en même temps un sourire d'encouragement au prétendant qui avait perdu beaucoup de sa superbe.

— Torrieu! jura Ernest. Il y a pas quinze jours, elle a dit au petit Fournier qui voulait venir veiller avec elle qu'elle était pas prête à recevoir un cavalier. Je vois pas pourquoi elle serait plus prête aujourd'hui.

— Voyons, Ernest! fit sa femme en lui faisant de gros yeux.

— OK, accepta le cultivateur, à contrecœur.

Le père aperçut alors sa fille assise à faible distance et il lui fit signe de s'approcher.

— Le petit Tremblay vient de me demander la permission de venir veiller avec toi, lui dit-il abruptement en laissant voir son mécontentement. Qu'est-ce que t'en penses?

Céline, moqueuse, regarda Clément Tremblay un court instant avant de répondre:

— Je sais pas trop, p'pa. Si c'est juste pour ce soir, je suis peut-être capable de l'endurer une couple d'heures. S'il est pas endurable, je pourrai toujours le renvoyer chez eux.

— Arrange ça avec ta mère, je dois aller servir de la boisson, finit par déclarer Ernest sans faire preuve d'un plus grand sens de l'hospitalité.

Sur ces mots, le petit homme tourna les talons et retourna dans la cuisine d'été où son retour fut salué par des cris.

— Occupe-toi pas trop de l'humeur de mon mari, recommanda Yvette Veilleux au jeune homme après le départ de son mari. Il est pas méchant pour deux cennes; il est juste aussi rancunier que ton père. Céline va te montrer où déposer ton manteau.

Sur ce, l'hôtesse, vêtue de sa plus belle robe, s'éloigna des deux jeunes gens. Céline entraîna son amoureux jusqu'à la porte de la chambre de ses parents où les manteaux des visiteurs étaient empilés en désordre sur le lit.

— On peut pas dire que tu m'as ben gros aidé, se plaignit Clément avec un sourire contraint.

— Je connais mon père, plaida Céline en lissant d'une main sa jupe rouge vin. Si je m'en étais mêlée, il aurait sauté sur l'occasion pour dire non.

— Je t'avais ben dit que je viendrais te voir au jour de l'An, se targua Clément qui reprenait de l'aplomb à vue d'œil.

— Vante-toi pas trop vite, Clément Tremblay. Organise-toi d'abord pour que mon père accepte que tu restes toute la soirée. En attendant, viens, je vais te présenter à la parenté.

Quelques heures plus tôt, la famille Tremblay était arrivée chez Henri Delisle, à Saint-Zéphirin. L'énorme maison du cultivateur avait été prise d'assaut depuis le début de l'après-midi par toute la parenté, autant celle du maître de maison que celle de sa femme, Louisette Durand. Après les souhaits et les embrassades auxquels on ne pouvait échapper en ce premier jour de la nouvelle année, les femmes s'étaient installées dans la cuisine, tandis que les hommes avaient envahi le salon. Les jeunes avaient préféré s'isoler dans la grande cuisine d'été où les hôtes avaient allumé le poêle à bois pour l'occasion.

Thérèse avait été déçue de ne pas voir son frère Hervé et sa famille en arrivant. Sa sœur Louisette l'avait vite rassurée.

— Inquiète-toi pas, il doit être ici pour le souper. Il m'a écrit il y a trois jours pour me dire qu'il serait dans le train de cet après-midi. J'ai envoyé mon Étienne l'attendre à la gare avec le berlot.

Pendant que les enfants s'empiffraient de sucre à la crème et de fondant au chocolat, Henri Delisle offrait des tournées de caribou aux hommes et de vin de cerise aux femmes. Au-dessus des têtes, un épais nuage de fumée de tabac flottait. Armand Durand, le violoneux de la famille, invitait les gens présents à danser un « set carré ».

Dans le salon, on discutait politique, loin des oreilles indifférentes des femmes.

— Vous avez vu comment ça a pas pris de temps pour que tout aille mieux depuis que les bleus sont plus au pouvoir à Ottawa ? demanda le vieux Constant Gélinas, organisateur libéral dans le comté.

— C'est sûr qu'il y a personne ici qui va les regretter, reprit Wilfrid Giguère. Depuis que le premier ministre Borden a refusé d'exempter du service militaire les fils de cultivateurs en 18, on savait tous que son chien était mort, pas vrai ?

— Il y a rien de plus hypocrite qu'un maudit bleu, confirma Henri Delisle en visant le crachoir placé près de ses pieds. Je pense que Meighen était aussi pire que Borden. Une chance que ce sont les rouges qui mènent à Québec.

— Quand King a pris la place de Laurier à Ottawa, après sa mort, il y a trois ans, je savais ben que ça se replacerait, fit Eugène. Les libéraux, eux autres, savent comment mener ça, un pays.

— C'est juste de valeur que Lomer Gouin se soit fait voler sa *job* par Ernest Lapointe au fédéral, fit Henri Delisle. Il aurait fait un maudit bon homme pour King dans la province.

— Ouais, peut-être, reconnut avec réticence Constant Gélinas. En tout cas, moi, je l'ai pas trouvé brillant de laisser sa place de premier ministre de la province à son gendre, Taschereau, pour essayer d'aller se faire élire à Ottawa.

— En tout cas, Taschereau a promis des élections cette année. On va ben voir ce qu'il est capable de faire.

— Moi, j'haïs les conservateurs à m'en confesser, intervint Conrad Durand, un autre frère de l'hôtesse. Mais il y a des fois où les libéraux me tapent sur les nerfs. OK, en 19, ils ont ouvert le pont de Québec et l'année d'après, ils ont fondé l'Université de Montréal.

— C'est vrai, reconnurent les autres.

— Mais c'est tout de même eux autres qui ont inventé la Commission des liqueurs.

— C'était pour empêcher la contrebande, Conrad, dit Giguère.

— Fais-moi pas rire, toi, s'emporta le petit homme noueux. Tout le monde sait ben que c'est pour venir chercher encore des taxes dans nos poches. On est pas des nonos. En plus, les licences des tavernes, ça va être pour les amis. En tout cas, qu'il le veuille ou pas, il va ben falloir que Taschereau fasse des élections un de ces jours. C'est ben beau qu'il ait pris la place de son beau-père, mais Lomer Gouin, c'est pas Dieu le Père. On n'est pas obligés de voter pour Taschereau et…

À ce moment-là, la porte de la cuisine s'ouvrit pour livrer passage à un couple de quadragénaires engoncés dans de gros manteaux de chat sauvage. Ils étaient précédés par une jeune fille qui jetait des regards un peu affolés sur tous ces gens rassemblés dans la pièce surchauffée. Le violon se tut et le niveau sonore dans la cuisine baissa brusquement.

— Je vous emmène de la belle visite, clama le jeune homme au visage rougi par le froid, et qui poussa un peu le petit groupe devant lui pour être en mesure de fermer la porte de la maison.

Étienne Delisle s'exécuta et, en un instant, le trio fut cerné par les invités. Hervé Durand retira de sa bouche le gros cigare malodorant qu'il fumait pour saluer à la ronde tous les gens présents. Les nouveaux arrivants furent dépouillés en un clin d'œil de leurs encombrants manteaux et on procéda aux présentations dès que le visiteur eut terminé d'embrasser ses sœurs, ses belles-sœurs et ses nièces.

— Je vous présente ma femme, Daisy, et ma fille, Elisa. Elles parlent pas un mot de français, ni l'une ni l'autre, ajouta l'homme avec une sorte de fierté.

Les deux femmes adressèrent un sourire contraint aux gens présents, se contentant de tendre une main réticente à ceux qui s'approchaient d'elles pour leur souhaiter une bonne année. Pendant que les hommes entraînaient Hervé Durand dans le salon, l'hôtesse voulut confier l'adolescente à ses deux filles et à leurs cousines, mais celle-ci se contenta de faire des signes de dénégation de la tête et s'assit auprès de sa mère, dans la cuisine.

Daisy Durand et sa fille avaient un air emprunté et un peu hautain. L'une et l'autre ne firent pas un geste pour tenter de faire comprendre qu'elles étaient heureuses d'être reçues dans une famille canadienne-française. À toutes les tentatives de les faire participer à la fête, elles se contentaient de chuchoter entre elles en gloussant. Évidemment, la bonne volonté des invités s'émoussa très rapidement et on finit par les laisser tranquilles.

Après quelques essais infructueux d'entrer en communication avec sa belle-sœur américaine, Thérèse avait quitté la cuisine en compagnie de sa sœur Louisette pour venir s'asseoir près de son frère Hervé dans le salon, dans l'intention d'en apprendre un peu plus sur sa vie aux États-Unis. Au moins, lui, il parlait français.

— Où est-ce que tu restes? demanda Henri Delisle à son invité.

— À une trentaine de milles de Boston, répondit l'Américain d'adoption.

— Tu travailles dans quoi?

— Je suis *foreman* dans une grosse *shop*, se rengorgea Hervé Durand, en exhalant une bouffée de fumée de cigare. C'est une grosse *business*.

— T'aimes ça? demanda sa sœur Louisette, à son tour.

— *You bet!*

— En tout cas, t'as pas l'air dans la misère, lui fit remarquer son beau-frère Eugène, qui n'avait pas cessé de l'examiner depuis son entrée dans la maison.

Le gros cigare, la chaîne de montre en or et le costume bleu finement rayé donnaient indéniablement un air prospère à Hervé Durand.

— C'est aux *States* qu'il y a de l'argent à faire. On niaise pas là-bas, *time is money, you know*, fit-il en se rengorgeant après avoir passé les pouces dans ses larges bretelles bleues.

Un peu à l'écart, sa sœur Thérèse n'avait pas cessé de le regarder. Malgré toute sa bonne volonté, elle ne parvenait pas à reconnaître son jeune frère dans cet homme gras, suffisant et un peu chauve. Il avait l'air de se complaire à prendre un ton légèrement méprisant et à émailler la moindre de ses phrases de termes anglais qu'elle ne comprenait pas.

— Ça t'a jamais tenté de revenir vivre ici ? reprit un autre invité.

— *Why ? Are you kidding ?* Aux *States*, on a l'électricité, les chars, l'eau courante. C'est moderne ! C'est aux *States* que ça se passe, pas ici. Ici, c'est la misère noire. Si tu travailles pas du matin au soir, tu crèves de faim. Il y a pas d'avenir au Canada.

Cette repartie jeta un froid chez les hommes qui l'écoutaient.

— Whow, sacrement ! jura Henri Delisle qui rencontrait son beau-frère pour la première fois. Il faut tout de même pas exagérer ! Tu sauras qu'on crève pas de faim chez nous. Au Canada, il y a des pauvres et des riches, comme aux États. On n'est pas tous des quêteux parce qu'on vit pas aux États !

Cette réplique cinglante de son hôte sembla ramener l'invité à plus de mesure. Cependant, ses remarques un peu méprisantes avaient jeté un froid et il cessa rapidement d'être le centre de l'attention générale. Les gens autour de lui se remirent à discuter entre eux des affaires de la région.

Thérèse et Louisette quittèrent le salon sous le prétexte de commencer à dresser la table et les autres femmes, demeurées dans la cuisine, se levèrent dans l'intention de les aider quand elles les virent commencer à sortir les casseroles et les marmites.

Le violoneux cessa encore de jouer et les danseurs regagnèrent leur siège après avoir replacé la table au centre de la pièce. Toutes les femmes participèrent à la préparation du repas, sauf les deux invitées américaines figées sur leurs chaises. Quelques hommes empruntèrent aux Delisle des vêtements de travail et allèrent leur prêter main-forte pour traire les vaches et les nourrir.

Le souper fut particulièrement joyeux et on s'amusa beaucoup à raconter des mésaventures survenues à quelques-uns des membres de la famille durant les dernières années. Après que les femmes eurent lavé la vaisselle et rangé la nourriture, la musique reprit et on dansa beaucoup, autant pour s'amuser que pour faciliter la digestion d'un repas trop copieux.

Au milieu de la soirée, l'hôtesse attira sa sœur Thérèse dans sa chambre à coucher pour lui montrer une broderie qu'elle avait terminée quelques jours auparavant.

— Aïe, toutes les deux commencent à me taper sur les nerfs en pas pour rire! s'exclama Louisette Delisle à mi-voix.

— De qui tu parles?

— De la femme et de la fille de notre frère. Pas un mot depuis qu'elles ont mis les pieds dans la maison. Si ça a de l'allure! Hervé aurait pu leur montrer au moins à dire «merci» ou «bonjour». Rien. Elles sont là, plantées sur leurs chaises comme deux belles niaiseuses, à nous regarder de haut et à se chuchoter des secrets à l'oreille. Tout ce qu'elles savent faire, c'est ricaner. On est peut-être épais, mais on n'est pas aveugles.

— Et Hervé ? demanda Thérèse.

— C'est notre frère, même si je trouve qu'il a bien changé depuis le temps. Si p'pa était encore vivant, il lui rabattrait le caquet.

— C'est vrai qu'il a pas mal changé, reconnut Thérèse, le visage rembruni.

— Sais-tu que je regrette presque de les avoir invités à rester deux ou trois jours. Je sens que mon Henri va avoir de la misère à les endurer aussi longtemps.

— Veux-tu que je les invite à coucher chez nous ? offrit Thérèse sans trop d'enthousiasme.

— Bien non. Marthe et Wilfrid me l'ont offert aussi. Si je les laisse partir, ils vont croire que je veux plus les voir. Mais il reste quand même que ça me gêne un peu de les faire coucher dans une des petites chambres d'en haut. Ils ont l'air d'avoir beaucoup d'argent. Ils doivent avoir pas mal mieux aux États.

— Je suis pas si sûre de ça, moi, affirma sa sœur, l'air songeur. T'as déjà oublié que notre Hervé a toujours aimé péter de la broue, même quand il avait pas une cenne qui l'adorait. Ça me surprendrait pas pantoute qu'il soit pas mal moins riche qu'il veut nous le faire croire.

~

À la fin de la veillée, le berlot et la *sleigh* des Tremblay se suivirent à courte distance sur la route qui les ramenait à Saint-Jacques-de-la-Rive. Quelques minutes plus tôt, la neige avait recommencé à tomber faiblement.

Dans la *sleigh*, Aline avait pris place entre son père et sa mère. L'adolescente avait écouté sans dire un mot leur conversation décousue depuis le départ. Il avait surtout été question d'Hervé et des siens ainsi que de la déception que le cadet des Durand leur avait causée.

— J'ai remarqué que t'as pas trop insisté quand t'as invité ton frère à venir nous voir avant de repartir pour les États, dit Eugène à sa femme.

— Il m'a dit qu'il trouvait ça pas mal loin une dizaine de milles pour venir à Saint-Jacques.

— Il devait s'attendre à ce que tu lui proposes de venir le chercher avec sa femme et sa fille.

— Ça, il va attendre longtemps, fit Thérèse. S'il veut venir, il se débrouillera comme il voudra. À te dire franchement, j'en ferai pas une maladie s'il vient pas.

— C'est drôle, m'man, intervint Aline. Sœur Catherine nous a appris un peu d'anglais depuis le début de l'année. J'ai essayé de parler avec Elisa, elle a pas eu l'air de me comprendre.

— C'est peut-être ton accent, répondit la mère, sans trop y croire.

À leur arrivée à la maison un peu après minuit, les Tremblay eurent l'agréable surprise de trouver la maison chaude parce que Clément n'était pas encore couché et avait alimenté le poêle à bois. En enlevant son manteau, Thérèse ne put s'empêcher de dire à son fils en train de fumer paisiblement, assis près du poêle :

— J'espère que t'es pas resté debout juste pour chauffer le poêle.

— Ben non, m'man, protesta Clément qui avait du mal à dissimuler un certain air triomphant. Ça fait pas une heure que je suis revenu.

— Revenu d'où ?

— D'à côté.

— Dis-moi pas que t'es allé veiller chez les Hamel ! Ils t'avaient invité ?

— De l'autre côté, m'man. Je suis allé chez les Veilleux.

— C'est pas vrai! firent Claire et Aline d'une même voix incrédule. Le père Veilleux t'a laissé entrer?

— Hein? demanda la petite Jeannine.

— Aïe! il est passé minuit, dit Thérèse, sévère, à sa plus jeune enfant. Monte avec Lionel et allez vous coucher. Ça vous regarde pas.

— Je suis pas allé là pour voir la face du bonhomme, expliqua le jeune homme en affichant un air bravache. Je suis allé veiller avec Céline.

Thérèse revit tout de suite en pensée les apartés de son fils avec la jeune voisine lors de la guignolée et elle comprit tout.

— Ah! Je sais pourquoi tu tenais tant à rester ici aujourd'hui. T'avais déjà en tête d'aller la voir.

— J'y pensais, admit le jeune homme.

— J'ai hâte de voir ce que ton père va dire de ça.

— Si ça vous fait rien, j'ai pas le goût d'attendre qu'il rentre de l'écurie pour savoir ce qu'il va en dire, fit Clément, insouciant. J'ai presque vingt et un ans. Je pense que j'ai le droit d'aller veiller avec qui je veux.

Sur ces mots, le jeune homme quitta la cuisine et monta à l'étage où se trouvait la chambre à coucher qu'il partageait avec son frère Gérald. Quand Eugène entra dans la maison en compagnie de Gérald quelques minutes plus tard, il n'y avait plus personne dans la cuisine. Après avoir jeté une bûche dans le poêle et éteint la lampe à huile laissée au centre de la table, le père de famille se dirigea vers sa chambre à coucher, où sa femme venait de se mettre au lit.

— Je viens d'en apprendre une bonne, dit-elle tout bas à son mari.

— Quoi?

— Notre Clément, effronté comme un « beu », est allé veiller avec Céline Veilleux.

— Où ça ? demanda Eugène en finissant de retirer son pantalon.

— Chez les Veilleux.

— Ah ben, baptême ! jura Eugène. Il y a pas assez de filles dans la paroisse pour lui. Il fallait qu'il aille veiller avec la fille de ce maudit caractère de cochon là !

— On dirait. Mais il a quand même presque vingt et un ans et…

— Laisse faire, l'interrompit son mari. Je sais quel âge il a.

Eugène souffla la lampe et se glissa dans le lit. Un instant plus tard, Thérèse sentit le matelas bouger comme si son compagnon était en proie à des mouvements convulsifs.

— Qu'est-ce que t'as ? lui demanda-t-elle en se tournant vers lui dans le noir.

— Il y a, fit son mari en riant tout bas, que j'aurais donné cher pour voir la tête de Veilleux quand notre garçon s'est présenté à sa porte. Avec tout le monde qui devait être derrière lui dans la maison, ça devait valoir le coup d'œil.

— Au lieu de rire, Eugène Tremblay, tu devrais bien plus penser à faire la paix avec le voisin. Vous êtes deux vieux têtus. C'est à celui qui pliera le dernier.

— Laisse faire. Dors, fit Eugène en reprenant son sérieux.

Chapitre 15

Les grandes manœuvres

La vie quotidienne reprit presque son cours normal dès le lendemain du jour de l'An. Il ne restait à célébrer que la fête des Rois, à la fin de la semaine, une fête qui ne donnait lieu à aucune réunion de famille et qui annonçait surtout le retour à l'école des plus jeunes, le lendemain matin.

Chaussés de leurs raquettes et chargés de leur hache et de leur godendart, les hommes avaient repris le chemin de la forêt située à l'extrémité de leur terre. Ils s'étaient remis à bûcher et à scier, tout heureux de profiter du temps doux qui se maintenait depuis près de deux semaines.

Trois jours plus tard, le ciel se couvrit au milieu de l'après-midi et une petite pluie froide se mit à tomber.

— On arrête ça là, dit Ernest Veilleux à son fils Jérôme. Ça, c'est une température pour attraper la grippe. On rentre.

L'adolescent ne se fit pas prier. Le retour à la maison fut pénible. Les raquettes enfonçaient profondément dans la neige mouillée et les deux hommes peinèrent à avancer sous une pluie de plus en plus forte. Ce soir-là, le père prédit, avant de se mettre au lit:

— Vous allez voir ça, demain matin. Si le vent se lève du nord, ça va geler partout et on va avoir de la misère à se tenir debout dehors.

Le lendemain matin, la pluie avait cessé et le mercure avait chuté à −20 degrés. Lorsque Yvette se leva pour rejoindre son mari en train d'allumer le poêle, dans la cuisine, elle frissonna violemment.

— Mais il fait donc bien froid ici-dedans.

— Le poêle s'est éteint. J'ai oublié de me lever vers quatre heures, s'excusa Ernest en tisonnant les rondins.

— Ç'a pas l'air d'être chaud dehors. Il y a de la glace dans les vitres.

Le cultivateur ne se donna pas la peine de répondre. Il s'assit pour chausser ses bottes avant d'endosser son manteau. Jérôme et ses jeunes frères descendirent l'escalier au moment où leur père sortait de la maison après avoir allumé un fanal pour se rendre à l'étable.

— Grouillez-vous de venir me rejoindre à l'étable, leur dit-il avant de refermer la porte derrière lui.

Lorsque le jour se leva un peu après sept heures, Yvette regarda à l'extérieur et découvrit avec stupeur un véritable champ de glace.

— Sainte bénite! Mais il y a de la glace partout! s'exclama-t-elle.

Ses filles se précipitèrent vers les fenêtres de la cuisine pour constater par elles-mêmes le phénomène annoncé par leur mère. Devant leurs yeux, à perte de vue, tout miroitait sous les premiers rayons de soleil de ce 5 janvier. La pluie de la veille s'était transformée durant la nuit en un épais verglas qui recouvrait tout. La glace semblait couvrir aussi bien la route que les champs environnants.

— Ça doit être glissant sans bon sens, gémit Yvette.

— Le déjeuner est presque prêt, déclara Céline. Je m'habille et je vais aller casser la glace avec une pelle, sur les marches et sur la galerie au moins, sinon on va se casser un membre en sortant de la maison.

— Je vais y aller moi aussi, fit Anne en s'emparant à son tour de son manteau suspendu près de la porte.

Quelques minutes plus tard, Ernest et ses fils rentrèrent dans la maison.

— Maudit hiver! jura le cultivateur. Tout est pogné dans la glace. Il a fallu que ça arrive juste le matin, quand je dois aller au village porter le lait, sacrement! Ça, c'est le genre de température où un cheval peut glisser sur le chemin et se casser une patte. Si encore il avait neigé un peu avant, ça aurait juste formé une croûte qui aurait défoncé en marchant dessus. Ben non, c'est de la glace. Et avec ce froid-là, c'est pas demain la veille que ça va fondre.

Après le déjeuner, Jérôme accompagna son père à l'écurie. Ils sellèrent le cheval au traîneau et partirent lentement pour le village après avoir déposé sur le véhicule les bidons de lait destinés à la fromagerie.

Quelques minutes plus tard, Anne Veilleux vit par la fenêtre la petite Jeannine Tremblay s'avancer précautionneusement vers leur galerie. La fillette avait du mal à demeurer debout sur la glace.

— Céline, dit-elle à sa sœur en train de plier la nappe, je pense que la petite Tremblay vient te voir. Ton Roméo doit vouloir te dire quelques petits mots d'amour, se moqua-t-elle.

Leur mère tendit le cou pour vérifier l'exactitude du renseignement.

— Si ça a de l'allure d'envoyer quelqu'un marcher dehors sur la glace vive.

Céline ne dit pas un mot et alla ouvrir la porte à la fillette qui lui murmura quelques mots avant de repartir.

— Qu'est-ce qu'elle te voulait? lui demanda sa mère.

— Clément voudrait savoir quand je peux le recevoir au salon.

— Ah! c'était pas juste pour le jour de l'An, cette affaire-là? fit sa mère en affichant un air faussement innocent.

— Bien non, m'man. Clément veut me fréquenter pour de bon.

— À ce moment-là, je pense que t'es mieux d'en parler à ton père. Si j'ai un conseil à te donner, attends qu'il soit de bien bonne humeur. Qu'est-ce que tu lui as répondu à la petite Tremblay?

— J'ai fait dire à Clément que j'en parlerais à p'pa.

Céline trouva cette journée particulièrement longue à guetter un signe de bonne humeur chez son père. Ce dernier avait eu tellement de mal à aller au village durant l'avant-midi et à aller bûcher avec Jérôme qu'il ne se détendit un peu qu'en début de soirée. Son premier sourire de la journée n'apparut qu'au moment où il alluma sa pipe après le souper. Il faut croire qu'Yvette surveillait aussi le bon moment parce qu'elle s'empressa de faire un signe discret à sa fille quand elle remarqua ce sourire d'aise chez son mari.

— P'pa, Clément m'a fait demander quand il pourrait venir veiller au salon, dit Céline d'une toute petite voix.

— Quoi? Encore lui! Et il est venu pendant que j'étais pas là?

— Non, il a envoyé la petite Jeannine.

— Qu'est-ce qu'ils ont, ces maudits Tremblay-là? Ils peuvent pas rester chez eux! reprit son père sur un ton agressif. Pourquoi ce gars-là veut venir user mon *set* de salon?

— Il veut me fréquenter, p'pa.

— Se faire fréquenter par un Tremblay, c'est tout un honneur, persifla Ernest.

— Voyons, Ernest, protesta sa femme. C'est pas un méchant garçon. D'après sa mère, il est pas mal vaillant et il boit pas.

Le cultivateur, le visage fermé, laissa passer un long moment, comme s'il avait du mal à prendre sa décision.

— En tout cas, reprit-il sur un ton catégorique, il est pas question qu'il vienne s'installer dans mon salon en pleine semaine. Peut-être le dimanche après-midi...

— Est-ce qu'il pourrait pas venir le samedi soir aussi ? implora Céline. Juste une fois par semaine, c'est pas bien souvent, p'pa.

— Torrieu ! s'emporta Ernest. C'est ben les enfants d'aujourd'hui. Tu leur donnes un pouce, ils prennent un pied.

— Ernest ! s'écria Yvette, sur un ton réprobateur.

— OK. Le samedi soir et le dimanche. Mais les fréquentations, ça se fait dans le salon et avec un chaperon, tu m'entends ? Il est surtout pas question que vous alliez vous promener à gauche et à droite.

— Merci, p'pa, dit Céline en se précipitant pour embrasser son père sur la joue.

Quand le petit Adrien Veilleux communiqua la bonne nouvelle à Clément le lendemain matin, jour de la fête des Rois, ce dernier se garda bien d'en parler à la maison pour ne pas se faire taquiner, mais il eut le cœur en fête toute la journée.

~

Cet avant-midi-là, Thérèse décida de respecter la tradition et de confectionner un gâteau des Rois. Comme chaque année, après l'avoir retiré du four, elle dissimula dans l'une des moitiés de la pâtisserie un pois et dans l'autre, une fève, avec l'intention qu'un roi et une reine soient choisis au repas du midi. Comme le voulait l'usage chez les Tremblay, le roi et la reine seraient dispensés de tout travail le reste de la journée.

À midi, Eugène et ses trois fils rentrèrent à la maison après avoir travaillé dans le bois pendant près de quatre heures. Tous les quatre avaient le visage rougi par le froid et semblaient passablement fatigués.

— Comment c'est, dans le bois? demanda Thérèse à son mari au moment où il s'assoyait à table.

— C'est moins pire que dans le champ. On en a arraché à matin pour se rendre à cause de la glace. Dans le bois, la glace a formé juste une croûte qui défonce quand on marche dessus.

— Je pense qu'on va être obligés d'attendre un bout de temps avant de pouvoir aller couper de la glace sur la rivière, fit Clément avant d'ingurgiter une cuillerée de soupe aux pois.

— Elle avait commencé à être pas mal épaisse avant Noël, acquiesça son père, mais là, avec la pluie d'hier, elle a dû pas mal amincir. C'est pas grave, on a du bois à couper pour un bon bout de temps. Ça va nous donner plus de temps pour le débiter et le charrier.

— On risque pas de perdre nos clients de Pierreville, p'pa?

— Ce sont pas des fous, répondit Eugène. Ils savent ben qu'on peut rien faire tant que la glace est pas assez épaisse.

Depuis deux ans, Eugène et ses fils avaient commencé à se constituer une petite clientèle à qui ils fournissaient des blocs de glace qu'ils allaient découper sur la Saint-François. Les Tremblay n'avaient guère de concurrents dans la paroisse pour exécuter ce travail pénible et dangereux, mais Thérèse préférait voir ses hommes faire ça plutôt que d'aller vivre six mois dans un chantier.

Le silence tomba autour de la table durant plusieurs minutes. Il ne fut brisé que par Lionel qui se plaignit qu'il n'y avait plus de cendres pour se brosser les dents.

— À treize ans, t'es capable de te servir de tes deux jambes pour venir t'en chercher dans le poêle, lui fit remarquer sa sœur Claire d'une voix acide.

— Je le sais, mais j'aime pas ça, jouer dans la chaudière de cendres, rétorqua l'adolescent.

À ce moment-là, la mère déposa au centre de la table le gâteau confectionné durant l'avant-midi.

— Un gâteau en pleine semaine! On est chanceux! s'exclama Gérald.

— Inquiète-toi pas, ce sera pas une habitude, dit sa mère. C'est parce que c'est les Rois aujourd'hui.

Sans plus attendre, Thérèse Tremblay trancha de généreuses portions de la pâtisserie et en remit une à chacun, prenant bien soin que les morceaux destinés aux filles viennent de l'une des moitiés du gâteau et que ceux des garçons proviennent de l'autre section. Il n'aurait pas fallu que deux filles ou deux garçons soient désignés roi et reine du jour. La mère allait dire de faire attention de ne pas avaler le pois et la fève dissimulés dans le gâteau quand une exclamation de son mari la fit sursauter.

— Ah ben, maudit baptême, jura Eugène en crachant dans sa main ce qu'il venait de mettre dans sa bouche.

— Dis-moi pas que tu vas être le roi aujourd'hui? lui demanda Thérèse avec bonne humeur.

— Arrête-moi tes maudites niaiseries! grogna son mari sur un ton rageur. Regarde-moi ça. Je me suis cassé une dent dessus cette cochonnerie-là, ajouta-t-il, furieux, en jetant dans son assiette ce qui avait tout à fait l'apparence du pois que Thérèse avait dissimulé dans le gâteau.

Sa femme se leva et vint auprès de son mari pour examiner ce qu'il tenait dans la main. C'était bien un morceau de dent à demi cariée. Autour de la table, tous les enfants avaient brusquement cessé de manger et fixaient leur père qui se tenait la bouche en grimaçant de douleur.

— Mon pauvre vieux, fit Thérèse. T'aurais dû faire attention aussi. Tu sais bien qu'aux Rois…

— Laisse faire. J'ai compris, l'interrompit Eugène. J'y ai plus repensé, c'est tout.

Les enfants se remirent à manger avec prudence leur morceau de gâteau et Claire découvrit la fève dans sa portion.

— Bon, ça a tout l'air que je vais aller faire une bonne petite sieste après le dîner, déclara la jeune fille pour narguer ses frères et sœurs. Ça va être pas mal plus agréable que de laver de la vaisselle ou de préparer le souper.

Aline et Jeannine lui jetèrent un regard d'envie.

— J'espère que vous ferez pas trop de bruit en lavant la vaisselle, ajouta Claire pour les faire rager.

— Ça va, exagère pas, rétorqua Aline, de mauvaise humeur.

— Et vous, p'pa, allez-vous en profiter d'être le roi? demanda Gérald.

Le père, qui venait de saisir sa tasse de thé bouillant, en but une gorgée avant de lui répondre. Immédiatement, il poussa un cri étouffé en portant la main à sa bouche.

— Torrieu! jura-t-il. Pour en profiter, je vais en profiter. Me voilà pogné pour aller à Pierreville, chez Monet, pour me faire arracher une dent à cause de cette niaiserie-là.

— D'après ce que j'ai vu, voulut le consoler Thérèse, ta dent avait plus l'air bien bonne.

— Laisse faire, toi, répliqua son mari en grimaçant. Avant que je la casse sur ce maudit pois-là, elle me faisait pas mal.

Cet incident jeta un froid sur cette célébration des Rois qui clôturait habituellement bien la période des fêtes.

Durant toute la semaine qui suivit le jour de l'An, Gabrielle Paré ne songea qu'à trouver la meilleure façon d'attirer Germain Fournier chez sa logeuse. Ce n'était pas le prince charmant, loin de là. Même si elle ne le trouvait ni beau ni attirant, elle y tenait. Elle était tout à fait consciente que la nature était loin d'avoir gâté le jeune cultivateur. Sa peau ravinée, ses cheveux gras coupés à la diable et son visage taillé à coups de serpe n'avaient rien pour faire rêver une jeune fille. De plus, il était emprunté, taciturne et peu sûr de lui.

Si la jeune orpheline avait jeté son dévolu sur le jeune célibataire, c'est qu'il représentait, à ses yeux, l'unique porte de sortie de son état actuel. Elle était fatiguée au-delà de toute expression d'être au service des autres et de travailler comme une esclave d'un soleil à l'autre sans jamais recevoir une preuve d'amour ou d'attachement. Elle n'avait jamais eu de chez-soi ni un sou dans ses poches. Aussi loin qu'elle pouvait se rappeler, Gabrielle ne se souvenait pas d'avoir été vraiment heureuse une seule journée dans sa vie. Elle n'avait pas connu ses parents. Elle avait été éduquée et formée par les religieuses de l'orphelinat de Saint-Ferdinand qui lui avaient toujours fait gagner largement la nourriture qu'elle mangeait.

À dix-neuf ans, elle était sous la tutelle des religieuses pour deux ans encore. Deux autres années de prison à Saint-Ferdinand ! C'était impossible ! Quand la mère supérieure lui avait appris qu'elle l'avait prêtée au curé de Saint-Jacques-de-la-Rive pour quelque temps à titre de servante, la jeune fille s'était promis sur-le-champ qu'elle ne remettrait plus les pieds à l'orphelinat. Elle jugeait qu'on avait assez profité d'elle.

Bien sûr, la vieille Agathe Cournoyer était gentille avec elle, mais c'était normal puisqu'elle faisait pratiquement tout son travail à sa place. Qu'elle ait une saute d'humeur ou qu'elle cause le moindre embarras, elle était certaine que la vieille servante serait la première à demander au curé Lussier de la renvoyer à l'orphelinat.

Bref, Germain Fournier pouvait devenir son libérateur si elle savait s'y prendre habilement avec lui. Depuis qu'il avait accepté de partager son souper du jour de l'An, Gabrielle était persuadée qu'elle pourrait parvenir à le séduire. Mais pour y arriver, il allait lui falloir la collaboration de sa logeuse et peut-être même celle du curé Lussier.

Le samedi soir, de retour à la maison après sa journée de travail au presbytère, Gabrielle proposa à Agathe de faire une recette de sucre à la crème.

— Nos prêtres en ont mangé durant tout le temps des fêtes, protesta la vieille servante en se laissant tomber dans sa chaise berçante.

— Ce serait pas pour eux, madame Cournoyer. Ce serait pour en donner un peu à Germain, demain avant-midi.

— Dis donc, ma belle, est-ce que t'aurais une idée derrière la tête en gâtant comme ça Germain Fournier ? demanda la vieille servante, soupçonneuse.

— Pour dire vrai, je le trouve pas mal fin, répondit la jeune fille en s'efforçant de rougir.

La ménagère du curé Lussier sourit, heureuse d'avoir deviné juste.

— Moi, personnellement, ça me dérange pas que tu lui fasses les beaux yeux, même s'il est pas mal plus vieux que toi. Mais on serait peut-être mieux d'en dire deux mots à monsieur le curé. Oublie pas que c'est lui qui est responsable de toi pendant que t'es ici.

Gabrielle Paré dissimula son déplaisir en entendant Agathe Cournoyer lui rappeler qu'elle n'était pas encore libre de faire ce qu'il lui plaisait.

— On pourrait peut-être attendre de voir si Germain est intéressé à me fréquenter avant d'en parler à monsieur le curé, madame Cournoyer. Qu'est-ce que vous en pensez?

— C'est correct, ma fille, approuva la vieille dame. Fais donc ton sucre à la crème. On dirait bien que t'as appris toute seule que le meilleur moyen d'attirer un homme, c'est de le prendre par le ventre, ajouta-t-elle avec un fin sourire.

Le lendemain matin, Gabrielle Paré, déjà vêtue de son manteau, guetta par la fenêtre du salon l'arrivée à la basse-messe de Germain Fournier. Lorsqu'elle le vit s'engouffrer dans l'église, elle sortit. La jeune fille s'arrêta près du boghei du célibataire pour déposer un petit paquet sur le siège, sous l'épaisse couverture de fourrure. Ensuite, elle entra dans le temple. En passant près de Germain, elle lui fit un signe timide de la main avant d'aller s'agenouiller pieusement près de sa logeuse.

Après la messe, Fournier fit un effort pour attendre la sortie des deux femmes et les saluer.

— Germain, fit Gabrielle, tout sourire, je t'ai préparé un plat de sucre à la crème hier soir. Je l'ai mis dans ton boghei avant la messe.

— Voyons donc, protesta le jeune homme, ravi. Tu me gênes. Je sais pas comment te remercier, ajouta-t-il en jetant un coup d'œil à Agathe Cournoyer, qui n'avait pas encore dit un mot.

— C'est bien simple, dit la jeune fille. T'as juste à venir jouer aux cartes avec nous autres après le souper.

Surpris par cette seconde invitation que la fin de la période des fêtes ne justifiait plus, Germain Fournier demeura un instant sans réaction avant de dire, d'une voix chargée d'émotion:

— Si ça vous dérange pas, c'est sûr que je vais venir après le souper.

— Parfait, on t'attend.

Le célibataire se dirigea vers son boghei d'un pas guilleret pendant que les deux femmes prenaient la direction du presbytère voisin.

— S'il a pas compris tes intentions après ça, ma fille, dit Agathe Cournoyer, c'est qu'il lui manque quelque chose entre les deux oreilles.

— Vous pensez que je lui ai fait peur en étant aussi directe? demanda Gabrielle, un peu inquiète tout de même de s'être ainsi jetée à la tête du célibataire.

— En tout cas, s'il a peur, il le cache bien, affirma la vieille ménagère en riant. Tu sais, malgré tout ce qu'ils disent, les hommes sont pas aussi finauds qu'ils le pensent.

Ce dimanche soir-là, Germain vint jouer aux cartes chez Agathe Cournoyer. La vieille dame s'arrangea pour avoir la migraine une heure après l'arrivée du jeune homme et elle conseilla à sa locataire de s'installer avec leur invité au salon. Confortablement assise dans sa chaise berçante placée près de la porte du salon, elle joua à la perfection son rôle de chaperon ce soir-là.

Avant de quitter la maison un peu avant vingt-trois heures, Germain promit à Gabrielle de revenir veiller avec elle le samedi suivant quand elle l'invita. Un pas important avait été franchi : il n'avait pas attendu l'approbation d'Agathe Cournoyer pour s'engager à revenir.

Quelques minutes après le départ du jeune homme, cette dernière dit à Gabrielle :

— Je pense qu'on n'a plus le choix. Demain, il va falloir demander à monsieur le curé ce qu'il pense de tout ça.

Gabrielle se contenta d'acquiescer en silence. Avant de s'endormir ce soir-là, elle fit une brève prière pour que le curé Lussier ne vienne pas contrarier ses projets. Il ne manquerait plus que le prêtre la retourne à l'orphelinat à cause de cela. Ce serait la catastrophe. Après, la mère supérieure ne la laisserait plus jamais sortir de l'institution avant ses vingt et un ans.

~

Le lendemain avant-midi, après avoir mis le repas du midi au feu, Agathe Cournoyer prit les devants.

— Enlève ton tablier, on va aller parler à monsieur le curé, dit-elle à son assistante en déposant le sien sur le dossier d'une chaise.

La ménagère entraîna Gabrielle dans le salon où le curé était en train de lire le courrier laissé quelques instants plus tôt par le postier.

— Monsieur le curé, est-ce qu'on peut vous déranger une minute ? demanda Agathe en s'avançant dans la pièce.

Pendant un court instant, Antoine Lussier regarda les deux femmes par-dessus ses lunettes qui avaient glissé sur son nez avant de replier la feuille qu'il avait entre les mains. Gabrielle Paré se tenait un peu en retrait, les mains croisées devant elle, les yeux modestement baissés.

— Oui. Qu'est-ce qu'il y a ? demanda-t-il avec un brin d'impatience.

— Eh bien, voilà, monsieur le curé. Vous connaissez Germain Fournier du rang Sainte-Marie ?

— Oui. Et alors ?

— La petite et moi, on l'a invité à venir souper à la maison le soir du jour de l'An.

Immédiatement, le curé fronça les sourcils et prit un air soupçonneux.

— Pourquoi ?

— Parce qu'il était tout seul pour les fêtes et parce que nous avons pensé que c'était une belle charité à lui faire que de pas le laisser tout seul ce jour-là.

Le visage du prêtre se détendit.

— Vous avez bien fait. C'était se conduire en bonnes chrétiennes. Ce pauvre Germain fait pitié.

— On l'a réinvité hier soir.

— Ah bon! Mais je vois toujours pas où est le problème.

— Le problème est que Germain semble trouver Gabrielle pas mal à son goût et que j'ai l'impression qu'il demanderait pas mieux que de commencer à la fréquenter sérieusement.

— Ça, c'est une autre paire de manches! s'exclama le curé.

— C'est bien pour ça qu'on est venues vous voir, monsieur le curé, dit Agathe Cournoyer sans s'émouvoir. On voulait vous demander votre avis.

— Est-ce qu'il a demandé à venir veiller avec toi, ma fille? demanda le prêtre en s'adressant directement à Gabrielle qui, jusqu'à ce moment-là, n'avait pas prononcé un mot.

— Pas directement, monsieur le curé.

— Attendez un peu toutes les deux, ordonna Antoine Lussier en se levant du fauteuil en peluche rouge sur lequel il était assis. Germain Fournier a-t-il, oui ou non, dit qu'il voulait commencer des fréquentations?

— Pas vraiment, monsieur le curé, répondit la vieille ménagère. Mais je sens qu'il est à la veille de demander la permission de venir veiller.

— Ah! vous sentez... C'est pas pantoute la même chose, ma bonne madame Cournoyer.

— Oui, je le sens. Si on vient vous en parler, monsieur le curé, c'est qu'on veut savoir si on peut lui permettre de venir à la maison. Après tout, c'est vous qui êtes responsable de Gabrielle pendant qu'elle est dans la paroisse.

Le curé Lussier examina durant un moment le visage de Gabrielle.

— T'as quel âge exactement, ma fille ?

— Dix-neuf ans, monsieur le curé.

— Ouais, c'est pas mal jeune encore, dit le pasteur sur un ton songeur.

Le visage de Gabrielle avait subitement pâli. Elle sentait que le prêtre s'apprêtait à lui refuser le droit de fréquenter le jeune cultivateur, et peut-être envisageait-il même de la renvoyer à l'orphelinat pour éviter les embarras inutiles.

— Si je les chaperonne, monsieur le curé, intervint Agathe Cournoyer, il se passera rien et ça ferait peut-être du bien au petit Fournier.

Le prêtre sembla prendre une décision.

— Bon. C'est correct. Ma fille, tu peux recevoir Germain Fournier s'il veut te fréquenter, mais obéis à madame Cournoyer et suis ses conseils. Oublie pas que t'es une bonne chrétienne et que la pureté est la plus belle richesse d'une jeune fille. S'il arrive la moindre chose, je serai obligé de me priver de tes services et de te renvoyer à l'orphelinat. Tu m'as bien compris ?

— Oui. Merci, monsieur le curé, murmura Gabrielle Paré.

Les deux femmes se retirèrent et retournèrent dans la cuisine. Gabrielle remercia la ménagère du curé du bout des lèvres en remettant son tablier. La jeune fille avait trouvé particulièrement humiliant d'avoir presque à supplier le prêtre pour obtenir la permission de voir quelqu'un. Maintenant que c'était acquis, se dit-elle en serrant les dents, le Germain Fournier était mieux de se réveiller et de venir la voir…

Chapitre 16

Un début d'année mouvementé

Au début de la seconde semaine de janvier, de petites chutes de neige quotidiennes vinrent couvrir le verglas tombé au début du mois. Le mercure se maintint alors résolument autour des − 15, − 20 degrés. Quand le vent se levait, la température chutait encore plus brutalement, condamnant les gens à s'enfermer dans leur maison où le poêle, même chauffé à blanc, avait peine à maintenir un peu de chaleur. La consommation de bois était alors effarante et les cordes de bûches entassées dans les remises fondaient littéralement.

Dans la plupart des foyers de Saint-Jacques-de-la-Rive, il n'était pas question de rester des journées entières près du poêle à ne rien faire. Aussitôt que le vent tombait, les hommes s'habillaient, attelaient les chevaux aux traîneaux et prenaient la direction de leur terre à bois. Bûcher et scier dans le sous-bois, dans la neige à mi-jambes, exigeaient alors une endurance peu commune. Il n'était pas rare de voir revenir les hommes à l'heure du midi, les pieds et les mains insensibilisés par le froid et la moustache couverte de glace. Ils mangeaient et, après une courte sieste, ils repartaient jusqu'à la tombée de la nuit. C'était le prix à payer pour avoir suffisamment de bois de chauffage pour l'année.

Pendant ce temps, les femmes ne demeuraient pas inactives, loin de là. Après avoir accompli leurs tâches ménagères habituelles, la plupart d'entre elles travaillaient à tricoter, à coudre ou à confectionner des catalognes et des courtepointes avec de vieux tissus soigneusement lavés et découpés.

Le vendredi avant-midi, Ernest Veilleux décida d'aller avec son fils Jérôme chez Murray, à Pierreville, pour se procurer quelques poches de moulée. Le temps plus doux de cette journée nuageuse se prêtait bien à ce déplacement. Le père et le fils partirent peu après le déjeuner et leur attelage couvrit sans trop de mal les cinq milles les séparant de la petite municipalité voisine. Ils ne rencontrèrent pas d'accumulations importantes de neige sur la route, même s'il avait neigé la nuit précédente.

À sa sortie du magasin Murray, Ernest tomba nez à nez avec Georges Dufresne, un cousin de sa femme, un des nombreux organisateurs du parti conservateur dans le comté de Nicolet.

— Viens boire un remontant à l'hôtel avant de t'en retourner, l'invita le gros homme à la mine débonnaire. J'ai toute une nouvelle à t'annoncer.

— J'aimerais ben, fit Ernest, mais j'ai mon gars avec moi et il est trop jeune pour entrer chez Traversy.

— Laisse faire Traversy. Il dira rien si ton garçon boit juste une liqueur.

Les deux hommes, suivis par l'adolescent, traversèrent la rue et pénétrèrent dans l'hôtel. Il n'y avait dans la taverne que deux clients assis à l'une des petites tables disposées un peu partout dans la grande pièce chichement éclairée.

Traversy était un bâtiment en bois à un étage, paré d'une large galerie sur deux côtés. L'été, Léopold Traversy mettait une vingtaine de bonnes chaises berçantes sur la galerie à la disposition tant des clients de sa taverne du rez-de-chaussée que des locataires des dix chambres de son hôtel, par ailleurs fort bien tenu.

— Comme ça, tu connais pas la nouvelle ? demanda Georges Dufresne en se laissant tomber sur une chaise après avoir commandé deux bouteilles de bière et une boisson gazeuse.

— Quelle nouvelle ? demanda le cultivateur avec une certaine impatience.

— Taschereau a déclenché des élections générales hier soir.

— En plein hiver ? fit Ernest Veilleux, surpris. C'est ben la première fois que je vois ça ! Qu'est-ce qui pressait tant ? Pourquoi il a pas attendu au printemps ou à l'été, comme ça s'est toujours fait ?

— Les quatre ans sont passés, Ernest. Oublie pas que Gouin a été élu en 19. Taschereau a été nommé à sa place quand son beau-père a lâché pour le fédéral.

— C'était juste un rouge de moins, railla Ernest avec un sourire mauvais.

— Avec tout ça, Taschereau a encore jamais été élu premier ministre. Je pense qu'il a hâte de se faire nommer par le peuple.

— Il aurait pu attendre à la fin du printemps avant de manger une volée, répéta Ernest Veilleux. Es-tu ben sûr qu'il déclenche pas les élections en plein hiver parce qu'il veut être sûr que ben du monde ira pas voter à cause du froid ou de la neige ? Ce serait ben assez croche pour qu'il y ait pensé.

— Ceux qui iront pas voter sont pas juste des bleus, raisonna l'organisateur. Il y a aussi des rouges qui iront pas. En tout cas, si t'as une chance de venir entendre Taschereau, à Sorel, dimanche, viens. On va le brasser. Je te dis que ça va être tout un *show* !

— C'est ben trop loin, dit Ernest à regret.

— Dans ce cas-là, tu vas voir arriver notre poulain dans une dizaine de jours dans votre paroisse.

— Qui va se présenter pour nous autres dans le comté ?

— Joseph Rouleau. Un ben bon candidat. Tu vas voir qu'avec lui, Joyal aura pas une chance de se faire réélire. Son chien est mort en partant.

— Tant mieux, s'écria le cultivateur avec enthousiasme. Ça fait une éternité que les rouges sont au pouvoir à Québec, il est temps que cette clique-là disparaisse.

— Je suis déjà en train d'essayer d'organiser une assemblée contradictoire entre lui et Joseph Rouleau. Ça se peut qu'on fasse l'assemblée à Saint-Gérard, et ça, c'est tout proche de chez vous. C'est important. Je compte encore sur toi pour m'amener du monde.

— Tu peux être sûr que je vais faire mon possible, promit Ernest. J'espère que notre candidat va parler du pont qu'on attend depuis une éternité. Joyal l'a promis aux dernières élections et il s'est rien passé. Si Rouleau veut que les gens de Saint-Jacques votent pour lui, il est mieux de s'arranger pour nous le garantir, ce pont-là, et pas pour la semaine des quatre jeudis.

— Inquiète-toi pas pour ça. On en a parlé. Non seulement il va le promettre, votre pont, mais il va vous le faire construire aussitôt que les bleus vont être au pouvoir.

Durant tout le trajet de retour à Saint-Jacques-de-la-Rive, Ernest Veilleux ne cessa de se moquer de Louis-Alexandre Taschereau pour avoir eu l'étrange idée de déclencher des élections en plein hiver. Sans l'avouer ouvertement, il n'appréciait pas une campagne électorale hivernale parce qu'il craignait que la mauvaise température le prive des grandes assemblées politiques bien arrosées. Il n'y a rien qu'il appréciait autant que les confrontations entre les grands ténors du parti. Pour ces

élections-ci, avec un peu de chance, il n'aurait probablement à se mettre sous la dent qu'une ou deux assemblées
de cuisine où Joseph Rouleau tenterait de convraincre
quelques habitants de Saint-Jacques de voter pour lui
comme député de Nicolet.

— À moins que le gros Dufresne parvienne à organiser
son assemblée contradictoire, grogna-t-il à haute voix.
Ça, au moins, ce serait du sport!

— Qu'est-ce que vous dites, p'pa? demanda Jérôme,
silencieux depuis leur départ de Pierreville.

— Rien, répondit son père, mécontent d'être dérangé
dans ses réflexions.

~

Cet après-midi-là, Bruno Pierri arriva chez les
Tremblay, porteur d'un gros plat recouvert d'un linge
blanc.

Depuis une semaine, le cultivateur d'origine italienne
allait bûcher tous les jours avec Eugène et ses deux fils. La
ferme achetée aux Dumoulin deux ans auparavant avait
bien une terre à bois, mais son boisé ne contenait pratiquement aucun arbre mature. Eugène Tremblay lui
avait proposé à la fin de l'automne de venir bûcher sur sa
terre en échange d'un nombre respectable de cordes de
bois de chauffage, ce que l'autre s'était empressé d'accepter avec reconnaissance.

Par ailleurs, Maria Pierri s'était beaucoup rapprochée
de Thérèse depuis que les deux femmes avaient uni leurs
efforts pour aider Rita Hamel lors de son accouchement.
L'épouse d'Eugène était même allée expliquer à sa voisine
quelques jours auparavant comment tresser une catalogne
et cuisiner une tarte à la farlouche. Maria lui avait alors

promis de lui faire goûter aux pâtes de son pays qu'elle fabriquait elle-même.

— Veux-tu ben me dire ce que tu nous apportes là, Bruno ? demanda Thérèse à la vue du plat que l'homme de petite taille lui tendait avec un grand sourire.

— Des pâtes de ma Maria, madame Tremblay, répondit l'homme en regroupant ses doigts à la hauteur de sa bouche. Vous allez voir, c'est *delicioso* ! Il y a rien de meilleur que des pâtes. Elle les a faites ce matin.

— Voyons donc ! Elle m'en a envoyé bien trop ! protesta l'épouse d'Eugène. C'est gênant.

— Ça se mange tout seul, reprit Bruno Pierri. Ah ! Attendez. Ma femme vous a aussi envoyé la recette pour les préparer, ajouta le voisin en fouillant dans l'une des poches de son manteau d'où il tira un bout de papier. Vous avez de la tomate, j'espère ?

— En masse, répondit Eugène. Les femmes en ont canné cet automne.

— Et du vin ?

— Il nous reste pas mal de vin de cerise, intervint Claire, qui avait soulevé un coin du linge qui recouvrait le plat envoyé par Maria Pierri.

— C'est bien meilleur avec du vrai vin, fit l'homme en esquissant une moue. Mais ici, au Canada, vous avez pas l'air d'aimer ça.

— C'est vrai qu'on n'est pas bien forts sur le vin, reconnut Eugène en boutonnant son manteau. Bon. On va y aller si on veut faire un bon après-midi d'ouvrage.

Les hommes sortirent de la maison. Dès qu'ils furent partis, Claire s'empara de la recette rédigée par la voisine et la relut à deux ou trois reprises avant de déclarer à sa mère :

— Je vois pas pourquoi ce serait pas bon, cette affaire-là, m'man. On a juste à ajouter des tomates, des oignons et des piments.

— Ah bon ! fit Thérèse sans manifester aucun enthousiasme. Au fond, c'est vrai que c'est pas parce que ça vient d'un autre pays que c'est nécessairement méchant.

— C'est ce que je me disais, conclut la jeune femme. On devrait préparer ça pour le souper. Je pense qu'il y en a bien assez pour tout le monde.

— C'est correct, accepta sa mère.

À la fin de l'après-midi, lorsque Eugène rentra à la maison avec ses fils après avoir fait le train, toute la famille Tremblay prit place autour de la grande table. Après le bénédicité, Claire et sa mère déposèrent sur la table deux plats fumants. Le père de famille tendit le cou pour voir ce qu'ils contenaient.

— C'est quoi, cette affaire-là ? demanda-t-il, intrigué, à son aînée.

— Si je me fie à ce que madame Pierri a écrit sur son papier, c'est des spaghettis, dit Claire avec bonne humeur.

— Et ça se mange, cette affaire-là ? demanda son frère Gérald.

— Essaye, tu vas bien voir, lui suggéra sa mère.

— Ça a l'air drôle, fit remarquer Clément en cherchant à en déposer une quantité appréciable dans son assiette sans que les pâtes tombent à côté.

— Sois pas cochon, lui reprocha son frère cadet. Essaye d'en laisser aux autres.

— Facile à dire, ronchonna Clément, mais c'est tout pogné ensemble.

Chacun finit par se servir et on mastiqua prudemment la première bouchée de ce plat exotique.

— Bah ! C'est pas méchant, reconnut Eugène, la figure crispée parce qu'il tentait vainement de piquer des pâtes dans son assiette. Mais je marcherais pas un mille pour en manger.

— C'est vrai, reconnut Clément. Je trouve que ça a un drôle de goût quand même. En plus, c'est salissant en maudit à manger et c'est pas facile à pogner dans son assiette. Je me demande si ce serait pas plus facile avec une cuillère.

— En tout cas, moi, ajouta Lionel, j'aime mieux le bouilli de m'man.

— Vous êtes tous des difficiles! s'exclama Claire qui avait préparé les pâtes en suivant soigneusement la recette de la voisine. Il faut que vous mangiez toujours la même chose pour être contents! C'est bon, des spaghettis, affirma-t-elle avec force. C'est juste différent.

— Faut pas exagérer non plus. C'est pas parce que ça vient d'un autre pays que c'est meilleur que ce qu'on mange d'habitude, laissa tomber son père. Il y a pas de viande là-dedans, ça doit pas être trop soutenant.

— Moi, je vais manger du sirop d'érable pour dessert, dit Gérald en se levant pour aller chercher le pot dans le garde-manger. Ça va m'ôter ce goût-là dans la bouche.

— En tout cas, je veux pas en entendre un dire un mot contre les pâtes de madame Pierri quand son mari va nous demander si on a aimé ça, dit Thérèse sur un ton menaçant. On a tous bien aimé ça, un point c'est tout.

∼

Deux jours plus tard, Eugène Tremblay était soucieux. Depuis le déjeuner, il avait perdu de sa placidité. Les deux rides profondes qui barraient son front le disaient assez.

Après avoir fait le train avec Clément, Gérald et Lionel, le cultivateur avait lentement repris le chemin de la maison dans l'intention d'avaler un solide déjeuner. Clément s'était chargé d'aller porter sur la plate-forme les bidons de lait que Desjardins allait recueillir dans l'avant-midi et les deux plus jeunes étaient déjà rentrés dans la maison.

En passant devant la remise, un édicule communiquant avec la cuisine d'été, Eugène avait remarqué des traces de pas allant jusqu'à la porte. Il avait fait encore quelques pas avant de s'arrêter brusquement.

— Veux-tu ben me dire qui… ? avait-il commencé à se dire à mi-voix, avant de faire demi-tour et de se diriger vers la remise dont il ouvrit la porte toute grande.

Il avait été intrigué. À l'heure de faire le train, il faisait encore noir quand il était allé à l'étable et il n'avait pas remarqué ces empreintes dans la neige. Qui était allé dans la remise ? Durant l'hiver, il n'y avait jamais personne qui empruntait ce chemin pour entrer dans la maison ou en sortir. On n'ouvrait la grande porte de la remise que pour en sortir le berlot ou la *sleigh*. Or, depuis près de dix jours, les Tremblay n'avaient utilisé que le traîneau qu'ils remisaient dans la grange, près de l'écurie.

Comme chez les Veilleux, le petit bâtiment était pourvu d'une étroite passerelle à trois pieds de hauteur qui longeait son mur du fond. Celle-ci conduisait de la cuisine d'été aux toilettes sèches situées à l'autre extrémité de la remise, qui ne contenait rien d'autre que la *sleigh*, le berlot, plusieurs cordes de bois de chauffage, le coffre où on entreposait la viande, des conserves et quelques bouteilles de caribou.

Eugène avait ouvert la porte et il s'était avancé à l'intérieur pour jeter un coup d'œil. Il n'avait d'abord rien vu de spécial. Ses deux véhicules étaient bien là ainsi que son bois. Il avait ensuite ouvert son coffre à viande : il ne semblait pas avoir été pillé. Il s'était hissé avec effort sur la passerelle pour examiner les quelques tablettes clouées au mur : les conserves aussi étaient bien là. Son caribou !

Brusquement, il s'était rendu compte qu'il lui manquait deux bouteilles de caribou. Durant la période des fêtes, il en avait servi une bouteille aux visiteurs et il y en avait une à demi pleine dans l'armoire de la cuisine d'été. S'il savait encore compter, il aurait dû lui rester quatre bouteilles de sa provision renouvelée au mois d'octobre précédent. Or, devant lui, il n'y avait plus que deux bouteilles. Il avait eu beau passer une main sur la large tablette au-dessus de sa tête pour s'assurer que les bouteilles manquantes n'étaient pas tombées, celle-ci n'avait rencontré que du vide.

— Baptême, par exemple ! avait juré Eugène en regardant partout autour de lui pour vérifier une dernière fois si lesdites bouteilles n'avaient pas été déplacées par quelqu'un de la maison. Rien.

Le cultivateur était alors sorti de la remise dont il avait soigneusement refermé la porte derrière lui et était entré dans la maison où Clément venait de le précéder.

— Est-ce qu'il y a quelqu'un qui est sorti par la porte de la remise à matin ? avait-il demandé aux siens, déjà attablés dans la cuisine.

Personne ne répondit.

— Vous êtes sûrs de ça ? avait-il insisté en dévisageant ses enfants.

— Voyons, Eugène, tu vois bien que personne est passé par là, avait répondu sa femme en déposant plusieurs crêpes dans l'assiette de son mari.

— Ça parle au maudit ! s'était-il écrié. Il y a des rôdeurs qui sont venus fouiner cette nuit dans notre remise. Cherche donc s'ils sont pas entrés dans la maison par la cuisine d'été pendant qu'on dormait.

— Ah ben, ça prend des effrontés pour entrer dans une maison pleine de monde ! s'était exclamée sa femme.

— Clément! Gérald! Est-ce qu'il y en a un de vous deux qui a touché à mes bouteilles de caribou dans la remise? avait demandé le père en se tournant vers ses deux fils.

— Pas moi, en tout cas, avait fait Clément, qui n'avait jamais aimé le goût âpre de ce mélange de vin rouge et d'alcool.

— Moi non plus, avait répondu l'adolescent en esquissant une grimace.

— Dans ce cas-là, je me suis fait voler deux bouteilles de caribou pendant la nuit.

— Viens pas me dire qu'il va falloir tout barrer, avait déclaré Thérèse.

— Remarque, ça aurait pu être pire, avait conclu son mari. Les voleurs auraient pu partir avec toute notre provision de viande.

À cette évocation, le visage de Thérèse blêmit.

— Je veux que la porte de la remise soit barrée à partir d'aujourd'hui, avait-elle exigé de son mari. Nous vois-tu sans viande pendant tout le reste de l'hiver?

— Je comprends, mais ce sera pas ben pratique de courir la clé d'un cadenas chaque fois qu'on va avoir affaire dans la remise, avait argumenté le cultivateur.

Après le déjeuner, il était allé jeter quelques bûches dans le poêle à bois avant de s'asseoir dans sa chaise berçante et d'allumer sa pipe. Il était demeuré silencieux durant un long moment avant de demander à Clément:

— Va donc voir dans l'atelier si tu trouverais pas un cadenas et ce qu'il faut pour l'installer.

Quand son fils revint quelques minutes plus tard avec un vieux cadenas et le matériel nécessaire à son installation, son père prit le tout et l'envoya nettoyer l'étable avec son frère Gérald. Un étrange sourire flottait sur ses lèvres lorsqu'il se dirigea vers la remise en passant par la cuisine d'été où il prit au passage sa demi-bouteille de caribou. Ensuite, il profita du fait que sa femme et ses filles étaient montées à l'étage dans l'intention de faire le ménage pour s'emparer de la bouteille d'huile de ricin dissimulée dans l'armoire. Ce produit au goût détestable était souverain pour combattre la plus obstinée des constipations.

Il vida la moitié de la bouteille d'huile de ricin dans le caribou et il acheva de remplir le contenant avec un peu d'eau. Après avoir brassé énergiquement le tout, il renifla le contenu de sa bouteille. La forte odeur du mélange de vin et d'alcool masquait parfaitement celle de l'huile. Alors, il boucha la bouteille et alla la déposer sur la tablette de la remise, en prenant soin de rapporter dans la cuisine d'été les deux bouteilles intactes.

— Mon baptême ! jura-t-il, si tu reviens me voler ma boisson, tu vas t'en souvenir. On va te suivre à la trace, c'est moi qui te le dis.

Ensuite, content de lui, Eugène Tremblay s'activa à installer un cadenas sur le coffre dans lequel était entreposée la viande. Quand Thérèse le vit rentrer dans la cuisine quelques minutes plus tard, elle lui demanda :

— As-tu installé quelque chose pour barrer la porte de la remise ?

— Non. Ce serait pas pratique pantoute. J'ai posé un cadenas sur le coffre à viande. Pour le reste, on n'aura qu'à penser à barrer la porte de la cuisine d'été quand on aura affaire à aller dans la remise.

— Et pour ta boisson ?

— Inquiète-toi pas, j'ai réglé le problème, se contenta de dire Eugène avec un bon gros rire.

— Qu'est-ce que t'as fait ?

— J'ai préparé un petit boire que notre voleur sera pas prêt d'oublier si jamais il lui prend le goût de venir se servir sans être invité.

— Pas du poison, j'espère, fit sa femme, alarmée.

— Ben non, la mère ! J'ai pris le reste de ma bouteille de caribou entamée et je l'ai remplie avec de l'huile de ricin. Je pense que celui qui va boire ça est mieux de pas trop s'éloigner de ses toilettes parce que j'ai l'impression que ça va lui faire un maudit bon lavement.

⁓

Au milieu du samedi avant-midi, le ciel déjà gris devint subitement noir et le vent du nord se leva progressivement, hurlant dans les branches des pins et des sapins. La luminosité changea en quelques minutes. Tout devint très sombre.

Surpris, Germain Fournier, occupé à charger sur son traîneau du bois bûché la veille dans le boisé au bout de sa terre, leva les yeux. À la vue de ce ciel couleur d'encre, il ne put se retenir de se dire à haute voix :

— On dirait qu'il va nous en tomber toute une sur la tête dans pas longtemps. Je pense que je suis mieux de me grouiller pour rentrer.

Le jeune cultivateur finit de charger son traîneau et il fouetta ses chevaux pour les faire avancer. Les deux bêtes se mirent en branle lentement, tirant derrière elles la lourde charge. Dès sa sortie du bois, Germain fut accueilli par les premiers flocons que le vent poussait comme des dards, au point de l'aveugler complètement. Il rentra la tête dans les épaules et, les yeux mi-clos, il entreprit de regagner sa maison dont il avait peine à apercevoir la toiture au loin.

Lorsque l'attelage arriva quelques minutes plus tard devant la remise, les chevaux étaient fourbus et Germain Fournier s'était transformé en véritable bonhomme de neige. Il ne voyait maintenant pas plus qu'à trois pieds devant lui tant la neige s'était intensifiée. En jurant, le jeune homme détela ses bêtes et les entraîna vers l'écurie, où il les bouchonna et leur donna à manger avant de retourner à l'extérieur. Après avoir rangé sa hache, il rentra à la maison, plié en deux pour résister au vent. Il déchargerait son bois quand la neige aurait cessé de tomber.

Dès qu'il eut refermé la porte de la maison, il comprit qu'il ne devait rester que quelques tisons dans son poêle tant il faisait froid dans la cuisine. Il enleva ses bottes, mais garda son manteau pour aller rallumer le feu. Il faisait maintenant si sombre dans la pièce qu'il dut allumer la lampe à huile.

Même à la lueur chiche de cette lampe, il était évident que la maison aurait eu besoin d'un solide nettoyage. De la vaisselle sale et de la nourriture traînaient sur la table et dans l'évier. Le plancher aurait eu besoin d'être balayé et lavé. Une bonne couche de poussière couvrait les meubles. Des vêtements grisâtres avaient été mis à sécher près du poêle. Ce n'était guère mieux dans l'unique chambre à coucher du rez-de-chaussée, où le lit défait laissait voir que la literie n'avait pas été changée depuis des semaines. À l'étage, impossible de connaître l'état des lieux puisque Germain n'y était pas monté depuis le décès de sa mère, au mois d'août précédent.

Le célibataire alla puiser un broc d'eau dans la chaudière déposée près du comptoir. Une mince pellicule de glace s'était déjà formée sur l'eau. Pendant que les flammes ronflaient enfin dans le poêle et répandaient un peu de chaleur, Germain mit l'eau à bouillir. Ensuite, il se dirigea vers l'une des deux fenêtres de la cuisine pour évaluer l'ampleur de la tempête qui se déchaînait à l'extérieur.

Dehors, cela ressemblait à un spectacle de fin du monde. Le vent gémissait et semblait prêt à soulever la toiture de la maison. Un véritable rideau opaque de flocons empêchait de voir la route. Impossible même d'apercevoir le traîneau chargé de bois abandonné quelques instants plus tôt devant la remise. Toute vie semblait avoir fui aux alentours. Germain eut l'impression d'être sur une île inhabitée au milieu d'un désert blanc.

— Calvaire ! Il fallait que ça arrive aujourd'hui ! jurat-il à mi-voix en abandonnant la fenêtre pour préparer sa tasse de thé.

Depuis une semaine, il ne songeait qu'au samedi soir et à la visite qu'il allait rendre à Gabrielle, au village. Il avait déjà oublié Céline Veilleux et l'humiliation cuisante qu'elle lui avait fait vivre. Seule la jeune orpheline occupait maintenant ses pensées depuis une dizaine de jours. Elle n'était plus l'«autre servante» du curé, mais «Gabrielle», la «belle Gabrielle».

Les deux heures qu'il avait passées en tête-à-tête avec elle dans le salon d'Agathe Cournoyer, le dimanche précédent, lui avaient fait découvrir une jeune fille sensible et pleine de bon sens. Elle avait surtout déclenché chez lui un goût irrépressible de la protéger après qu'elle lui eut raconté la vie solitaire et sans amour qu'elle avait connue à l'orphelinat. Après l'avoir entendue décrire les durs travaux auxquels elle avait été astreinte dans l'institution, il s'était rendu compte qu'il avait été passablement gâté. Lui, habituellement si taciturne, s'était laissé aller à parler de son passé. Il lui avait raconté le décès de ses deux frères aînés, morts avant d'avoir atteint cinq ans, le départ pour Montréal de sa sœur Florence, la mort de son père de la grippe espagnole et enfin, le décès de sa mère au mois d'août précédent. Bien sûr, il ne dit pas un mot du rejet dont il avait été l'objet de la part de Céline Veilleux ni du mépris que les filles de la paroisse lui vouaient.

— Il est encore pas mal de bonne heure, finit par se dire Germain. Le temps peut encore changer. Ça va peut-être se calmer sur l'heure du souper.

Mais le temps ne changea pas. La tempête continua à faire rage tout l'après-midi. Lorsqu'il se décida à sortir de la maison sur le coup de quatre heures pour aller traire ses vaches et nourrir ses animaux, le jeune cultivateur dut marcher dans près de deux pieds de neige pour se rendre à l'étable. Après son travail, il revint à la maison. Il ignorait si c'était un effet de son imagination, mais il lui sembla que la tempête s'essoufflait et que le vent se calmait. En tout cas, il était certain qu'il neigeait un peu moins.

Durant tout le souper frugal qu'il avala en solitaire, assis au bout de la table, il balança entre la sagesse de demeurer au chaud, chez lui, à alimenter son poêle, et la tentation de chausser ses raquettes et d'essayer de se rendre au village, chez Agathe Cournoyer.

— Deux milles en pleine tempête, il faudrait être fou pour faire ça, se répéta-t-il plusieurs fois.

Toutefois, il se sentait progressivement envahi par l'envie de prouver à la belle Gabrielle qu'il était homme à affronter le danger pour ses beaux yeux. De plus, cela faisait une semaine qu'il n'avait pas parlé à quelqu'un. Finalement, la dernière bouchée avalée, il négligea d'allumer sa pipe pour sortir son miroir, son blaireau et son rasoir dans l'intention de se raser pour la seconde fois de la journée. Ensuite, il fit une toilette rapide avant de passer une chemise et des chaussettes propres.

En passant devant une fenêtre, il se refusa à regarder à l'extérieur. Il endossa son manteau le plus chaud et coiffa sa tuque avant de sortir à l'extérieur où une violente bourrasque de neige l'accueillit. Germain remonta le col de son manteau et se dirigea vers la remise pour prendre sa paire de raquettes suspendue à un clou.

Quelques instants plus tard, il referma la porte du bâtiment et il traversa sa cour, chaussé de ses raquettes et le visage protégé par une large écharpe de laine. Seul au milieu de la tourmente, il s'engagea dans le rang Sainte-Marie, fouetté par les rafales de vent qui charriaient des flocons à l'horizontale.

— Deux milles, c'est tout de même pas le bout du monde, se dit le jeune cultivateur en avançant péniblement contre le vent. Si je suis trop gelé, je m'arrêterai quelque part à mi-chemin, chez les Tougas, par exemple.

Tout en se tenant un long monologue dans lequel il se répétait ce qu'il avait envie de dire à Gabrielle ce soir-là, il progressait lentement sur la route enneigée. Il faisait encore si mauvais qu'à aucun moment, il ne parvint à voir la moindre lueur de fanal ou de lampe à huile dans l'une des maisons du rang. En avançant, il concentrait toute son attention à ne pas sortir de la route. Il était conscient que se perdre en plein champ par une telle tempête pouvait signifier la mort.

Germain Fournier mit un peu plus d'une heure à franchir la distance entre sa ferme et la première maison du village de Saint-Jacques-de-la-Rive.

Un peu plus tôt, au presbytère, Agathe et Gabrielle avaient fini de laver la vaisselle du souper et elles avaient préparé la collation des deux prêtres avant de revêtir leurs manteaux pour traverser chez elles. Une heure auparavant, Gabrielle s'était esquivée quelques minutes pour aller rallumer le poêle dans la petite maison blanche située de l'autre côté de la route, de manière à ce que sa logeuse et elle ne rentrent pas dans une maison glaciale.

— Faites attention de pas glisser, prévint Gabrielle Paré en prenant le bras de la vieille ménagère au moment où toutes les deux s'engageaient dans l'escalier d'une dizaine de marches du presbytère. Monsieur Groleau a eu beau venir pelleter l'escalier deux ou trois fois depuis le commencement de la tempête, ça paraît pas.

— Une chance qu'on a juste à traverser pour rentrer à la maison, dit la vieille servante en s'appuyant sur la jeune fille. C'est une vraie tempête de mon jeune temps. On voit ni ciel ni terre.

Les deux femmes s'empressèrent de traverser la route et de s'engouffrer frileusement dans la maison.

— Il faudrait bien pelleter la galerie, fit remarquer Gabrielle en pensant à l'épaisseur de neige accumulée devant la porte d'entrée.

— Ça presse pas tant que ça, la calma Agathe Cournoyer. On est bien dans la maison. Ça peut attendre demain matin.

Elles retirèrent leurs manteaux et leurs bottes. Pendant qu'Agathe s'approchait du feu, Gabrielle allongeait la mèche de la lampe à huile, faisant ainsi reculer les coins d'ombre de la petite cuisine.

— C'est de valeur pour Germain Fournier, se désola la vieille servante. J'ai l'impression qu'il serait venu à soir s'il avait pas fait aussi mauvais.

— En tout cas, il était invité, laissa tomber Gabrielle, sans trop éprouver de regrets.

À peine la jeune fille venait-elle de prononcer ces mots que les deux femmes sursautèrent violemment en entendant un fort raclement en provenance de la galerie.

— Veux-tu bien me dire ce qui fait ça! s'exclama Agathe en se précipitant vers la fenêtre en même temps que sa jeune locataire.

— Mais c'est Germain Fournier! s'écria Gabrielle, stupéfaite. Il est en train de nettoyer le devant de la porte avec la pelle laissée sur la galerie.

— Ma foi du bon Dieu, il est devenu complètement fou d'avoir pris le chemin dans une tempête pareille pour venir te voir!

Un étrange sourire de satisfaction détendit les lèvres de Gabrielle avant qu'elle fasse les quelques pas qui la séparaient de la porte.

— On dirait bien qu'il tenait absolument à venir passer la soirée avec toi, lança la vieille dame sur un ton narquois.

— On le dirait, madame Cournoyer, répondit Gabrielle en ouvrant la porte au jeune homme.

Le célibataire, couvert de neige de la tête aux pieds, déposa la pelle près de la porte, à l'extérieur, et il entra dans la maison sans se faire prier après avoir secoué ses pieds sur la galerie pour en faire tomber la neige.

— Entre, Germain, l'invita aimablement Gabrielle. Tu ressembles à un bonhomme de neige. Ôte ton manteau.

Le jeune cultivateur enleva sa tuque et déboutonna son lourd manteau. Il avait le visage rougi par le froid. Ses doigts et ses pieds étaient gourds.

— Je voudrais pas mettre de la neige partout, s'excusa-t-il.

— Laisse faire, le rassura la vieille ménagère, qui était déjà retournée s'asseoir près du poêle. C'est juste de l'eau, et de l'eau, ça sèche.

— J'espère que t'es pas venu au village en pleine tempête juste pour nous voir, demanda Gabrielle sur un ton faussement ingénu.

— Ben oui, reconnut gauchement le jeune homme.

— Mais c'était dangereux sans bon sens! s'écria la jeune fille en laissant volontairement poindre de l'admiration dans sa voix.

— C'est vrai, Germain, intervint Agathe Cournoyer. T'aurais pu te perdre ou tomber dans la tempête et jamais personne aurait su où t'étais passé.

— Oh, c'était pas si pire que ça! se défendit le célibataire en jouant les modestes.

— Assois-toi à table, lui ordonna Gabrielle. Je vais te servir une bonne tasse de thé bien chaud et un morceau de tarte aux pommes. Ça va t'aider à te dégeler.

À la fin de la soirée, la tempête était pratiquement terminée. Il ne tombait plus que quelques flocons et le vent avait cessé de souffler. Lorsque Germain Fournier chaussa de nouveau ses raquettes dans l'intention de rentrer chez lui, il poussa un soupir de soulagement. Le retour allait être cent fois plus facile que l'aller. De plus, tout au long de la route, il avait matière à réflexion et de sérieuses raisons de se réjouir. Il n'y avait plus d'ambiguïté possible. Gabrielle avait accepté de le considérer comme son unique soupirant. Il n'aurait plus à feindre de venir rendre visite à Agathe Cournoyer en même temps qu'à la jeune fille. Il avait vraiment été bien inspiré de braver la tempête. Gabrielle semblait avoir été enchantée de sa visite. Elle avait considéré sa venue comme une sorte d'épreuve dont il était sorti victorieux. Quand il lui avait demandé s'il devrait aller rencontrer le curé Lussier pour obtenir la permission de la fréquenter, elle l'avait rassuré en lui disant qu'elle s'occuperait elle-même d'obtenir l'accord du prêtre.

C'est donc un homme neuf et ragaillardi qui se dirigea vers le rang Sainte-Marie à la fin de cette soirée de janvier.

En se mettant au lit, la jeune fille de dix-neuf ans poussa un profond soupir de contentement. Germain Fournier était bien accroché et tout indiquait qu'il était tellement heureux d'être devenu son cavalier qu'elle pourrait bientôt se permettre d'exiger beaucoup de choses de sa part.

— En tout cas, chuchota-t-elle pour elle-même, je suis certaine qu'il y a pas une fille de Saint-Jacques qui a reçu son cavalier à soir, avec cette tempête-là.

Sur ce point, la jeune servante du curé Lussier se trompait lourdement. Le second voisin de Germain Fournier, Clément Tremblay, n'allait pas rater une soirée au salon avec Céline Veilleux sous le prétexte qu'une tempête de neige sévissait depuis le milieu de l'avant-midi. Après tout, ils étaient voisins et il n'y avait que quelques arpents entre les deux maisons.

Avec son père et ses deux frères, il avait travaillé une bonne partie de l'après-midi à repousser la neige qui encombrait la cour et l'entrée des bâtiments. À l'heure du souper, tout ce labeur semblait avoir été effectué vainement puisque les violentes bourrasques de vent s'étaient amusées à ramener toute la neige.

Après le train, Eugène Tremblay, dégoûté, avait décrété :

— Bon. Ça va faire pour le pelletage aujourd'hui. On va attendre que le vent se calme et on nettoiera demain matin, après le train.

Clément n'avait pas dit un seul mot. Après le repas, il s'était esquivé durant quelques minutes dans sa chambre à coucher, à l'étage. Quand il en était descendu, il était endimanché et il avait fait un effort pour discipliner ses cheveux bruns naturellement bouclés.

— T'es en avance, mon frère, lui fit remarquer Claire, qui venait de s'emparer de son tricot. La messe, c'est juste demain matin.

— Tu te maries pas à soir, j'espère, se moqua à son tour sa sœur Aline, qui ne venait à la maison que les fins de semaine.

Le jeune homme ignora les deux boutades avec un souverain mépris. Si son père fit comme s'il n'avait rien entendu, sa mère, en revanche, leva la tête de la courte-pointe qu'elle venait d'étaler sur la table de cuisine.

— Où est-ce que tu t'en vas, habillé comme ça ? lui demanda-t-elle.

— À côté, m'man.

— Chez les Veilleux ?

— Ben oui. Vous devriez commencer à le savoir, c'est déjà la quatrième fois que je vais veiller avec Céline.

— Tu déranges pas trop son père et sa mère, j'espère ? demanda Thérèse en jetant un coup d'œil à son mari qui feignait l'indifférence.

— Pourquoi je les dérangerais, m'man ? C'est pas eux autres que je vais voir, c'est leur fille. Son père a accepté que j'aille la voir le samedi et le dimanche soir, c'est ce que je fais.

— Tu vas avoir de la misère à aller là, lui fit remarquer son frère Gérald.

— Les raquettes, c'est pas pour les chiens, tu sauras, dit Clément en endossant son manteau.

Quelques minutes plus tard, le jeune homme de vingt ans frappait à la porte des Veilleux après avoir laissé sa paire de raquettes sur la galerie enneigée. Ernest, l'air revêche, vint lui ouvrir.

— Entre, dit-il sans aménité au visiteur. Elle descend dans une minute.

Le cultivateur le laissa planté là, sur le paillasson, et, sans plus s'occuper du fils de son ennemi, retourna à sa chaise berçante et à sa pipe. Yvette revint à ce moment-là de la cuisine d'été où elle était allée porter des conserves. Elle jeta un regard désapprobateur à son mari avant d'inviter Clément à retirer son manteau et à passer au salon.

— Céline ! cria-t-elle, debout au pied de l'escalier. Clément est arrivé.

— J'arrive, répondit la jeune fille.

Yvette attendit de voir apparaître sa fille dans l'escalier avant de se retirer dans la cuisine. Elle savait pourquoi Ernest était si grognon ce soir-là. Il détestait rester planté sur sa chaise berçante toute une soirée pour surveiller les fréquentations qui se déroulaient dans le salon. On lui aurait dit que c'était l'endroit où il passait habituellement ses soirées, il aurait répondu que c'était une autre paire de manches de se sentir obligé.

Quand Yvette lui avait proposé de lui laisser faire le chaperon à sa place, il avait sèchement refusé en alléguant qu'avec sa manie d'avoir toujours quelque chose à faire, elle était incapable de remplir son rôle convenablement. On ne pouvait avoir les yeux fixés sur un tricot ou une courtepointe et surveiller sa fille et, surtout, un maudit Tremblay.

Pourtant, ce fut elle qui intercepta sa fille lorsque cette dernière vint dans la cuisine pour prendre le plateau de sucre à la crème dont elle voulait régaler son amoureux.

— Viens donc ici, toi, lui ordonna sa mère.

— Qu'est-ce qu'il y a, m'man?

— Qu'est-ce que t'as sur les lèvres?

— Rien.

— Je t'ai demandé ce que t'avais sur les lèvres, répéta Yvette Veilleux plus durement.

— C'est juste du rouge à lèvres.

— Qu'est-ce que je t'ai déjà dit, Céline Veilleux? Je t'ai dit cent fois que ça donnait un air de dévergondée et que je voulais pas que t'en mettes. Est-ce que c'est clair?

— Oui, m'man.

Au moment où la jeune fille allait retourner au salon, sa mère se leva.

— Où tu t'en vas?

— Dans le salon, m'man, et...

— Non, la coupa sa mère. Tu vas d'abord te nettoyer le visage avec une serviette.

Furieuse, Céline alla à l'évier et saisit une serviette avec laquelle elle se frotta vigoureusement la bouche. Sans ajouter un mot, elle se dirigea ensuite vers le salon.

Chapitre 17

Une bonne leçon

En février, le froid ne relâcha pas son étreinte, mais les chutes de neige se firent plus rares qu'en janvier. Les piquets des clôtures étaient disparus depuis longtemps sous une épaisse couche de neige. Le paysage était uniformément blanc dans la campagne. De loin en loin, on ne voyait qu'une cheminée qui fumait, seule trace visible de vie. Dans le rang Sainte-Marie, la route bien damée par les fermiers offrait une assise solide aux *sleighs*, aux berlots et aux lourds traîneaux utilisés pour les déplacements.

À la mi-janvier, Eugène Tremblay et ses deux fils avaient attendu avec une impatience croissante que la glace sur la Saint-François épaississe suffisamment pour supporter le poids d'un attelage et, surtout, pour être découpée. Le temps doux et le verglas tombé au début du mois les avaient retardés sérieusement. De plus, la forte tempête de neige qui avait suivi n'avait guère été favorable à leurs projets.

Une semaine plus tard, quand des froids arctiques s'étaient abattus sur la région, les trois hommes sortirent les pelles, les pinces, la tarière, les haches et les scies, et ils les jetèrent pêle-mêle sur le traîneau avant de se diriger vers la rivière, à la hauteur de la forge d'Adélard Crevier, là où la rive était la plus accessible à un attelage.

Pour cette première journée, Eugène, de la neige à mi-jambes et armé de sa tarière, s'avança sur la rivière avec mille précautions. Il se méfiait des trous « d'eau chaude », comme il disait. Parvenu à une trentaine de pieds du rivage, il dégagea du pied un petit espace et perça la glace avec sa tarière pour en vérifier l'épaisseur. Quand il se rendit compte qu'elle avait plus d'un pied d'épaisseur, il fit signe à Gérald et à Clément de faire descendre l'attelage. La glace était largement en mesure d'en supporter le poids.

Les trois hommes se mirent immédiatement à dégager avec leurs pelles un rectangle de quelques pieds carrés. Le travail sur la rivière était autrement plus pénible que celui auquel ils étaient habitués dans le bois. Ici, aucun obstacle ne venait empêcher le vent de soulever la neige qui mordait cruellement la peau. Rien ne protégeait les travailleurs du froid intense de cette journée de janvier. Lorsqu'ils furent trop gelés, ils se mirent quelques instants à l'abri des chevaux sur le dos desquels ils avaient pris la précaution de jeter de lourdes couvertures.

— Sacrifice que c'est froid, se plaignit Gérald en plaquant ses deux mains sous ses aisselles.

— C'est pas grave, fit son père, c'est parce qu'on n'est pas encore habitués. Dans une couple de jours, on s'en rendra plus compte. En attendant, on est mieux de pas s'arrêter trop longtemps. C'est en travaillant qu'on va se réchauffer le mieux.

— Qu'est-ce qu'on va faire avec les blocs qu'on va découper aujourd'hui ? demanda Clément en déposant la tarière avec laquelle il venait de percer un autre trou dans la glace.

— Ceux-là, on va les rapporter à la maison, décida son père. On va d'abord commencer à faire notre propre provision de glace avant de servir les autres.

Les trois hommes retournèrent sans tarder au travail. Ils percèrent la glace et agrandirent les premiers trous avec leurs haches avant de se mettre à scier des blocs d'environ deux pieds carrés. Ils hissaient ensuite péniblement les blocs hors de l'eau avec leurs pinces, puis les déposaient les uns après les autres sur le traîneau. Quand ce dernier fut rempli, Eugène donna le signal du départ. Mais avant de partir, il prit la précaution d'aller couper sur la berge quelques branches de sapinage qu'il planta dans la neige autour du trou que ses fils et lui avaient fait dans la glace. Il n'était pas question de prendre le risque que quelqu'un y tombe.

— On pourrait peut-être s'arrêter un peu à la forge avant de revenir à la maison, p'pa, suggéra Gérald, frigorifié.

— Vaut mieux pas. J'ai pas le goût pantoute d'entendre Crevier nous parler de son Rouleau et de ce qu'il va faire une fois élu. En plus, si on fait ça, on va avoir de la misère à endurer le froid en revenant.

Les chevaux, encouragés par les cris de Clément et d'Eugène, parvinrent à escalader la rive et à reprendre pied sur le rang Saint-Edmond. Juchés sur la charge, les trois hommes rentrèrent à la maison pour dîner.

Ce midi-là, Eugène Tremblay eut l'idée de boire une petite rasade de caribou avant de passer à table, histoire de se réchauffer un peu. Après avoir rebouché la bouteille, il pensa subitement à sa fameuse bouteille de caribou trafiqué et il alla dans la remise pour vérifier si elle était toujours là.

— Ah ben, torrieu! s'exclama-t-il en s'apercevant qu'elle avait disparu. Dis-moi pas que le maudit voleur est revenu!

Il retourna dans la cuisine en se promettant d'installer un loquet sur la porte de la remise l'après-midi même.

— Ma bouteille de caribou dans la remise est disparue, apprit-il à sa femme en entrant dans la pièce.

— Ça doit pas faire longtemps, répondit calmement Thérèse en déposant la soupière au centre de la table. Je l'ai vue encore hier.

— Je suis sûr que notre voleur va ben l'aimer, ricana Eugène en se servant. Il va se rappeler de cette boisson-là, je te le garantis.

Tout le monde autour de la table s'esclaffa. Les enfants étaient au courant de ce que leur père avait mis dans la bouteille.

— Ça sent le Tit-Phège Turcotte à plein nez, cette histoire-là, reprit Eugène. Il aime trop la boisson et il m'a vu ben des fois aller chercher du caribou dans la remise.

— Je suis pas trop certaine de ça, moi, fit Thérèse. T'es mieux d'attendre d'avoir des preuves avant de l'accuser.

— De toute façon, p'pa, on va ben finir par en entendre parler dans la paroisse, prédit Clément. Pour moi, ça prendra pas de temps.

Après le repas, Eugène et ses fils retournèrent à la rivière pour poursuivre la tâche entreprise le matin même. Il était prévu qu'on découperait de la glace durant deux ou trois semaines, le temps de remplir la fosse creusée au fond de la grange et tapissée d'une épaisse couche de bran de scie. Il le fallait si on voulait conserver au frais de la viande jusqu'au début de l'été. De plus, Eugène avait accepté de fournir en blocs de glace deux des quatre fromageries de la paroisse et quelques clients de Pierreville.

Cependant, il allait de soi que la durée du travail dépendrait, en grande partie, de la température qu'il ferait durant le mois de février. Mais s'il fallait découper encore de la glace au mois de mars, les Tremblay le feraient; ils avaient un trop urgent besoin des quelques dollars que cette activité allait leur procurer.

Deux jours après le début de ce travail pénible, Claire Tremblay, qui revenait d'aller lever les œufs dans le poulailler, aperçut le postier arrêté devant la maison. L'homme s'apprêtait à déposer du courrier dans leur boîte aux lettres. La jeune femme laissa sur la galerie son plat rempli d'œufs et se dirigea vers la boîte aux lettres.

— Bonjour la belle Claire, fit Philibert Dionne dont le nez bourbonien était enluminé par le froid. J'ai deux lettres pour vous autres.

— Bonjour, monsieur Dionne. Vous allez bien?

— Pas mal. Pas mal mieux que deux des garçons d'Antonius Tougas, en tout cas. Je viens de parler à leur mère. Il paraît que leur René et leur Émile ont pogné une espèce de microbe qui fait qu'ils passent leur temps aux toilettes depuis hier. Elle est pas mal inquiète. Elle se rappelle encore trop comment son vieux père est mort après avoir attrapé un microbe que le docteur Courchesne a pas été capable de soigner.

— C'est peut-être juste une bonne grippe, avança la jeune femme de vingt-six ans en réprimant difficilement un sourire.

— C'est ce que Germain Fournier vient de me dire, répondit l'affable postier en reprenant les guides de son attelage. Au fait, je suppose que vous devez savoir que c'est le grand amour entre votre deuxième voisin et la petite servante du curé Lussier? C'est rendu qu'on les voit plus l'un sans l'autre.

— Tant mieux, laissa tomber Claire, peu intéressée par les amours du voisin.

— Et toi, ma belle, quand est-ce qu'on va aller à tes noces ? Une belle fille comme toi, ça doit pas manquer de prétendants.

— Il y a rien qui presse, répondit sèchement la jolie célibataire en repoussant sous sa tuque une boucle de cheveux châtains.

— Bon. Il faut que j'y aille, dit Philibert Dionne. Tu salueras tout le monde chez vous pour moi.

— J'y manquerai pas, monsieur Dionne, promit la jeune fille.

Elle rentra dans la maison et enleva son manteau qu'elle suspendit à l'un des crochets vissés au mur, derrière la porte d'entrée.

— M'man, je pense qu'on vient peut-être de découvrir qui est venu voler la boisson de p'pa, déclara-t-elle à sa mère occupée à éplucher les pommes de terre qui allaient être servies au dîner.

— Qui est-ce ? demanda Thérèse Tremblay, en repoussant d'une main impatiente une mèche qui s'était échappée de son chignon.

— Les deux petits Tougas.

Claire entreprit de lui raconter tout ce que le postier venait de lui dire.

— Ça prouve encore rien, déclara Thérèse Tremblay. Mais attends que ton père apprenne ça. Je pense pas que ça va lui faire plaisir. Il aime ben les Tougas.

— Je veux bien le croire, m'man, mais vous savez comme moi que leurs gars sont pas des anges.

— C'est sûr qu'ils auraient eu besoin d'une bonne volée de temps en temps pour les faire marcher droit, dit Thérèse. Mais on change pas le monde. Leur père et leur mère sont des doux, ajouta-t-elle, réprobatrice.

— Le père Dionne m'a aussi dit que Germain Fournier était en amour par-dessus la tête avec la servante du curé.

— Avec la fille qui vient d'un orphelinat?

— Bien oui, m'man, pas avec Agathe Cournoyer, quand même, rétorqua sa fille. On peut pas dire qu'elle est bien difficile, cette fille-là.

Le silence tomba dans la cuisine durant un court moment avant que Thérèse ne reprenne :

— Je te l'avais bien dit, ma fille, que tu devrais t'occuper un peu de Germain Fournier. C'est encore un bon parti qui risque de te filer sous le nez.

— M'man, je vous l'ai dit que le voisin m'intéressait pas. Je l'ai toujours trouvé laid et insignifiant.

— Si tu continues à te montrer aussi difficile, tu vas mourir vieille fille, Claire. Oublie pas que tu viens d'avoir vingt-six ans.

— Je mourrai vieille fille, et ce sera pas la fin du monde, déclara Claire sur un ton définitif en déposant devant sa mère les deux enveloppes remises par le postier.

Dès son retour ce midi-là, Eugène fut mis au courant du malaise qui frappait les deux fils d'Antonius Tougas.

— Pour moi, c'est eux autres qui sont venus deux fois nous voler, finit-il par déclarer. Je pense que je vais arrêter parler à leur père en passant cet après-midi.

— Mais t'as pas de preuve de ça, rétorqua sa femme. Ils peuvent aussi être malades à cause d'un microbe. Fais-toi pas haïr par Antonius. Il y a déjà assez d'Ernest Veilleux.

— Prends-moi pas pour un niaiseux, s'emporta son mari. Je vais juste aller leur dire deux mots.

Après le repas, le cultivateur arrêta son attelage devant la maison des Tougas et alla frapper à leur porte, en compagnie de Gérald et de Clément.

Antonius Tougas, un grand homme décharné à la tête grise et hirsute vint ouvrir.

— Entrez, dit-il aux trois hommes en s'effaçant. Venez vous réchauffer un peu.

Les Tremblay entrèrent dans une pièce pauvrement meublée où Emma Tougas, une femme toute menue, était occupée à ranger de la vaisselle dans ses armoires.

— On veut pas te déranger, Antonius, fit Eugène qui avait vu son voisin lors d'une assemblée de cuisine chez Giguère, la semaine précédente. On s'est juste arrêtés pour prendre des nouvelles de tes garçons. On a entendu dire qu'ils étaient pas mal malades.

— En fin de compte, ça a pas l'air d'être ben grave, les rassura le cultivateur en replaçant l'une de ses larges bretelles qui avait glissé de son épaule. Déjà, à matin, ils allaient mieux.

— C'est ben tant mieux.

— Ils sont déjà tous les deux à l'étable en train de nettoyer.

— Bon. Je suis ben content pour vous autres, conclut Eugène, ayant déjà la main sur la poignée de la porte. Si ça te dérange pas, j'ai deux mots à dire à tes garçons. Après ça, nous autres, on s'en retourne couper de la glace. On vous souhaite le bonjour, dit-il à ses hôtes avant de sortir.

Eugène et ses fils envoyèrent la main à Antonius Tougas debout devant la fenêtre.

— Attendez-moi ici, ordonna Eugène à ses fils, avant de se diriger vers l'étable située au fond de la cour.

L'homme à la stature imposante entra dans le bâtiment et trouva Émile et René Tougas en train de pelleter du fumier qu'ils déposaient dans une brouette. Ils sursautèrent en apercevant Eugène Tremblay debout devant eux. Ils ne l'avaient pas entendu entrer.

— Vous deux, écoutez-moi ben parce que je me répéterai pas, leur dit-il d'une voix sévère.

Les deux frères se regardèrent, surpris. René, l'aîné, voulut dire quelque chose, mais un geste coupant de la main du visiteur l'incita à se taire.

346

— Prenez-moi pas pour un gnochon, poursuivit Eugène. C'est vous deux qui êtes venus me voler du caribou deux fois dans ma remise. Les pistes menaient jusqu'à chez vous, mentit-il.

— Mais…, voulut protester René.

— Laisse faire, le coupa Eugène. Vous avez été malades parce que j'ai mis de l'huile de ricin dans la dernière bouteille que vous êtes venus me voler. La prochaine fois que vous aurez envie de venir chez nous sans être invités, la surprise qui va vous attendre va vous faire ben plus mal que ça, je vous le garantis. Est-ce que c'est clair?

— Oui, monsieur Tremblay, balbutia René.

— Est-ce que c'est clair? répéta Eugène Tremblay en enflant la voix et en tournant son regard vers Émile.

— Oui, monsieur Tremblay, répondit finalement l'adolescent.

— Là, j'ai rien dit à vos parents. La prochaine fois, je vais vous faire arrêter par la Police provinciale, ajouta-t-il pour faire peur aux deux jeunes.

Sur ces mots, Eugène Tremblay tourna les talons et sortit de l'étable. Il monta à bord du traîneau et Clément cria «Hou donc!» pour inciter les chevaux à se mettre en marche.

— Est-ce que c'est eux autres, p'pa? demanda le jeune homme à son père.

— Ouais. Mais je pense leur avoir fait assez peur pour leur enlever l'envie de recommencer.

— On pourrait leur sacrer une volée, suggéra Gérald, agressif.

— Non. Ça va faire comme ça. Ils ont eu leur leçon.

Dans l'étable, les deux adolescents restèrent figés un court moment après le départ du voisin.

— Qu'est-ce que t'as fait du reste de la bouteille ? demanda à voix basse René à son jeune frère.

— Je l'ai caché dans le berlot, dans la vieille couverte. P'pa avait là une moitié de bouteille qu'on a bue dans le temps des fêtes. Là, je l'ai remplacée.

— Tu te débarrasseras de cette cochonnerie-là, lui conseilla son frère. Il manquerait plus qu'on oublie ce qu'il y a dedans et qu'on en boive encore.

— Ouach ! fit Émile, dégoûté.

⁓

Le dimanche matin suivant, la température était passablement plus clémente que les jours précédents. Le soleil brillait dans un ciel sans nuages et pas un souffle de vent ne venait soulever la neige tombée l'avant-veille. Il faisait si beau qu'à la sortie de la grand-messe, les paroissiens étaient peu pressés de regagner l'abri de leur maison. Des groupes se formèrent sur le parvis et devant l'épicerie de Hélèna Pouliot pour échanger les dernières nouvelles.

— C'est une vraie honte ! s'exclama à mi-voix Hélèna Pouliot en jetant un coup d'œil prudent autour d'elle afin de s'assurer que seules les trois commères qui l'entouraient pouvaient entendre ses paroles. Je me demande à quoi pense Agathe Cournoyer en laissant faire des affaires comme ça !

— C'est vrai que laisser la petite servante aller s'asseoir dans le même banc que le Germain Fournier, ça se fait pas, fit une dame bien en chair engoncée dans un épais manteau de drap noir.

— Oui, mais Agathe le sait peut-être pas que ça se fait pas. Il faut pas oublier qu'elle a pas eu d'enfant à élever.

— Quand même! protesta Hélèna. Et monsieur le curé qui laisse faire ça. Ça me surprend qu'il ait encore rien dit à sa petite dévergondée de servante.

— Hélèna, il faut tout de même pas exagérer, intervint une paroissienne âgée à l'air pincé. Il peut rien se passer dans l'église, devant tout le monde.

— Je parle pas de l'église, mais des fréquentations entre ces deux-là, reprit Hélèna. Je les vois passer bras dessus bras dessous le dimanche après-midi. Ils se promènent dans le village sans chaperon, comme un couple marié.

— Bah! Avec le froid qu'il fait, ils peuvent tout de même pas faire grand-chose de mal dehors, fit la troisième commère, une petite femme sèche, les mains fourrées dans son épais manchon.

— En tout cas, vous saurez me le dire, prédit Hélèna Pouliot sur un ton doctoral. Cette petite bougresse-là est en train d'enfirouaper cette espèce de sans-dessein qui voit rien. On sait pas d'où elle vient, mais elle a l'air de savoir où elle va. Je serais la dernière surprise si elle s'organisait pas pour se faire marier avant la fin du printemps. Une orpheline! Probablement une enfant du péché! Il y a jamais rien de bon qui vient de cette race de monde-là.

À ce moment-là, Ernest Veilleux se retrouvait au milieu d'un groupe d'hommes qui discutaient des élections provinciales de la semaine suivante et surtout, de l'assemblée contradictoire qui allait opposer Hormidas Joyal à Joseph Rouleau, les deux candidats au poste de député du comté de Nicolet. La réunion devait se tenir dans la salle paroissiale de Saint-Gérard l'après-midi même.

— Il fait beau. On devrait y aller, déclara Georges Hamel, le second voisin des Veilleux dans le rang Sainte-Marie.

— D'autant plus que c'est la seule vraie réunion à laquelle on aura pu assister, fit remarquer Ernest, enthousiaste. Les élections sont la semaine prochaine.

— Moi, c'est sûr que j'y vais avec mes beaux-frères, affirma Adélard Crevier avec force. On va ben voir si Joyal va avoir encore le front de nous sortir ses mêmes maudites promesses qu'il a jamais tenues.

— Une promesse comme le pont, par exemple, dit Boisvert.

— Ouais, fit le forgeron. Si notre maire a pas le courage de lui dire en pleine face ce qu'on pense de lui, je vais le faire, moi.

— Si on te laisse parler, précisa Boisvert.

— C'est vrai que dans une grande réunion, c'est une autre paire de manches, reconnut Georges Hamel. Joyal, comme Rouleau, va venir avec ses hommes.

— Ça me fait pas peur pantoute.

— En tout cas, la glace est ben solide. En traversant par la rivière, devant la forge, Saint-Gérard est pas tellement loin, fit remarquer Ernest Veilleux. Si tu viens avec moi, Georges, je vais y aller.

— OK, monsieur Veilleux. Je passe vous chercher après le dîner. Je vais en profiter pour vous faire essayer ma catherine. Vous allez voir qu'attelée à mon Rex, elle file pas mal vite.

Un peu plus loin, Eugène Tremblay, le maire Giguère et les libéraux les plus convaincus de la paroisse s'organisaient pour assister, eux aussi, à la fameuse réunion à Saint-Gérard.

— C'est vrai qu'on a eu juste une petite réunion de cuisine chez vous, Wilfrid, dit son beau-frère au maire de Saint-Jacques. Dans ces réunions-là, Joyal est à l'aise, mais on n'est jamais plus que six ou sept à l'avoir entendu.

— L'important est qu'il est ben décidé à nous avoir notre pont du prochain ministre de la Voirie, dit Wilfrid Giguère. Joyal me l'a encore répété avant de partir. Il est ben sûr de l'avoir ce printemps et les rouges vont être réélus encore une fois. Vous le savez comme moi que c'est pas après les élections qu'il faut leur demander quelque chose, précisa le maire ; c'est avant, quand ils ont besoin de notre vote.

— Il faut qu'on soit toute une *gang* pour encourager Joyal cet après-midi, suggéra Eugène. Si on n'est pas là, les bleus vont l'écœurer et il pourra pas placer un mot.

— On va s'organiser, promit un nommé Dupré du rang des Orties. Je vais y aller moi aussi, même si je suis ben certain que je verrai pas de mon vivant un gouvernement bleu à Québec.

Plusieurs voix se firent entendre pour signifier leur accord. On allait se rendre massivement à la salle paroissiale de Saint-Gérard pour écouter Hormidas Joyal et, si possible, intimider les bleus présents sur les lieux.

Peu après le repas, Ernest Veilleux guetta par la fenêtre l'arrivée de son jeune voisin. Le trajet en catherine jusqu'à Saint-Gérard l'excitait et le rendait craintif en même temps. Ce traîneau délicat monté sur de hauts et fins patins ne lui inspirait pas une grande confiance, surtout quand il était tiré par un cheval aussi nerveux que le Rex de Georges Hamel. Il lui semblait qu'un rien pouvait faire basculer ce véhicule trop léger à son goût. Ce n'était pas par hasard si Hamel était le seul de la paroisse à en posséder un.

Mais toutes ces inquiétudes se révélèrent sans objet. Le trajet entre Saint-Jacques-de-la-Rive et Saint-Gérard fut couvert en un temps record et les deux hommes arrivèrent bien avant le début de la réunion politique. L'un et l'autre s'empressèrent d'aller rejoindre des connaissances qui les avaient précédés et qui formaient un groupe compact à l'arrière de la salle dont on venait d'ouvrir les portes. Tous ces chauds partisans du parti conservateur se moquaient bien des rumeurs qui voulaient que leur parti soit si impopulaire dans la province qu'on était certain qu'ils ne feraient élire, dans le meilleur des cas, qu'une poignée de députés. Quand on leur disait que les Canadiens français se rappelaient encore trop bien comment les bleus les avaient trahis en leur imposant la conscription en dépit de toutes les promesses du premier ministre Borden, ils se défendaient en affirmant :

— Mais c'est les bleus d'Ottawa qui ont fait ça, pas ceux de Québec.

— C'est du pareil au même, leur répondaient les rouges sur un ton méprisant. Ils couchent dans le même lit.

La salle paroissiale se remplit rapidement et presque exclusivement d'hommes. En quelques minutes, les fumeurs de pipe et de cigare rendirent l'air presque irrespirable. Un épais nuage de fumée malodorante stagnait déjà au plafond de la petite salle surpeuplée. De toute évidence, des gens de toutes les paroisses avoisinantes s'étaient déplacés pour assister au face-à-face entre les deux hommes politiques. Avant même le début de l'assemblée, fusaient déjà des échanges aigres-doux entre les partisans des deux clans.

Le curé de Saint-Gérard et son vicaire, le visage fermé, avaient pris place sur l'estrade aux côtés des deux candidats et de leurs organisateurs politiques. Hormidas Joyal était en grande conversation avec Alfred Carrier, le maire de Saint-Gérard. Soudainement, ce dernier tira sa montre de gousset de l'une de ses poches et consulta l'heure avant de s'avancer au centre de l'estrade pour exiger le silence. Après l'avoir difficilement obtenu, l'homme bedonnant demanda au curé Laramée de faire une courte prière. Toute l'assistance se leva pour se recueillir un instant avant la joute oratoire. Ensuite, le maire Carrier, tout fier de son rôle d'arbitre, expliqua les règles du débat avant de laisser d'abord la parole à Joseph Rouleau, le candidat conservateur.

Une tempête de huées accueillit le petit homme replet qui s'avança, imperturbable, pour faire face à la foule plutôt hostile. Pendant une quinzaine de minutes, le candidat, les pouces passés dans les petites poches de son gilet, se mit à énumérer toutes les politiques impopulaires du dernier mandat Gouin-Taschereau, sans tenir compte le moins du monde des insultes qui lui étaient adressées des quatre coins de la salle. Des menaces contre les fauteurs de troubles commencèrent à fuser du coin où s'étaient regroupés les partisans du parti conservateur, mais elles n'eurent aucun effet et le chahut continua de plus belle.

Quand vint le tour de Hormidas Joyal de venir expliquer le programme du parti libéral à l'auditoire, une salve d'applaudissements nourris lui donna une bonne idée de la popularité de son parti. L'homme de taille moyenne au ventre avantageux s'étendit longuement sur ses propres mérites. Immédiatement, des interpellations et des huées en provenance de l'arrière de la salle tentèrent de couvrir la voix du candidat, mais une demi-douzaine de fiers-à-bras, probablement payés par les libéraux, rétablirent vite l'ordre. Il y eut bien des échanges d'insultes et des promesses de coups, mais on en resta là. On ne désirait que remettre aux rouges la monnaie de leur pièce, eux qui avaient hué Joseph Rouleau quelques minutes auparavant.

Hormidas Joyal énuméra ses réalisations dans le comté de Nicolet durant son dernier mandat avant d'en venir aux lois les plus populaires votées sous le régime libéral. Il parla, entre autres, de la loi de l'assistance publique et de la création de la Commission des monuments historiques.

Le reste de l'assemblée contradictoire fut une dure empoignade où tous les coups étaient permis entre les deux candidats. Cependant, la lutte était par trop inégale. Hormidas Joyal avait beau jeu de jeter à la face de son adversaire l'insignifiance de son parti qui n'avait pas gouverné la province depuis des lunes. Dans la salle, certains esprits commençaient à s'échauffer au point qu'on en vint finalement aux coups entre les partisans des deux clans. Il fallut séparer et expulser les belligérants.

Profitant d'une accalmie, Wilfrid Giguère demanda ce qui allait advenir du pont qu'on promettait à Saint-Jacques-de-la-Rive depuis près de vingt ans. Joyal et Rouleau s'engagèrent solennellement à le faire construire s'ils étaient élus la semaine suivante. Le maire Carrier fronça les sourcils en entendant cette promesse, probablement parce qu'on lui avait fait la même pour Saint-Gérard. Si le maire Frenette de Sainte-Monique avait été présent, il aurait eu une attaque, lui à qui on avait juré que sa municipalité aurait le pont.

Au moment de quitter la réunion, à la fin de l'après-midi, Ernest Veilleux, la mine sombre, ne put s'empêcher de dire à Georges Hamel :

— Ça regarde ben mal. Il faut pas se raconter des peurs ; les rouges vont encore rentrer sans problème la semaine prochaine. Je pense qu'on parviendra jamais à se débarrasser de cette maudite bande de voleurs. Ils ont l'assiette au beurre et ils veulent pas la lâcher, sacrement ! Au fond, on pourrait rester les pieds sur la bavette du poêle mardi prochain au lieu d'aller voter, et ça changerait rien.

De fait, le mardi suivant, les libéraux de Louis-Alexandre Taschereau se firent élire au Québec avec l'une des plus fortes majorités jamais enregistrées dans la province. Celui qui avait demandé un mandat clair pour gouverner pouvait maintenant se mettre réellement au travail. Dorénavant, il aurait plein pouvoir pour éliminer les dernières cicatrices laissées par la crise économique des dernières années.

Le soir de la victoire libérale, les partisans de Saint-Jacques-de-la-Rive bravèrent le froid pour participer à un défilé triomphal qui sillonna chaque rang de la paroisse, autant pour célébrer que pour narguer les perdants.

Évidemment, le bruyant cortège s'arrêta devant la maison d'Ernest Veilleux. Les vainqueurs étaient déchaînés. Frappant sur de vieux chaudrons et soufflant dans des trompettes, ils offrirent au représentant des bleus de la paroisse un véritable charivari, comme le voulait la tradition. Réveillé en sursaut, le cultivateur s'était levé dans le noir et avait soulevé un coin du rideau qui masquait la fenêtre de sa chambre à coucher.

— Qu'est-ce qui se passe? demanda Yvette, demeurée dans le lit.

— Qu'est-ce que tu penses? demanda son mari avec humeur. Ce sont les maudits rouges qui s'énervent parce que Joyal est rentré. Mais je t'avertis que si j'en pogne un seul qui a le front de monter sur ma galerie, je vais lui faire regretter d'être venu au monde.

— Calme-toi donc, Ernest, lui conseilla sa femme. C'est pas la première fois que tu perds tes élections. Le soleil va se lever pareil demain matin.

— Je le sais, torrieu! Mais écoute ben ce que je te dis là. Ils ont voulu réélire Joyal, dit son mari avec rage, mais on va ben voir s'il va faire quelque chose avec le pont. Je suis sûr qu'il va encore disparaître comme la dernière fois et on n'entendra plus parler de rien.

Chapitre 18

Le drame

Le premier vendredi de mars, Ernest Veilleux voulut faire plaisir à sa femme en lui proposant, après le souper, de l'emmener veiller chez sa cousine Berthe, à Pierreville.

— Si on part tout de suite, précisa-t-il, on pourrait revenir à une heure qui aurait de l'allure.

— On y va tout seuls ?

— On peut ben amener Céline, suggéra Ernest. Je pense que ça fait un mois qu'elle a pas mis le nez dehors.

— C'est ça, et c'est moi qui vais être obligée de garder les petits, se plaignit Anne.

— Aïe, les petits ! Il faut pas exagérer, répliqua Jérôme qui, à quinze ans, la dépassait d'une demi-tête.

— C'est pas de toi que je parlais, niaiseux, le rembarra l'adolescente de dix-sept ans mise de mauvaise humeur par la nouvelle. Je parlais d'Adrien, de Léo et de Jean-Paul.

— On est capables de se garder tout seuls, la grosse, répondirent ses jeunes frères.

Le visage rond de la jeune fille blêmit sous l'insulte. Rien ne la mortifiait autant que de se faire taquiner sur son embonpoint. Avant qu'une dispute n'éclate entre les trois garçons et leur sœur, Yvette Veilleux intervint.

— Vous trois, on vous demande pas votre avis, fit-elle sur un ton qui ne souffrait aucune contestation. Vous ferez ce que votre sœur vous dira de faire, vous m'entendez. Si vous écoutez pas, c'est à votre père que vous allez avoir affaire quand on va revenir.

Cette simple menace fit disparaître toute velléité de rébellion chez les plus jeunes de la famille. Un peu avant sept heures, Ernest alla atteler le berlot puis Yvette et Céline, chaudement emmitouflées, prirent place dans la voiture. Tous les trois quittèrent la maison, heureux de s'offrir une sortie.

Moins d'une heure plus tard, Léo et Jean-Paul profitèrent de la courte absence de leur gardienne, partie chercher de la laine dans sa chambre à coucher, à l'étage. Ils se glissèrent dans le salon, une pièce habituellement fermée durant la semaine et réservée uniquement, du moins depuis le jour de l'An, aux deux visites hebdomadaires de Clément Tremblay, le prétendant de Céline.

— Apporte une chandelle, on voit rien, ordonna Léo à son jeune frère.

Le cadet prit le bougeoir déposé en permanence sur une tablette près du poêle et alluma la chandelle. Les deux adolescents entrèrent dans la pièce plus par désœuvrement que dans un but précis. En passant près du piano droit installé au fond du salon, entre deux pots de fougère, Jean-Paul effleura doucement de la main le couvercle rabattu sur le clavier, geste qu'il ne se serait jamais permis si sa mère avait été là.

Le piano était la dot d'Yvette Veilleux. Depuis le jour où on avait déposé l'instrument dans le salon, trente et un ans auparavant, il était demeuré l'objet de la fierté de sa propriétaire, qui en avait toujours pris un soin jaloux. Pas question que les enfants y touchent. Elle était la seule à savoir en jouer, mis à part son aînée, Marcelle, qui avait été assez patiente pour apprendre avant d'entrer chez les religieuses. Bref, chez les Veilleux, il était strictement défendu de toucher à ce piano. On n'osait même pas s'asseoir sur le banc de chêne sous le couvercle duquel étaient soigneusement rangées les partitions. Les filles de la maison l'époussetaient avec soin chaque semaine et voyaient à ce que le napperon déposé sur le meuble soit bien blanc.

Ce soir-là, poussé par on ne sait quel démon, Léo souleva le couvercle du clavier.

— Ferme la porte du salon, chuchota-t-il à son frère. On va essayer le piano de m'man.

— Es-tu fou, toi ? fit l'autre, épaté par l'effronterie de son aîné.

— Énerve-toi donc pas, répondit Léo. On lui mangera pas son piano.

— Et Anne ? Elle va nous entendre.

— Mais non. Je jouerai pas fort. Elle est encore en haut.

Ce disant, l'adolescent se laissa tomber sur le banc et tendit la main pour installer le bougeoir à l'extrémité du clavier de manière à bien voir les touches blanches et noires de l'instrument. Jean-Paul s'assit à un bout du banc, prêt à regarder ce que son frère allait faire.

Deux minutes plus tard, la catastrophe se produisit sans que l'un ou l'autre des garçons puisse y faire grand-chose. Le bougeoir bascula et tomba sur le clavier, répandant de la cire chaude sur quelques notes en ivoire. Pire, la mèche ne s'éteignit pas sur le coup et provoqua un petit feu qui eut tout de même le temps de noircir quelques touches blanches. Les deux adolescents eurent beau se précipiter pour redresser le bougeoir, le mal était déjà fait.

— Aïe ! Regarde ce que t'as fait ! ne put s'empêcher de s'exclamer Jean-Paul qui avait quitté précipitamment le banc sur lequel il avait pris place un instant plus tôt.

Il y eut un bruit de pas dans la pièce voisine et la porte du salon s'ouvrit. Anne apparut dans l'embrasure, une lampe à huile dans une main.

— Qu'est-ce qui se passe ici? Qu'est-ce que vous faites dans le salon? demanda la jeune fille en s'approchant. Vous avez pas d'affaire à entrer ici. Je peux pas vous laisser une minute tout seuls sans que vous fassiez des niaiseries.

— Énerve-toi pas, on faisait rien de mal, se défendit Léo.

— En plus, vous avez touché au piano de m'man! s'écria la jeune fille. Attendez qu'elle apprenne ça! ajouta-t-elle sur un ton menaçant.

Léo allait rabattre le couvercle du clavier quand quelque chose attira l'attention de sa sœur.

— Attends une minute, toi, lui ordonna-t-elle en arrêtant son geste. Qu'est-ce qu'il y a, là?

Anne fit deux pas de plus et se pencha vers le clavier.

— C'est quoi, ça? fit-elle en pointant du doigt les notes abîmées.

— C'est juste un peu de cire. Si t'arrêtes de t'énerver pour rien, on va pouvoir l'ôter, lui dit Jean-Paul.

— C'est ça, va chercher de l'eau chaude et dépêche-toi, lui enjoignit sa sœur en déposant sa lampe à huile sur le piano.

Pendant que Jean-Paul allait imbiber d'eau chaude une serviette, Anne gratta délicatement du bout de l'ongle les gouttes de cire répandues sur les notes. Elle se rendit immédiatement compte que sur trois d'entre elles, l'ivoire avait été attaqué par la flamme de la chandelle.

— C'est pas vrai! Vous avez pas brûlé le piano de m'man! s'exclama la jeune fille, au bord de la panique. Ça part pas! C'est pas de la cire, ça, ajouta-t-elle à l'intention de Léo qui la regardait faire depuis quelques instants.

De fait, tous les efforts déployés par les deux garçons pour faire disparaître les brûlures furent totalement inutiles. La cire disparut, mais les brûlures demeurèrent d'autant plus visibles que le feu s'était attaqué aux notes blanches.

— Si on mettait un peu de peinture blanche, proposa Léo, en désespoir de cause.

— Ça tiendra pas, affirma Anne.

— Ce serait mieux que rien, en tout cas, dit l'adolescent en se dirigeant vers la sortie du salon. Il en reste dans l'armoire de la cuisine d'été.

— Vous faites ce que vous voudrez, dit Anne. Moi, je m'en lave les mains.

— C'est ça. Mêle-toi de tes affaires, lui conseilla son jeune frère. On va mettre un peu de peinture blanche et tout va être arrangé.

— Prends pas m'man pour une niaiseuse, le prévint sa sœur avant de quitter le salon. C'est sûr que demain, elle va s'en apercevoir quand elle va épousseter le salon. En tout cas, t'es mieux de faire ça vite, précisa-t-elle à Léo, ils sont à la veille de revenir.

Léo masqua du mieux qu'il put les dégâts avec un peu de peinture blanche. Même à la chétive lueur dispensée par une chandelle, il était visible que l'ivoire avait jauni avec le temps et les retouches de peinture blanche n'en étaient que plus évidentes. L'adolescent finit par rabattre le couvercle du clavier avant de quitter le salon où il regrettait amèrement d'avoir mis les pieds. Quand ses parents rentrèrent à la fin de la soirée, son jeune frère et lui étaient montés se coucher depuis un bon moment.

Le lendemain avant-midi, Yvette Veilleux, occupée à la préparation du dîner avec Anne, chargea Céline d'épousseter le salon où elle allait recevoir Clément le soir même.

— Fais pas les coins ronds, comme d'habitude, lui ordonna sa mère.

Durant quelques minutes, il n'y eut aucun bruit dans la maison. Les garçons étaient en train d'aider leur père à réparer un patin du berlot, dans la remise.

— M'man, quand vous aurez le temps, vous devriez venir jeter un coup d'œil à votre piano. Il y a quelque chose de pas normal, dit soudainement Céline qui venait de paraître à la porte du salon.

— Mon piano? Quoi? Qu'est-ce qu'il a? demanda sa mère avec un rien d'impatience dans la voix, en s'essuyant les mains sur son tablier.

Céline lui montra le clavier dont elle venait de relever le couvercle pour essuyer les notes de l'instrument.

— On dirait qu'il est arrivé quelque chose aux notes, répondit la jeune fille. La semaine passée, je les ai époussetées et elles étaient pas comme ça, il me semble.

Yvette se pencha sur le clavier et, n'en croyant pas ses yeux, passa le bout de ses doigts sur les touches en ivoire.

— Bonne sainte Anne! s'exclama-t-elle en pâlissant. Qu'est-ce qu'il y a eu là? C'est quoi qu'il y a là-dessus? demanda-t-elle en grattant du bout de l'ongle la peinture encore fraîche.

— Je sais pas, admit Céline, aussi surprise que sa mère.

— Mais on dirait bien que c'est brûlé!

Yvette, catastrophée, regarda Céline, puis Anne, qui venait d'entrer dans la pièce. Subitement, une lueur de compréhension s'alluma dans le regard de la mère de famille.

— Ce serait pas arrivé hier soir, par hasard? demanda-t-elle à Anne sur un ton menaçant.

— C'est pas ma faute, m'man. C'est Léo, avoua piteusement l'adolescente. Pendant que j'étais allée en haut chercher quelque chose, il est entré dans le salon avec Jean-Paul et il a échappé la chandelle sur le clavier.

— Des plans pour mettre le feu à la maison! s'écria sa mère en posant sur sa poitrine une main crispée. Attends que je lui parle, lui! Il est dans la remise, va me le chercher!

Anne se précipita dans la cuisine d'été dont elle ouvrit la porte pour héler son frère. Ce dernier entra dans la maison en se traînant les pieds.

— M'man veut te parler. Elle est dans le salon, lui expliqua Anne avant de s'esquiver dans la cuisine d'hiver.

Quand Léo pénétra dans le salon, sa mère était penchée sur le clavier de son piano. C'était une catastrophe. Il y avait tant de beaux souvenirs rattachés à cet instrument… Et tout ça gâché par un enfant désobéissant! Elle en avait les larmes aux yeux. Comment réparer les dégâts maintenant?

— Oui, m'man. Qu'est-ce qu'il y a? demanda Léo sur un ton cavalier en s'approchant de sa mère.

Il n'eut pas le temps d'ajouter un seul mot. Furieuse de ne percevoir aucun remords chez l'adolescent, sa mère se tourna d'un bloc vers lui et lui assena une gifle magistrale qui faillit le jeter par terre, tant elle y avait mis de la force et de la rage.

— T'as vu ce que t'as fait à mon beau piano, maudite tête folle? Disparais avant que je t'étripe.

Léo, le visage en feu, sortit de la pièce en se tenant la joue où les cinq doigts de la main droite de sa mère étaient clairement imprimés. De toute évidence, le garçon de treize ans mettait tout son orgueil à ne pas pleurer. Il monta dans sa chambre d'où il ne sortit que pour dîner. Quand il prit place à table, son père lui jeta un regard mauvais sans faire quelque commentaire que ce soit à la vue de sa joue enflée. Selon toute vraisemblance, Yvette avait eu le temps de lui raconter ce qui s'était passé.

La semaine suivante, la température s'adoucit quelque peu, mais il neigea pratiquement chaque jour. Le ciel uniformément gris avait un effet déprimant sur les gens qui commençaient à trouver l'hiver exagérément long.

Au presbytère de Saint-Jacques-de-la-Rive, Agathe Cournoyer abandonna un court instant sa cuisine pour aller répondre au coup de sonnette impératif à la porte d'entrée. Philibert Dionne lui tendit un paquet dès qu'elle lui ouvrit.

— Bonjour, madame Cournoyer, dit le postier, toujours aussi affable. J'ai des lettres pour monsieur le curé et un paquet pour l'abbé Martel. Voulez-vous signer pour le paquet?

— Entre, Philibert. Tu fais geler tout le presbytère, fit la vieille dame en laissant entrer le postier dans le couloir. Mets pas de neige sur mon plancher, par exemple.

— Ayez pas peur, madame Cournoyer, répondit le postier en tirant un crayon de l'une des poches de son épais paletot. Je sais pas ce que c'est, mais ce paquet-là est pas tellement pesant, ajouta le petit homme replet au visage enluminé.

— Merci, Philibert, dit la vieille dame en s'emparant du paquet et des lettres après avoir signé.

Elle ouvrit la porte pour laisser sortir le postier.

— Je vois que tu passes encore la malle avec ton traîneau à chiens, commenta-t-elle en voyant l'attelage devant le presbytère.

— Pas le choix. Il y a des rangs trop mal nettoyés et je pourrais pas passer avec un cheval. Bon, je vous laisse. Je suis pas en avance.

Dès qu'elle eut refermé la porte, la servante du curé Lussier regagna sa cuisine après avoir laissé les lettres et le paquet sur la petite table du couloir.

Quelques minutes plus tard, Antoine Lussier sortit de son bureau et, comme d'habitude, prit son courrier sur la table en passant. Son attention fut tout de suite attirée par le paquet destiné à son vicaire. Il le soupesa, le secoua et le tâta même pour tenter de deviner ce qu'il pouvait bien contenir. C'était rigide et cela rendait un son métallique. D'un naturel curieux, le pasteur de Saint-Jacques-de-la-Rive aurait bien aimé savoir immédiatement qui était l'auteur de cet envoi et surtout, ce que le paquet contenait. Il se promit de sonder son vicaire quelques minutes plus tard, durant le dîner.

À l'appel de Gabrielle Paré, les deux prêtres se présentèrent en même temps à la salle à manger. L'abbé Martel, toujours aussi distrait, faillit d'ailleurs rater une marche de l'escalier en finissant de lire une lettre en descendant de l'étage.

— Vous feriez bien mieux de regarder où vous mettez les pieds, l'abbé, plutôt que de lire quand vous marchez, le tança son curé qui l'avait vu sur le point de perdre l'équilibre. Un vicaire avec une jambe dans le plâtre est pas bien utile dans une paroisse comme Saint-Jacques.

Le jeune prêtre sursauta en entendant son supérieur.

— Oui, vous avez raison, monsieur le curé, reconnut-il en toute humilité.

— Pendant que j'y pense, il y a un paquet laissé pour vous par le facteur. Il est sur la petite table du couloir.

— Merci, monsieur le curé. Je le prendrai après le repas.

— Vous avez bien le temps de l'ouvrir avant de passer à table, lui suggéra Antoine Lussier. On sait jamais, c'est peut-être quelque chose qui peut se gâter.

— Ça me surprendrait, fit le vicaire en poussant la porte de la salle à manger et en s'effaçant pour laisser passer son supérieur devant lui.

Mais le curé Lussier s'était subitement arrêté.

— Vous êtes pas plus curieux que ça de voir ce qu'on vous a envoyé?

— N… non, répondit, le jeune prêtre à la mince chevelure blonde strictement séparée par une raie.

— En tout cas, l'abbé, on n'est pas fait pareils tous les deux, rétorqua le curé Lussier, exaspéré par l'impassibilité de son subalterne. Moi, ça me fatigue de pas savoir ce que contient un paquet.

Le vicaire sembla subitement saisir le message de son curé.

— Vous avez probablement raison, monsieur le curé. Je ferais peut-être mieux d'ouvrir ce paquet-là avant de dîner.

Il laissa passer devant lui son curé et il retourna sur ses pas pour s'emparer du paquet qu'il apporta dans la salle à manger. Sous les yeux intéressés d'Antoine Lussier, le vicaire déchira le papier brun qui enveloppait le tout pour mettre à jour trois boîtes métalliques identiques d'une dizaine de pouces de côté par moins d'un pouce d'épaisseur. Le curé, déjà assis au bout de la table, chaussa ses lunettes pour mieux voir. Il était beaucoup plus intéressé par les trois boîtes que par la soupière fumante que Gabrielle Paré avait déposée au centre de la grande table de chêne quelques instants plus tôt.

Pendant que son supérieur examinait le contenu du paquet, Alexandre Martel lisait la brève missive qui accompagnait l'envoi. Il replia la lettre et l'enfouit dans l'une des poches de sa soutane avec un grand sourire avant de repousser les boîtes sur un coin de la table. Il s'assit. Les deux ecclésiastiques récitèrent le bénédicité.

— Puis? demanda Antoine Lussier.

— Ça vient de mon cousin Armand. C'est un cadeau qu'il me fait.

— Il y a quoi dans ces boîtes-là?

— Des cigarettes, monsieur le curé. Ces sont des boîtes de cent cigarettes Sweet Caporal.

— Il est riche, votre cousin?

— Non, il travaille pour la compagnie, à Montréal. Il a pensé me faire plaisir en m'envoyant ça.

— Mais vous fumez même pas!

— Je fume pas la pipe, mais j'ai longtemps fumé la cigarette, monsieur le curé.

— Première nouvelle, fit le vieux prêtre, grand fumeur de pipe.

— Un vice caché, précisa l'abbé Martel avec un petit rire.

— Vous devez avoir arrêté depuis longtemps, je vous ai jamais vu avec une cigarette, lui fit remarquer son supérieur d'un air suspicieux.

— Je me vois pas traîner du papier Zig-Zag et un paquet de tabac, et me mettre à rouler une cigarette devant les gens. Les cigarettes toutes faites coûtent trop cher, avoua le vicaire.

— Vous faites bien, l'abbé, l'approuva Antoine Lussier en se servant enfin un bol de soupe. Moi, j'ai toujours trouvé que ça faisait pas mal... pas mal efféminé de fumer une cigarette. Un vrai homme, ça chique ou ça fume la pipe ou le cigare. En plus, la cigarette, ça goûte rien.

Le reste du repas se prit dans le silence. Après, les deux hommes se dirigèrent vers le salon attenant à la salle à manger. Le curé Lussier s'empressa d'allumer sa petite pipe recourbée pendant que son vicaire enlevait les scellés sur l'une des boîtes et ouvrait cette dernière. L'abbé Martel souleva le fin papier en aluminium pour découvrir deux rangées de cylindres blancs remplis de tabac blond. Après avoir admiré le contenu de la boîte durant un court instant, il se décida à en tirer une fine cigarette qu'il alluma avec une allumette prise dans la boîte déposée sur une table basse. Les yeux à demi fermés, le jeune vicaire inhala sa première bouffée avec un profond soupir de contentement.

— Votre tabac sent drôle, l'abbé, lui fit remarquer le curé Lussier en déposant sa pipe dans le cendrier posé devant lui. Est-ce qu'il est fort ?

— Non, monsieur le curé. C'est un tabac pas mal doux, répondit le vicaire, trop inattentif pour remarquer l'appel du pied de son supérieur.

— Il brûle pas la langue ?

— Non.

— Donnez-moi donc une de vos cigarettes, l'abbé, finit par lui demander carrément son supérieur, désireux de goûter à autre chose qu'à l'âpre tabac du pays qu'il hachait lui-même pour sa pipe.

— Avec plaisir, monsieur le curé, dit le jeune prêtre plein de bonne volonté en lui tendant la boîte de Sweet Caporal. Je vous en avais pas offert parce que je pensais que vous préfériez la pipe.

— C'est vrai, mais je suis curieux de savoir quel goût ça peut avoir, avoua Antoine Lussier en allumant une cigarette à son tour.

Le prêtre la fuma en silence, sans rien dire, jusqu'au moment où il éteignit son mégot dans le cendrier.

— Qu'est-ce que vous en pensez, monsieur le curé ?

— Bah ! C'est pas mauvais, mais je trouve que ça a pas grand goût en comparaison avec une bonne pipe.

Quelques minutes plus tard, l'abbé Martel sortit du salon, apportant avec lui deux des boîtes de cigarettes offertes par son cousin. Il alla les déposer dans sa chambre à coucher avant de quitter le presbytère pour sa visite heb-domadaire à l'école du village. Il avait laissé sa troisième boîte de Sweet Caporal sur la table du salon.

Il fallut moins de cinq jours pour vider cette boîte de cent cigarettes de son contenu. Comme le vicaire n'était qu'un fumeur occasionnel, il dut se rendre à l'évidence : quelqu'un se servait sans retenue dans sa provision de ciga-rettes. À moins que la jeune servante se soit mise à fumer en cachette, la seule autre possibilité était que son curé les appréciait de plus en plus. Pourtant, il ne se rappelait pas l'avoir vu en fumer. Il décida d'en avoir le cœur net.

— Monsieur le curé, dit-il à son supérieur cet après-midi-là avec une mine de conspirateur, je pense que l'une ou l'autre de nos servantes fume en cachette.

— Pourquoi dites-vous ça, l'abbé ? demanda Antoine Lussier en fermant son bréviaire.

— Vous me croirez pas, mais la boîte de Sweet Caporal que j'ai laissée sur la table du salon est déjà vide et ça fait même pas cinq jours que je l'ai ouverte. J'ai dû fumer moins d'une dizaine de cigarettes depuis ce temps-là. Il y en avait cent dans la boîte.

Le visage du curé Lussier rougit légèrement, mais il ne dit rien.

— Il faut bien que ce soit madame Cournoyer ou Gabrielle, monsieur le curé. Vous, vous aimez mieux la pipe.

Antoine Lussier se racla la gorge d'un air embarrassé avant d'avouer un peu piteusement :

— Ne les accusez pas, l'abbé. Je pense que c'est moi qui ai fumé toutes vos autres cigarettes. Avant que vous me le fassiez remarquer, j'avais pas l'impression d'en avoir tant fumé. C'est traître, la cigarette. C'est tellement faible qu'on peut en fumer plusieurs sans s'en rendre compte. En plus, on y prend goût sans bon sens. Je m'excuse d'avoir fumé votre provision.

— Ah! c'est vous. Vous avez bien fait, monsieur le curé, reprit l'abbé Martel, sur un ton qui trahissait un certain inconfort. Je suis content que vous les aimiez.

— Vous êtes bien généreux, l'abbé. Vous êtes chanceux que votre cousin vous ait envoyé trois boîtes de cigarettes. Trois boîtes, ça fait beaucoup de cigarettes.

Le vicaire comprit à demi-mot le message de son supérieur. Le soir même, une seconde boîte de Sweet Caporal remplaça la boîte métallique vide sur la table basse du salon.

~

Le lendemain, à la messe, le curé Lussier annonça aux fidèles que le carême commencerait dans trois jours et que l'imposition des Cendres se ferait, comme chaque année, lors d'une brève cérémonie, durant l'après-midi. Ensuite, le prêtre consacra son sermon à l'importance des deux courtes retraites de trois jours qu'un père dominicain allait venir prêcher dans la paroisse dès le second soir du carême. La première, réservée aux femmes, allait durer du jeudi au samedi suivant; tandis que la seconde, celle des hommes, ne débuterait que le lundi. Le curé de la paroisse de Saint-Jacques-de-la-Rive insista lourdement sur la nécessité d'être présent à la retraite. À son avis, c'était un devoir de chrétien.

Deux jours plus tard, à la fin de l'après-midi, Gabrielle Paré alla accueillir à la porte du presbytère un grand religieux portant une petite valise. Le prêtre demanda à parler au curé Lussier. La jeune fille s'empressa d'aller prévenir le curé après avoir fait passer le visiteur au salon et l'avoir débarrassé de son manteau et de son chapeau.

L'ecclésiastique était si maigre qu'il semblait flotter dans sa soutane. Sa longue figure ascétique était surmontée de cheveux poivre et sel coiffés au cordeau. Des lunettes à fine monture métallique conféraient à l'ensemble de sa physionomie un air froid et peu commode.

— Bonjour. Je suis Antoine Lussier, le curé de Saint-Jacques, fit-il en pénétrant dans le salon, la main tendue et le visage éclairé par un large sourire.

Le prêtre se leva et serra la main du curé.

— Père Anatole Lelièvre. On m'a demandé de venir prêcher la retraite chez vous.

— Vous êtes le bienvenu. On vous attendait. Ma cuisinière va vous montrer votre chambre. Vous avez amplement le temps de vous installer, nous ne soupons qu'à six heures.

— Merci, monsieur le curé.

Dès le premier soir, le curé Lussier et l'abbé Martel se rendirent compte que le père Lelièvre était tout, sauf familier. Il regardait son entourage comme s'il s'apprêtait à le disséquer. Froid, il semblait absolument dépourvu de tout humour et sa seule présence dans une pièce engendrait une sorte de malaise perceptible.

Le lendemain, après avoir officié la cérémonie des Cendres, Antoine Lussier et son vicaire décidèrent de s'accorder une courte pause dans le salon avant le souper. Ils y trouvèrent leur invité en train de lire ce qui était probablement des notes qui allaient servir à la première rencontre de la retraite destinée aux femmes, le lendemain soir. Antoine Lussier n'était pas particulièrement de bonne humeur après avoir remarqué que l'assistance à l'imposition des Cendres n'était pas aussi importante que celle des années passées.

En mettant les pieds dans le salon, il se dirigea immédiatement vers la boîte de Sweet Caporal et il y prit une cigarette avant de la tendre à l'abbé Martel.

— Excusez-moi, l'abbé, je fais comme si ça m'appartenait, fit le sexagénaire.

— Je vous en prie, monsieur le curé. J'ai laissé la boîte sur la table pour que vous vous serviez.

Le vicaire tendit la boîte au père Lelièvre qui eut une moue de dégoût en la repoussant.

— J'espère que vous allez cesser de fumer pendant le carême, dit-il sèchement aux deux prêtres. Ça devrait être votre première résolution, ajouta le dominicain, raide comme un coup de trique.

Le visage du curé Lussier s'empourpra sous l'effet de la colère. Il n'était pas prêt à recevoir des leçons d'un dominicain qu'il ne connaissait même pas la veille. Un parfait inconnu n'allait pas venir lui dire quoi faire dans son propre presbytère.

— Aïe, père Lelièvre! gronda le curé, gardez vos sermons pour mes paroissiens. C'est pour ça qu'on vous a invité à Saint-Jacques. Quand je voudrai vos conseils, je vous les demanderai!

La réplique d'Antoine Lussier avait claqué dans le salon comme un coup de fusil. Sous l'effet de la surprise, l'abbé Martel faillit échapper la boîte de cigarettes qu'il tenait encore dans les mains. Il s'empressa de la déposer sur la table avant d'allumer sa première cigarette de la journée. Pour sa part, le dominicain se contenta de hocher la tête à la fin de la réprimande du curé et il quitta la pièce après avoir ramassé ses feuilles de notes.

∽

Le soir du mercredi des Cendres, après le souper, Thérèse Tremblay fit comme chaque année : elle s'informa auprès des siens pour connaître leur résolution du carême.

— Mais m'man, protesta Claire, vous trouvez pas que c'est personnel, la promesse qu'on fait pour le carême?

— Je le sais, répondit la mère de famille en adressant à son aînée un regard sévère. Si je m'informe, ma fille, c'est pour vous rappeler à l'ordre quand vous oublierez votre promesse.

La jeune femme poussa un léger soupir d'exaspération avant de répondre:

— J'ai promis de pas manger de sucré.

— Et toi, Gérald?

— Je vais attendre après Pâques pour commencer à fumer la pipe, m'man.

— Et vous autres? demanda Thérèse à Aline, Jeannine et Lionel. Ça vous tenterait pas de promettre d'aller à la messe tous les matins? leur suggéra leur mère.

— P'pa a besoin de moi pour le train, répondit le garçon. Je pense que, moi aussi, je vais juste me priver de sucré.

— Aline?

— Moi, j'ai promis de pas manger de dessert et d'aller à la messe tous les matins.

— Moi, je vais faire la même chose qu'elle, dit la petite Jeannine, à son tour.

— C'est correct.

— Et toi, Clément? Tu pourrais peut-être aller veiller avec ta Céline seulement le samedi soir, lui suggéra sa mère le plus sérieusement du monde.

— Ben non, m'man, protesta Clément. La résolution de ma blonde pendant le carême, c'est de m'endurer deux fois par semaine.

— Je te parle sérieusement, Clément, le tança sa mère.

— Je le sais, m'man. J'ai promis de pas fumer du carême.

— Tu vas faire la même chose, Eugène ? demanda sa femme en se tournant vers son mari, qui était resté impassible tout au long de l'interrogatoire.

— Pantoute.

— C'est quoi, ta résolution ?

L'homme à la stature imposante se leva avec un air mystérieux et s'approcha de sa femme. Il se pencha un bref instant vers elle pour lui chuchoter quelques mots à l'oreille. Thérèse Tremblay rougit violemment et repoussa son mari du plat de la main.

— Espèce de vieux vicieux ! murmura-t-elle entre ses dents, furieuse, avant de lui tourner le dos.

— Et vous, m'man ? Est-ce qu'on peut savoir ce que vous avez promis ? osa lui demander son fils Clément pour la taquiner.

— Tu sauras que j'ai fait deux promesses. J'ai promis de pas manger de sucré du carême et j'ai aussi promis de vous endurer.

Clément se tourna vers son frère Gérald pour lui dire :

— Ouais. J'ai l'impression que le carême va être pas mal long cette année.

— Pourquoi tu dis ça ?

— Parce qu'il y aura pas moyen d'avoir un dessert dans la maison pendant tout ce temps-là. M'man, Claire et Aline ont promis de pas manger de sucré. Ça veut dire qu'elles feront pas de dessert pendant tout le carême. Ça veut dire qu'on va être obligés, nous autres aussi, de pas manger de sucré. Ça, c'est plate.

～

Le lendemain soir, les paroissiennes s'entassèrent dans l'église un peu avant dix-neuf heures pour le début de leur retraite annuelle. Durant deux longues heures, le père Lelièvre leur parla avec virulence de toutes les formes que prenait le péché et il les terrorisa en leur décrivant abondamment les châtiments éternels de l'enfer. À ses yeux, le moindre plaisir de la vie dissimulait le vice. De toute évidence, le Dieu de bonté et de pardon n'existait pas dans son vocabulaire. À la fin de cette première rencontre, il annonça que le sermon du lendemain serait consacré au péché de la chair et aux devoirs de la femme mariée. Après une courte prière, le dominicain quitta la chaire et gagna la sacristie, laissant derrière lui des chrétiennes moins assurées que jamais d'être sur la voie du salut.

— Il est bien bête, ce prêtre-là, murmura Thérèse à Yvette Veilleux en sortant de l'église.

— Ma foi du bon Dieu, je pense qu'il est pire que le prédicateur de l'année passée, ajouta cette dernière.

— J'ai pas hâte de l'entendre demain soir, continua la voisine. Le péché de la chair ! Les devoirs de la femme mariée ! Il y a des fois que je me demande ce qu'un prêtre peut bien savoir de tout ça.

— Si le curé Lussier t'entendait, fit Yvette en pouffant... En tout cas, il faut pas que je parle de ce père-là à mon mari : il voudra jamais venir à la retraite des hommes, la semaine prochaine. Chaque année, c'est la croix et la bannière pour l'obliger à venir. Il faut presque que je me batte avec lui pour qu'il se change après le souper et vienne à l'église.

— Eugène non plus aime pas tellement ça, rétorqua Thérèse. Il dit toujours qu'il aime mieux dormir dans sa chaise berçante que de venir ronfler sur un banc d'église pendant la semaine. Il trouve ça plus confortable.

— Ils sont bien tous pareils ! conclut Yvette Veilleux.

Pourtant, en ce début de mars 1923, le sort allait faire en sorte qu'Ernest Veilleux n'aurait pas à participer à la retraite des hommes qu'il détestait tant.

Le samedi matin, après le déjeuner, le cultivateur chargea Jean-Paul et Léo de nettoyer l'étable et il partit avec ses fils Jérôme et Adrien pour le boisé situé au bout de sa terre, dans l'intention d'aller bûcher. Adrien n'avait jamais accompagné son père dans le bois en hiver et il n'avait pas cessé de le harceler pour qu'il l'emmène avec lui ce matin-là. Le petit garçon de neuf ans lui avait promis de se rendre utile.

— On n'attellera pas à matin, annonça Ernest à ses deux enfants. On va faire comme hier, on va bûcher cet avant-midi et cet après-midi, et on y retournera plus tard avec le traîneau pour rapporter le bois.

Sur ces mots, le cultivateur et ses fils prirent leurs raquettes qu'ils ne chausseraient que dans le bois et se dirigèrent vers le boisé très visible de l'arrière de l'étable. Le chemin bien balisé et tapé par le va-et-vient presque quotidien du traîneau et des chevaux depuis le mois de décembre ressemblait à un large sillon à travers le champ s'étendant devant eux.

Ce matin-là, le ciel ne présentait que quelques nuages poussés vers l'est par le vent, celui-là même qui soulevait de légers tourbillons de neige autour des marcheurs.

— Monsieur Tremblay s'en va bûcher lui aussi avec Clément, Gérald et monsieur Pierri, fit remarquer Jérôme à son père en pointant son doigt vers la terre voisine où un attelage se dirigeait à pas lents vers la forêt.

— Je suis pas aveugle, laissa tomber Ernest Veilleux en ne se donnant même pas la peine de regarder dans la direction indiquée par son fils.

Lorsque les Veilleux arrivèrent à l'orée du boisé, ils chaussèrent leurs raquettes avant de s'engager au milieu des arbres. S'ils n'avaient pas pris cette précaution, ils se seraient enfoncés dans la neige jusqu'aux genoux. Dans l'air froid de ce matin de mars, ils entendaient presque clairement la voix d'Eugène Tremblay qui, pourtant, se trouvait à quelques arpents d'eux. Après avoir parcouru une quarantaine de pieds, Ernest indiqua à Jérôme deux ou trois pins qu'il voulait le voir abattre.

— Crie au cas où je serais proche quand tu seras prêt à faire tomber le premier, prit-il la précaution de lui dire avant de s'éloigner en compagnie d'Adrien. Moi, je vais m'occuper d'un érable malade un peu plus loin. Ça sert à rien de le laisser debout. Il donnera plus de sirop. Il a l'air mort. Je vais t'avertir quand il sera prêt à tomber.

Ernest Veilleux s'éloigna lentement sur la droite, laissant derrière lui l'adolescent donnant déjà ses premiers coups de hache au pin. Arrivé devant l'érable malade, Ernest prit la peine de prévenir le petit Adrien.

— Tu vas te tenir loin en arrière de moi pendant que je bûche, expliqua-t-il. Quand l'arbre sera à terre, tu t'occuperas des branches que j'aurai coupées. T'auras juste à en faire une pile.

L'enfant acquiesça et s'éloigna de plusieurs pieds de son père. Quelques instants plus tard, les coups de hache du père répondaient à ceux de Jérôme et lui faisaient contrepoint. L'expérience de l'homme ne l'avait pas trompé : l'érable était bel et bien mort, mort au point que son cœur était pourri. Par conséquent, le bois de l'arbre fut beaucoup plus facile que prévu à entamer à la hache.

Bien campé sur ses raquettes, Ernest s'attaqua d'abord à un côté du fût, puis il se mit à frapper le côté opposé, dans la direction où il voulait voir tomber l'érable. Sous les ahanements du bûcheron, les éclats de bois se mirent à voler dans toutes les directions. Au moment où il allait s'écarter et crier pour prévenir son fils qu'un arbre allait s'écraser bientôt, l'érable gigantesque, frappé à mort, fit entendre un craquement sinistre et s'abattit si rapidement qu'Ernest Veilleux n'eut même pas le temps de se mettre entièrement à l'abri. Il eut beau se jeter de toutes ses forces en arrière pour éviter l'énorme tronc, ce dernier fondit sur lui en lui coinçant les jambes. L'homme disparut sous le nuage de neige soulevé par la chute de l'arbre.

Il y eut d'abord un grand silence parce que Jérôme avait cessé de manier sa hache, surpris de ne pas avoir été prévenu par son père de la chute de l'arbre. Au bout d'un long moment, l'adolescent finit par trouver anormal de ne plus rien entendre et il abandonna son pin pour suivre les traces de raquettes laissées par son père et son jeune frère. Il n'eut pas à aller très loin. Soudain, il aperçut l'érable abattu, mais il ne vit ni Adrien ni son père qui aurait déjà dû être en train de l'ébrancher.

— P'pa! Adrien! cria l'adolescent. Où est-ce que vous êtes?

Jérôme répéta son cri à plusieurs reprises tout en faisant le tour de l'arbre dans l'espoir de retrouver des pistes de raquettes quand il entendit un gémissement tout près de lui. Affolé, il se mit à chercher frénétiquement au milieu des branches enchevêtrées. C'est ainsi qu'il découvrit la figure de son père qui saignait abondamment.

L'adolescent se précipita pour dégager son père qui semblait avoir perdu conscience après avoir gémi.

— Où est Adrien, p'pa? s'écria-t-il. Je le vois pas!

Son père ne répondit pas.

— Adrien! Adrien! cria-t-il plusieurs fois tout en tentant de dégager son père inerte de sous l'arbre.

Jérôme se rendit vite compte qu'il lui était absolument impossible de sortir son père et peut-être son jeune frère de là sans aide. Il ne pouvait soulever l'arbre à lui seul, et le débiter lui prendrait trop de temps. Au bord de la panique, l'adolescent se mit à regarder partout autour de lui, à la recherche d'une solution. Ce n'est qu'à ce moment-là qu'il entendit au loin des coups de hache qui lui rappelèrent la présence des Tremblay.

— Au secours! Au secours! hurla-t-il à pleine voix en se mettant en marche en direction de la terre des Tremblay.

Ses appels répétés furent entendus parce que les bruits de hache cessèrent presque aussitôt.

— Qu'est-ce qu'il y a? demanda une voix au loin.

— Un arbre est tombé sur mon père et sur mon frère, cria Jérôme. Venez m'aider.

— Bouge pas, on arrive, fit une voix que Jérôme crut être celle de Clément, l'ami de sa sœur Céline.

— Gérald, tu vas aller au traîneau et ramener les chevaux jusqu'à la route, ordonna Eugène Tremblay à son fils. Essaye pas de passer à travers le champ, tu vas caler. Ensuite, va jusque chez les Veilleux et prends leur chemin derrière leur étable pour t'en venir jusqu'au bois. Nous autres, on va essayer de ramener le bonhomme Veilleux et son garçon au traîneau s'ils sont blessés. Surtout, avertis pas madame Veilleux en passant proche de la maison, ça ferait juste l'énerver pour rien. On sait même pas encore ce qu'ils ont tous les deux.

L'adolescent s'empressa de retourner au traîneau pendant que son père, Bruno Pierri et Clément se mettaient en marche vers le secteur du bois des Veilleux. De temps à autre, Clément criait pour que Jérôme les guide de la voix.

En quelques minutes, les trois hommes parvinrent à rejoindre Jérôme à genoux près de son père, toujours emprisonné sous l'arbre abattu. Ce dernier avait repris conscience, mais il geignait.

— Christ que ça fait mal! J'en peux plus. Faites ça vite! supplia-t-il les nouveaux arrivés.

— Où est la scie ? demanda Eugène à l'adolescent sans s'occuper des plaintes du blessé.

Jérôme la lui indiqua de la main.

— Bon. Le seul moyen de le sortir de là est de scier cette section-là de l'arbre, déclara le voisin. Clément, tu vas m'aider à le faire. Ça devrait pas être long ; cet arbre-là m'a l'air à moitié pourri.

— T'as crié qu'un de tes frères était en dessous, reprit Clément. Où est-ce qu'il est ?

— Je le sais pas, je l'ai pas trouvé, dit Jérôme dont le désespoir perçait dans la voix.

— C'est lequel de tes frères ? demanda Clément en commençant à scier.

— Adrien.

— Le petit ? Qu'est-ce qu'il faisait avec vous autres dans le bois ?

— Il voulait absolument venir.

Pendant cet échange, Bruno Pierri s'était éloigné et s'était mis à faire le tour de l'arbre en explorant les lieux avec soin. Soudain, l'homme âgé d'une quarantaine d'années se figea avant de se jeter à genoux près d'une maîtresse branche de l'arbre abattu.

— *Santa Madona !* s'écria-t-il en se mettant à dégager à toute allure avec les mains ce qui ne sembla d'abord qu'un tas de chiffons. Viens m'aider, ordonna-t-il à Jérôme occupé à regarder Clément et son père en train de scier.

Les Tremblay cessèrent immédiatement de scier pour rejoindre le voisin toujours à genoux dans la neige. Tous les quatre unirent leurs efforts pour soulever la maîtresse branche sous laquelle gisait le petit Adrien.

— Doucement ! recommanda Bruno en dégageant le petit garçon avec l'aide de Clément.

— Il bouge pas ! dit Jérôme, alarmé. Il bouge pas, répéta-t-il.

— Il respire, dit Clément en se penchant au-dessus du petit blessé. Il est peut-être juste assommé.

— Bruno, prends-le et va le porter dans le traîneau, dit Eugène, bouleversé. Gérald doit être arrivé au bord du bois. Clément va m'aider à sortir son père de dessous l'arbre.

Bruno Pierri prit le petit garçon dans ses bras avec mille précautions et se dirigea seul vers l'orée du boisé.

Sans perdre un instant, Eugène et son fils se remirent à scier une partie du fût. En quelques minutes, ils furent en mesure de soulever cette section de l'arbre et de dégager Ernest Veilleux à demi enfoncé dans la neige sous le poids de l'érable. Ils finissaient au moment où Gérald arriva, essoufflé, près d'eux.

— Ça y est, p'pa. Le traîneau est à une trentaine de pieds, sur le bord du bois. Monsieur Pierri est resté là-bas avec le petit. Il dit de faire ça vite parce qu'il bouge pas.

— C'est correct. On va d'abord voir comment on peut transporter son père sans trop lui faire mal.

Eugène Tremblay se pencha sur celui à qui il n'avait pas parlé depuis plus de trente ans. Ernest Veilleux avait ouvert les yeux. Il avait le visage blanc et couvert de sueur. Il claquait des dents.

— Peux-tu me dire où t'as mal ? lui demanda Eugène.

— À la jambe. Jésus-Christ ! Faites quelque chose ! Sortez-moi de là avant que je crève.

— Énerve-toi pas. On s'occupe de toi, le rassura son voisin.

— Il est chanceux d'avoir été frappé juste par une branche. Je pense qu'il serait mort si le tronc l'avait pogné d'aplomb, ajouta Eugène à voix basse à l'intention de Clément.

Clément regarda les jambes du père de Céline. La jambe droite semblait avoir pris un angle étrange.

— Qu'est-ce qu'on fait, p'pa ?

— Il y a pas autre chose à faire que de le soulever doucement et le porter jusqu'au traîneau. À quatre, on est capables de pas trop le brasser.

Le blessé perdit conscience durant son transport jusqu'au traîneau, malgré toutes les précautions prises par les secouristes. À leur arrivée au lourd véhicule, ils trouvèrent un Bruno Pierri dans tous ses états. Eugène et ses aides étendirent Ernest Veilleux du mieux qu'ils pouvaient à côté de l'Italien qui tenait dans ses bras le petit Adrien.

— On dirait qu'il a de la misère à respirer, chuchota l'Italien à Eugène sur un ton inquiet, en montrant l'enfant qui gémissait doucement.

Le cœur serré à lui faire mal, Eugène s'approcha et se pencha au-dessus du petit :

— Où est-ce que t'as mal, petit ? demanda-t-il à Adrien.

Les yeux fermés, l'enfant n'eut qu'une plainte sourde.

— J'aime pas ça pantoute, dit le cultivateur, la gorge sèche, à Pierri.

— Qu'est-ce qui se passe ? demanda Jérôme qui tenait le cheval pour l'empêcher de bouger.

— Rien, lui mentit Clément.

— Clément, conduis le Noir ben lentement, commanda son père. Nous autres, on va s'organiser pour que les blessés en arrachent pas trop dans le traîneau.

Clément Tremblay eut beau conduire très lentement l'attelage, les cahots du sentier arrachèrent plus d'un cri de douleur à Ernest Veilleux, des cris assortis de blasphèmes qui auraient scandalisé le curé Lussier.

Lorsque l'attelage arriva derrière son étable, le cultivateur sembla sortir de son abrutissement et demanda brusquement en tournant la tête dans toutes les directions :

— Où est le petit ?

— Il est ici, répondit Bruno Pierri qui tenait l'enfant dans ses bras.

— Est-ce qu'il est correct? demanda Ernest, soudain angoissé.

— On le sait pas encore, monsieur Veilleux. À première vue, il a pas l'air d'avoir un membre cassé.

— Et moi?

— Vous? On dirait que vous avez une jambe brisée.

— Et ça fait mal en sacrement! jura le blessé avec une grimace de douleur.

— On arrive à la maison, annonça Jérôme pour apaiser son père.

— Et on va aller chercher Courchesne à Pierreville en arrivant, ajouta Eugène.

L'attelage contourna l'étable et s'arrêta une centaine de pieds plus loin, près de l'escalier qui conduisait à la galerie. À l'intérieur, Yvette Veilleux se précipitait déjà vers la porte. Par la fenêtre, elle venait d'apercevoir son mari et son plus jeune fils étendus dans le traîneau. La porte s'ouvrit brusquement devant Eugène Tremblay. Céline et Anne se bousculaient derrière leur mère.

— Je te l'avais dit que j'avais vu passer un traîneau dans notre cour tout à l'heure, dit Yvette, alarmée, à sa fille Céline.

— C'était Gérald, lui expliqua le voisin tout en empêchant les trois femmes de s'élancer dehors. Il est passé par chez vous pour venir nous aider à transporter votre mari et votre petit gars, madame Veilleux.

— Qu'est-ce qui leur est arrivé? demandèrent Yvette et ses filles en même temps, cherchant à voir les blessés toujours étendus dans le traîneau.

Eugène leur fit un signe apaisant en les repoussant doucement à l'intérieur et en refermant la porte derrière lui.

— Mon Dieu! Qu'est-ce qui est arrivé? répéta Yvette, maintenant au comble de l'affolement.

— Du calme! lui ordonna sèchement son voisin.

— Qu'est-ce qu'ils ont tous les deux? reprit Céline, aussi inquiète que sa mère.

— Un arbre leur est tombé dessus. On est arrivés juste à temps pour les sortir de là, expliqua le voisin.

— Ils sont morts! cria Yvette en se précipitant sur son manteau suspendu derrière la porte.

— Non, non! fit Eugène. Arrêtez de vous énerver comme ça. Ils sont juste blessés.

— Et Adrien?

— Lui aussi, madame Veilleux. Mais je suis pas docteur, je sais pas ce qu'il a exactement.

— Je lui avais dit aussi de pas l'emmener dans le bois, que c'était pas une place pour un enfant de neuf ans, dit-elle, bouleversée.

— Ça sert à rien de revenir dans le passé, m'man, la raisonna Céline.

— Votre fille a raison, déclara Eugène. Le mieux est peut-être d'installer votre petit dans le salon, sur le sofa. Pour votre mari, on peut toujours l'étendre dans son lit. Après, Clément va aller chercher le docteur à Pierreville.

Céline entraîna sa sœur Anne dans l'escalier pour aller chercher de la literie à l'étage. En un tournemain, les deux sœurs transformèrent le sofa en lit de fortune dans le salon. Une minute plus tard, Bruno Pierri entrait dans la pièce en portant Adrien dans ses bras.

— Mon Dieu! s'écria Yvette, en larmes, en apercevant son petit. Il a l'air mort. Il bouge pas pantoute. Qu'est-ce que vous lui avez fait? Il est mou comme de la guenille, cet enfant-là.

Comme pour répondre aux cris de sa mère, Adrien se mit à geindre, mais sans ouvrir les yeux. Yvette se jeta à genoux à côté du sofa et passa doucement une main sur le visage de son fils avant de lui retirer, avec l'aide de Céline, son manteau et ses bottes. Pendant ce temps, Anne guidait Eugène, Clément, Gérald et Jérôme qui transportaient son père dans sa chambre. Yvette quitta un instant son fils pour venir dévêtir son mari avec l'aide de Jérôme. Clément annonça alors qu'il allait chercher le docteur Courchesne à Pierreville.

— Vas-y et perds pas de temps, lui dit son père, demeuré debout dans l'entrée de la chambre en compagnie de Bruno Pierri. Nous autres, on va rentrer à pied à la maison.

— Jérôme peut bien aller vous mener, proposa Yvette en déposant le manteau de son mari sur une chaise.

— Laissez faire, madame Veilleux, refusa Eugène. On n'a pas loin à marcher. Inquiétez-vous pas, ça va aller. Adrien a l'air d'avoir rien de brisé et il saigne pas. Pour votre mari, je dirais que le mieux serait peut-être de lui faire boire quelque chose de fort pour endormir un peu son mal.

— Torrieu que ça fait mal ! se plaignit soudain Ernest Veilleux en sortant de la demi-inconscience dans laquelle il avait sombré quand on l'avait transporté à l'intérieur de la maison.

— Vous nous ferez donner des nouvelles par Clément quand il sera revenu de Pierreville, ajouta Eugène en se tournant vers Céline au moment de quitter la maison avec Pierri et Gérald.

Chapitre 19

Le mauvais sort

Au moment où les trois hommes s'engageaient à pied sur la route, Antonius Tougas arrêta son berlot près d'eux.

— Qu'est-ce qui se passe? demanda le grand homme maigre. Je viens de croiser ton Clément. Il s'en allait à la belle épouvante vers le village.

— Les Veilleux viennent d'avoir un accident dans le bois, dit Eugène. Un arbre est tombé sur le bonhomme et sur son plus jeune.

Malgré le froid rendu plus vif par le vent qui venait de se lever, il se mit à raconter au voisin le drame dans lequel tous les trois venaient de jouer un rôle. Soudain, Antonius sembla se rendre compte que les trois hommes, debout sur le bord de la route, avaient froid. Il se pencha vers le banc arrière de son berlot et en souleva le siège. Il tira de l'endroit une bouteille de caribou blottie dans une épaisse couverture de fourrure.

— Tenez! Buvez un coup! Ça va vous réchauffer un peu, dit-il en tendant la bouteille à demi pleine à Eugène.

Ce dernier déboucha la bouteille et en avala une large rasade avant de la tendre à Bruno Pierri. Gérald refusa l'offre, ce qui permit à son père de se régaler d'une autre bonne gorgée d'alcool.

— Ça fait du bien par où ça passe! dit-il à Antonius Tougas, en lui donnant sa bouteille.

— Voulez-vous que je vous ramène chez vous ? offrit Tougas.

— Pour nous, c'est pas la peine. On est presque rendus, refusa le cultivateur.

Bruno Pierri s'empressa d'accepter l'offre. Pour leur part, Eugène et son fils Gérald rentrèrent à la maison quelques minutes plus tard, laissant Bruno Pierri poursuivre sa route jusqu'à chez lui. Après avoir raconté l'accident à Thérèse et à Claire, ils passèrent à table et dînèrent.

— On va laisser faire pour le bûchage cet après-midi, déclara Eugène à son fils. Clément est pas encore revenu et on a dîné tard.

— J'ai bien hâte de savoir ce que le docteur va dire pour le petit, soupira Thérèse en finissant de laver la vaisselle et…

Son mari, une main crispée sur le ventre, ne l'écoutait plus. Il venait de se lever et de se précipiter vers la porte de communication de la cuisine d'été. Le visage tordu en une grimace, il traversa la grande pièce et se dirigea tant bien que mal vers les toilettes sèches situées à l'extrémité de la remise.

— Mon Dieu ! s'exclama Thérèse, c'était pressant en pas pour rire.

Quelques minutes plus tard, Eugène, le visage pâle, revint dans la cuisine d'hiver.

— Veux-tu bien me dire ce que t'as ? lui demanda sa femme.

— Je le sais pas. On dirait que j'ai mangé quelque chose qui me fait pas, avoua-t-il.

— C'est drôle, ça, p'pa, fit remarquer Claire, on a tous mangé la même chose à midi et nous autres, on n'a pas ce problème-là.

À peine la jeune femme venait-elle de finir de parler, que son père se relevait pour retourner avec précipitation aux toilettes. Lorsqu'il en revint, Thérèse, un peu inquiète, ne put s'empêcher de lui dire :

— Sais-tu que t'aurais pris une purgation que ce serait pas pire.

Immédiatement, la lumière se fit dans l'esprit du cultivateur.

— Ah ben, maudit Hérode ! jura-t-il.

— Qu'est-ce qui se passe ? lui demanda sa femme, surprise par son éclat.

— Laisse faire, répondit-il sèchement. Je me comprends.

De fait, il venait subitement de comprendre ce qui lui arrivait. La bouteille de caribou dans laquelle il avait versé une large portion d'huile de ricin quelques semaines auparavant avait fini sa carrière dans le berlot du père des deux petits voleurs. Il en avait bu sans le vouloir. Son cœur se souleva un peu lorsqu'il se rappela le goût plutôt spécial du liquide ingurgité.

— Les deux petits calvaires ! jura-t-il les dents serrées en retournant une troisième fois aux toilettes en ce début d'après-midi.

~

Clément Tremblay revint de Pierreville plus d'une heure après son départ. Il était suivi par le vieux médecin Albéric Courchesne, qu'il avait trouvé chez lui au moment même où le praticien allait quitter son cabinet pour visiter deux de ses patients à Saint-Gérard.

Pendant ce temps, Yvette était parvenue à faire avaler à son mari une quantité d'alcool propre à neutraliser partiellement sa douleur.

— Et Adrien ? avait demandé Ernest à plusieurs reprises, la voix un peu pâteuse.

— Il a pas ouvert les yeux, mais ça va bien, p'pa, inquiétez-vous pas, avait répondu Anne à chaque occasion.

Pendant que l'adolescente et Jérôme restaient à son chevet, Yvette et Céline étaient dans le salon. La mère de famille avait déposé une serviette humide sur le front du petit blessé et elle lui tenait la main pour le rassurer.

— C'est pas normal que ton frère bouge pas, dit-elle, folle d'inquiétude, à Céline. Regarde. Il ouvre même pas les yeux quand on lui parle.

— C'est peut-être pas aussi grave que ça en a l'air, m'man, répondit la jeune fille, pas plus rassurée que sa mère. De toute façon, le docteur est à la veille d'arriver. On va bien finir par savoir ce qu'il a.

— En attendant, on va prier pour lui et pour ton père, décida Yvette en allant chercher son chapelet suspendu à un clou à un mur de la cuisine.

Toutes les deux s'agenouillèrent au chevet du petit malade et s'exécutèrent.

Albéric Courchesne arriva au moment même où Yvette terminait la récitation du chapelet. Elle se leva en entendant la porte de la cuisine s'ouvrir et alla au-devant du médecin, précédé par Clément Tremblay.

— Mon Dieu ! Vous avez donc mis du temps à venir, reprocha-t-elle au vieil homme occupé à retirer son manteau.

— J'ai fait le plus vite possible, madame Veilleux, lui dit-il d'une voix apaisante. Où est votre garçon ?

— Dans le salon.

— Parfait. Restez ici et attendez que je vous appelle, fit-il en s'emparant de sa trousse avant de se diriger vers la pièce qu'elle venait de lui indiquer.

Clément demeura dans la cuisine autant pour tenir compagnie à Céline, morte d'inquiétude pour son jeune frère, que pour rapporter à la maison le diagnostic du médecin. Ce dernier ne demeura dans le salon que quelques minutes. Lorsqu'il revint dans la cuisine, il affichait une mine très grave.

— Est-ce qu'on peut l'installer dans son lit, en haut? demanda Yvette.

— Il est pas question de le bouger, dit le médecin à Yvette qui s'était déjà avancée vers lui. Ce serait trop dangereux... Il va vous falloir être forte, madame Veilleux. Je lui ai fait une piqûre contre la douleur. Son état est grave et je peux pas faire grand-chose pour votre garçon. Il a une double fracture du crâne. Il est déjà dans le coma.

— C'est pas vrai! s'écria la mère de famille en hurlant son désespoir. Ça se peut pas! Il peut pas partir comme ça! Il a juste neuf ans.

Céline et Anne se mirent à pleurer en même temps que leur mère. Jérôme, les traits tirés, ne savait quelle contenance adopter devant la peine exprimée par sa mère et ses sœurs.

— Je vais faire tout mon possible pour le sauver, affirma le vieux médecin, mais les chances de le réchapper sont minces. Je pense que vous êtes mieux de faire venir le prêtre.

— Si vous le voulez, madame Veilleux, je vais aller chercher monsieur le curé au presbytère, offrit Clément Tremblay.

Yvette sentit alors qu'elle n'avait d'autre choix que de se résigner. Elle se borna à hocher la tête pour signifier à Clément qu'elle acceptait sa proposition.

— Allez vous occuper de votre garçon pendant que j'examine votre mari, lui ordonna Albéric Courchesne.

Il entra dans la chambre dont il referma la porte derrière lui. Il quitta la pièce cinq minutes plus tard en annonçant à Céline, venue à sa rencontre :

— Ton père s'en tire plutôt bien, chuchota-t-il à la jeune fille. Je l'ai examiné. Sa jambe droite est brisée à un seul endroit et la cassure est nette. Il n'a aucune autre blessure. Je vais lui faire un plâtre. Dis à ton frère de m'apporter des journaux pour pas trop salir le lit et d'aller me chercher le gros sac de plâtre qui est dans le coffre de mon traîneau. Je vais aussi avoir besoin d'eau et d'une chaudière pour faire mon mélange.

Quelques instants plus tard, alors que le médecin venait à peine de terminer le plâtre d'Ernest Veilleux et de lui administrer un calmant, le curé Lussier, porteur des saintes huiles, pénétra dans la maison de son cousin. Yvette, en larmes, s'empressa d'aller à la rencontre du curé de la paroisse qui eut à peine le temps d'enlever son manteau avant d'être entraîné dans le salon où Anne, Céline et Jérôme se tenaient.

Le pasteur de Saint-Jacques-de-la-Rive posa son étole par-dessus son surplis et il procéda à l'extrême-onction du petit mourant sous les yeux en larmes de sa mère, de ses sœurs et de son frère regroupés au pied du sofa où il était étendu. À l'extérieur, le soleil commençait déjà à décliner.

Après avoir administré les derniers sacrements à Adrien, Antoine Lussier sortit seul du salon dans l'intention d'aller réconforter son cousin. Il se retrouva nez à nez avec Albéric Courchesne, qui, les manches de sa chemise relevées sur ses bras maigres, était en train de se laver les mains couvertes de plâtre.

— Puis, docteur, comment va le père ? demanda-t-il au vieux médecin.

— Il va s'en tirer. Il a une jambe cassée et je viens de lui faire un plâtre jusqu'à mi-cuisse. Normalement, dans une quarantaine de jours, je devrais être capable de le lui enlever.

— Bon.

— Mais c'est pas mal plus grave pour le petit, ajouta Courchesne en baissant la voix.

Pendant que les deux hommes s'entretenaient à voix basse près de l'évier, Yvette ne put contenir ses cris de détresse.

— Docteur ! Docteur ! Venez vite ! cria Céline.

Albéric Courchesne retourna dans le salon précipitamment et s'approcha du sofa sur lequel le petit garçon était étendu. Ce dernier avait enfin les yeux grands ouverts, mais ils ne regarderaient jamais plus personne. Le médecin prit le pouls d'Adrien et secoua la tête avant d'abaisser ses paupières du bout des doigts.

— Il est parti, se contenta-t-il de dire en remontant doucement la couverture jusqu'au menton du petit.

Yvette s'effondra totalement et fut la proie d'une véritable crise. Ses deux filles durent l'entraîner de force dans la cuisine où Albéric Courchesne l'obligea à prendre un calmant. Sorti de sa torpeur par les cris de détresse de sa femme, Ernest appelait de sa chambre pour savoir ce qui se passait chez lui.

— Occupez-vous de votre mère pendant que je vais aller parler à votre père, dit Antoine Lussier aux enfants.

Le docteur Courchesne s'esquiva après avoir signé le certificat de décès de l'enfant. Le curé Lussier prit une longue inspiration et pénétra dans la chambre. Il y demeura une dizaine de minutes. Il n'y eut pas d'éclat. Quand le prêtre sortit de la pièce en laissant la porte ouverte derrière lui, Jérôme alla voir si son père avait besoin de quelque chose. Il le découvrit, tassé au fond de son lit, le visage blanc, les yeux secs et les dents serrées.

— Maudite vie de chien ! se contenta-t-il de répéter à plusieurs reprises, la voix méconnaissable, en frappant le matelas à coups redoublés.

Pendant ce temps, Antoine Lussier s'était assis aux côtés d'Yvette dans la cuisine.

— C'est pas juste ! C'est pas juste ! répéta-t-elle en s'essuyant les yeux avec un mouchoir qu'elle avait tiré de sa manche.

— Il faut croire que Dieu avait d'autres desseins pour ton garçon, lui dit doucement le cousin de son mari. Le devoir d'une bonne chrétienne est d'accepter la volonté divine. Tu te rappelles que l'Évangile dit que les enfants appartiennent pas aux parents, ils ne leur sont que prêtés.

— Il avait juste neuf ans, monsieur le curé !

— Dieu a dit qu'il viendrait nous chercher comme un voleur. L'âge a rien à voir. Rappelle-toi que t'es une mère et que tes autres enfants comptent sur toi pour les aider à passer cette épreuve.

— C'est vrai que Jean-Paul et Léo sont pas encore revenus de l'école, dit Yvette en semblant reprendre pied dans la réalité. Et les autres... Il faut avertir Marcelle, Maurice et Albert.

— Si vous le voulez, m'man, je vais aller reconduire monsieur le curé au presbytère, dit Jérôme. Si vous me donnez le numéro de téléphone du couvent de Marcelle à Sorel, je peux l'appeler du magasin général.

— C'est ça et tu lui diras d'appeler Maurice et Albert à Montréal, fit sa mère en faisant un effort méritoire pour se secouer.

— Il faudrait aussi prévenir les Desfossés, lui rappela doucement le curé Lussier.

— Pour ça, il faudrait en parler à mon mari...

Soudain, Yvette se rendit compte qu'elle ne s'était pratiquement pas souciée d'Ernest depuis que le docteur

Courchesne lui avait appris la gravité de la blessure de son Adrien.

— Mon Dieu! s'écria-t-elle en se levant après s'être encore essuyé les yeux. Je sais même pas s'il a été soigné, ce pauvre Ernest.

Yvette entra dans la chambre, suivie par son fils Jérôme.

— Tu sais pour Adrien? demanda-t-elle, en luttant contre son envie de se remettre à pleurer.

— Ouais, murmura son mari. J'aurais dû t'écouter. J'aurais jamais dû l'emmener avec nous autres dans le bois, ajouta-t-il, apparemment tiraillé par les remords.

— Ce qui est fait est fait, le coupa sa femme. On pourra pas le ressusciter. Là, j'ai demandé à Jérôme de téléphoner à Marcelle pour qu'elle avertisse Albert et Maurice. Est-ce que je l'envoie aussi chez Desfossés?

— C'est aussi ben. Je suis pas capable de grouiller avec ce maudit plâtre-là, accepta Ernest avec une grimace de douleur.

Pendant que le jeune Veilleux allait conduire le curé Lussier au presbytère avant de poursuivre sa route jusqu'à Pierreville pour demander à l'entrepreneur de pompes funèbres de venir à la maison, Clément Tremblay, affamé, rentra chez lui. Il apprit à sa mère le décès du jeune voisin pendant que sa sœur Claire lui servait un reste de fricassée. Thérèse fut bouleversée par la nouvelle.

— Cette pauvre Yvette! Son plus jeune!

— En tout cas, c'est pas drôle dans la maison, dit Clément, entre deux bouchées.

— Ton père et Gérald sont en train de faire le train, dit-elle à son fils. Moi, je vais aller à côté voir si la voisine a besoin d'un coup de main pour faire la toilette de son garçon. Claire, ajouta-t-elle à l'intention de sa fille, tu t'occuperas de faire le souper pour tout le monde. Je sais pas combien de temps je serai partie.

— Moi, je mange et je retourne à côté pour les aider à faire le train. Jérôme est parti chez Desfossés et le père Veilleux est pogné avec un plâtre pour un bon bout de temps.

— Tu préviendras ton père avant de partir, fit Thérèse en commençant à boutonner son manteau.

~

Lorsque Thérèse Tremblay se présenta chez les Veilleux, il régnait dans la maison un silence étrange. Les lampes à huile étaient allumées, le poêle à bois ne dégageait pratiquement aucune chaleur et la cuisine était déserte. Céline, les yeux rougis par les larmes, vint ouvrir à la voisine.

— Où est ta mère? demanda à mi-voix Thérèse à l'amie de son Clément.

— Dans le salon, madame Tremblay. Elle vient d'apprendre la nouvelle à mes frères. Tout le monde pleure. Enlevez votre manteau, offrit la jeune fille.

Thérèse retira ses bottes et son manteau, et s'avança dans le salon à la suite de Céline. Elle alla serrer dans ses bras sa voisine qu'elle entraîna avec elle dans la cuisine. Anne et Céline les suivirent.

— Il fait pas chaud ici-dedans, fit remarquer Thérèse. Je pense que vous êtes en train de laisser éteindre le poêle. Vous serez pas plus avancés si vous tombez tous malades. Anne, mets donc quelques rondins dans le poêle et fais du thé pour ta mère.

L'adolescente fit ce qui lui était demandé.

— Céline, tu vas t'occuper de faire le souper pendant

que ta mère et moi, on va s'occuper de la toilette de ton petit frère.

— C'est correct, madame Tremblay.

Thérèse entra dans le salon et fit signe à Jean-Paul et à Léo de sortir de la pièce.

— Vous deux, vous allez allumer un fanal et vous allez commencer le train. Clément va venir vous donner un coup de main dans cinq minutes. Attendez pas votre frère Jérôme, on sait pas combien de temps ça va lui prendre pour revenir de Pierreville.

En passant devant la chambre, elle aperçut le visage émacié d'Ernest qui avait fini par sombrer dans un sommeil agité, probablement induit par l'alcool et surtout les calmants imposés par le docteur Courchesne. Il suffit de quelques instants pour que la maison devienne une ruche où chacun s'empressait d'accomplir une tâche, comme pour mieux oublier sa peine.

La toilette d'Adrien était terminée depuis un bon moment quand Conrad Desfossés et son fils Normand se présentèrent chez les Veilleux. Thérèse et Yvette avaient eu le temps de déplacer certains meubles du salon pour faire de la place aux deux tréteaux portés par les entrepreneurs de pompes funèbres. Ces derniers les disposèrent au fond de la pièce et les drapèrent d'un tissu noir.

— Voulez-vous nous ouvrir la porte d'en avant? demanda le père à voix basse à Thérèse Tremblay.

Les deux hommes sortirent un instant de la maison pour y revenir en portant un petit cercueil en pin blanc. À cette vue, Yvette fondit en larmes comme si elle comprenait subitement que c'était pour y déposer son bébé. Thérèse s'empressa de la faire sortir de la pièce ainsi que tous les membres de la famille pour laisser les deux Desfossés faire leur travail. Quelques minutes plus tard, la porte du salon fut ouverte. Conrad Desfossés tendit à

Céline la literie qui encombrait le divan sans dire un mot. Le petit cercueil avait été posé sur les tréteaux et deux longs cierges avaient été allumés de part et d'autre de la bière.

— Nous reviendrons lundi matin pour les funérailles, dit Normand Desfossés à Yvette. Il paraît que monsieur le curé a dit à votre garçon qu'elles vont être célébrées à neuf heures, lundi matin.

Yvette se contenta de hocher la tête. Après le départ des deux hommes, Thérèse Tremblay rentra chez elle en compagnie de Clément qui venait de finir d'aider à soigner les animaux des Veilleux. Elle promit de venir prier au corps durant la soirée.

La nouvelle du malheur qui avait frappé les Veilleux fit rapidement le tour de la paroisse de telle sorte que dès le début de la soirée, quelques visiteurs se présentèrent à la maison. Les Tremblay, les Giguère et les Pierri furent les premiers à venir offrir leurs condoléances à la famille éprouvée. Ils eurent la surprise de découvrir un Ernest Veilleux, les yeux brillants de fièvre, assis sur une chaise près du cercueil de son petit, la jambe droite plâtrée déposée sur un banc. Il avait ordonné à Jérôme et à Céline de venir l'aider à s'installer là. Quand Eugène lui offrit ses condoléances, il le remercia du bout des lèvres, sans manifester la moindre reconnaissance à celui qui l'avait secouru le matin même.

Le voisin ne s'attendait pas à autre chose d'Ernest Veilleux. Il n'était venu que par courtoisie et pour montrer sa solidarité face au malheur qui le frappait. Son malaise était palpable, mais il était normal d'observer une trêve quand la mort frappait, même son pire ennemi. Il se promit de se limiter à une courte prière et de retourner le plus tôt possible à la maison. À l'instant où Eugène faisait part à voix basse de cette décision à son beau-frère Wilfrid, debout près de lui, la porte de la cuisine s'ouvrit sur

Marcelle et une consœur. Sœur Gilbert s'empressa d'aller embrasser ses parents, ses frères et ses sœurs avant d'aller s'agenouiller devant le cercueil où reposait son plus jeune frère. Après quelques instants de recueillement, la religieuse revint dans la cuisine où, avec son dynamisme habituel, elle se mit à tout diriger avec efficacité pour soulager sa mère.

— Jérôme, tu vas aller allumer le poêle dans la cuisine d'été pour que les gens puissent laisser leur manteau là. On peut pas les déposer dans la chambre de m'man. On sait pas combien de temps p'pa va être capable de rester dans le salon avec son plâtre. En plus, tu laisseras la porte ouverte entre les deux cuisines de manière à ce que ceux qui veulent rester un peu pour jaser puissent s'installer là.

— C'est correct, dit l'adolescent.

— Anne, quand t'auras une minute, tu montreras à ma compagne où on va dormir.

— Bon. La mère supérieure est arrivée, murmura Céline à son amoureux qui avait suivi ses parents et ses frères et sœurs chez les voisins. Avec elle dans la place, ça va marcher rondement.

— Est-ce que t'as pu rejoindre Albert et Maurice? vint demander Yvette à son aînée.

— Inquiétez-vous pas pour eux autres, m'man. J'ai parlé à Maurice au téléphone avant de partir de Sorel. Il va être ici avec Albert demain avant-midi. Ils vont prendre le train.

— Et toi, comment ça se fait que tu sois arrivée aussi vite? fit Yvette.

— Le père de sœur Sainte-Croix, ma compagne, était en visite au couvent quand Jérôme a appelé. Il reste à Saint-Zéphirin. Il a accepté de faire le détour par Saint-Jacques pour m'accommoder.

— T'es bien fine d'être venue si vite, dit sa mère en se remettant à pleurer.

Sa fille la serra dans ses bras avant de la confier à Anne qui la ramena vers le curé Lussier, lequel venait d'entrer. Tout le monde s'entassa alors dans le salon et la cuisine d'hiver pour réciter un chapelet pour le repos de l'âme du petit Adrien.

Avant de rentrer chez elle, Thérèse Tremblay offrit à sa voisine de cuisiner quelque chose chez elle pour le lendemain, mais sœur Gilbert intervint.

— C'est bien charitable de votre part, madame Tremblay, mais à la quantité de femmes qu'il y a dans la maison, il y a pas de raison qu'on n'ait pas le temps de préparer ce qu'il faut.

— En tout cas, gêne-toi pas si vous avez besoin de quelque chose, dit Thérèse. T'as juste à envoyer quelqu'un nous prévenir.

Les Tremblay quittèrent la maison des Veilleux, ne laissant derrière eux que Clément retenu par une Céline à la recherche d'un appui. Claire, Gérald, Lionel et Aline marchaient quelques pas devant leurs parents sur la route enneigée.

— Il est toujours aussi fou, le bâtard ! dit Eugène, les dents serrées.

— De qui parles-tu ? lui demanda Thérèse.

— De Veilleux, cette affaire ! répondit le cultivateur avec humeur. Tu te décarcasses pour lui sauver la peau, et c'est à peine s'il te dit merci.

— Écoute, Eugène, il est à l'envers, le pauvre homme ! le raisonna sa femme d'une voix sévère. Il vient de perdre un de ses garçons ! Mets-toi à sa place. Il me semble que c'est facile à comprendre, ça !

Eugène ne répondit rien, mais il n'en pensa pas moins.

Lorsque les derniers visiteurs furent partis un peu après vingt-trois heures, les Veilleux organisèrent la veillée au corps de manière à ce qu'à aucun moment de la nuit, Adrien ne soit seul dans le salon. Lorsqu'on proposa à Ernest de le ramener dans sa chambre pour prendre quelques heures de repos, il refusa tout net de bouger de sa chaise.

— Je suis correct. Laissez-moi tranquille, dit-il si abruptement que personne n'osa s'opposer à sa volonté.

Chapitre 20

Le deuil

Le lendemain, la parenté et les habitants de Saint-Jacques envahirent la maison d'Ernest Veilleux dès la fin de la grand-messe. Les gens défilèrent durant toute la journée devant le cercueil de l'enfant. Un nuage d'âcre fumée de pipe était suspendu au plafond de la cuisine d'été et se répandait peu à peu dans le reste de la maison. Dès leur arrivée chez leurs parents, à la fin de l'avant-midi, Albert et Maurice avaient cherché à se rendre utiles. Le frère mariste se tenait surtout dans le salon, près de son père, tandis qu'Albert voyait à ce que les hommes rassemblés dans la cuisine d'été ne manquent de rien. Il remercia même Clément de toute l'aide qu'il avait apportée à sa famille depuis l'accident de la veille. Il allait se charger de soigner les animaux avec ses frères, du moins jusqu'à son départ, le lendemain après-midi.

Après le dîner, Maurice parvint à convaincre son père d'aller dormir une heure ou deux dans sa chambre.

— Si vous faites pas ça, p'pa, avait plaidé le religieux, vous serez jamais capable de veiller cette nuit avec nous autres. Vous avez déjà de la misère à garder les yeux ouverts.

En ronchonnant, Ernest Veilleux accepta l'aide de ses fils pour réintégrer sa chambre, où on l'allongea sur le lit. La porte de la pièce n'était pas encore fermée qu'il dormait déjà.

Le soir, après le départ des derniers visiteurs, sœur Gilbert ne put s'empêcher de dire à sa mère et à ses sœurs :

— La maison est une vraie soue à cochons. On va nettoyer un peu avant de veiller Adrien.

Pendant que les femmes, épuisées, lavaient la vaisselle sale qui traînait un peu partout, Albert et ses frères balayèrent et lavèrent sommairement les planchers et remirent de l'ordre dans le salon ainsi que dans les deux cuisines. On installa ensuite des paillasses par terre dans la cuisine d'été pour Maurice, Albert et Jérôme, et chacun annonça ses heures de veille. Ernest et Yvette refusèrent tout net d'aller se coucher en cette dernière nuit. Ils allaient pouvoir compter sur la présence de quelques-uns de leurs enfants durant les heures qui les séparaient des funérailles.

Le lundi, à l'aube, Albert réveilla ses frères pour aller traire les vaches et nourrir les animaux. Dans la cuisine, leur mère s'activait déjà à préparer le déjeuner avec l'aide de son aînée et de Céline. Le repas se prit dans une atmosphère d'autant plus lourde que chacun ressentait les heures volées au sommeil depuis deux jours.

— Qu'est-ce qu'on va faire pour votre père ? chuchota Yvette après avoir servi des crêpes nappées de sirop à son mari, qui avait refusé de venir s'asseoir à table.

— Je vais lui parler, dit Albert sur un ton décidé. Avec sa jambe dans le plâtre, il peut pas venir en traîneau à l'église.

— T'as raison, l'approuva son frère Maurice. Je vais rester ici avec lui pour prier.

Ernest Veilleux n'accepta pas facilement de rester cloué à la maison pendant qu'on célébrerait les funérailles de son Adrien. Il fallut que ses deux fils fassent preuve de patience pour calmer sa révolte et le persuader de demeurer à la maison.

Lorsque Conrad Desfossés et son fils se présentèrent sur le coup de huit heures, toute la famille se réunit dans le salon pour une dernière prière. Le couvercle du petit cercueil fut vissé et ce dernier fut transporté sur le corbillard stationné devant la maison. Déjà, quelques *sleighs* attendaient à l'extérieur pour former un cortège funèbre jusqu'au village. Personne n'était descendu d'un véhicule par discrétion. On voulait laisser la possibilité à la famille de dire un dernier au revoir au petit Adrien.

Beaucoup de parents et d'habitants de Saint-Jacques-de-la-Rive et des environs se déplacèrent en ce sombre matin pour assister à la cérémonie funèbre célébrée par le curé Lussier. Le pasteur adressa aux fidèles réunis dans l'église une brève homélie dans laquelle il parla de la foi qui donnait la force de traverser toutes les épreuves, même celle de perdre un enfant en bas âge. Installés dans le premier banc, Yvette et ses enfants tentaient de contrôler leur peine. À la fin de la messe, le prêtre prit la tête du défilé qui se rendit au charnier dans lequel le petit cercueil blanc fut déposé, après une dernière prière.

⁓

Les Veilleux réintégrèrent leur maison silencieuse un peu après onze heures. Maurice était seul dans la cuisine. Le frère mariste fit signe aux nouveaux arrivants de faire le moins de bruit possible.

— P'pa vient de s'endormir.

— M'man, pourquoi vous allez pas faire la même chose dans une des chambres d'en haut? proposa sœur Gilbert.

— Je ferai ça quand ma visite sera partie, pas avant, dit Yvette avec une détermination qui contrastait avec les traits tirés de son visage et son épuisement évident. On va d'abord préparer un petit dîner.

Une soupe, de la tête fromagée et du pain furent déposés au centre de la table et on mangea dans un silence relatif. Comme promis le matin même, un cousin vint chercher les deux religieuses pour les ramener à leur couvent de Sorel, et Jérôme attela la *sleigh* pour aller conduire ses frères Maurice et Albert à la gare de Pierreville.

À quatorze heures, tous les invités avaient quitté la maison et, d'un commun accord, on décida d'aller dormir un peu pour récupérer après tant d'émotions les heures de sommeil perdues.

À la fin de l'après-midi, Ernest Veilleux se réveilla, seul dans sa chambre. Après s'être cru en pleine nuit durant un court moment, il se rendit compte qu'il entendait des murmures en provenance de la cuisine. Une douleur lancinante à sa jambe droite ainsi que la présence du plâtre lui rappelèrent subitement l'accident.

— Yvette! appela-t-il.

Sa femme apparut presque immédiatement dans la pièce.

— Quelle heure il est?

— Autour de cinq heures. Comment tu te sens?

— Ma jambe me fait mal, se plaignit Ernest en grimaçant. Mais j'ai faim en maudit. J'ai rien mangé depuis le déjeuner.

— Anne va t'apporter un bol de soupe aux légumes et du pain pour te faire patienter. On va laisser la porte de la chambre ouverte et on va t'allumer une lampe.

— C'est l'heure du train. Est-ce que c'est Céline qui aide les garçons à le faire? Est-ce qu'elle est capable? Elle est pas habituée, fit Ernest en commençant à s'agiter.

— Inquiète-toi pas pour ça. Clément s'est offert de venir s'en occuper avec les garçons. Avec lui, il y a pas de crainte à avoir.

— Ouais, mais j'aime pas ben ça qu'un étranger joue dans mes affaires, grogna le malade.

— Aïe, Ernest Veilleux, gronda sa femme, t'es ben mal placé pour critiquer et faire le difficile. Oublie pas que si ça avait pas été du voisin et de ses garçons, tu serais peut-être mort comme Adrien à l'heure qu'il est, ajouta-t-elle.

— Je leur ai rien demandé ! s'emporta Ernest Veilleux avec mauvaise foi.

— Tu leur as peut-être rien demandé, mais ils se sont tout de même fendus en quatre pour te sortir du bois. En plus, le voisin se prive de l'aide de son gars pour qu'il puisse venir s'occuper de tes vaches. Qu'est-ce que tu veux de plus ?

— Ouais ! Ouais ! En tout cas, je serais pas obligé de quêter l'aide des étrangers si mes propres gars étaient ici plutôt qu'en ville, bougonna-t-il au moment où Yvette s'apprêtait à quitter la pièce.

Ernest Veilleux faisait évidemment allusion à Albert et à Maurice. Yvette ne répliqua rien. Elle sortit de la chambre à coucher en laissant son mari à sa mauvaise humeur. Elle préférait le voir comme ça plutôt qu'abattu comme il l'avait été durant les deux derniers jours.

Quelques minutes plus tard, Céline vit passer son amoureux devant la fenêtre de la cuisine. Elle frappa doucement la vitre pour attirer son attention et elle lui adressa un signe de la main et son plus beau sourire. Clément Tremblay lui envoya la main avant de se diriger vers la route et retourner chez lui. Quand Jérôme, Léo et Jean-Paul rentrèrent peu après dans la maison, leur mère leur demanda où était passé Clément.

— Le train est fini, m'man, répondit Jérôme. Il est parti souper chez eux.

— Bonne sainte Anne ! J'ai complètement oublié de vous dire de l'inviter à souper après le train. Ça aurait été la moindre des choses.

Durant le souper, les Veilleux eurent du mal à voir deux chaises vides autour de la table. Adrien n'était plus là. La chaise au bout de la table, normalement occupée par le père, leur rappelait encore davantage, s'il en était encore besoin, le malheur qui venait de frapper la famille. Ernest avait carrément refusé de venir manger dans la cuisine avec les siens en prétextant que sa jambe le faisait trop souffrir.

En se mettant au lit ce soir-là, Yvette Veilleux ne se doutait pas à quel point son mari allait devenir invivable durant les semaines à venir.

Confiné à son lit par le plâtre imposant fabriqué par le docteur Courchesne, Ernest commença à s'énerver dès le lendemain matin. Le petit homme n'avait jamais été malade et se sentir ainsi impuissant et dépendant des autres était plus qu'il ne pouvait supporter. Tout l'agaçait et le faisait exploser, surtout le fait d'avoir à demander de l'aide pour satisfaire le moindre de ses besoins. Il enrageait de voir qu'il ne pouvait se lever et se mouvoir, ne serait-ce que dans sa propre maison.

À la fin de l'avant-midi, Yvette perdit patience.

— Écoute-moi bien, Ernest Veilleux, commença-t-elle, les mains sur les hanches. J'en ai assez de tes caprices! Ça va faire! T'as passé deux jours assis à côté du cercueil du petit. Tu me feras pas croire que t'es pas capable de te rendre jusqu'à la table pour manger avec nous autres. Je t'avertis tout de suite. Le déjeuner d'à matin servi dans le lit, c'était le dernier repas que t'as pris là. Si tu veux manger, tu viendras t'asseoir avec nous autres, à table. Si t'as besoin d'aide pour te rendre à ta chaise, on t'aidera.

Ernest lui jeta un regard furieux, mais il ne dit pas un mot. Sur le coup de midi, il finit par se lever et, s'appuyant aux murs, il réussit à se traîner jusqu'à la cuisine.

— Anne, apporte-moi deux chaises et enlève ma chaise berçante de là, ordonna-t-il à sa fille.

Il fit installer les deux chaises à la gauche du poêle, près du coffre où les bûches étaient empilées, et il se fit aider pour déposer sa jambe plâtrée sur l'autre siège. Au moins, ainsi installé, il voyait ce qui se passait dans la maison et il s'occupait à alimenter le poêle. Les jours suivants, malgré tout, Ernest, exaspéré par son inactivité, s'impatientait de voir les aiguilles de l'horloge avancer aussi lentement.

— Maudit torrieu! jurait-il cent fois par jour en regardant par la fenêtre de la cuisine qui donnait sur le chemin. Ça peut pas être plus plate! Dire que je devrais déjà être en train de préparer tout mon stock pour entailler… Je suis sûr que dans une semaine, il va commencer à faire plus doux. Je suis là, assis proche du poêle, comme un membre inutile.

— Il faut laisser le temps à ta jambe de guérir, tentait de l'encourager Yvette.

— Laisse-moi tranquille avec ça, toi! la rabrouait-il avant de se plonger dans un silence plein de rancœur contre le mauvais sort qui avait voulu qu'il se brise la jambe juste au moment où il avait le plus de travail.

De plus, ce plâtre lui rappelait trop la mort de son fils dont il se sentait responsable, même s'il savait fort bien que c'était un accident.

⁓

Le samedi suivant, Clément Tremblay arriva chez les Veilleux un peu plus tôt que d'habitude pour aider à traire les vaches et nourrir les animaux. Ernest le vit arriver et se diriger vers la maison plutôt que vers l'étable.

— Bon. Qu'est-ce qu'il veut, lui? grogna-t-il en exhalant sa mauvaise humeur coutumière.

On aurait dit qu'Ernest en voulait au monde entier, particulièrement à tous ceux qui pouvaient se mouvoir sur leurs deux jambes. Le jeune homme frappa à la porte et attendit que quelqu'un vienne lui ouvrir. Dès son entrée, le cultivateur vit que l'ami de sa fille tenait deux vieilles béquilles dans les mains.

Yvette et ses cinq enfants, curieux, s'approchèrent du jeune voisin.

— Où est-ce que tu t'en vas avec ça? lui demanda sans aménité le père de Céline.

— Bonjour, monsieur Veilleux. Mon père s'est rappelé hier soir que mon oncle Germain s'était déjà cassé une jambe, il y a une dizaine d'années. Après ma tournée de ramassage du lait aujourd'hui, je me suis arrêté chez lui et je lui ai demandé s'il avait gardé ses béquilles. Comme il les avait encore, je les ai empruntées pour vous. Si vous voulez vous en servir, on peut les arranger à votre taille.

— Je sais pas si je vais être capable de me servir de ça, déclara le cultivateur sans montrer d'enthousiasme à l'idée de se déplacer avec ces supports.

— Ça vous rendrait pas mal plus libre de vos mouvements et plus indépendant, plaida Clément en feignant d'ignorer la mauvaise humeur du père de son amie.

— Bon. C'est correct. Je peux toujours essayer, consentit de mauvaise grâce le malade.

— Je vais vous aider à vous mettre debout, suggéra le jeune homme. On a juste à prendre votre mesure et à visser les pattes des béquilles à la bonne hauteur. C'est une affaire de cinq minutes.

Jérôme et Yvette aidèrent le malade à se lever et Clément ajusta rapidement les deux béquilles. Ensuite, il suffit de quelques minutes d'exercices pour que le blessé se déplace avec une certaine assurance dans la pièce. Habitué aux durs travaux de la terre, le petit homme était doué de suffisamment de force physique pour se déplacer sans difficulté à la force de ses bras.

Même s'il était heureux de se découvrir enfin une certaine autonomie, Ernest Veilleux se garda bien de montrer trop ouvertement son contentement.

— T'as pas eu une mauvaise idée de me trouver des béquilles, finit-il par dire à son jeune voisin après avoir effectué le tour de la pièce. Merci ben.

Ce soir-là, Eugène Tremblay demanda à son fils si le père de Céline était content des béquilles qu'il lui avait apportées.

— Il a trouvé que c'était pas une mauvaise idée, p'pa, dit Clément.

— Le connaître comme je le connais, il a pas dû se morfondre à te remercier.

— Il m'a dit «merci».

— J'espère, en tout cas, qu'il apprécie que t'ailles aider ses gars à faire le train deux fois par jour depuis son accident.

— C'est sûr, p'pa.

— Parce que moi aussi, j'ai besoin de toi ici pour faire le train. Depuis une semaine, j'ai juste Gérald pour me donner un coup de main.

— Si vous le voulez, p'pa, on peut commencer notre train plus de bonne heure et j'irai à côté juste quand on aura fini le nôtre.

— Au lieu de chialer sur le voisin, qu'est-ce que tu dirais d'aller le voir pour s'informer de sa santé? demanda Thérèse en coupant le fil avec lequel elle venait de coudre un bouton d'une chemise de Gérald.

— Es-tu folle, toi? s'emporta l'homme à l'imposante stature. Je lui ai parlé la semaine passée et ça faisait trente ans que j'avais pas fait ça. Je suis prêt à attendre encore trente ans avant de recommencer.

— Voyons, Eugène. Tu trouves pas que ça fait assez longtemps que vous vous gardez rancune pour une niaiserie qui est arrivée quand vous étiez jeunes ? Vous êtes deux voisins. Tu lui as rendu un grand service quand l'arbre lui est tombé dessus. Pardonne-lui donc une fois pour toutes. On pourra se voisiner après comme on aurait toujours dû le faire. Les Veilleux sont du bon monde. Yvette est fine et les enfants sont bien élevés. D'autant plus que rien te dit que pour Clément et Céline, ça deviendra pas plus sérieux.

— Correct ! Correct ! céda son mari. Je vais aller le voir demain. Mais je comprends pas pourquoi il faut toujours que ce soit moi qui fasse les premiers pas.

— Parce qu'il lui manque une jambe, p'pa, plaisanta Clément, qui avait suivi la discussion sans prononcer un mot.

— T'es ben drôle, toi, fit son père, bourru.

Le lendemain soir, après une longue hésitation, Eugène Tremblay se décida à aller chez le voisin. Thérèse l'accompagna autant pour l'encourager que pour visiter enfin sa voisine avec qui elle s'était toujours bien entendue.

— Clément est déjà assis dans leur salon, dit Thérèse.

— Qu'est-ce que tu veux que je lui dise, moi, à Ernest Veilleux ? demanda Eugène en marchant sur la route en direction de la maison voisine.

— Voyons, Eugène, tu l'as sauvé.

— Ouais, je le sais, mais j'avais pas besoin de lui faire la conversation, il était à peu près tout le temps dans les pommes. En tout cas, on reste juste une couple de minutes, pas plus.

Les Tremblay furent accueillis chaleureusement par Yvette Veilleux, que Clément avait prévenue de la visite de ses parents, à la demande de sa mère. Ernest affichait sa mine renfrognée des mauvais jours lorsqu'il vit Eugène Tremblay franchir le seuil de sa maison. Céline et Clément quittèrent un moment le salon pour venir saluer les nouveaux arrivés.

Même si les deux hommes étaient de la même génération et avaient vécu côte à côte toute leur vie, ils trouvèrent peu de choses à se dire. Assis sur des chaises berçantes de part et d'autre du poêle, ils écoutèrent surtout les deux femmes échanger des nouvelles durant plusieurs minutes. Le malaise entre les deux voisins était perceptible et rien ne semblait en mesure de le faire disparaître.

— Cré maudit, le temps passe vite! s'exclama soudain Eugène en se levant. On s'ennuie pas, dit-il à ses hôtes, mais il va ben falloir rentrer. On a promis à nos filles de jouer une partie de cartes avec elles avant de se coucher.

Thérèse lança un regard désapprobateur à son mari avant de se lever à son tour. De toute évidence, elle trouvait que la visite avait été trop brève. Pendant que le mari et la femme endossaient leur manteau, l'hôtesse, désolée de les voir partir si tôt, leur dit:

— J'espère que vous allez revenir.

— Certain, la rassura sa voisine. Mais je t'avertis, ce sera à vous autres de vous déplacer quand ton mari aura plus son plâtre.

— C'est promis.

Sur le chemin du retour, Eugène ne décolérait pas.

— Ce maudit air bête! J'aurais dû me douter qu'il changerait pas! En tout cas, avant que tu me traînes encore là, toi, les poules vont avoir des dents.

— Je te dis que vous avez l'air fin tous les deux, railla Thérèse avec humeur. Deux vrais enfants!

Ce soir-là, si Clément et Céline se réjouirent prématurément à la pensée que la hache de guerre était enterrée entre leur père, Yvette et Thérèse savaient bien, elles, que la situation n'avait pas du tout changé.

⟡

Trois jours plus tard, les habitants de Saint-Jacques-de-la-Rive furent accueillis à leur réveil par une lourde giboulée, comme seul le mois de mars sait en réserver. La température s'était sensiblement adoucie durant la nuit et de gros flocons de neige s'étaient accumulés, recouvrant le paysage d'une couche blanche supplémentaire. Le jour venait de se lever, gris et maussade, et Yvette s'activait autour du poêle en compagnie de ses filles.

— Moi qui pensais que l'hiver achevait, soupira Céline, déprimée à la vue de toute cette nouvelle neige qui s'amoncelait. On n'en sortira jamais.

— Lâche la fenêtre et viens m'aider, lui ordonna sa mère. J'entends ton père qui vient de se lever et tes frères sont à la veille de revenir de l'étable.

— Je regardais juste pour voir si Clément était arrivé, mentit la jeune fille.

— Il est arrivé depuis un bon bout de temps, intervint sa sœur Anne. Je l'ai vu passer. Il était dans l'étable avant Jérôme.

— Il est pas mal fin, ton cavalier, lui fit remarquer sa mère. Il est toujours là pour aider. Mais je me demande s'il a peur qu'on l'empoisonne. Il fait bien attention de pas s'arrêter en revenant des bâtiments pour pas manger avec nous autres.

— Il veut pas déranger, m'man, l'excusa Céline. Il dit qu'il vient pour nous rendre service, pas pour se faire nourrir.

Un martèlement sur le plancher mit fin à l'échange. Ernest Veilleux, la barbe longue et les cheveux en broussailles, entra dans la cuisine en se supportant sur ses béquilles. Son premier geste fut de jeter un coup d'œil à l'extérieur par la fenêtre. Pendant un long moment, il regarda tomber la neige sans rien dire.

— Ça, c'est de la neige qui annonce les sucres, déclarat-il avant de se laisser tomber sur une chaise. Si c'était pas de cette maudite jambe-là, ajouta-t-il avec humeur en frappant du plat de la main son plâtre encombrant, on pourrait se préparer.

— Jérôme peut commencer, suggéra Yvette qui finissait de préparer une omelette. T'auras juste à lui dire quoi faire.

Son mari ne se donna pas la peine de lui répondre et s'absorba dans des pensées moroses en attendant que ses garçons rentrent déjeuner après avoir soigné les bêtes.

Depuis plus d'une semaine, il était cloué dans la maison et il n'en pouvait plus de regarder s'égrener les minutes sans pouvoir faire quelque chose. Après le départ pour l'école de Léo et de Jean-Paul, Jérôme irait nettoyer l'étable et lui, il resterait avec les femmes en train de piquer une courtepointe commencée l'automne précédent. Tout ce qu'il allait avoir à faire toute la journée, c'était de guetter par la fenêtre le passage improbable d'un attelage. En temps normal — et il était maintenant bien placé pour l'avoir vérifié chaque jour — il ne passait le plus souvent que celui qui ramassait les bidons de lait et Philibert Dionne.

Ce mardi-là, au début de l'après-midi, il s'était assoupi dans sa chaise berçante quelques minutes à peine après avoir dîné. Soudain, il sursauta en entendant des tintements de clochettes près de la maison. Il ouvrit les yeux et tendit le cou en direction de la fenêtre la plus proche : un attelage venait de s'arrêter près de la galerie. Céline, Anne et Yvette avaient aussi entendu et elles s'étaient levées pour aller voir qui arrivait.

— Mais c'est Albert! s'exclama Yvette Veilleux, tout heureuse de revoir son fils. Céline, va ouvrir, lui ordonna sa mère.

— Veux-tu ben me dire d'où il sort au milieu de la semaine? demanda son mari, intrigué.

— Il est venu avec le père Groleau, précisa sa femme qui venait de reconnaître le vieux bedeau.

— Anne, dit Ernest, sors la bouteille de caribou. On se débarrassera pas du père Groleau sans qu'il ait bu un ou deux verres.

Mais Ernest se trompait. Le bedeau de Saint-Jacques-de-la-Rive laissa à peine le temps au jeune Veilleux de descendre de sa *sleigh* avant de reprendre la route. Il y eut un bruit de pas sur les marches de l'escalier extérieur et Céline ouvrit la porte à son frère avant même qu'il ait eu le temps de frapper.

Albert Veilleux entra dans la maison après avoir secoué ses pieds à l'extérieur. Il salua son père et embrassa sa mère et ses sœurs avant d'entreprendre de déboutonner le lourd paletot bleu dans lequel il était engoncé.

— Sacrifice! Le père Groleau est déjà reparti! s'exclama Ernest, stupéfait. On dirait que le diable est aux vaches.

— Il m'a dit qu'il entrait pas parce qu'il fuyait la tentation de boire un petit coup, expliqua Albert en riant et en repoussant du pied sa petite valise brune. Il paraît qu'il a promis de pas boire durant tout le carême.

— Comment ça se fait que t'as embarqué avec lui? lui demanda Céline.

— En descendant du train, je suis arrêté chez Murray pour m'acheter du tabac. Le père était là en train de faire des commissions pour le curé Lussier. Je lui ai demandé de m'embarquer.

— As-tu dîné ? s'enquit sa mère.

— Oui, m'man.

— Bon. Je te prépare une bonne tasse de thé pour te réchauffer.

Pendant qu'Yvette versait du thé bouillant à son fils aîné, Ernest s'informait.

— Qu'est-ce que tu viens faire ici en pleine semaine ?

— Je sais pas si je vous l'ai dit, mais mon oncle est mon nouveau *boss* au Canadien Pacifique depuis la fin du mois de janvier. Je lui ai demandé une semaine de congé pour venir vous donner un coup de main. Il s'est fait tirer un peu l'oreille, mais il a fini par accepter. Ça fait que je suis venu vous aider un peu si vous avez besoin de moi.

— Tu seras pas de trop, fit son père, subitement d'excellente humeur. Il va falloir commencer à penser à percer les érables et à installer les chaudières. D'ici deux ou trois jours, s'il continue à faire doux comme ça, les érables vont se mettre à couler.

— Parfait. C'est en plein ce que je pensais. C'est le temps de l'année que j'ai toujours préféré, dit le jeune homme, plein d'entrain.

Il y eut un court silence avant qu'Albert ne reprenne la parole.

— Comment est-ce que Jérôme et les petits se sont débrouillés depuis votre accident, p'pa ?

— Le petit Tremblay est venu soir et matin nous aider à faire le train.

— Clément ?

— Oui, fit Céline, fière de son amoureux.

— Il va pouvoir prendre une couple de jours de congé, le temps que je suis ici, déclara Albert. Je suis capable de m'occuper du train tout seul avec Jérôme.

— Céline pourrait peut-être aller le prévenir chez les Tremblay, suggéra Ernest. J'ai comme l'idée qu'il haïra pas ça la voir arriver.

— J'y vais tout de suite, affirma la jeune fille, tendant déjà la main vers son manteau suspendu à un crochet derrière la porte.

— Whow! fit sa mère pour la calmer. Casse-toi pas une jambe, toi aussi, pour arriver plus vite chez les voisins. Ton Clément va pas en mourir même si t'arrives cinq minutes plus tard.

Il y eut des éclats de rire dans la cuisine.

Le lendemain matin, Albert et Jérôme Veilleux nettoyèrent les seaux et les chalumeaux, qu'ils entassèrent sur le traîneau après avoir déposé dans le véhicule le vilebrequin, leurs raquettes et divers articles pour nettoyer la cabane dans laquelle les Veilleux faisaient bouillir l'eau d'érable depuis deux générations. L'après-midi même, ils se dirigèrent vers la petite érablière située au bout de la terre paternelle pour commencer à entailler.

Chapitre 21

Le coup monté

Il y eut encore une chute de neige importante le surlendemain avant que l'hiver se décide enfin à desserrer progressivement son étreinte sur la région. Au fil des jours, le soleil se fit alors de plus en plus chaud et il flottait dans l'air comme des odeurs de printemps. Peu à peu, on finit même par voir apparaître la tête des piquets de clôture.

— Pour moi, les érables vont couler aujourd'hui, avait déclaré Eugène à son fils Clément quelques jours auparavant. Regarde, le pied des arbres commence à être cerné.

En effet, sous les effets combinés du soleil et de l'eau de fonte, la neige se faisait soudain moins épaisse au pied des arbres. Bien sûr, il faudrait encore quelques semaines pour que les dernières traces en disparaissent des bois et des champs, mais la nature donnait des signes encourageants de renouveau. Pour s'en convaincre, il n'y avait qu'à écouter le bruissement sourd de l'eau qui s'était mise à courir sous l'épaisse couverture blanche.

Le passant curieux ne pouvait manquer de remarquer que depuis quelques jours, des cheminées fumaient au loin, dans les boisés. C'était un signe certain que les cultivateurs de Saint-Jacques-de-la-Rive avaient commencé à recueillir l'eau d'érable pour la faire bouillir.

Si, chez les Veilleux, on n'en était encore qu'aux préparatifs, les Tremblay, pour leur part, s'apprêtaient déjà à faire bouillir leur première récolte d'eau d'érable.

La veille, Claire et sa mère étaient venues faire un grand ménage dans le petit bâtiment qui leur servait de cabane à sucre. La chasse aux toiles d'araignée et le lavage des cuves, des ustensiles, de la table et de l'unique fenêtre les avaient occupées un bon moment. Pendant ce temps, les hommes avaient transporté du bois pour chauffer le poêle et ils avaient fini de suspendre des seaux aux chalumeaux.

Cet après-midi-là, la vieille barrique de chêne servant à la récolte de l'eau d'érable avait été solidement installée sur le traîneau. Clément et Gérald étaient ensuite partis faire la première tournée de la saison. Leur père, seul dans la cabane, transportait des bûches qu'il empilait au fond de la pièce unique du petit bâtiment gris. Il serait prêt à faire bouillir dès qu'on lui rapporterait suffisamment d'eau d'érable.

~

Au presbytère, l'heure n'était pas aux réjouissances, loin de là. Depuis le début de la semaine sainte, le brave curé Lussier ne décolérait pas. Pendant deux bonnes semaines, il avait eu beau rappeler du haut de la chaire l'obligation faite à tous les bons catholiques de faire leurs Pâques avant le jour de la résurrection du Christ, un petit nombre de ses paroissiens demeuraient récalcitrants. Ils ne se décidaient pas à se présenter au confessionnal. Même la crainte de commettre un péché mortel en ne se confessant pas et en ne communiant pas en cette période de l'année liturgique n'avait pas l'air de les empêcher de dormir.

Tout laissait à penser que ces mauvais chrétiens étaient prêts à se contenter, dans le meilleur des cas, de Pâques de renard, soit se confesser et communier dans la semaine suivant Pâques. Quelle sorte d'exemple ces gens-là donnaient-ils à leurs enfants? Ce n'est pas parce qu'on était en pleine saison des sucres qu'il fallait négliger pour autant ses devoirs de chrétien.

Le pasteur avait horreur de ce genre de comportement. Il y voyait une sorte de contestation muette de son autorité. C'est pourquoi il ne se cachait pas pour montrer aux retardataires son mécontentement lorsqu'ils passaient au confessionnal après Pâques.

Par un réel effort de volonté, Antoine Lussier cessa de marmonner dans son bureau pour se consacrer à la préparation des cérémonies du Vendredi saint et il nota sur une feuille de prévenir Joseph Groleau de recouvrir toutes les statues et les crucifix de l'église d'un voile violet pour ce jour-là, comme l'exigeait le rituel.

L'abbé Martel était allé rencontrer les écoliers de l'école du rang des Orties pour vérifier leur degré de préparation à leur confirmation et à leur première communion, qui allaient avoir lieu à la fin du mois d'avril.

Gabrielle Paré était seule dans la cuisine du presbytère de Saint-Jacques-de-la-Rive. La jeune cuisinière, le visage dur, réfléchissait tout en surveillant la cuisson de miches de pain placées au four. La vieille Agathe Cournoyer était partie à Pierreville quelques instants plus tôt pour consulter le docteur Courchesne.

Gabrielle avait un certain nombre de raisons de s'inquiéter depuis quelques jours. Le dimanche précédent, la jeune orpheline avait décidé de passer aux actes pour forcer la main de son soupirant, Germain Fournier. Elle voulait l'obliger en quelque sorte à la demander en mariage, même s'ils ne se fréquentaient que depuis trois mois. Pour y arriver, elle avait pris la chance de lui mentir effrontément, au risque de se faire découvrir et de perdre la face.

Elle avait été l'une des premières à faire ses Pâques et elle s'était empressée de choisir l'abbé Martel pour confesseur parce que le jeune prêtre se montrait beaucoup moins curieux que son supérieur avant de donner son absolution. Mais cela aurait été commettre une grossière erreur de croire que la jeune fille était préoccupée par ce péché qui allait la forcer à retourner se confesser si elle voulait communier le matin de Pâques. Pas du tout. Elle tremblait tout simplement d'être traitée de menteuse et d'être renvoyée avec armes et bagages à Saint-Ferdinand.

Après avoir réfléchi toute la semaine au meilleur moyen d'obliger Germain à déclarer ouvertement ses intentions, l'orpheline avait décidé de l'acculer au pied du mur, le dimanche précédent. Bien qu'elle ne le fréquentât que depuis quelques semaines, elle croyait bien le connaître, son Germain. Le jeune cultivateur au visage raviné par l'acné était un timide qui n'avait aucune confiance en lui. Elle l'avait parfois insidieusement amené à se montrer un peu plus entreprenant lors des soirées qu'il passait au salon en sa compagnie en lui permettant quelques chastes baisers. Mais les privautés s'étaient arrêtées là. Lorsque les mains du jeune homme s'étaient montrées un peu trop baladeuses, elle l'avait sèchement remis à sa place, toute fière de constater chaque fois le pouvoir qu'elle pouvait exercer sur un homme qui avait une dizaine d'années de plus qu'elle.

— Voyons, Germain, lui disait-elle en feignant d'être fâchée. Je suis une fille honnête.

L'autre, le visage rouge de confusion, ne savait alors plus quel geste poser pour se faire pardonner.

Or, le dimanche des Rameaux, Gabrielle Paré avait pris un ton de conspiratrice pour dire à son amoureux:

— Germain, je pense que la supérieure de l'orphelinat a écrit à monsieur le curé. Il me semble avoir reconnu l'écriture de sœur Sainte-Anne sur l'enveloppe.

— Qu'est-ce que ça veut dire ? avait demandé Germain.

— Ça peut vouloir dire juste une affaire : elle veut qu'il me renvoie à l'orphelinat, avait affirmé la jeune servante en prenant une mine attristée.

— Pourquoi il ferait ça ? Madame Cournoyer arrête pas de dire comment le curé Lussier est content de toi.

— La supérieure peut lui dire qu'elle a besoin de moi. Après Pâques, chaque année, on commence le grand ménage de printemps. Dans ce temps-là, l'ouvrage manque pas là-bas.

— Mais il y a d'autres filles à Saint-Ferdinand, avait plaidé Germain, dépassé par la nouvelle situation.

— Je le sais bien, mais c'est sœur Sainte-Anne qui décide.

— Oui, mais après, elle va te renvoyer ici.

— C'est loin d'être sûr, avait continué à mentir la jeune fille. À partir de seize ans, les sœurs nous placent souvent comme ménagères dans des familles autour de Québec. Si je suis venue à Saint-Jacques, c'est parce que le curé Lussier a insisté. S'il demande une cuisinière après Pâques, la supérieure peut aussi bien refuser que lui envoyer une autre fille de l'orphelinat à ma place.

La mine catastrophée de Germain Fournier lui avait alors confirmé à quel point son stratagème avait fonctionné. Elle avait ensuite vainement attendu qu'il se décide à lui poser la question qu'elle voulait entendre depuis le début, et son humeur s'en était trouvée affectée.

— C'est tout ce que tu trouves à dire ? avait-elle finalement demandé sur un ton acide.

— Ben. Qu'est-ce que tu veux que je dise ?

— Je le sais pas, moi! avait-elle de nouveau menti. Je pensais que c'était sérieux entre nous deux.

— C'est sûr que c'est sérieux, s'était-il défendu.

— On dirait que t'as pas l'air de comprendre que si on fait rien, je pourrai peut-être pas revenir ici avant mes vingt et un ans. Est-ce que tu veux attendre deux ans avant qu'on se revoie?

— Ben non.

Germain avait laissé tomber un lourd silence entre eux dans le petit salon d'Agathe Cournoyer avant de se lancer à l'eau.

— Et si on se mariait? avait-il suggéré, le cœur battant.

Durant un long moment, Gabrielle, fine mouche, fit semblant de réfléchir à cette option, comme si elle ne l'avait jamais envisagée.

— Est-ce que c'est une demande en mariage?

— Je pense ben que oui, avait fait Germain, le visage rougi par l'émotion, mais fier de lui.

— OK, mais attends pas trop pour venir voir monsieur le curé et lui demander ce qu'il en pense. Si t'attends trop, je risque d'être déjà partie pour Saint-Ferdinand.

La jeune orpheline avait passé le reste de l'après-midi dans une sorte d'euphorie. Germain Fournier était prêt à l'épouser. Si tout fonctionnait comme elle l'espérait, elle serait madame Fournier dans quelques mois et elle vivrait chez elle, dans sa maison. Plus personne ne lui dirait ce qu'elle devait faire. Fini le temps où elle était la servante qu'on faisait travailler comme une esclave du matin au soir. Bien sûr, elle n'allait pas épouser le prince charmant. Il était laid et ennuyeux, mais…

Lorsqu'il dut la quitter, à la fin de l'après-midi, Gabrielle avait rappelé à Germain:

— Va surtout pas dire à monsieur le curé que tu viens le voir parce que t'as peur qu'il me renvoie à l'orphelinat. Si tu fais ça, il va penser que je regarde son courrier.

Germain l'avait rassurée avant de quitter la maison de la vieille ménagère. Ce soir-là, l'orpheline s'était mise au lit en rêvant à tout ce qu'elle ferait lorsqu'elle serait enfin mariée. À aucun moment, elle n'avait songé à mettre sa logeuse au courant de son subterfuge visant à pousser son amoureux à demander sa main.

Puis, la journée du lendemain s'était écoulée sans que Germain Fournier n'apparaisse au presbytère. Au fil des heures, la tension donna une sérieuse migraine à Gabrielle.

— Mais qu'est-ce qu'il attend, le niaiseux, pour venir? se demanda-t-elle vingt fois durant la journée en serrant les dents.

Le lendemain : même scénario. Pas de Germain Fournier. Si elle s'était écoutée, Gabrielle Paré aurait piqué une crise de nerfs juste pour se soulager lorsque vint le moment de retourner chez Agathe Cournoyer. Toute la journée, elle avait été sur le bord d'exploser. De plus, elle avait dû supporter les plaintes répétées de la vieille cuisinière aux prises avec une crise aiguë de rhumatisme. Si son prétendant avait été devant elle, elle l'aurait assommé avec joie. À quel jeu jouait-il? Avait-il changé d'idée? Lui avait-elle fait peur? Si elle avait pu, elle aurait demandé au père Groleau de la conduire chez lui pour lui demander des comptes.

Gabrielle Paré ne pouvait deviner que son Germain était aux prises avec deux vaches sur le point de vêler. Durant ces deux jours, il ne pouvait tout simplement pas s'absenter de la ferme. Il lui fallait aider les deux mères à mettre bas. Ce délai de deux jours avant d'aller rencontrer le curé Lussier n'aida en rien ce timide. Cent fois, il imagina les pires scénarios. Il n'en dormait plus. Il n'osait même pas penser à ce qu'il ferait si le prêtre lui opposait une fin de non-recevoir et renvoyait immédiatement Gabrielle à son orphelinat. À cette seule pensée, il en avait des sueurs froides. Il n'était tout de même pas pour retomber dans le désespoir qu'il avait vécu lorsqu'il avait été rejeté par Céline Veilleux !

Le mercredi avant-midi, la seconde vache donna enfin naissance à son veau. Libéré, le célibataire décida de faire sa toilette et de s'endimancher pour aller voir le curé Lussier au début de l'après-midi.

Une brusque sonnerie sortit Gabrielle Paré de sa rêverie. Elle jeta un coup d'œil à son pain et elle se composa un visage aimable pour aller répondre à la porte d'entrée.

— Laisse faire, lui ordonna le curé Lussier déjà sorti de son bureau. Je m'en occupe.

Gabrielle resta debout près de la porte de la cuisine, espérant qu'il s'agissait enfin de Germain. Lorsqu'elle vit son prétendant entrer et enlever ses bottes à l'extrémité du couloir, elle se sentit soulagée d'un grand poids. Elle lui adressa un timide signe d'encouragement alors que le prêtre lui tournait le dos.

Antoine Lussier fit entrer le jeune homme dans son bureau et referma la porte derrière lui. Gabrielle s'avança sur le bout des pieds dans le couloir pour tenter d'entendre la conversation qui se déroulait dans la pièce, mais la porte était trop épaisse et elle ne perçut que des murmures.

— Qu'est-ce qui se passe ? demanda le curé Lussier au jeune cultivateur sur un ton débonnaire en lui faisant signe de s'asseoir sur l'une des deux chaises placées devant son bureau.

Germain, la tuque à la main et le manteau déboutonné, ne savait par où commencer. Le prêtre sembla soudain se rendre compte de son malaise et voulut l'encourager.

— J'espère que ce sont pas tes amours avec notre Gabrielle qui vont mal ?

— Ben non, monsieur le curé, au contraire.

— Tu veux faire tes Pâques ?

— Elles sont déjà faites, monsieur le curé. Non, je voulais vous parler de Gabrielle, finit par dire Germain en passant un doigt épais entre le col de sa chemise et son cou.

— Bon. Accouche, Germain, s'impatienta Antoine Lussier. On n'est pas pour y passer tout l'après-midi.

— Ben, voilà. On aimerait se fiancer, monsieur le curé.

— Vous fiancer, déjà ! Mais vous vous fréquentez juste depuis les fêtes, s'étonna le prêtre.

— C'est vrai, reconnut le jeune homme, mais je pense qu'on se connaît ben et…

— Vous avez pas fait de folies au moins, tous les deux ? fit Antoine Lussier, le ton subitement sévère.

— Non, monsieur le curé. J'ai toujours respecté Gabrielle et je l'ai vue seulement quand madame Cournoyer était là.

— Tu me rassures. Elle, qu'est-ce qu'elle en pense ? demanda encore le curé.

— Elle veut bien.

— On va le lui demander quand même, fit le prêtre en se levant.

Il ouvrit la porte de la pièce et, du couloir, invita la jeune servante à venir avant de retourner s'asseoir derrière son bureau. Gabrielle se présenta dans la pièce en essuyant ses mains sur son tablier.

— Gabrielle, Germain vient de me demander ta main. Tu étais au courant ?

— Oui, monsieur le curé, répondit l'orpheline en s'efforçant de rougir.

— Quand voulez-vous vous fiancer ?

— Le plus vite possible, monsieur le curé, déclara Germain, rendu plus brave par la présence de Gabrielle.

— Vous savez que je dois d'abord obtenir l'accord de la supérieure de l'orphelinat parce qu'elle est la responsable de Gabrielle jusqu'à sa majorité. Je vais lui écrire et si elle est d'accord, vous pourrez vous fiancer.

— Merci, monsieur le curé, dit Germain, soulagé et reconnaissant.

— Mais vous savez que j'ai jamais été pour les longues fiançailles. Si vous vous fiancez avant la fin du mois, quand pensez-vous vous marier ?

— Au commencement de l'été ? suggéra l'orpheline en adressant un regard timide à Germain.

— Oui, au commencement de l'été, répéta ce dernier.

— Bon, c'est correct. Je m'en occupe, conclut le prêtre en se levant de son fauteuil et en contournant son imposant bureau en chêne.

Le pasteur ouvrit la porte de son bureau.

— Toi, mon Germain, je devrais t'en vouloir, lança Antoine Lussier sur un ton plaisant. T'es en train de me voler ma cuisinière. Je peux te garantir que c'est toute une cuisinière.

Gabrielle baissa la tête, flattée par le compliment.

— Merci, monsieur le curé, fit le jeune cultivateur en s'engageant dans le couloir devant la jeune fille.

La jeune servante suivit son amoureux jusqu'à l'entrée et le regarda chausser ses bottes. Après s'être assurée que le prêtre avait bien fermé la porte de son bureau, elle se leva sur le bout des pieds et embrassa Germain.

— On se voit samedi soir, lui chuchota-t-elle de sa voix la plus enjôleuse, avant de le laisser partir.

Le samedi saint, Bruno Pierri se présenta chez les Veilleux au milieu de l'avant-midi.

En cette journée du début du mois d'avril, l'air doux charriait des effluves printaniers. Tout laissait présager que la vie allait bientôt renaître. Déjà, des plaques de terre apparaissaient çà et là au milieu des champs. La route, sans être encore praticable pour les voitures, devenait de plus en plus difficile à emprunter pour les *sleighs* et les traîneaux. À certains endroits, la glace et la neige avaient cédé leur place à des mares d'eau. Partout, l'eau de fonte avait envahi les fossés et menaçait de déborder sur la route.

La veille, l'Italien était venu rendre visite à Ernest pour prendre de ses nouvelles. Depuis l'accident, il s'était arrêté chaque semaine pour s'informer de sa santé. Le voisin continuait à le vouvoyer, probablement parce que le malade avait presque quinze ans de plus que lui.

— Est-ce que c'est pas presque le temps pour vous de voir le docteur Courchesne pour qu'il vous enlève votre plâtre? lui avait-il demandé. Si ça vous convient, vous pourriez peut-être monter avec moi à Pierreville demain matin parce que je dois passer chez Murray.

— Si ça te dérange pas trop, ça ferait ben mon affaire, avait accepté le petit homme. Ça fait assez longtemps que j'endure ce plâtre-là.

— Bon. On va essayer d'y aller en voiture, avait déclaré Bruno. Ça va être la première fois cette année que je vais m'en servir. Mais je pense pas avoir trop de misère, il y a de moins en moins de neige sur le chemin.

De fait, jusqu'au village de Saint-Jacques-de-la-Rive, l'attelage n'eut pas trop de mal à avancer, mais la route conduisant à Pierreville, plus fréquentée, se révéla beaucoup plus difficile à parcourir. Malgré tout, le retour se fit avant midi et dans la bonne humeur. Ernest était débarrassé de son plâtre encombrant et le docteur Courchesne l'avait déclaré complètement guéri. Malgré un boitillement temporaire, selon le médecin, le cultivateur était heureux comme un enfant.

— Il était à peu près temps, déclara Ernest avec un grand sourire. Je vais enfin pouvoir m'occuper de mon sirop à la cabane à sucre. J'ai ben cru que je pourrais pas y mettre les pieds cette année.

— Votre grand fils vous a tout de même pas mal aidé, lui fit remarquer son voisin. Vous êtes chanceux d'avoir des enfants. Maria et moi avons pas pu en avoir…

— C'est vrai, reconnut Ernest. Mon Albert a fait son possible. Il est même resté quinze jours plutôt qu'une semaine avant de retourner à sa *job*, en ville.

— C'est dommage que vous l'ayez pas tout le temps avec vous, lui fit remarquer Pierri.

— C'est sûr que j'aurais ben aimé qu'il reste travailler avec moi, confia Ernest, la mine subitement assombrie. Je pensais qu'il prendrait ma suite.

— Il y en aura certainement un parmi vos autres fils qui restera avec vous pour vous aider. C'est pas comme moi…

Le visage d'Ernest Veilleux devint triste l'espace d'un moment. Il venait de penser à son Adrien, mort quelques semaines auparavant.

— Avec les enfants, on peut jamais savoir, dit-il finalement à l'Italien. Il y a rien qui me dit qu'ils partiront pas tous, les uns après les autres, pour aller vivre en ville.

— C'est vrai que la ville les attire, reconnut Pierri. Les jeunes s'imaginent que c'est le paradis. Ils se trompent. C'est pas une vie de travailler de douze à quatorze heures par jour, six jours par semaine, pour un salaire de misère.

Ils savent pas ce que c'est que de se retrouver chaque soir dans un petit appartement étouffant, à endurer les cris des voisins. Je connais ça. J'ai vécu assez longtemps à Montréal pour savoir comment ça se passe.

— Tu connais les jeunes, reprit Ernest. Ils pensent juste aux plaisirs qu'ils vont avoir là-bas. Le radio, les vues, les restaurants, les chars, l'électricité et l'eau courante, c'est tout ce qui les intéresse. Pour eux autres, c'est ça, la vraie vie.

— Ils oublient qu'il faut avoir de l'argent pour se payer tout ça, reprit l'Italien. Quand on gagne douze ou treize piastres par semaine, tout ça, c'est pour les autres.

— On a beau chercher à leur ouvrir les yeux, ils veulent rien entendre. Je suis rendu à penser que ça sert à rien de s'énerver avec ça parce qu'on peut rien y changer, conclut Ernest, philosophe. Les plus intelligents finiront ben par comprendre qu'il y a rien qui vaut une bonne terre.

Il y eut un moment de silence dans la voiture quand le conducteur dut contourner une large mare d'eau au milieu du rang Sainte-Marie.

— Avez-vous remarqué qu'il y a une bonne couche d'eau sur la glace de la rivière? demanda Bruno pour changer de sujet de conversation.

— Ouais! J'ai l'impression que la glace est à la veille de lâcher. Ça peut pas faire autrement avec toute l'eau de fonte qui descend. J'espère qu'il se mettra pas à mouiller en plus, ajouta Ernest en jetant un coup d'œil au ciel où de lourds nuages gris s'amoncelaient. S'il se met à mouiller, les chemins seront pas beaux à voir demain matin. Ça pourrait vouloir dire la fin des sucres.

— Vous me parlez d'eau, dit Pierri. Ça me fait penser à vous demander si vous aussi, vous allez chercher ce que vous appelez ici de l'eau de Pâques.

— Beau dommage. C'est sûr. Demain matin, je vais être à la source de Desjardins avant le lever du soleil. Tu peux en être certain. Maintenant que je peux me servir de mes deux jambes…

— Je connaissais pas cette tradition-là, avoua Pierri, incrédule.

— Ah non ? demanda Ernest, surpris. Avec quoi vous soignez tous vos petits bobos chez vous si vous avez pas d'eau de Pâques ?

Il y eut un court silence dans la voiture avant que l'Italien ne reprenne la parole.

— Pensez-vous que ça dérangerait si j'allais, moi aussi, me chercher de l'eau chez Desjardins, demain matin ?

— Pantoute. T'as juste à arriver avant le lever du soleil.

Quelques minutes plus tard, Bruno Pierri arrêta sa voiture près de la maison des Veilleux.

— Faites tout de même attention à votre jambe, dit-il en voyant son voisin s'appuyer avec précaution sur sa jambe droite. Il manquerait plus que vous vous la cassiez une autre fois.

— Inquiète-toi pas, je ferai pas de folie. Merci pour le voyage.

~

Quand Ernest Veilleux se leva avant l'aurore, le matin de Pâques, il entendit les lourdes gouttes de pluie qui tombaient sur la toiture de la maison. Il alluma le poêle et il entreprit de s'habiller pour sortir, même s'il était encore trop tôt pour aller soigner les animaux. Au moment où il endossait son épais paletot, il vit Jérôme descendre de l'étage.

— Attendez-moi, p'pa. Je vais aller chercher de l'eau de Pâques avec vous, proposa l'adolescent en passant une main dans sa chevelure brune hirsute.

— Grouille, lui ordonna son père, tout de même heureux d'avoir de la compagnie. Le jour est à la veille de se lever et je peux pas marcher vite.

Quelques minutes plus tard, le père et le fils, portant un fanal allumé et un gros pot en vitre, se mirent en marche sous la pluie en direction de la source vive qui coulait chez les Desjardins, la dernière ferme du rang Sainte-Marie, située à quelques arpents de celle des Veilleux, de l'autre côté de la route. Lorsqu'ils approchèrent des lieux, ils aperçurent plus d'une demi-douzaine de fanaux allumés et entendirent des bruits de voix. La plupart des fermiers du rang s'étaient levés avant l'aube pour venir recueillir, comme la tradition l'exigeait, de l'eau de Pâques. Durant toute l'année, le contenant d'eau serait placé non loin des rameaux bénits le dimanche précédent et chacun pourrait profiter des vertus curatives de cette eau aux pouvoirs miraculeux.

— Les glaces ont lâché au milieu de la nuit, fit une voix qu'Ernest attribua à Antonius Tougas. De chez nous, j'ai entendu le grondement.

— Moi aussi, dit Adalbert Perreault, son voisin d'en face. Un vrai coup de canon.

— Dans le rang, vous êtes les plus près de la rivière, déclara Desjardins, un gros cultivateur bourru, propriétaire de la source. C'est sûr que vous êtes ben placés pour entendre ça. J'espère qu'il y a pas d'embâcle sur la rivière.

— Si ça bloque pas à la hauteur du pont de Pierreville, déclara Eugène Tremblay, l'un des premiers arrivés à la source, les glaces vont partir sans faire de dommages.

Sous la pluie abondante qui n'avait pas cessé de tomber, le silence se fit soudain chez les hommes frileusement regroupés près de la source. À tour de rôle, chacun remplit son contenant et s'empressa de le fermer.

— Tiens, v'là la barre du jour, annonça Perreault en pointant un doigt vers l'est.

— Bon, je pense ben que c'est le temps d'aller faire notre train si on veut être à temps pour la messe, dit Ernest Veilleux en se dirigeant déjà vers la route en compagnie de son fils.

Comme s'il n'attendait que ce signal, le groupe se dispersa et chacun entreprit de rentrer chez soi. Ernest salua Bruno Pierri, mais il détourna ostensiblement la tête à la vue d'Eugène Tremblay.

~

Quand Eugène rentra à la maison, il aperçut une lueur dans l'étable, signe que Clément, Gérald et Lionel avaient déjà commencé à traire les vaches. Il tendit la bouteille d'eau de Pâques à Thérèse avant d'aller rejoindre ses fils.

Un peu plus d'une heure plus tard, tout le monde rentra dans la maison sous une pluie battante.

— Tu parles d'un temps de chien pour Pâques! gronda Thérèse, de mauvaise humeur. On pourra même pas étrenner notre chapeau neuf, ajouta-t-elle sur un ton dépité.

— Ça valait bien la peine de se donner autant de mal pour changer toute la garniture de notre vieux chapeau de l'année passée, se plaignit Claire, l'humeur aussi sombre que celle de sa mère.

— À votre place, je m'inquièterais ben plus de la route que de votre chapeau, leur fit remarquer Eugène en allumant sa pipe. Antonius m'a dit que les glaces avaient lâché au milieu de la nuit et je serais pas surpris qu'avec ce qui tombe, on soit même pas capables de passer sur le chemin.

— Je pense que je vais aller à la basse-messe, annonça Gérald. Est-ce que je sors le boghei ?

— T'es mieux. Avec cette pluie-là, il doit plus rester ben de la neige sur la route. Si tu t'aperçois que le chemin est trop mauvais, prends pas de chance, reviens.

— Je vais y aller avec toi, dit Claire à son jeune frère.

— Nous aussi, déclarèrent Lionel et Jeannine.

— Moi, j'ai promis à Céline d'aller à la grand-messe avec elle, fit Clément. C'est pas parce que ça me convient, ajouta le jeune homme. J'ai une faim de loup et je pourrai pas manger avant midi. Je vais aller te donner un coup de main à nettoyer la *sleigh*, offrit-il à son frère.

— C'est pas nécessaire, jugea son père. Avec ce qui tombe, elle va être crottée avant d'être rendue devant chez Hamel. Relève d'abord la capote et regarde si les mulots ont pas fait de nids dans les sièges.

Quelques minutes plus tard, le boghei noir des Tremblay sortit de la cour sous une pluie battante. Eugène, déjà endimanché, le regarda aller jusque chez Georges Hamel.

— Je sais pas s'ils vont être capables de traverser la baissière dans le coin de chez Tougas, dit-il à sa femme en train de dresser le couvert du dîner qui serait servi au retour de la grand-messe.

Le fermier songeait à l'importante dénivellation qu'on rencontrait à environ trois cents pieds avant d'arriver à la ferme d'Antonius Tougas, la première ferme du rang Sainte-Marie. Comme chaque printemps, les fossés avaient dû déborder à cet endroit et il était plus que probable que l'eau avait envahi la route. Mais en quelle quantité ? Il eut la réponse à sa question moins de quinze minutes plus tard quand le boghei, couvert d'une boue épaisse, s'arrêta devant la galerie. Le conducteur et ses trois passagers en descendirent et rentrèrent dans la maison.

— Ça passe pas, expliqua Gérald en essuyant son visage mouillé par la pluie.

— La baissière? demanda son père.

— Oui. Il y a au moins deux pieds d'eau sur une trentaine de pieds de long.

— Toute une belle journée de Pâques! s'exclama Thérèse, frustrée d'être privée de sa sortie dominicale. On pourra même pas aller à la messe.

— C'est ben de valeur, mais on peut rien y faire, fit Eugène, qui avait du mal à cacher sa satisfaction. J'ai pas encore appris à nager à nos chevaux.

— T'es bien drôle, Eugène Tremblay, fit sa femme en lui jetant un regard meurtrier. Mais comme on peut pas aller à la messe, on va la remplacer par la prière et un chapelet.

— Après le déjeuner, j'espère, demanda Gérald.

— Non, avant. On va juste prendre le temps de se changer pour pas salir notre linge du dimanche avant de se mettre à genoux sur le plancher de la cuisine.

Il y eut des murmures de mécontentement chez les jeunes.

— Je vais aller dételer, dit immédiatement Clément en endossant son manteau. En plus, il va ben falloir nettoyer un peu le boghei, il doit être crotté jusqu'à la capote.

— Laisse faire, je vais y aller, fit Gérald, prêt à retourner à l'extérieur pour s'occuper de l'attelage.

— Non, toi, tu vas te changer, lui ordonna sa mère. Tu vas tout te salir en dételant. Laisse faire ton frère.

Les enfants de Thérèse Tremblay se dirigèrent vers l'escalier pour monter à leur chambre.

— Je pense que ça aurait été moins long d'aller à la basse-messe, murmura Gérald à sa sœur Aline avant d'entrer dans sa chambre.

— En tout cas, à l'église, on est moins longtemps à genoux, renchérit l'adolescente, aussi mécontente que son frère.

Les Tremblay entendirent un bruit sur la route et Eugène se pencha pour regarder par la fenêtre.

— On dirait qu'on sera pas les seuls à pas pouvoir aller au village à matin, déclara-t-il à sa femme. Je viens de voir le boghei de l'air bête d'à côté revenir.

— En tout cas, j'ai bien peur que cette pluie-là veuille dire la fin des sucres, se désola Thérèse en ne relevant pas l'insulte adressée au voisin. Tu peux être certain qu'il va y avoir une montée de sève et l'eau d'érable dans les chaudières va être juste bonne à jeter demain matin.

Bref, ce dimanche de Pâques 1923 fut une journée assez triste et la pluie ne cessa qu'au milieu de la nuit suivante. L'unique raison de se réjouir fut, bien sûr, la fin du carême. Cette journée marquait la fin de toutes les résolutions prises quarante jours plus tôt. Dans la plupart des foyers, les desserts réapparurent sur les tables pour le plus grand plaisir des gourmands. Pour un bon nombre de paroissiens de Saint-Jacques-de-la-Rive, empêchés d'aller à l'église en ce dimanche de Pâques à cause des routes devenues de véritables bourbiers, la possibilité de se sucrer le bec, de fumer ou de boire un peu d'alcool était une consolation appréciable.

Dans le rang Sainte-Marie, Germain Fournier fut le seul à se risquer à traverser la mare qui s'était formée près de chez les Tougas. Au risque de briser son boghei et de blesser sérieusement son cheval, il s'entêta à passer. Il parvint à se rendre au village même si, à certains endroits, sa voiture eut de l'eau presque à la hauteur des moyeux de ses roues. Cent fois, il faillit s'embourber, mais il parvint à franchir tous les obstacles.

Cinq minutes avant que le curé Lussier ne commence à célébrer la grand-messe, le jeune cultivateur se glissa près de Gabrielle dans l'église. L'orpheline tourna à peine la tête à son arrivée, apparemment trop occupée à prier, inconsciente des risques que venait de prendre son nouveau fiancé.

Chapitre 22

Crise au presbytère

La dernière semaine d'avril allait vite faire oublier la pluie qui avait marqué le jour de Pâques. Le soleil se mit à luire et il parvint peu à peu à assécher la route et les champs. Les journées allongèrent et les premiers bourgeons apparurent aux branches. En moins de deux semaines, toute trace de neige était disparue du paysage.

Après avoir rangé les seaux et les chalumeaux, les cultivateurs s'étaient empressés de fermer pour la saison leur cabane à sucre dorénavant inutile. D'autres tâches plus urgentes réclamaient leurs soins. Quand l'herbe se mit à verdir dans les champs, ils consacrèrent plusieurs jours à vérifier et à consolider les piquets des clôtures qui ceinturaient leurs terres. Dès le début de l'avant-midi, on les voyait se déplacer dans les champs, ne s'éloignant guère de la charrette dans laquelle ils avaient déposé une masse, des piquets de cèdre et des rouleaux de fil de fer barbelé. Certains fermiers avaient déjà sorti de leur étable leurs vaches qui broutaient la première herbe tendre de la saison.

Tout indiquait que le grand emprisonnement de l'hiver était enfin terminé. On pouvait même surprendre quelques ménagères en train de laver leurs fenêtres et d'aérer certaines pièces de leur maison. À présent, la température était assez douce pour ne plus être obligé de chauffer le poêle durant la nuit.

Chez Germain Fournier, aucune femme ne s'activait encore dans la maison ou autour, mais tout indiquait que la situation allait bientôt changer. En effet, le célibataire avait appris, une dizaine de jours auparavant, que la supérieure de l'orphelinat Saint-Ferdinand avait donné son accord aux fiançailles de Gabrielle. Le samedi suivant, il était allé à Pierreville avec sa promise et Agathe Cournoyer pour faire l'acquisition d'une bague de fiançailles, un simple anneau en argent, à la bijouterie Letendre. Le lendemain, il avait été invité à souper chez la vieille dame et on avait célébré ses fiançailles officielles avec l'orpheline. À cette occasion, les deux jeunes gens s'étaient entendus pour se marier le troisième samedi de juin.

Trois jours après les fiançailles, Germain avait profité d'une belle soirée douce pour atteler son cheval à son boghei et venir rendre une visite impromptue à sa fiancée dont il s'ennuyait déjà. Quand Gabrielle l'aperçut à sa porte, elle eut un sursaut en le voyant tout endimanché un soir de semaine.

— Qu'est-ce qu'il vient faire ici un mercredi soir? dit-elle en serrant les dents.

— De qui parles-tu? lui demanda sa logeuse qui venait de s'asseoir à la table de cuisine pour boire une tasse de tisane.

— Le beau Germain. Il arrive. Je vous dis que c'est pas à soir qu'il va avoir le temps de prendre racine dans le salon, lui.

La vieille servante lui jeta un bref coup d'œil avant de secouer la tête. À en juger par la grimace que la jeune fille venait de faire avant d'aller ouvrir la porte à son fiancé, l'idée de le voir n'avait pas l'air de lui plaire particulièrement. Un doute effleura même l'esprit d'Agathe Cournoyer, mais elle ne dit rien.

La jeune fille alla ouvrir la porte à Germain et le fit passer au salon. Cependant, elle le reçut si froidement qu'un homme moins amoureux aurait trouvé là matière à réfléchir.

Dès ses premiers mots, il était évident que l'orpheline avait décidé de profiter de l'occasion pour mettre les choses au point.

— Veux-tu bien me dire où tu t'en vas, habillé comme ça ? lui demanda-t-elle assez sèchement.

— Ben, je viens te voir.

— En pleine semaine ?

— On va se marier dans deux mois, plaida Germain, mal à l'aise, parce qu'il venait de se rendre compte que sa visite semblait déplaire à sa fiancée.

— C'est bien pour ça que je te le demande. Écoute, Germain. Il faut être raisonnable, s'efforça-t-elle de lui expliquer en gardant un sourire figé. Dans deux mois, on va se voir tout le temps. Là, il faut que tu comprennes que je travaille avec madame Cournoyer jusqu'après le souper au presbytère. Il me reste presque pas de temps après pour préparer mon trousseau. Si tu viens me voir des soirs dans la semaine en plus de la fin de semaine, j'aurai jamais le temps d'être prête pour nos noces au mois de juin.

— Ben sûr, répondit le fiancé, toute sa timidité revenue.

Il se leva du sofa où il venait à peine de s'asseoir, déjà prêt à prendre congé. Gabrielle se leva à son tour, sans chercher à le retenir une minute de plus.

— Pendant que je m'occupe de mon trousseau, tu pourrais peut-être faire du ménage dans la maison, préparer notre chambre à coucher, peinturer, laver les vitres… Je le sais pas, moi. Tu dois pas manquer d'ouvrage à faire.

— T'as raison, acquiesça Germain en se dirigeant déjà vers la porte.

Le fiancé, le visage fermé, ne chercha pas à l'embrasser avant de partir, comme il le faisait habituellement. Il salua Agathe Cournoyer, demeurée assise à la table de cuisine, et quitta la maison. Dès que la porte se fut refermée sur le jeune homme, la vieille dame regarda sa locataire pendant un instant avant de lui faire remarquer :

— Tu trouves pas que t'es un peu dure avec ce pauvre garçon ?

— Pourquoi vous me demandez ça, madame Cournoyer ? fit la jeune fille sur un ton faussement naïf.

— Il s'est probablement dépêché de faire son train, de souper et de se changer pour venir te voir et toi, tout ce que tu trouves à faire, c'est de presque lui fermer la porte sur les doigts.

— Mais je lui ai expliqué que j'avais bien des choses à faire, plaida l'orpheline avec une mauvaise foi évidente.

— Il t'aime, Gabrielle.

— C'est pas une raison pour venir m'embêter.

— Peut-être, mais fais bien attention, ma fille. Sois pas trop sûre de toi. T'es pas encore passée au pied de l'autel. Ton Germain est pas fou. Il peut encore changer d'idée.

Trois maisons plus loin, Hélèna Pouliot, occupée à balayer la longue galerie qui ceinturait deux des quatre côtés de son épicerie, avait vu arriver et repartir le fiancé.

— Seigneur ! se dit-elle à mi-voix. Les mamours ont pas été longs à soir. Un peu plus, la petite bougresse lui disait de rester assis dans son boghei.

Par ailleurs, si Gabrielle Paré avait été présente dans la voiture conduite par son fiancé ce soir-là, elle se serait aperçue que sa réception hostile avait fait beaucoup plus de ravages qu'elle ne pouvait l'imaginer. Si Germain Fournier était parvenu à cacher la peine que la jeune fille lui avait causée en le recevant comme un chien dans un jeu de quilles tout le temps qu'il avait été dans la maison d'Agathe Cournoyer, il en allait tout autrement pendant qu'il regagnait le rang Sainte-Marie.

Inexplicablement, il était partagé entre la rage et le chagrin. L'aimait-elle ? Si oui, pourquoi avait-elle été aussi bête avec lui ? Elle n'était pas contente de le voir. Il comprenait qu'elle veuille préparer son trousseau, mais passer une heure en sa compagnie ne l'aurait pas tant retardée. Cela aurait dû lui faire plaisir de constater qu'il s'ennuyait d'elle au point de venir la voir durant la semaine. Quelle sorte de fille était-ce ?

— En tout cas, dit-il à mi-voix en serrant les dents de rage, si elle s'imagine que je vais travailler toute la journée dehors et en plus, me mettre à faire du ménage dans la maison durant la soirée, elle se trompe. Il y a toujours ben des limites à ambitionner sur le monde. Elle me prendra pas pour un fou !

Tout le reste de la semaine, Germain Fournier remâcha sa rancœur. Lorsque le samedi soir arriva, il hésita long-temps entre se présenter plus tard que d'habitude chez sa fiancée ou ne pas y aller du tout, histoire de lui apprendre qu'il n'était pas obligé d'aller la voir. Finalement, le sort décida pour lui. Au moment où il allait se décider à faire sa toilette, il aperçut un renard en train de s'approcher de son poulailler. Il ne perdit pas un instant. Il saisit son fusil et sortit de la maison. Le temps d'arriver sur les lieux, la bête avait disparu. Il se convainquit alors qu'il devait monter la garde une bonne partie de la soirée pour s'assurer que le rôdeur ne reviendrait pas piller son poulailler.

De son côté, la jeune cuisinière alluma la lampe à huile du salon et s'installa dans la cuisine jusqu'à l'arrivée de son fiancé. Germain apparaissait toujours vers dix-neuf heures quinze. Depuis qu'Agathe Cournoyer l'avait mise en garde, elle avait sagement pris la résolution de se montrer un peu plus douce avec celui qui allait l'épouser à la mi-juin. À dix-neuf heures trente, la jeune fille commença à s'inquiéter du retard de son prétendant et elle se leva plusieurs fois pour scruter par la fenêtre le rang Saint-Edmond par où il devait nécessairement arriver.

Les minutes passant, Gabrielle finit par ne plus tenir en place. Pendant ce temps, sa logeuse se gardait bien de dire un mot. Elle tricotait, confortablement assise dans sa chaise berçante placée près de l'une des deux fenêtres de la cuisine.

— Mais comment ça se fait qu'il arrive pas, lui ? finit par s'exclamer Gabrielle en consultant l'horloge de la cuisine.

À vingt heures, la jeune fille était folle de rage et avait toute la peine du monde à ne pas exploser devant Agathe Cournoyer. Il était maintenant évident que Germain ne viendrait pas. Elle alla souffler la lampe à huile du salon, souhaita une bonne nuit à son hôtesse et monta se coucher. Dès qu'elle entendit la porte de la chambre claquer, la vieille servante eut un rire silencieux en secouant doucement la tête.

— J'en connais un qui va se faire parler demain matin, après la grand-messe, murmura-t-elle en se levant lentement de sa chaise.

Mais la servante du curé Lussier commettait une erreur. La jeune fille ne put passer sa colère sur son fiancé au moment de la grand-messe pour la simple et bonne raison qu'elle ne le vit pas. Tout au plus l'avait-elle aperçu à la fin de la basse-messe, au moment où il montait dans son boghei. Peut-être ne l'avait-il pas vue ! Pourquoi était-il venu à la basse-messe sans lui en parler ? Depuis le début du mois de février, il assistait toujours à la grand-messe en sa compagnie. Qu'est-ce que les commères de la paroisse allaient colporter en la voyant assise seule dans le banc des Fournier ?

Au même instant, Germain Fournier faisait route vers sa ferme, le visage fermé, bien résolu à tenir bon. Il avait bien vu Gabrielle sortir du presbytère au moment où il montait dans son boghei. C'était volontairement qu'il avait refusé de lui adresser le moindre signe de reconnaissance. Ce matin-là, par lâcheté et par entêtement, il avait décidé de l'éviter en allant à la basse-messe. Ainsi, il retardait les explications qu'il allait devoir lui donner lors de leur prochaine rencontre. En retournant à la maison, il n'était même pas certain de vouloir aller passer la soirée avec elle, comme il le faisait tous les dimanches soirs depuis le début de leurs fréquentations.

Pour sa part, Gabrielle Paré avait mal dormi et s'était levée, ce matin-là, la mine chiffonnée. Durant une partie de la nuit, elle avait hésité entre un pardon inconditionnel pour une pareille conduite et le goût de lui faire payer chèrement le fait de l'avoir laissée poireauter à l'attendre toute la soirée. Au fond d'elle-même, quelque chose lui prêchait tout de même une certaine prudence. Elle commençait à réaliser que si elle se montrait trop dure avec lui, il risquait de se rebiffer et de la planter là. Il avait beau être timide, il n'était tout de même pas stupide au point de se laisser malmener sans réagir.

«Je verrai ça après la messe, mais il est mieux d'être fin», s'était-elle promis en finissant de brosser ses cheveux avant de descendre à la cuisine rejoindre Agathe Cournoyer qui l'attendait pour se rendre au presbytère.

Comme tous les dimanches matins, les deux femmes étaient sorties de la maison et avaient traversé le rang Saint-Edmond pour entrer au presbytère. Elles avaient dressé la table du dîner et préparé tout ce qui était nécessaire au repas des deux ecclésiastiques en attendant l'heure de la grand-messe. Par le plus grand des hasards, au moment où la basse-messe prenait fin, Gabrielle s'était rendu compte qu'elle avait oublié son missel dans sa chambre en partant et elle avait prévenu sa compagne qu'elle allait le chercher à la maison avant le début de la grand-messe.

À l'instant où elle posait le pied sur la première marche de l'escalier extérieur du presbytère, les paroissiens qui assistaient à la basse-messe commençaient à sortir de l'église. La jeune cuisinière avait d'abord cru s'être trompée en reconnaissant la voiture de son fiancé au milieu de la douzaine d'autres qui attendaient devant l'église. Puis, elle avait aperçu le jeune cultivateur descendant du parvis. Elle aurait voulu lui crier de l'attendre ou, tout au moins, lui faire signe de venir la rejoindre, mais toute la paroisse aurait fait des gorges chaudes d'une conduite aussi peu conforme aux usages. Elle n'avait alors eu d'autre choix que de voir ce dernier, le regard fixé droit devant lui, monter dans son boghei et partir sans se retourner. Elle en aurait crié de rage. Qu'est-ce qu'il lui prenait de venir à la basse-messe sans la prévenir quand il savait qu'elle l'attendrait à la grand-messe ? Il aurait pu venir sonner à la porte du presbytère pour l'avertir. Il savait bien qu'elle était là.

Inutile de dire que tout au long du service religieux, la jeune fille fut plongée dans des sujets de réflexion très étrangers au saint sacrifice. Elle ne cessait de penser à la conduite inexplicable de son fiancé. Elle n'avait qu'une hâte, celle de le voir le soir même pour connaître les raisons qui l'avaient poussé à ne pas venir la voir la veille et le matin même. Il devait sûrement y avoir une bonne explication à ce comportement. Insidieusement, un soupçon commençait même à voir le jour dans son esprit. Était-il possible que Germain ait décidé, sans même lui en avoir parlé, de mettre fin à leurs projets d'avenir ? Elle avait peut-être exagéré…

— Il manquerait plus que ça ! se dit-elle à mi-voix, alarmée à l'idée de devoir retourner à l'orphelinat avec sa petite valise en carton brun renforcé pour être la servante des religieuses pendant encore deux ans.

Jamais un dimanche après-midi ne lui sembla aussi long. Quand elle termina le lavage de la vaisselle du souper, au presbytère, la jeune fille était en proie à une affreuse migraine tant elle était énervée. À son retour à la maison, elle demanda à sa logeuse :

— Madame Cournoyer, j'ai mal à la tête. Il reste encore une heure avant que Germain arrive. Si ça vous fait rien, je vais aller m'étendre sur mon lit. Voulez-vous me réveiller quand il arrivera ?

— Vas-y, accepta la servante du curé. Je viendrai te réveiller.

La jeune cuisinière monta à sa chambre et se coucha tout habillée. Comme elle avait mal dormi la nuit précédente, elle tomba immédiatement dans un profond sommeil. Lorsqu'elle ouvrit les yeux, elle eut l'impression qu'elle venait de s'endormir. Pourtant, tout était sombre autour d'elle. Quelle heure était-il donc ?

Gabrielle se leva précipitamment et descendit l'escalier. Elle arriva dans la cuisine au moment où Agathe Cournoyer s'apprêtait à aller se coucher. La vieille dame, vêtue d'une épaisse robe de chambre, venait de déposer son éternel tricot.

— Quelle heure il est, madame Cournoyer ? fit Gabrielle en tentant de déchiffrer l'heure à l'horloge.

— Un peu plus que dix heures du soir.

— Vous m'avez pas réveillée ? demanda l'orpheline sur un ton accusateur.

— J'ai pas eu à te réveiller, ma fille, parce qu'il est pas venu.

— Il est pas venu ? répéta Gabrielle, comme si elle n'en croyait pas ses oreilles.

— Je te l'avais dit, Gabrielle, que t'avais peut-être tiré un peu trop fort sur la corde, la semaine passée. Un homme a sa fierté, même quand il est en amour.

La jeune fille se laissa choir sur une chaise et se mit à pleurer doucement. Agathe Cournoyer se rassit dans sa chaise berçante sans dire un mot de plus et la laissa pleurer tout son saoul.

— On doit se marier dans deux mois, dit-elle entre deux hoquets. On vient juste de se fiancer, ajouta-t-elle, un instant plus tard. Il y a sûrement quelque chose qu'on peut faire.

— Peut-être.

— Quoi, madame Cournoyer ?

— Peut-être que si tu lui écrivais une petite lettre d'amour, suggéra la vieille dame. On sait jamais. Ça pourrait peut-être arranger les choses. Tu pourrais la donner à Philibert Dionne pour qu'il la laisse demain matin chez Germain.

— Vous pensez que ça pourrait marcher ?

— C'est possible. En tout cas, ça te coûte rien d'essayer. Bon, moi, je monte me coucher. Je suis fatiguée, déclara la vieille dame en se levant avec difficulté de son siège.

Lorsqu'elle se retrouva seule, Gabrielle Paré monta à sa chambre à son tour, résolue à écrire une brève lettre d'excuses à son fiancé. Elle termina sa missive par un « Je t'aime » suivi de quelques « X ». En cachetant l'enveloppe, elle se promit néanmoins de lui faire payer chèrement l'humiliation qu'il lui imposait.

Le lundi matin, le postier se chargea de laisser la lettre chez Germain Fournier, qui la découvrit à l'heure du dîner en venant vider sa boîte aux lettres. Le jeune cultivateur la lut et la relut plusieurs fois pour se convaincre que son auteure regrettait son comportement de la semaine précédente. Cependant, il ne commit pas la bêtise de se précipiter au village le jour même pour voir Gabrielle. Même si sa lettre l'invitait à venir la voir le plus tôt possible et même s'il en avait une folle envie, il sut se contraindre à ne pas bouger de chez lui. Il décida de s'en tenir aux règles qu'elle lui avait imposées, soit deux visites hebdomadaires, les samedis et dimanches soirs.

Après mûre réflexion, le jeune homme détacha une feuille d'un vieux cahier et écrivit quelques mots à sa Gabrielle de son écriture malhabile. Il lui expliqua qu'il serait bien allé la voir cette semaine, mais qu'il avait entrepris un grand ménage de la maison, ménage qu'il ne pouvait faire qu'après le souper puisqu'il était occupé à ses labours de printemps durant le jour. Peu habitué à écrire, Germain trouva l'exercice presque aussi épuisant qu'une journée de travail. Enfin, il déposa sa lettre dans la boîte, de manière à ce que le postier la récupère le lendemain avant-midi.

Quand Gabrielle lut le mot de son fiancé, un bref sourire éclaira ses traits. Tout avait l'air de rentrer dans l'ordre et, de plus, il avait bien retenu qu'elle ne tenait pas du tout à le voir dans ses jupes durant la semaine. Elle retrouva alors son entrain coutumier, attendant avec une impatience tout de même un peu teintée d'inquiétude le samedi soir suivant.

Évidemment, Philibert Dionne, toujours aussi prompt à répandre les commérages, ne se priva pas pour faire remarquer chez Hélèna que c'était sûrement le grand amour entre Germain Fournier et la petite servante du curé. Non seulement ils se voyaient la fin de semaine, mais ils s'écrivaient des lettres pendant la semaine.

— Si ça a du bon sens! s'exclama Hélèna en prenant un air dégoûté. Cette fille-là a aucune pudeur.

⁓

Cette semaine-là, il n'y eut pas que les amours de Germain Fournier qui furent troublées. Fait étonnant, si le postier aida à arranger les choses dans un cas, il fut l'agent bien involontaire qui perturba les fréquentations de Clément Tremblay.

Le mardi avant-midi, Anne rapporta à la maison une lettre laissée par le postier quelques minutes plus tôt dans la boîte aux lettres au bord du chemin. Yvette Veilleux, occupée à repasser des vêtements, remit sur le poêle à bois son fer et prit la missive que l'adolescente lui tendait. Elle alla s'asseoir à la table de cuisine après avoir chaussé ses lunettes et ouvrit l'enveloppe. Céline et Anne continuèrent à plier les vêtements qui avaient été mis à sécher à l'extérieur au début de l'avant-midi tout en attendant avec une curiosité mal dissimulée que leur mère leur livre le contenu de la lettre qu'elle lisait. Finalement, Yvette retira ses lunettes et replia les deux feuillets qu'elle venait de lire.

— Puis, m'man? demanda Céline. Qui est-ce qui vous a écrit?

— Ta cousine Rachel, répondit sa mère, l'air songeur.

— Mon Dieu! Ça, c'est rare. Est-ce qu'il lui est arrivé quelque chose de grave?

— Mais non. Elle a juste besoin d'aide. C'est seulement dans ce temps-là qu'elle se souvient de nous autres, la belle Rachel.

Rachel Gélinas, la fille aînée de sa sœur Marie, avait épousé, quelques années auparavant, Gédéon Lepage, un notaire de Montréal. À l'époque, ce dernier, un petit homme fluet qui zozotait légèrement, venait d'hériter de son père d'une somme assez considérable. Après s'être fait construire une maison confortable boulevard Saint-Joseph, le couple s'était mis en frais d'avoir une famille nombreuse. Les Lepage fréquentaient peu la famille. Comme l'avait si bien fait remarquer Yvette, on n'entendait parler d'eux que lorsqu'ils avaient besoin de quelque chose.

— Qu'est-ce qu'elle veut, m'man ? demanda Anne.

— Elle attend son cinquième et elle aimerait que Céline aille lui donner un coup de main pendant quelques semaines.

— Il me semblait qu'elle avait une bonne, elle ? fit Anne.

— Il faut croire que ça suffit pas.

Yvette Veilleux jeta un coup d'œil à Céline qui avait cessé de plier les vêtements. La jeune fille semblait soudainement tout excitée à la pensée d'aller vivre quelque temps à Montréal.

— Qu'est-ce que t'en penses, Céline ? s'enquit sa mère.

— Moi, ça me dérange pas. Si ça peut lui rendre service, je suis bien prête à y aller.

— Et Clément dans tout ça ? dit sa sœur, sur un ton narquois.

— Je suis pas mariée à Clément Tremblay, tu sauras. J'ai pas de permission à lui demander.

— En tout cas, si tu peux pas y aller, je suis prête à me sacrifier, reprit la cadette.

— C'est pas toi qu'elle veut, c'est moi.

— Whow ! Vous deux, calmez-vous, intervint leur mère en reprenant son fer à repasser. C'est pas vous autres qui allez décider ça, c'est votre père. Ça me surprendrait pas qu'il refuse. Vous savez comme moi qu'il aime pas trop votre cousine Rachel.

Quand Ernest rentra à la maison pour le repas du midi, sa femme attendit qu'il en soit au dessert avant de lui faire part de la demande de la fille de sa sœur Marie.

— Pourquoi elle demande pas à une de ses sœurs ou à une de ses belles-sœurs d'aller lui donner un coup de main? répliqua sèchement Ernest.

— Elles ont toutes des enfants aux couches.

— En tout cas, elle a du front tout le tour de la tête, la grande madame de Montréal, s'emporta le cultivateur. La plupart du temps, elle nous regarde même pas quand elle vient se promener à la campagne, puis lorsqu'elle a besoin de nous autres, elle se rappelle tout à coup qu'on existe.

— C'est tout de même de la famille, le raisonna sa femme.

— En plus, elle prend mes filles pour des servantes.

— Mais non, Ernest. Elle demande Céline parce qu'elle a confiance en elle pour s'occuper de ses enfants. En plus, c'est pas pour longtemps. C'est juste pour ses relevailles.

— Moi, je pense plutôt qu'elle demande notre fille parce que ça lui coûtera rien. Si elle engageait une femme de Montréal, elle devrait la payer.

— Inquiète-toi pas pour ça, voulut le rassurer Yvette. Tu sais comme moi que Gédéon est pas gratteux. Il va sûrement lui payer des gages. Cet argent-là nous serait bien utile.

Ce dernier argument sembla légèrement ébranler le père de famille. Il demeura silencieux durant un bon moment avant de demander:

— Et toi, vas-tu être capable de te passer de Céline juste au moment où tu vas te lancer dans le grand ménage du printemps?

— Je suis capable de m'organiser avec Anne.

— Et comment Céline est supposée aller en ville? poursuivit Ernest qui avait déjà, apparemment, accepté le départ de sa fille.

— Rachel m'a écrit que Gédéon a maintenant une automobile et qu'il pourrait venir la chercher dimanche après-midi, si je lui fais savoir qu'on est d'accord pour la laisser partir.

— Qu'elle y aille si ça lui tente, trancha Ernest en trempant un morceau de pain dans la mélasse qu'il venait de verser dans une soucoupe.

En entendant cette décision, le visage de Céline s'illumina et elle poussa sa mère à répondre à la cousine Rachel l'après-midi même.

— Chanceuse! lui dit Anne en réprimant mal sa jalousie. Pendant que je vais être pognée pour faire du ménage et partir le jardin, toi, tu vas faire un beau voyage en machine et tu vas aller en ville.

— Aïe, ce sera tout de même pas le ciel! se défendit mollement sa sœur.

— Essaye pas de me faire croire que t'as pas hâte de rester dans une belle grande maison, proche du parc Lafontaine. Tu vas avoir l'électricité dans ta chambre et je suis sûre que les Lepage ont un radio. À part ça, tu vas peut-être avoir la chance de faire un tour en petit char.

— T'oublie que Rachel m'invite pas pour des vacances, protesta Céline. Je vais avoir à m'occuper de ses quatre enfants et, si ça se trouve, du cinquième quand il va arriver. Il va falloir faire à manger à tout ce monde-là et les nettoyer.

— Ça fait rien. Moi, je changerais bien de place avec toi n'importe quand, conclut Anne, envieuse.

Le samedi soir suivant, pendant que Gabrielle Paré tentait de rétablir tant bien que mal des relations harmonieuses avec son Germain qui avait enfin cesser de bouder, Céline accueillait Clément Tremblay avec la nouvelle de son départ prévu pour le lendemain après-midi.

— Et nous autres? demanda le jeune homme, stupéfait.

— Quoi, nous autres?

— On se verra plus.

— Je pars pas pour des années, Clément, protesta la jeune fille, flattée que son amoureux trouve la séparation difficile. C'est juste pour deux ou trois semaines, le temps que ma cousine se remette d'aplomb après son accouchement.

— Et t'as pas peur que je me trouve une autre blonde pendant que tu vas être partie? demanda-t-il, mi-sérieux.

— Non. Je partirai pas assez longtemps pour ça, répliqua Céline avec beaucoup d'assurance.

Cette nouvelle perturba suffisamment le jeune homme pour que cette dernière soirée en compagnie de sa petite amie en soit assombrie. Il était inquiet de constater à quel point Céline était radieuse à l'idée d'aller vivre quelque temps dans la grande ville. À aucun moment, elle ne sembla craindre de s'ennuyer de lui et de leurs soirées au salon. C'était mortifiant. Le laisser ne paraissait pas la déranger le moins du monde. Lorsqu'il la quitta à la fin de la veillée, Céline lui promit tout de même de lui écrire au moins une fois par semaine durant son absence.

Le lendemain après-midi, Clément Tremblay s'assit seul sur la galerie de la maison paternelle dès qu'il eut avalé la dernière bouchée de son repas.

— Il a pas l'air dans son assiette aujourd'hui, dit Eugène en montrant son fils aîné à sa femme.

— Céline s'en va rester quelque temps chez une cousine, à Montréal, expliqua Thérèse en jetant un coup d'œil au jeune homme par la fenêtre.

Moins d'une heure plus tard, une automobile, rendue grise par la poussière du chemin, passa devant la maison des Tremblay avant d'entrer dans la cour de la ferme des Veilleux. Quelques minutes plus tard, le même véhicule repassa sur le rang Sainte-Marie et Clément salua de la main son amie de cœur qui, elle aussi, lui envoya la main au passage. Quand le nuage de poussière soulevé par le véhicule fut retombé, le jeune homme rentra dans la maison et monta dans sa chambre.

Chapitre 23

Les grandes décisions

Les arbres avaient échangé leurs bourgeons pour des feuilles au vert tendre qui bruissaient à la moindre brise. Comme par miracle, l'herbe s'était mise à pousser. Le soleil chaud de ce début de mois de mai rendait les odeurs de fumier de plus en plus entêtantes. On finissait d'épandre ce dernier dans les champs et déjà, certains cultivateurs avaient commencé à retourner le sol.

Dans les maisons, le grand ménage du printemps avait débuté quelques jours auparavant. Partout, on s'apprêtait à emménager dans les cuisines d'été pour la belle saison. Mais avant de s'y installer, il fallait d'abord nettoyer à fond la pièce où on allait vivre jusqu'au milieu de l'automne suivant. En outre, il était nécessaire de laver à fond les plafonds et les murs de toutes les pièces de la maison, pièces salies autant par le chauffage de l'hiver que par la fumée de pipe.

Chez les Tremblay, Thérèse venait à peine de terminer le lavage du salon avec l'aide de Claire ce mardi matin-là quand elle aperçut son mari revenant de chez le forgeron Crevier avec le boghei dont il avait dû faire réparer une roue.

— Ah non, pas encore! s'exclama Thérèse en voyant l'attelage s'arrêter devant la porte de la cuisine d'été.

— Qu'est-ce qu'il y a, m'man ? demanda Claire en tordant la guenille avec laquelle elle finissait de laver le parquet du salon.

— Viens voir, l'invita sa mère. Je pense que ton père a encore changé de cheval.

— C'est pas vrai ! s'écria à son tour la jeune fille en se penchant à la fenêtre.

Le boghei était attelé à un gros cheval noir qui renâclait et piaffait pendant que son maître l'attachait au garde-fou de la galerie. Thérèse et Claire sortirent sur la galerie.

— Vous avez vu ? demanda Eugène, tout fier de leur montrer l'animal à côté duquel il se tenait. Je viens de faire une batèche de bonne affaire.

— J'ai vu, répondit Thérèse sans aucun enthousiasme, les mains sur les hanches. On dirait bien que t'apprendras jamais rien, Eugène Tremblay. Je suppose que t'as échangé notre Mémaine pour ça. Où est-ce que t'as trouvé cette picouille-là ?

— D'abord, Thérèse Durand, ce cheval-là, c'est pas une picouille, répliqua son mari, piqué au vif par la remarque de sa femme. Il s'appelle Piton et il a juste cinq ans, trois ans de moins que Mémaine. Je viens de l'échanger à un cultivateur de Saint-Gérard.

— C'est ça, se moqua sa femme, sarcastique. Je suppose aussi que tu vas me dire que tu viens de faire un échange extraordinaire, comme les autres fois.

— En plein ça, plastronna son mari, en donnant une grande tape à la croupe de sa nouvelle bête qui broncha légèrement.

— Bien, voyons ! Tous les ans, c'est la même histoire depuis qu'on est mariés. Chaque printemps, il faut que tu changes un de nos deux chevaux… et chaque fois, tu nous reviens avec un animal vicieux ou malade.

— Torrieu, exagère pas! se fâcha le cultivateur. Tu sauras que je viens d'une famille de maquignons. Chez les Tremblay, on connaît ça, les chevaux. Celui qui va nous voler est pas encore au monde.

— Bien oui. C'est pour ça que ta Mémaine était malade plus souvent qu'à son tour depuis que tu nous l'avais ramenée en échange de notre Prince qui lui, était en parfaite santé. En tout cas, Eugène, viens surtout pas te plaindre que t'as de la misère avec ce cheval-là. Il est noir comme l'enfer et il m'a l'air nerveux sans bon sens.

— Tu vas voir, il va être le meilleur de nos deux chevaux et, attelé au boghei, il va être difficile à fatiguer.

— Attelé au boghei, peut-être, mais quand tu t'en serviras pour le gros ouvrage, ce sera peut-être une autre paire de manches.

Là-dessus, Thérèse rentra dans la maison en laissant claquer derrière elle la porte-moustiquaire. Claire, qui n'avait pas dit un mot, suivit sa mère. Eugène Tremblay détacha son cheval et le conduisit par la bride jusque devant l'écurie où il le détela avant de le faire entrer dans le bâtiment pour le bouchonner.

⁓

Chez les Veilleux, Yvette et Anne avaient lavé toute la literie de la maison et l'avaient suspendue sur les deux cordes à linge tendues à l'arrière, entre le poulailler et la maison. La mère et la fille allaient commencer à transporter de la vaisselle dans les armoires de la cuisine d'été où elles entendaient servir le midi même le repas pour la première fois de la saison quand elles virent arriver Elphège Turcotte.

L'hiver n'avait pas embelli le célibataire. Le soleil avait rougi son gros nez et son crâne dépourvu en grande partie de cheveux.

— Bon. V'là Tit-Phège qui arrive maintenant, fit Yvette en apercevant le célibataire se dirigeant vers la maison. Il manquait plus que lui !

— Voulez-vous bien me dire comment il est attriqué ? demanda à mi-voix l'adolescente en regardant à la fenêtre, aux côtés de sa mère.

— Comme la chienne à Jacques, comme d'habitude, répondit Yvette sans méchanceté. Il est tellement sans-dessein, le pauvre homme, qu'il s'en aperçoit même pas.

— Je suppose qu'on va le garder à dîner ?

— Il est presque l'heure de manger. Tu lui mettras une assiette. Un bol de soupe, c'est pas ce qui va nous mettre dans la misère.

— Faites-vous ça par charité, m'man, ou pour connaître toutes les nouvelles de la paroisse ? demanda la jeune fille pour faire fâcher sa mère.

— T'es chanceuse que j'aie de quoi dans les mains, toi, murmura sa mère sur un ton menaçant de manière à ne pas être entendue par le voisin qui venait d'arriver à la porte de la cuisine d'été.

Au moment où Elphège Turcotte allait frapper, les deux femmes entendirent la voix d'Ernest héler le visiteur de l'entrée de la porcherie où il était occupé à réparer une porte en compagnie de Jérôme. Elphège alla rejoindre le fermier.

Quelques minutes plus tard, les trois hommes revinrent à la maison et Elphège Turcotte accepta, sans se faire prier, de partager le repas de ses hôtes.

— Tu sais pourquoi Elphège est passé nous voir ? demanda Ernest à sa femme.

— Non.

— On va peut-être avoir enfin notre pont au village. Giguère demande qu'on soit tous à l'assemblée municipale de demain soir. Il paraît que Joyal va venir avec l'ingénieur. Ils vont tout nous expliquer. J'ai ben hâte de voir ça. Ce serait ben la première fois que les maudits rouges tiendraient une de leurs promesses. En plus, Giguère veut faire voter des trottoirs de bois dans le village. Si cette idée de fou passe, tout le monde va être pogné pour fournir. Je vois pas pourquoi ils auraient des trottoirs au village. Nous autres, dans les rangs, est-ce qu'on en a ?

— J'espère que Wilfrid a prévu sa réunion après le mois de Marie, dit sa femme. Monsieur le curé appréciera pas pantoute que le monde aille à la réunion plutôt qu'à la récitation du chapelet.

— C'est sûr, confirma l'invité qui donnait l'impression de ne pas avoir mangé depuis plusieurs jours. Notre maire m'a chargé de faire le tour des cultivateurs du rang Sainte-Marie. Il s'occupe des autres rangs avec Honoré Beaudoin et Charles Corriveau. Il paraît que les deux autres échevins avaient pas le temps de l'aider.

— Wilfrid est pas raisonnable, lui fit remarquer Ernest, pince-sans-rire. Il devrait ben savoir que t'as de l'ouvrage sans bon sens à faire sur ta terre.

— Je le sais ben, mais l'ouvrage attendra une journée de plus, répondit Elphège Turcotte, le plus sérieusement du monde. Qu'est-ce que tu veux ? C'est plus fort que moi, j'aime ça rendre service au monde.

Yvette et ses enfants réprimèrent un sourire moqueur. Il était connu que l'homme passait beaucoup plus de temps à placoter avec les voisins qu'à travailler sur sa ferme. « Tous les Turcotte sont venus au monde avec un poil dans la main », se plaisait à répéter Ernest.

— Comment va ta sœur ? demanda Yvette qui n'avait pas vu Rose-Aimée Turcotte depuis plusieurs semaines.

— Ben occupée, comme d'habitude, répondit le célibataire d'un air pénétré.

— Comment ça ? demanda Ernest. Viens pas me dire qu'elle est en train de préparer son trousseau pour se marier ?

— Ben non, Ernest. Elle parle pas encore de se marier. Elle veut pas se presser pour rien. Elle dit qu'elle a tellement le choix qu'il faut qu'elle prenne son temps pour pas se tromper.

— Elle fait bien, approuva Yvette en toussant pour dissimuler son sourire.

Rose-Aimée Turcotte avait le choix d'un prétendant ! Elle était bonne, celle-là ! Personne à Saint-Jacques-de-la-Rive ne se souvenait d'avoir entendu dire qu'un seul homme avait eu le courage de la fréquenter. Son apparence extérieure autant que son manque de goût pour le travail avait probablement découragé le plus téméraire des célibataires de la région.

Il était de notoriété publique que Rose-Aimée Turcotte était au moins aussi paresseuse que son frère aîné. Elle avait aussi en commun avec ce dernier un menton en galoche et un gros nez bourbonien. Mais cette laideur, somme toute sympathique chez l'un, devenait peu engageante chez l'autre. En général, on avait du mal à éprouver de la sympathie à l'égard de cette femme à la taille imposante qui se donnait des airs assez ridicules d'intellectuelle parce qu'elle occupait la plus grande partie de son temps à lire tout ce qui lui tombait sous la main. Pour couronner le tout, son intérieur était d'une malpropreté repoussante et ses vêtements, ainsi que ceux de son frère, n'étaient pas entretenus. Se bercer du matin au soir avec un livre dans les mains, voilà tout ce que la célibataire semblait apprécier. Ce n'était pas pour rien qu'on se moquait d'elle dans son dos et que l'expression « sans-dessein comme Rose-

Aimée » était entrée dans le vocabulaire courant des habitants de Saint-Jacques-de-la-Rive.

— Par contre, vous savez que Germain Fournier est à la veille de se marier, reprit Elphège Turcotte en avalant la dernière bouchée de son dessert.

— Déjà ! s'exclama Yvette.

— Il paraît que c'est pour le mois prochain. Je me suis arrêté tout à l'heure pour l'avertir de la réunion. Vous devriez voir le dedans de la maison, vous autres. Ça reluit en pas pour rire. Il a fait tout un grand ménage, le Germain. On pourrait presque manger à terre.

— Il a fait ça tout seul ? s'étonna Yvette.

— Ça en a tout l'air. C'est pas pour rien qu'il a l'air fatigué.

— Eh bien, on dirait que la petite servante du curé Lussier a de la poigne. Elle l'a décidé à nettoyer la maison avant de s'installer, conclut Yvette avec un bon gros rire.

— Peut-être, reprit Elphège Turcotte, mais elle ferait mieux de faire attention, la petite. Si Germain a hérité juste un peu du caractère de sa mère, elle va comprendre sa douleur. Dans son jeune temps, si je me rappelle ben, la mère Fernande était pas un cadeau. Quand elle décidait de mener le diable dans la maison, je te dis que ça revolait de tous bords tous côtés.

⌒

Le lendemain soir, il y avait beaucoup plus de circulation que d'habitude aux abords de l'église de Saint-Jacques-de-la-Rive, plus même que durant le mois de mai où un bon nombre de femmes et d'enfants de la paroisse venaient réciter le chapelet à l'église chaque soir, à dix-neuf heures, en compagnie du curé Lussier. Ce soir-là, beaucoup d'hommes étaient venus au village, mais avaient préféré demeurer à l'extérieur de l'église pour se rassembler devant le magasin général d'Hélèna Pouliot. De toute évidence, certains attendaient que leur femme quitte le temple pour les accompagner à la réunion du conseil municipal. Lorsqu'ils avaient vu leur curé sortir du presbytère en compagnie de son vicaire pour se diriger vers l'église, peu d'entre eux avaient emboîté le pas aux deux ecclésiastiques pour participer à la cérémonie religieuse, et cela, malgré le regard furieux de leur pasteur.

Trente minutes plus tard, les portes de l'église livrèrent passage aux fidèles et la plupart des adultes se dirigèrent sans se presser vers l'école du village où devait se tenir la réunion convoquée par le maire. L'air était si doux que bien peu avaient le goût d'entrer s'emprisonner dans la petite salle. Plusieurs cultivateurs et leur femme s'étaient regroupés devant les portes du petit édifice en bardeaux blancs et retardaient le plus possible le moment de pénétrer à l'intérieur. L'arrivée du curé Lussier en compagnie d'Honoré Beaudoin, échevin et président de la fabrique, décida finalement tout le monde à s'engouffrer à l'intérieur. Même les trois autres échevins de la petite municipalité en train de discuter un peu à l'écart des gens se sentirent obligés de les imiter.

Dans la salle, les pupitres des élèves avaient été repoussés le long des murs et on avait installé des chaises et des bancs pour accommoder l'assistance. Wilfrid Giguère avait prévu quatre chaises sur l'estrade, derrière la longue table, pour lui et ses invités de marque. Les échevins Honoré Beaudoin, Charles Corriveau, Jean Faucher et Antonius Tougas durent se contenter d'un siège dans la première rangée de chaises, à l'avant de la salle. Déjà, un nuage de fumée engendré par les fumeurs de pipe stagnait près du plafond et le niveau sonore allait en s'amplifiant dans la salle.

Le curé Lussier, sur la dernière chaise, au bout de la table, salua Hormidas Joyal, le député de Nicolet fraîchement réélu. L'homme, engoncé dans un costume noir, le cou emprisonné dans une cravate de la même couleur, venait de s'asseoir à ses côtés. On aurait juré que sa grosse tête ronde aux cheveux poivre et sel brillantinés était posée directement sur son tronc. Ses petites lunettes rondes à monture métallique semblaient jeter des éclairs. Tout dans sa physionomie proclamait le contentement de soi.

Un vigoureux coup de maillet assené sur la table par le maire rétablit un peu d'ordre et, progressivement, le silence se fit dans la salle. Le grand homme maigre à la chevelure clairsemée demanda au curé Lussier de bien vouloir commencer la réunion par une prière. Immédiatement, tout le monde se leva pour se recueillir un instant.

Après la prière, le maire attendit que les gens se soient assis et que le silence règne dans la salle pour annoncer qu'il cédait la parole au député de Nicolet, Hormidas Joyal. Pour inciter l'assistance à faire un accueil chaleureux à cet invité de marque, le maire se mit à applaudir l'élu, immédiatement imité par tous les rouges rassemblés dans la salle.

Hormidas Joyal se leva, l'air avantageux. Il passa ses pouces dans les petites poches de sa veste avant de s'adresser à l'assistance.

— Mes amis, vous vous rappelez tous que je vous ai promis aux dernières élections de faire tout mon possible pour vous avoir un pont qui relierait Saint-Gérard et Saint-Jacques-de-la-Rive si vous m'élisiez. Depuis mon élection au mois de février, je n'ai pas arrêté d'achaler le premier ministre Taschereau avec ça. Eh bien, ça y est! Il a enfin donné l'ordre au ministre de la Voirie, l'honorable Hamel, de débloquer le budget nécessaire à la construction de votre pont à la dernière réunion du Conseil des ministres, la semaine passée. Si je suis ici ce soir, c'est que je tenais à venir vous annoncer personnellement que les travaux commenceront dès cet été!

Une salve nourrie d'applaudissements salua la bonne nouvelle. Plus de la moitié de l'auditoire se leva même pour montrer au politicien à quel point on appréciait son travail dans ce dossier. Ernest Veilleux et les partisans conservateurs de Saint-Jacques demeurèrent assis, tout en applaudissant la nouvelle par politesse.

— Ça peut pas être vrai! dit Ernest, incrédule, en se tournant vers Adélard Crevier, assis derrière lui.

— Sacrement! jura le forgeron. Ce serait ben la première fois que les rouges tiendraient parole.

— On va attendre avant de crier victoire! ajouta un retraité du village. Il peut se passer toutes sortes d'affaires avant que ce pont-là soit construit.

À la table, Wilfrid Giguère dit quelques mots tout bas au député du comté. Quand le silence revint, le député reprit la parole.

— Je m'en voudrais de ne pas souligner qu'une grande partie du mérite de cette victoire de Saint-Jacques-de-la-Rive revient à votre maire, qui n'a jamais cessé de travailler pour vous obtenir un pont.

Un air d'intense satisfaction se peignit immédiatement sur les traits du visage de Wilfrid Giguère quand une seconde salve d'applaudissements le força à se lever et à remercier de la tête ses électeurs.

— Regarde Giguère, fit Veilleux, acide. S'il arrête pas de se gonfler, il va éclater.

— Attends les prochaines élections, le calma le forgeron. Quand je vais être maire, on va être débarrassé de lui et je te garantis que ça va changer de poil.

— Je laisse maintenant la parole à monsieur Hubert Gendron, l'ingénieur responsable du projet, ajouta le député. Je suis certain que nous allons tous nous revoir au mois d'octobre prochain, pour l'inauguration officielle de votre pont.

Le député reprit son siège aux côtés du curé tandis que le jeune homme assis à la gauche de Wilfrid Giguère se levait en repoussant derrière lui sa chaise.

L'homme âgé d'une trentaine d'années était grand et mince. Son épaisse chevelure noire soigneusement coiffée sur le côté et sa fine moustache mettaient en valeur le teint pâle d'un visage aux traits énergiques. Ses yeux d'un bleu profond firent lentement le tour de l'assistance avant qu'il ne se décide à prendre la parole avec l'assurance provenant probablement de son habitude à s'adresser aux groupes.

En train d'échanger à voix basse avec sa voisine Rita Hamel, Claire Tremblay s'arrêta subitement de parler dès qu'elle entendit la voix chaude du jeune ingénieur. Assise à faible distance de l'estrade, la jeune femme se mit à écouter avec attention les explications un peu techniques données par le professionnel. Une légère rougeur était apparue à ses pommettes hautes et d'un geste machinal, elle porta la main à ses longs cheveux châtains bouclés pour en vérifier l'ordre. Sans trop savoir pourquoi, elle regrettait de n'avoir pas mis sa plus belle robe pour venir à la réunion avec sa voisine.

Hubert Gendron expliqua avec minutie aux gens présents dans la salle qu'on avait choisi de construire le nouveau pont au gué, en face de la forge d'Adélard Crevier, tant à cause du peu de profondeur de la Saint-François à cet endroit que de la nature même du lit de la rivière. Ensuite, il parla de caissons, d'armature métallique et de chaussée à une voie. Les travaux prévus allaient s'échelonner sur quatre mois, si le temps le permettait.

Finalement, l'ingénieur offrit de répondre aux questions s'il y en avait. Mais la compétence dont il avait fait preuve durant ses explications avait été telle qu'on était gêné d'étaler son ignorance.

Quand le jeune homme s'assit, Rita Hamel ne put s'empêcher de chuchoter à l'oreille de sa voisine :

— Tu vois ce qu'on aurait manqué en s'en retournant tout de suite après le chapelet, comme tu voulais qu'on fasse.

— Qu'est-ce qu'on aurait manqué ?

— L'ingénieur, Claire, dit en riant la jeune femme. Ça, c'est ce que j'appelle un bel homme. Si j'étais pas mariée avec Georges et mère de trois enfants, je me dépêcherais de lui faire de l'œil.

— Le problème, c'est qu'il est sûrement marié, répondit Claire, en sortant de sa réserve habituelle quand il s'agissait des hommes.

— Bien là, Claire Tremblay, je pense que tu te trompes. J'ai bien regardé sa main gauche : il porte pas d'alliance. Je suis sûre que c'est un vieux garçon.

— S'il est pas encore marié à son âge, c'est qu'il doit avoir un paquet de défauts, se défendit la célibataire sur un ton désabusé.

— Voyons donc, reprit sa voisine. Regarde-toi. T'es pas mariée et t'as pas plus de défauts que les autres femmes de la paroisse. Sans te flatter, je te dirais que t'es bien conservée pour une femme de vingt-six ans et en plus, si on se fie à ce que dit ta mère, t'es la meilleure ménagère et la meilleure cuisinière de Saint-Jacques.

— C'est ce que ma mère dit pour me forcer à me trouver un mari, précisa Claire en riant au moment où le maire se levait pour parler. Moi, je me trouve bien comme je suis. Je vois pas pourquoi j'endurerais un mari et que j'aurais une trâlée d'enfants.

Wilfrid Giguère reprit la parole.

— Je veux profiter de l'assemblée pour vous dire que notre député nous a aussi obtenu une petite subvention pour la construction de trottoirs de bois dans le village. On en avait parlé l'été passé, mais on avait décidé d'attendre parce qu'on n'avait pas assez d'argent pour faire ça.

Des applaudissements accueillirent cette autre bonne nouvelle. Depuis de nombreuses années, les gens du village se plaignaient d'avoir à patauger dans une boue épaisse aussitôt que la pluie se mettait à tomber. Les femmes, surtout, n'appréciaient pas de voir leurs souliers et le bas de leurs robes salis dès qu'elles avaient quelques pas à faire.

— C'est ce qui arrive quand on vote du bon bord, fit remarquer Hormidas Joyal d'une voix tonnante.

— Ou quand on a toujours les deux mains dans les poches des payeurs de taxes, dit Ernest Veilleux assez fort pour que le député l'entende et devienne rouge comme une pivoine.

L'approbation bruyante de quelques voisins poussa le maire à jeter un regard furieux à son administré.

— Est-ce qu'on peut savoir quand est-ce que ça va se faire ? demanda un vieil homme sans se donner la peine de demander la parole.

— À la fin de juin, monsieur Beaudet, répondit Wilfrid Giguère.

— Ça serait peut-être le temps de dire au monde où est-ce que ces trottoirs-là vont être posés ? fit remarquer Honoré Beaudoin, en se levant de façon à être bien vu par l'assistance.

Immédiatement, le silence tomba sur la salle où on venait d'allumer des lampes à huile. À l'extérieur, le soleil était en train de se coucher dans une explosion extraordinaire de teintes mauves et rouges.

Personne n'ignorait la sourde opposition existant entre le maire et l'échevin Beaudoin. Ce dernier, un conservateur convaincu, ne perdait jamais une occasion de mettre en difficulté le premier magistrat de la municipalité et ne se cachait pas pour claironner partout son appui à Adélard Crevier qui allait briguer le poste de maire aux prochaines élections.

— Par quatre voix contre une, le conseil a décidé de les installer à partir de la limite du presbytère jusque chez madame veuve Bertrand Deschênes, annonça le maire.

— Cré maudit! s'exclama un cultivateur dans la salle, on rit plus. Ça fait une bonne longueur de trottoir, ça!

— Deux cent cinquante pieds, Marcelin, deux cent cinquante pieds, répondit Wilfrid Giguère avec une fierté évidente.

— Ce que monsieur le maire oublie de dire, reprit Beaudoin en faisant claquer ses bretelles sur sa large poitrine, c'est que les deux cent cinquante pieds vont être juste d'un côté de la route, du côté de l'église.

Immédiatement, un tollé de protestations, encouragées par les opposants au maire, s'éleva dans l'assistance. Hélèna Pouliot se leva alors, comme mue par un ressort.

— Comment ça, juste d'un côté de la route? demanda-t-elle sur un ton rageur.

— On était tout de même pas pour installer les nouveaux trottoirs sur l'autre côté de la route, Hélèna, se défendit le maire, en adoptant un ton raisonnable. Ça aurait pas été normal que le monde marche sur un beau trottoir pour aller à ton magasin les pieds ben au sec et se salissent en traversant le chemin pour aller à l'église.

Le curé Lussier eut un mince sourire en regardant le visage furieux de la propriétaire du magasin général dont le chapeau couvert de divers fruits en plastique avait pris une inclinaison dangereuse.

— Peut-être bien, Wilfrid Giguère. Mais t'as pas pensé que tu pourrais en faire installer cent vingt-cinq pieds de chaque côté du chemin à partir du presbytère? Comme ça, tout le monde serait content!

— C'est ce que j'avais proposé au conseil, clama Beaudoin en se levant et en se tournant vers l'auditoire.

— Je pense pas que tout le monde serait content de ça, trancha le premier magistrat de Saint-Jacques-de-la-Rive, à bout de patience. Il a déjà été décidé que les deux cent cinquante pieds de trottoir de cette année vont être installés du côté est et, l'année prochaine ou dans deux ans, on en construira autant de l'autre côté, si on a une autre subvention du gouvernement.

— C'est ça qu'on appelle avoir une maudite tête de cochon! s'écria Honoré Beaudoin, triomphant.

Un peu plus loin, Ernest se pencha vers Crevier pour lui dire à l'oreille:

— Giguère vient de se venger d'Hélèna parce qu'il sait qu'elle a toujours voté bleu. C'est cochon ce qu'il a fait là.

— Inquiète-toi pas pour Hélèna Pouliot, répliqua le forgeron. Elle va lui faire payer au centuple ce coup-là.

Hubert Gendron lança un regard ennuyé au député demeuré imperturbable. De toute évidence, le jeune homme était mal à l'aise de se retrouver sur l'estrade, obligé d'assister à cette querelle.

— Combien ça va nous coûter, cette affaire-là? demanda Perreault, un cultivateur du rang des Orties.

— Ah non, Henri, on n'est pas pour recommencer les discussions qu'on a eues le printemps passé, fit le maire, exaspéré.

— Ben, l'année passée, on n'a jamais parlé de la longueur de trottoir à poser. Il me semble que vous voyez pas mal grand pour le village. Nous autres, dans les rangs, on n'en a pas de trottoir et on vit pareil. On veut pas se mettre dans le chemin pour permettre aux gens du village de pas salir leurs belles bottines.

— Henri, le village de Saint-Jacques est à tout le monde, le raisonna le maire pour faire cesser la grogne qui continuait à se faire entendre dans la salle. Tout le monde vient chez Hélèna, à la fromagerie, à l'église et au presbytère. OK, il couvre pas les deux côtés du chemin, mais ça va venir un jour et on sera ben contents de l'avoir quand il y aura de la bouette partout.

— C'est vrai ! approuvèrent plusieurs personnes dans l'assistance.

— Chez nous, c'est pas comme à Saint-François-du-Lac et à Saint-Gérard. Il y a pas Saint-Jacques village et Saint-Jacques campagne. Le trottoir est pas un luxe et, en plus, on a une subvention qui en paye la moitié. Tu vas voir, il nous coûtera pas ben cher parce qu'on va faire une corvée.

Il y eut quelques cris d'approbation et Henri Perreault s'assit en même temps qu'Hélèna Pouliot, toujours aussi furieuse de la décision du conseil municipal. Dans la salle, la chaleur était suffocante malgré les fenêtres et la porte ouvertes.

— Est-ce qu'on peut demander d'où va venir tout le bois du trottoir ? demanda Beaudoin à qui Crevier venait de parler à l'oreille. Parce qu'un trottoir de deux cent cinquante pieds, ça fait du bois en petit Jésus, ça !

Il y eut quelques éclats de rire. Personne n'ignorait que le frère de Wilfrid Giguère exploitait une petite scierie aux limites de Saint-Gérard.

— Est-ce qu'il va venir du moulin à bois de Saint-Gérard ou ben de celui de Pierreville ? insista l'échevin sur un ton narquois.

— Pour te rassurer, mon Honoré, le bois va venir de la place qui va nous faire le meilleur prix... Bon. Je lève la séance, déclara le maire sur un ton qui n'admettait aucune réplique.

Immédiatement, les gens se levèrent, pressés d'aller enfin respirer un peu d'air frais avant de rentrer à la maison. Des chaises furent repoussées bruyamment et, au milieu des raclements de pieds et des plaisanteries, la petite foule s'écoula lentement vers la porte. Le curé Lussier attendit quelques instants avant de saluer les personnes présentes sur l'estrade et il quitta les lieux. Hormidas Joyal et Hubert Gendron le suivirent de près.

Honoré Beaudoin était sorti de la salle parmi les premiers, mais les trois autres échevins, des partisans inconditionnels de leur maire, demeurèrent sur place pour féliciter ce dernier. Wilfrid Giguère accueillit cet appui avec reconnaissance.

— Crevier l'emportera pas au paradis, leur promit-il en soufflant la lampe à huile déposée au centre de la table. C'est lui qui a pas arrêté de pousser Beaudoin à nous mettre des bâtons dans les roues.

~

À sa sortie de la salle, Germain Fournier, tout fier, exhibait à son bras sa Gabrielle qu'il allait épouser dans quatre semaines. Le curé Lussier allait publier les bans les deux prochains dimanches. Germain salua au passage les Tremblay, les Veilleux et les Hamel avant de se mettre lentement en marche vers la maison d'Agathe Cournoyer.

Quelques pas plus loin, le jeune homme et sa fiancée furent interceptés par Bruno Pierri et sa femme qui s'apprêtaient à monter dans leur boghei.

— Tu t'en retournes pas à pied, j'espère ? lui demanda Bruno. Si c'est ça, dit l'Italien à l'accent chantant, je peux te ramener à la maison.

— Merci, monsieur Pierri, j'ai laissé ma voiture devant la maison de madame Cournoyer.

En fait, Germain n'avait pas cru pouvoir amener Gabrielle à cette assemblée municipale. Il avait encore trop frais à sa mémoire la façon dont sa fiancée l'avait rabroué quand il s'était permis de venir lui rendre visite durant la semaine suivant leurs fiançailles. L'incident avait beau dater de plus de six semaines, il s'en souvenait encore trop bien. En arrivant au village, il avait décidé de faire un léger détour jusqu'à l'église pour avoir peut-être l'occasion de l'apercevoir à l'une des fenêtres de la maison d'Agathe Cournoyer ou sortant du presbytère.

La chance l'avait servi. Gabrielle était assise sur la galerie en train de broder un napperon. Il avait arrêté sa voiture un instant devant la maison sans en descendre dans l'unique intention de saluer la jeune fille. Cette dernière, même si elle l'avait aperçu, n'avait pas esquissé le moindre mouvement pour se lever.

— Bonsoir, Gabrielle, l'avait-il saluée d'une voix hésitante.

— Tiens, bonsoir. Qu'est-ce que tu fais au village ? lui avait demandé la jeune femme sans manifester aucune chaleur.

Elle connaissait très bien la raison de sa présence au village puisque le curé Lussier n'avait pas cessé de parler de l'assemblée avec l'abbé Martel durant tout le souper.

— Je viens à l'assemblée, comme tout le monde. Si je m'étais écouté, je serais resté, comme toi, ben tranquille à la maison. Bon, repose-toi ben, avait-il ajouté.

Au moment où il allait faire avancer son attelage, Gabrielle avait semblé prendre une décision soudaine et elle s'était levée. Le moment était peut-être venu de s'afficher encore plus ouvertement avec celui qui allait devenir son mari dans quelques semaines.

— Est-ce que tu m'emmènes avec toi? avait demandé la jeune servante sur un ton détaché en vérifiant du bout des doigts l'état de son chignon.

Elle était consciente de plaire à Germain en posant ce geste aguichant.

— Si tu veux, pas de problème, avait-il répondu, enthousiaste. Veux-tu y aller à pied ou en boghei?

— Il fait tellement beau qu'on pourrait bien y aller à pied.

Elle avait quitté la galerie et l'avait rejoint sur la route après qu'il eut attaché son cheval devant la maison. Elle avait aussitôt passé sa main sous son bras et le couple avait pris la direction de l'école du village située à quelques centaines de pieds de la maison de la vieille ménagère du curé.

En une seule occasion durant la soirée, Gabrielle était sortie de son mutisme et ce fut pour dire à quel point elle trouvait bel homme l'ingénieur Gendron. Germain n'avait pas dit un mot. De toute évidence, il avait deviné que sa fiancée l'avait comparé avec celui qui expliquait la construction du futur pont et la comparaison n'était pas à son avantage. La remarque de la jeune fille l'avait blessé, mais il n'en avait rien laissé paraître.

Chapitre 24

Les noces

Juin était arrivé sans crier gare avec ses longues journées ensoleillées entrecoupées de pluies rafraîchissantes. Soudainement, on aurait dit que tous les travaux à effectuer étaient devenus plus urgents et ne souffraient aucun retard. Même si on travaillait de l'aube au crépuscule, il restait toujours quelque chose de plus à faire avant de se mettre au lit.

À Saint-Jacques-de-la-Rive, rares étaient les cultivateurs qui se reposaient après le souper à cette époque de l'année ; la plupart se remettaient à la tâche jusqu'au coucher du soleil. À ce moment-là, épuisés, ils se laissaient tomber sur leur vieille chaise berçante placée sur leur galerie pour profiter de la fraîcheur relative apportée par la tombée de la nuit. Durant quelques minutes, ils détendaient leurs muscles fatigués tout en planifiant le labeur du lendemain.

Chez les Veilleux, Jérôme venait de monter se coucher, tandis que Léo et Jean-Paul se chamaillaient avec Anne, assis dans la balançoire à deux sièges installée près de la maison. Sur la galerie, Ernest venait d'allumer sa pipe quand la porte s'ouvrit dans son dos, livrant passage à sa femme qui s'essuyait le visage avec un large mouchoir.

— Mon Dieu qu'il fait chaud, se plaignit Yvette en s'assoyant dans l'autre chaise berçante placée sur la galerie.

— Ouais et en plus, c'est humide, fit son mari en écrasant un maringouin qui venait de le piquer dans le cou. Je pense qu'on pourrait ben avoir un orage si le vent se lève pendant la nuit.

— T'as pas chaud avec ta combinaison d'hiver?

— Ben non. Ça fait peut-être mille fois que tu me demandes ça depuis qu'on est mariés. Et ça fait mille fois au moins que je te dis que c'est parfait pour absorber la sueur.

— J'ai chaud pour toi.

— Laisse faire.

Soudain, les voix des jeunes s'élevèrent en provenance de la balançoire.

— Léo, Jean-Paul, allez vous coucher. Vous avez de l'école demain matin, leur ordonna leur mère. Il est assez tard.

— Mais m'man, voulut plaider Léo.

— J'ai dit: «Allez vous coucher!» répéta leur mère sur un ton qui n'admettait aucune réplique.

En rechignant, les deux adolescents quittèrent la balançoire et rentrèrent dans la maison.

— Réveillez pas Jérôme, dit leur père en constatant qu'ils faisaient passablement de bruit. J'ai hâte que l'école finisse. Il y a de l'ouvrage en masse pour eux autres, ajouta-t-il après que les deux jeunes furent entrés dans la maison.

— Il reste juste trois ou quatre jours.

— Léo m'a dit qu'il aimerait ça, pas retourner à l'école l'année prochaine, reprit Ernest en soufflant un nuage de fumée.

— Qu'est-ce que t'en penses? demanda Yvette. Il me semble qu'il va être bien plus dans tes jambes qu'autre chose l'hiver prochain. Tu trouves pas qu'il serait mieux de faire sa septième année comme les autres?

— On verra ça l'automne prochain, répondit Ernest sans se compromettre. J'ai vu Clément Tremblay parler à Anne après le souper. Est-ce qu'il avait des nouvelles de Céline ?

— Non. Il est venu en chercher. Je trouve que notre fille est pas bien fine avec son cavalier. Il me semble qu'elle pourrait lui écrire plus souvent. C'est pas normal qu'il soit obligé de venir courir des nouvelles ici pour savoir comment elle va.

— Ça fait longtemps qu'elle lui a pas écrit ?

— Deux semaines.

— Qu'est-ce qu'Anne lui a raconté ?

— Elle a bien été obligée de lui dire qu'on avait reçu une lettre de Céline avant-hier et que sa cousine lui avait demandé de rester au moins jusqu'à la fin du mois.

— Puis ?

— Il avait le taquet bas quand il est retourné chez eux.

— C'est vrai qu'elle était supposée partir pour trois ou quatre semaines, et ça va faire deux mois qu'elle est en ville. Je trouve que la Rachel exagère, déclara Ernest en secouant sa pipe contre le garde-fou de la galerie. Ça va faire. Tu lui écriras demain que je veux qu'elle soit revenue en fin de semaine. Nous autres aussi, on a besoin d'elle. Il y a de l'ouvrage à faire ici aussi.

Yvette ne contesta pas la décision de son mari. Elle s'ennuyait de sa fille et son aide lui manquait. Anne avait beau faire son possible, il y avait encore trop de travail. La saison des fraises était arrivée et on n'aurait pas trop de bras pour la cueillette.

Ce soir-là, chez les voisins, Clément Tremblay était allé s'asseoir seul derrière la remise, repoussant son jeune frère Lionel qui avait voulu le suivre. Le jeune homme était malheureux. Il s'ennuyait de sa Céline beaucoup plus qu'il n'aurait voulu l'admettre. Au début de son absence, il s'était consolé en allant traîner au village le samedi et le dimanche soir. Mais discuter durant des heures avec des connaissances, assis sur la galerie d'Hélèna, lui avait paru rapidement ennuyeux et il avait fini par y renoncer. Depuis, il ne vivait plus que pour la lettre hebdomadaire envoyée par la jeune fille.

Ne pas avoir de ses nouvelles depuis deux semaines l'inquiétait. Il avait l'impression qu'elle ne voulait plus revenir vivre à Saint-Jacques-de-la-Rive. Même si elle ne le disait pas ouvertement dans ses lettres, il devinait qu'elle était épatée par tout ce que Montréal avait à offrir. Elle était allée voir des films à deux reprises au Monument national et se vantait de s'être baladée plus d'une fois en tramway à travers la ville. Elle lui avait décrit les vitrines des grands magasins de la rue Sainte-Catherine et tous les avantages propres à faciliter la vie quotidienne qu'elle avait trouvés dans la maison de sa cousine. La radio, l'électricité et l'eau courante paraissaient l'avoir conquise. Dans ces conditions, comment une jeune fille de vingt ans pouvait-elle bien avoir envie de revenir vivre à la campagne? Pourquoi se priverait-elle de tout ce luxe? L'aimait-elle assez pour renoncer à tout ça?

Clément sentait qu'il était incapable de lutter contre la ville. Il n'avait rien à lui offrir en échange. C'était d'ailleurs probablement pour cette raison qu'elle avait renoncé à lui écrire. Il était de plus en plus persuadé qu'elle avait commencé à l'oublier et cela le rendait malheureux comme les pierres.

Contrairement aux prévisions d'Ernest Veilleux, il n'y eut pas d'orage durant la nuit. Le lendemain, la chaleur était toujours aussi insupportable. Un soleil de plomb brillait dans un ciel sans nuages. Pas un souffle d'air ne faisait bouger les feuilles des arbres. Les vaches avaient trouvé refuge sous les rares arbres plantés en bordure des champs. Des milliers d'insectes invisibles remplissaient l'air de bruits assourdissants. L'humidité rendait pénible tout effort physique.

À midi, Clément rentra du champ où il était allé étendre du paillis entre les rangs de fraisiers. Ses inquiétudes de la veille lui parurent soudain sans fondement quand sa mère lui tendit deux lettres qui lui étaient adressées. Elles avaient été livrées le matin même par le postier. Toutes les deux provenaient de Céline. Par on ne sait quel hasard, l'une des lettres s'était perdue dans le courrier et lui parvenait en même temps que celle écrite la semaine précédente.

Si la lettre la plus ancienne ne présentait rien de spécial, la seconde, par contre, l'inquiéta. Céline lui apprenait que sa cousine lui avait demandé de demeurer avec elle, à Montréal, au moins jusqu'en juillet.

— Elle reviendra jamais de là-bas, murmura-t-il à voix basse, en repliant la missive qu'il glissa avec l'autre dans la poche arrière de son pantalon.

Après le dîner, il retourna, la mine sombre, travailler avec son père et Gérald.

Durant l'après-midi, Thérèse Tremblay vit arriver sa voisine immédiate, Rita Hamel. La jeune femme, coiffée d'un large chapeau de paille, était accompagnée de deux de ses jeunes enfants.

— Ma foi du bon Dieu, Rita, cherches-tu à attraper ton coup de mort à te promener comme ça en plein soleil ! s'exclama Thérèse en sortant sur sa galerie. Il fait chaud sans bon sens. Viens t'asseoir sur la galerie, à l'ombre, avec les petits.

L'épouse de Georges Hamel, une petite brunette vive et pleine d'énergie, prit dans ses bras sa fillette et poussa devant elle son garçon âgé de trois ans, avant de gravir elle-même les trois marches conduisant à la galerie des Tremblay. En mettant le pied sur la galerie, elle retira le chapeau de paille posé sur son épais chignon brun et elle l'agita devant elle pendant un instant pour s'éventer.

— C'est vrai qu'il fait chaud, admit la jeune femme avec un sourire, mais il fallait que je vous parle.

Rita Hamel n'était jamais parvenue à tutoyer Thérèse Tremblay et Yvette Veilleux, ses deux voisines, probablement à cause de la vingtaine d'années qui les séparait. Elle avait pratiquement l'âge de Claire Tremblay.

— Pas une mauvaise nouvelle, j'espère ?

— Non. Je voulais juste vous dire que Georges a parlé hier avec Germain Fournier. Vous savez qu'il se marie samedi, dans deux jours.

— Oui, on en a entendu parler comme tout le monde.

— Bien. Germain a demandé à Georges de lui servir de témoin.

— Comment ça ? Le mari de sa sœur Florence aurait pu le faire.

— Il a dit à mon mari que sa sœur pouvait pas venir à ses noces. Ça fait qu'il lui a demandé d'être son témoin.

— Qui va être le témoin de sa future femme ? C'est une orpheline, non ?

— Oui. Il paraît que c'est Joseph Groleau qui va l'être.

— Ça va faire des petites noces en pas pour rire s'ils ont pas de parenté ni l'un ni l'autre, poursuivit Thérèse.

— C'est pour ça que je suis venue vous voir, madame Tremblay. Georges a demandé à Germain ce qu'il avait prévu pour ses noces, l'autre lui a dit qu'il avait rien prévu. Pas de voyage de noces et pas de repas de noces.

— Voyons donc! s'exclama la voisine. As-tu entendu ça, Claire? demanda-t-elle à sa fille qui venait de sortir à l'extérieur pour se joindre aux deux femmes.

— Il paraît qu'Agathe Cournoyer pensait pouvoir organiser un petit repas dans sa maison ou même au presbytère, reprit Rita, mais monseigneur Côté arrive à la fin de l'après-midi et le curé Lussier a besoin d'elle pour préparer le souper. Il aurait même suggéré à la future de Germain de remettre ses noces à samedi de la semaine prochaine. On sait bien, lui…

La voisine s'arrêta juste à temps. Elle venait de se rappeler que Thérèse n'accepterait jamais qu'elle critique le curé de la paroisse, surtout devant sa fille et de jeunes enfants, assis sagement sur la galerie. Elle se rappelait encore comment elle l'avait sèchement rembarrée deux ans auparavant quand elle avait osé s'en prendre au curé Lussier lorsque ce dernier, la soupçonnant d'empêcher la famille, l'avait menacée de lui refuser l'absolution à la confesse. Aux yeux de l'ecclésiastique, il était anormal qu'une femme mariée ne soit pas enceinte durant près de deux ans.

— Qu'est-ce qui s'est passé? demanda Thérèse, curieuse.

— Elle a refusé. Germain a dit à Georges que le curé était pas content pantoute, mais que l'abbé Martel l'a calmé.

— Ça a pas d'allure de les laisser se marier sans qu'il y ait rien, intervint Claire.

— C'est ce que je me suis dit, fit Rita Hamel. J'ai pensé qu'on pourrait peut-être préparer un petit quelque chose après la messe pour les nouveaux mariés. Je sais pas. Peut-être juste un gâteau.

— C'est correct, accepta immédiatement Thérèse. Même si Germain est pas le voisin le plus agréable, on

peut tout de même souhaiter la bienvenue à notre nouvelle voisine.

— On pourrait peut-être en parler à madame Veilleux,
proposa Rita Hamel. Il faudrait pas qu'elle se sente mise
de côté.

— Laisse tes enfants à Claire. On va aller voir Yvette
ensemble.

~

À l'heure du repas, Thérèse apprit aux siens qu'ils
iraient aux noces de Germain Fournier le lendemain
avant-midi et qu'on dresserait une table à l'extérieur pour
offrir une petite réception improvisée aux nouveaux
mariés.

D'abord récalcitrant à l'idée de perdre une journée de
travail, Eugène accepta finalement quand sa femme lui
eut expliqué à quel point leur voisin s'apprêtait à avoir un
mariage assez triste. Après le souper, il alla, avec l'aide de
ses fils, dresser dans la cour une table faite de tréteaux et
de madriers pendant que Thérèse, Claire et Aline cuisinaient les desserts qui seraient servis le lendemain midi.

Chez les Veilleux, Ernest ne fut pas plus enthousiaste
que son voisin immédiat à l'idée d'avoir à tout laisser de
côté pour assister à un mariage. Il fallut qu'Yvette le
menace d'y aller à pied avec les plus jeunes de leurs
enfants pour qu'il accepte l'idée.

— Thérèse a accepté de monter une table dans sa cour.
Tout ce qu'on a à faire, c'est d'apporter un peu à manger.
Ce sera pas bien long et ça va permettre au jeune couple
de partir du bon pied, plaida-t-elle.

— Correct! Correct! répéta le petit homme, exaspéré.
On va y aller à ces maudites noces-là. Mais je t'avertis tout

de suite, je vais à l'église, mais il est pas question que je mette les pieds chez les Tremblay.

— Je te ferai remarquer qu'ils nous ont invités à aller les voir quand ils sont venus veiller après ton accident, dit Yvette, acide.

— Lui, il peut m'inviter tant qu'il voudra. J'irai pas là parce que je peux pas le sentir ! s'emporta Ernest.

— As-tu pensé que ça va être pas mal insultant pour le petit Fournier si tu viens pas ?

— Ben, Fournier s'insultera. Je lui dois rien, moi.

— Viens donc, insista Yvette. Même les Pierri ont dit qu'ils seraient là. Tu vas passer pour un sauvage si t'es pas là.

— Je m'en sacre. De toute façon, c'est parler pour rien, ça sent la pluie à plein nez.

— Ça fait deux jours que t'en annonces, Ernest, et il tombe rien, lui fit remarquer sa femme. S'il mouille demain, on aura juste à manger en dedans.

Rien ne parvint à faire revenir l'entêté sur sa décision et Yvette finit par renoncer à le convaincre.

~

Lorsque le jour se leva sur le troisième samedi de juin, le ciel était uniformément gris, mais il ne pleuvait pas. La chaleur était toujours aussi humide.

Germain Fournier, debout bien avant l'aube, avait trait ses vaches et nourri ses animaux avant l'heure habituelle. Après avoir tout remis en ordre dans la maison, il avait fait une toilette soignée puis il était allé atteler l'un de ses deux chevaux au boghei qu'il avait nettoyé à fond la veille, après le souper.

Un peu après neuf heures, les gens du rang le virent passer, endimanché.

Lorsque le fiancé arriva à l'église, il eut la surprise d'y trouver les Hamel, les Tremblay, les Pierri et les Veilleux presque au grand complet. En outre, il y avait une dizaine de curieux debout sur le parvis en train d'attendre les futurs mariés. Quelques instants après son entrée dans l'église, Gabrielle Paré, vêtue d'une robe gris perle rehaussée d'un petit collet en dentelle, traversa la route à pied en compagnie d'Agathe Cournoyer et de Joseph Groleau. La promise portait un petit bouquet de fleurs, don du bedeau qui avait mis ses plus beaux atours pour lui servir de témoin.

Quand Gabrielle entra dans l'église au bras de Joseph Groleau, elle fut très surprise de voir une trentaine de personnes sur les lieux. Si la plupart lui étaient inconnues, elle reconnut tout de même Hélèna Pouliot et Thérèse Tremblay, à qui elle avait parlé lors de la guignolée.

La cérémonie présidée par le curé Lussier fut toute simple. L'organiste, Clémence Perreault, avait pris sur elle de venir jouer quelques morceaux, même si Germain avait totalement oublié de réserver ses services pour l'occasion. Après une brève homélie dans laquelle il rappela les devoirs sacrés des époux l'un envers l'autre, le prêtre bénit leur union.

Les nouveaux mariés descendirent l'allée centrale de l'église sous les regards inquisiteurs de l'assistance. Germain, toujours aussi timide, fixait le parquet en marchant tandis que sa femme, la tête bien droite, s'avançait à ses côtés en le tenant par le bras.

Sur le parvis, Thérèse s'avança vers le jeune couple et lui apprit que leurs voisins leur feraient un cortège jusqu'à chez elle où on avait organisé une petite fête en leur honneur.

— Mais il fallait pas, bredouilla Germain, rouge de confusion.

— Voyons donc, Germain. On se marie juste une fois dans la vie. Il faut fêter ça, lui dit joyeusement sa voisine pour le mettre à l'aise.

— Monsieur Groleau, est-ce que vous pouvez amener madame Cournoyer avec vous ? demanda Yvette Veilleux au bedeau.

— Beau dommage ! répondit le vieil homme, probablement alléché par la possibilité de boire un bon coup à la santé des jeunes mariés.

Avant de monter en voiture, Yvette glissa à ses deux voisines, après avoir jeté un regard inquiet au ciel menaçant :

— J'espère que le bon Dieu va être bon pour nous autres et qu'il viendra pas gâcher notre petite fête.

— S'il mouille, Yvette, on se dépêchera d'entrer dans la maison avec le manger, la rassura Thérèse. Ce sera pas la fin du monde, tu vas voir.

Le petit cortège formé de cinq voitures se mit lentement en route pour le rang Sainte-Marie sous une volée de cloches. Gabrielle semblait goûter chaque instant de ce qu'elle considérait comme un triomphe. Elle était maintenant mariée et n'était plus la servante de personne. Durant le trajet, plusieurs villageois sortirent sur leur galerie pour saluer les nouveaux mariés.

Quelques minutes plus tard, les voitures s'immobilisèrent dans la cour des Tremblay et les invités descendirent et entourèrent les nouveaux mariés. Ernest, l'air renfrogné, laissa les siens devant la maison du voisin avant de poursuivre seul sa route jusque chez lui.

Claire, demeurée à la maison avec les trois enfants des Hamel, avait décoré la table sur laquelle elle avait déjà déposé la nourriture.

Avant de passer à table, Eugène servit du vin de cerise aux femmes et du caribou aux hommes. Comme la chaleur se faisait encore plus oppressante, les hommes retirèrent leur veston et leur cravate pour être plus à l'aise et tout le monde prit place autour de la table. La tête fromagée, le jambon et le pain de ménage fournis par les trois familles disparurent aussi vite que les deux gâteaux au chocolat.

— Où est passé ton mari ? finit par demander l'hôtesse à Yvette.

— À la maison.

— Pourquoi il est pas venu ? Il était pourtant à l'église.

— Tu le connais. Il boude dans son coin, comme d'habitude.

— Les hommes et leurs maudites chicanes, laissa tomber Thérèse, réprobatrice.

— Ça, tu peux le dire, renchérit Yvette.

Les deux femmes abandonnèrent le sujet pour se mêler à la joyeuse conversation qui avait lieu autour de la table. Maria Pierri expliquait à Rita Hamel comment elle confectionnait les feuilletés qu'elle avait apportés à la noce.

— Et ton voyage de noces, quand est-ce que tu vas le faire ? demanda Eugène Tremblay au nouveau marié.

— L'automne prochain, quand l'ouvrage va être moins pressant, répondit Germain. On pense aller passer deux ou trois jours à Trois-Rivières.

Un peu plus loin, Anne Veilleux s'était approchée de Clément Tremblay, qui avait très peu parlé durant la petite fête.

— Tu sais que t'es à la veille de revoir ma sœur, lui déclara l'adolescente.

— Pas avant deux semaines au moins, répondit le jeune homme. J'ai reçu deux de ses lettres avant-hier.

— Non, plus vite que ça. Mon père lui a fait écrire qu'il voulait qu'elle soit revenue en fin de semaine. Je pense que la cousine a pas le choix. Il va falloir que son mari la ramène aujourd'hui ou demain.

— C'est une bonne nouvelle, fit Clément en se retenant pour ne pas laisser éclater sa joie.

Vers quinze heures, les premières gouttes de pluie se mirent à tomber et les premiers éclairs zébrèrent le ciel subitement devenu tout noir.

— Je pense qu'on va avoir droit à tout un orage, fit Georges Hamel en se levant.

Tout le monde l'imita et on se précipita pour aider à ranger la nourriture et à rentrer les chaises et les bancs. Germain couvrit les épaules de sa femme avec son veston. Les nouveaux mariés s'empressèrent alors de remercier leurs voisins et Gabrielle embrassa Agathe Cournoyer avant de monter dans le boghei qui allait la conduire à sa nouvelle maison, quelques arpents plus loin.

～

Germain Fournier se hâta de rentrer chez lui. Il déposa Gabrielle avec sa valise devant la porte et il poursuivit son chemin jusqu'à l'écurie devant laquelle il dételа son cheval avant de le faire entrer dans le petit bâtiment. Il revint à la maison au pas de course, sous une véritable pluie diluvienne qui gagnait encore en force.

Lorsqu'il entra dans la maison, il trouva Gabrielle debout au centre de la cuisine, examinant son nouveau domaine. Il s'empressa d'allumer une lampe à huile tant la clarté extérieure avait baissé. La jeune femme fit quelques pas vers le salon et regarda longuement la pièce.

— Puis, qu'est-ce que t'en penses ? demanda Germain en affichant une certaine fierté.

— T'as fait un bien beau ménage, le félicita-t-elle.

— Là, au pied de l'escalier, c'est notre chambre, expliqua-t-il en ouvrant largement la porte.

La nouvelle épousée n'avança que la tête pour regarder à l'intérieur de la pièce. Il y avait là un lit, deux tables de chevet et une imposante commode en bois foncé sur laquelle étaient posés un pichet et un bol en faïence rose et blanc.

— Il est déjà presque quatre heures, fit Germain. Je pense qu'on est mieux de se changer. Il faut que j'aille faire le train et toi, je suppose que tu veux préparer le souper.

L'invitation était claire. Déjà, Germain déboutonnait sa chemise mouillée par la pluie. Mais l'atmosphère était devenue soudain inconfortable. L'un et l'autre ne semblaient pas particulièrement à l'aise en songeant à ce qui les attendait.

— Change-toi, dit sa femme. Moi, ça peut attendre. Je vais continuer à faire le tour de la maison.

Sur ce, Gabrielle ferma la porte de la chambre sur son nouveau mari un peu dépité. Quelques minutes plus tard, elle ne vit pas Germain quitter la maison sous la pluie parce qu'elle était occupée à inventorier le contenu des chambres à l'étage. Lorsqu'elle entendit la porte claquer au rez-de-chaussée, elle descendit et se dirigea immédiatement vers la petite bourse qu'elle n'avait pratiquement pas quittée de la journée. Elle en tira son porte-monnaie dans lequel elle avait enfoui le cadeau de noces de sœur Sainte-Anne, la supérieure de l'orphelinat, et celui du curé Lussier, soit ses deux derniers mois de gages. C'était la première fois de sa vie qu'elle possédait autant d'argent et l'idée d'en faire part à Germain ne lui avait même pas effleuré l'esprit. Avant le retour de ce dernier de l'étable, elle dissimula cet argent dans un pot vide, au fond du garde-manger. Ensuite, elle alla se changer et étendit sur le lit la robe de nuit qu'elle avait cousue et brodée pour sa nuit de noces.

L'orage gronda durant encore une bonne heure, mêlant les éclairs aux coups de tonnerre. La pluie redoubla de violence. Gabrielle alluma le poêle et prépara un souper tout simple, son premier repas chez elle. Quand elle entendit Germain traverser la cour en courant, elle se planta devant la porte-moustiquaire, tenant un pantalon de son mari à la main.

— Enlève tes bottes sur la galerie, tu vas salir le plancher, lui conseilla-t-elle. Tiens, change aussi de pantalon, sinon ça va sentir l'étable dans toute la maison.

— Dehors? s'étonna Germain en jetant un regard vers la route.

— Qui est-ce qui va te voir par un temps pareil? fit Gabrielle, sérieuse. À partir de demain, tu pourras te changer dans la remise. T'auras juste à accrocher ton linge à un clou et laisser tes bottes là.

Germain retint de justesse une remarque cinglante. Sa femme était déjà retournée au poêle. Il abandonna ses bottes sur la galerie et changea précipitamment de pantalon avant d'entrer dans la cuisine.

Leur premier repas en commun se prit dans un silence presque complet à la simple lueur de la lampe à huile. À l'extérieur, le ciel ne s'était pas éclairci, même si les averses étaient moins violentes. Après le souper, Gabrielle proposa d'aller s'asseoir sur la galerie pour profiter de la faible brise qui venait de se lever. Même s'il piaffait d'impatience, son mari accepta d'aller prendre place à ses côtés. Quand il rapprocha sa chaise de celle qui allait vraiment devenir sa femme dans quelques minutes, Gabrielle ne put s'empêcher de repousser un peu sa chaise en disant:

— Collons-nous pas trop. Il fait tellement chaud.

Pendant près de deux heures, ils regardèrent les champs fumer sous l'averse et les gouttes de pluie former une grande mare à l'entrée de la cour. Ils étaient silencieux et mal à l'aise, ne trouvant presque rien à se dire en cette première soirée où ils se retrouvaient seuls. Ni l'un ni l'autre ne pouvaient voir, deux maisons plus loin, Clément Tremblay, assis lui aussi sur la galerie, guettant le retour improbable de Céline Veilleux ce soir-là.

Finalement, quand l'obscurité tomba, Gabrielle sembla se résoudre un peu à contrecœur à entrer dans la maison.

— Laisse-moi quelques minutes pour me préparer, dit-elle à son mari avant de laisser claquer la porte-moustiquaire derrière elle.

Germain la regarda disparaître à l'intérieur de la maison et se diriger vers leur chambre à coucher. Il finit nerveusement de fumer sa pipe, attendant avec une impatience croissante une invitation à rentrer qui tardait à venir. Finalement, n'en pouvant plus d'attendre, il entra dans la maison et procéda à des ablutions sommaires au lavabo de la cuisine. Aucun bruit ne provenait de la chambre. Après une brève hésitation, il s'empara de la lampe à huile déposée sur la table et, le cœur battant la chamade, pénétra dans la chambre. À sa grande surprise, il faisait noir dans la pièce. Gabrielle avait éteint. À la lueur de la lampe, il l'aperçut étendue dans le lit, une mince couverture tirée jusqu'à son cou. La courtepointe avait été repliée et déposée soigneusement sur la commode.

— Éteins la lampe, demanda-t-elle à son mari.

— Pourquoi ?

— J'aime mieux ça, se contenta-t-elle de dire d'une voix changée.

Germain souleva les épaules et souffla la lampe. Au fond, il préférait lui aussi l'obscurité pour ce premier soir.

S'il n'avait pas été aussi énervé, il aurait remarqué à quel point la voix de sa femme trahissait sa crainte de ce qui l'attendait et dont elle n'avait qu'une vague idée.

Le jeune cultivateur se déshabilla rapidement dans le noir et, à tâtons, il rejoignit sa femme dans le lit. Pendant un long moment, il ne sut comment se comporter et il resta là, immobile, incapable de se décider à poser une main sur celle qu'il avait épousée ce jour-là.

Gabrielle, couchée sur le dos, ne faisait pas un geste elle non plus. Sentant l'inexpérience de son conjoint, elle ne dit pourtant pas un mot propre à l'encourager, à le guider. Elle attendait, stoïque. On aurait dit une gisante. Elle n'avait pas eu de mère pour lui expliquer la conduite à tenir durant sa nuit de noces et les religieuses n'auraient jamais osé aborder un sujet aussi scabreux que la sexualité avec les jeunes filles confiées à leurs soins. Bref, tout ce que la jeune mariée savait provenait des conversations chuchotées entre les filles de l'orphelinat.

Dans ce domaine, son mari était malheureusement encore moins bien informé qu'elle. Un père, un frère aîné ou un ami aurait pu lui expliquer l'importance des mots doux, des caresses légères et des baisers pour mieux préparer celle qu'il brûlait de posséder. Mais il n'en était rien.

Brusquement, Germain se décida à poser les mains sur Gabrielle. Elle ferma les yeux et retint sa respiration. Il souleva sa robe de nuit et, durant un moment, ses mains rugueuses pétrirent tout son corps sans aucune douceur. Puis, sans un mot, sans une caresse, sans la moindre préparation, il en fit sa femme. Ce corps lourd sur elle, cette brutalité incontrôlée, cette haleine chaude sur son visage dégoûtèrent la jeune femme au point qu'elle crut qu'elle allait être malade. La sensation de brûlure fut si intense qu'elle le repoussa sans ménagement en poussant un cri au moment même où Germain, le souffle court, roulait sur le dos, enfin satisfait.

Débarrassée du poids de son mari, Gabrielle s'empressa de se lever et elle quitta la chambre dans le noir pour aller faire un brin de toilette. Durant un long moment, elle pleura dans la cuisine en se frottant énergiquement avec une serviette mouillée, comme pour faire disparaître toute trace de ce qui venait de se passer. Plantée devant la fenêtre, elle ne se décidait pas à retourner dans la chambre surchauffée. C'était donc ça, l'amour! Elle aurait crié si elle en avait été capable. Allait-elle pouvoir endurer ça toute sa vie?

— Viens-tu te coucher? l'appela Germain demeuré étendu dans le lit.

— Oui. J'arrive.

Un peu craintive, elle rentra dans la chambre et reprit sa place dans le lit. Elle sentit le contact de la peau nue de son mari sur son bras et elle s'en écarta vivement.

— T'as pas l'intention de coucher tout nu, j'espère? lui demanda-t-elle à mi-voix.

— Pourquoi pas? On est mariés, non?

— Germain Fournier, on n'est pas des animaux, lui reprocha Gabrielle en élevant la voix.

— Correct, concéda Germain, peu désireux de la contrarier alors qu'il n'avait pas l'intention d'en rester là pour sa nuit de noces.

Il sortit du lit et il remit son sous-vêtement. Quand il reprit place près de Gabrielle, il s'aperçut qu'elle lui tournait le dos. Il posa une main hésitante sur sa hanche, main qu'elle repoussa.

— Je suis fatiguée, dit-elle sèchement. Je pense que ça va faire pour à soir. Bonne nuit.

Déçu et frustré, Germain n'insista pourtant pas. Il se tourna du côté opposé et, quelques instants plus tard, se mit à ronfler. Pour sa part, Gabrielle, les yeux grands ouverts, ne parvenait pas à trouver le repos, essayant d'imaginer le genre de vie qui l'attendait aux côtés de Germain Fournier. La nuit était passablement avancée quand la fatigue eut raison d'elle et la fit sombrer dans un sommeil sans rêve.

Le chant du coq la réveilla en sursaut et, pendant un court moment, elle se demanda où elle se trouvait. À la vue de l'oreiller à côté du sien, les souvenirs de la nuit passée lui revinrent en mémoire et les traits de son visage se durcirent. Elle se leva immédiatement et se rendit dans la cuisine. Germain avait allumé le poêle avant d'aller à l'étable. Comme on était dimanche et qu'elle ne pouvait déjeuner si elle désirait communier, elle s'empressa de retourner dans la chambre pour changer le drap et remettre de l'ordre dans la pièce. Ensuite, elle commença la préparation du dîner avant d'aller faire sa toilette et s'habiller pour la messe.

À l'extérieur, le soleil brillait de nouveau, mais l'air était beaucoup plus sec que lors des derniers jours. Les rayons miroitaient sur les larges flaques d'eau laissées par les pluies abondantes des dernières heures.

Germain rentra dans la maison après avoir trait les vaches et changé de pantalon dans la remise, comme Gabrielle le lui avait demandé la veille. De fort bonne humeur, il s'était convaincu que sa femme avait autant apprécié que lui l'expérience de la nuit précédente et que seule sa timidité l'avait empêchée de la répéter avant de s'endormir. À son entrée, cette dernière était occupée à brosser ses cheveux devant le miroir suspendu au-dessus du lavabo, dans la cuisine. Il s'approcha d'elle et il l'embrassa dans le cou. Gabrielle sursauta à ce contact. Elle lui fit face et le repoussa sans ménagement.

— Écoute, Germain, lui dit-elle sur un ton tranchant. On est pas des enfants. On n'est pas pour passer notre temps à se minoucher.

— Ben. On est mariés, plaida son mari, dérouté par sa réaction.

— C'est en plein ça. Du monde marié pense pas juste à ça. Il y a des affaires bien plus importantes à faire.

Cette dernière remarque de sa jeune femme laissa Germain sans voix.

— Là, si tu continues à perdre du temps, on va finir par arriver en retard à la grand-messe et toute la paroisse va jaser sur notre dos. Je t'ai fait bouillir de l'eau pour te raser. Elle est sur le poêle.

Germain ne dit plus rien. Il alla chercher dans la chambre son blaireau et son rasoir, et commença à se raser devant le miroir de la cuisine. Pendant ce temps, Gabrielle était sortie pour s'asseoir sur la galerie avec son missel.

Quelques minutes plus tard, le jeune couple, le visage fermé, prit place dans le boghei et se dirigea vers l'église où il avait uni sa destinée moins de vingt-quatre heures auparavant.

⁓

Dès le début de l'après-midi, Clément Tremblay avait repris sa surveillance de la route sans en avoir l'air. Il détestait les dimanches, jours où on devait se tourner les pouces parce que le curé Lussier n'aurait jamais permis à l'un de ses paroissiens de travailler le jour du Seigneur. Le pasteur avait des principes rigides. Il n'acceptait qu'on travaille ce jour-là que lorsqu'un orage ou la grêle pouvait mettre en danger une récolte.

Bref, désœuvré, le jeune homme allait d'un bâtiment à l'autre, dressant l'oreille chaque fois qu'il soupçonnait le passage d'un véhicule dans le rang. Alors, il scrutait la route. Finalement, quelques minutes après quatorze heures, il entendit le bruit caractéristique d'une automobile. Il sortit précipitamment de la remise, juste à temps pour voir passer une Ford T couverte de boue. Sans bouger de son poste d'observation, le jeune homme surveilla pour s'assurer qu'il s'agissait bien de la voiture du mari de la cousine Rachel. Il y avait tout de même peu de chance que cette auto appartienne à quelqu'un d'autre : personne dans la paroisse ne possédait une automobile. Lorsqu'il vit le véhicule entrer dans la cour des Veilleux, il retourna dans la maison d'un air faussement détaché et monta à l'étage. Une fois dans sa chambre, il changea de vêtements et se coiffa avec soin, prêt à répondre au moindre signe de vie de Céline. Ensuite, il descendit rejoindre ses parents et sa sœur Claire qui se reposaient sur la galerie.

Quelques minutes plus tard, les Tremblay virent passer l'automobile en direction du village.

— Seigneur ! s'exclama Thérèse Tremblay. Si c'est le mari de la cousine, on peut pas dire qu'il ait moisi chez nos voisins.

— Pas surprenant ! dit Eugène, rancunier. Ça doit en être un autre qui lui aime pas la face.

Le véhicule venait à peine de passer que Clément vit sortir de la cour des Veilleux Jean-Paul, l'un des jeunes frères de Céline. Le garçon venait chez les Tremblay.

— Ma sœur aimerait ça te parler, dit-il à Clément depuis la route.

Clément ne se fit pas répéter l'invitation. Il descendit de la galerie et suivit Jean-Paul sans faire de commentaire.

— Elle a le tour, la Céline, fit Claire dans un gloussement. Elle a juste à siffler et notre grand tata se dépêche d'y aller.

— Mêle-toi donc pas de ça, ma fille, gronda sa mère, sévère. C'est clair comme de l'eau de roche que ton frère l'aime. Il aurait pu tomber sur une fille bien pire qu'elle.

À son arrivée devant la demeure des Veilleux, Clément vit Céline, vêtue d'une robe vert pâle, sortir précipitamment de la maison et s'élancer vers lui, sous le regard désapprobateur de sa mère, debout devant sa plate-bande de fleurs. Le visage rayonnant de bonheur, la jeune fille prit son amoureux par la main. Cette réception chaleureuse fit oublier au jeune homme, durant un instant, tous les reproches qu'il voulait formuler.

— Viens t'asseoir à l'ombre, l'invita Céline en le tirant vers la balançoire placée sous l'érable centenaire, à droite de la maison. J'ai toutes sortes d'affaires à te raconter.

Clément, souriant, la suivit et prit place à ses côtés pendant qu'Ernest Veilleux, assis sur la galerie, renouait avec son rôle de chaperon en poussant un soupir d'exaspération. Sa femme vint bientôt le rejoindre pour profiter avec lui de ce calme dimanche après-midi de juin.

— Dis donc, Céline. Je te regarde et il me semble que tes cheveux sont encore plus courts que quand t'es partie, dit Clément. Ils sont même rendus pas mal plus courts que ceux de ta sœur.

— Tiens, tu regardes la longueur de mes cheveux maintenant, Clément Tremblay, nota Céline, moqueuse. Rachel me les a coupés avant que je parte. Ma mère s'en est aperçue quand je suis arrivée tout à l'heure. Je te dis qu'elle était pas contente et elle m'a avertie que si je me mêlais de couper encore une fois les cheveux d'Anne, j'aurais affaire à elle.

Clément la regarda amoureusement.

— T'es-tu ennuyé, au moins, pendant que j'étais à Montréal ? demanda la jeune fille à son cavalier.

— Ben oui.

— En tout cas, on peut pas dire que tu me l'as écrit, lui fit remarquer Céline avec un sourire narquois.

— C'est gênant de dire des affaires comme ça, expliqua Clément, mal à l'aise.

— Je suppose que c'est aussi gênant que d'écrire que tu m'aimes ? poursuivit-elle, un peu acide.

— Écoute, Céline, je…

— Tu me dis jamais que tu m'aimes et tu me l'écris pas non plus.

— Tu le sais ben.

— Je sais ben quoi ?

— Que je t'aime, finit par balbutier l'amoureux en rougissant.

Le jeune homme jeta un regard en coin vers la galerie pour vérifier si les parents de la jeune fille l'avaient entendu.

— Il faut presque te l'arracher avec une paire de pinces, conclut malicieusement Céline en riant. Tiens, je t'ai apporté quelque chose pour ta fête, ajouta-t-elle en tirant de la poche de sa robe un petit paquet. Montre-le pas. Mon père comprendrait pas que je donne un cadeau à un garçon.

— C'est quoi ?

— Un briquet. Je l'ai acheté à Montréal. T'as eu vingt et un ans la semaine passée, non ?

— C'était pas nécessaire, fit Clément, content. Je le développerai en arrivant à la maison. Tu sais que j'ai vraiment pensé que tu resterais pour de bon à Montréal.

— T'es pas tout seul à l'avoir cru, je pense. Mon père a eu la même idée que toi, et c'est pour ça qu'il a donné l'ordre à ma cousine de me renvoyer à la maison tout de suite.

— S'il avait pas donné cet ordre-là, je suppose que tu serais restée là-bas, avança son cavalier, le visage assombri.

— Pantoute. J'en avais assez. J'avais déjà averti Rachel que je resterais pas plus qu'une autre semaine.

— Comment ça ? demanda le jeune homme, surpris. En lisant tes lettres, j'étais sûr que t'aimais ben gros le luxe de la ville.

— D'abord, je m'ennuyais, avoua Céline.

— Tu t'ennuyais de qui ?

— Du monde de Saint-Jacques, de ma famille et même de toi, imagine donc.

Clément se rengorgea, heureux de l'aveu.

— Pour le luxe, on s'habitue pas mal vite à tout ça. C'est bien beau l'électricité et l'eau courante, mais à bien y penser, s'éclairer à la lampe à huile et aller chercher de l'eau au puits a jamais tué personne.

— Et le radio ?

— Ça aussi, c'est pas mal intéressant, mais quand on n'est plus capables de se parler parce qu'il faut l'écouter quand il est allumé, c'est pas mal plate… En plus, il y a du bruit tout le temps en ville et ça sent mauvais. Les voisins se parlent même pas et ils se regardent comme s'ils avaient envie de s'étriper. Non. Je pense que la ville, c'est pas pour moi.

Rien ne pouvait faire un plus grand plaisir au jeune homme que d'entendre ces paroles. Durant un long moment, le jeune couple se balança en silence. Puis Clément sembla prendre une profonde inspiration avant de déclarer à Céline :

— Sais-tu que j'ai ben réfléchi pendant tout le temps que t'as été partie.

— Ça fait changement, se moqua la jeune fille, en éclatant de rire.

— Ris pas de moi. J'ai pensé que ce serait pas une mauvaise idée si…

— Si quoi ?

— Si on se fiançait cet automne, par exemple. J'ai vingt et un ans et toi, tu vas avoir cet âge-là en septembre. J'ai un peu d'argent de ramassé et je pourrais aller travailler dans un chantier l'hiver prochain. Comme ça, quand je reviendrais, j'aurais assez d'argent pour faire un premier paiement sur une petite terre. On pourrait se marier l'été prochain. Qu'est-ce que t'en penses ?

Céline sembla hésiter un court instant avant de donner sa réponse à son amoureux.

— C'est correct si tu me dis que tu m'aimes en me regardant dans les yeux, fit-elle, mutine.

— Je t'aime, répéta Clément, la gorge serrée.

— Parfait. Tu commences déjà à t'habituer à le dire. C'est déjà ça. À cette heure, il te reste juste à aller persuader mon père de te donner ma main. Ce sera peut-être pas aussi facile que tu le penses. Oublie pas que je suis la plus fine de ses filles. Il voudra peut-être pas d'un Tremblay dans la famille.

— C'est toi qui le dis, rétorqua Clément en riant.

Cependant, le jeune homme ne put s'empêcher de jeter un bref coup d'œil encore une fois vers la galerie. Ernest Veilleux arborait un air renfrogné d'assez mauvais augure. Il avait sa tête des mauvais jours. Sa femme était rentrée à l'intérieur de la maison.

— Peut-être que je ferais mieux d'attendre un autre jour ? proposa-t-il à voix basse. Ton père a pas l'air ben de bonne humeur.

— Aïe, Clément Tremblay ! T'es pas pour reculer comme un pissou. Envoye ! C'est aujourd'hui que tu fais ta grande demande ou bien je change d'idée.

— Tout de suite ?

— Tout de suite, confirma la jeune fille en quittant le siège de la balançoire et en le tirant par la main.

Les jambes un peu flageolantes, Clément s'approcha de la galerie où était peut-être assis son futur beau-père. Céline le suivait, quelques pas derrière.

— Monsieur Veilleux, est-ce que je peux vous parler ? demanda-t-il d'une voix un peu changée par l'émotion.

— Ouais, répondit Ernest d'un ton rogue. J'ai encore jamais mangé quelqu'un qui voulait me parler.

— Ben, voilà. Je voulais vous dire que, comme vous, j'ai eu peur que Céline décide de plus revenir à Saint-Jacques.

Ernest Veilleux ouvrit de grands yeux en entendant le cavalier de sa fille dire une chose pareille, mais il ne dit rien.

— Ça fait que je pense avoir trouvé un bon moyen de lui ôter le goût de retourner en ville, poursuivit le jeune homme.

— Ah oui ! Lequel ?

— J'ai pensé que si vous me donniez sa main, elle aurait plus le choix de rester ici.

— Attends une minute, toi ! lui ordonna le cultivateur en cessant soudain de se bercer. Est-ce que j'ai ben compris ce que tu viens de dire ? Tu viens de me demander ma fille en mariage ?

— C'est ben ça, confirma le jeune homme d'une voix peu assurée. Je lui en ai parlé et elle est d'accord, monsieur Veilleux.

— Comment vous allez vous organiser pour vivre, tous les deux ? demanda Ernest, sur un ton sévère.

— J'ai un peu d'argent de ramassé et je pense aller travailler au chantier l'hiver prochain pour en avoir assez pour acheter une terre à Saint-Jacques ou à Saint-Gérard, si j'en trouve pas une dans la paroisse.

Ernest Veilleux sembla s'abîmer dans un long silence pendant que les deux jeunes, debout à ses côtés sur la galerie, attendaient son verdict avec une impatience mal dissimulée.

— Yvette! appela finalement le père de famille en se tournant vers la porte-moustiquaire.

La mère avait dû assister, silencieuse, à la grande demande du jeune voisin parce qu'elle apparut tout de suite. Elle était debout dans la cuisine d'été, assez près de la porte-moustiquaire pour avoir tout entendu.

— Qu'est-ce qu'il y a?

— Viens donc ici une minute.

Yvette sortit à l'extérieur.

— Clément vient de me demander la main de Céline. Qu'est-ce que t'en penses?

— C'est à toi de décider, mon vieux.

— Bon. OK, je te la donne, consentit-il, comme à contrecœur. Qu'est-ce que tes parents en pensent, de ton idée?

— Je leur en ai pas encore parlé, monsieur Veilleux, admit Clément. J'attendais que Céline revienne et que vous me disiez si vous vouliez ou pas qu'on se marie.

— T'as pas pensé que tu pourrais rester chez ton père avec ta femme au lieu de te chercher une terre le printemps prochain?

— Il y a encore cinq enfants dans la maison chez nous. Mon père pourra se débrouiller avec Gérald. Lionel va arrêter d'aller à l'école l'année prochaine et il va pouvoir les aider. Chez nous, c'est un peu comme ici. Vous avez trois garçons capables de vous donner un coup de main.

— Pour les fiançailles, intervint Yvette, est-ce que vous avez pensé à Noël?

— Si je me trouve une *job* au chantier, c'est sûr que je serai pas ici à Noël, madame Veilleux. On pourrait peut-

503

être se fiancer le 15 septembre, le jour de la fête de Céline, si ça vous dérange pas trop.

— Ce serait une bonne idée, dit la jeune fille. Qu'est-ce que vous en pensez, m'man?

— C'est correct.

— Quand est-ce que vous pensez vous marier? demanda à son tour le père de famille.

— Ce sera pas possible avant le début de l'été prochain, expliqua Clément. Le temps de s'organiser quand je serai de retour du chantier.

— De toute façon, vous avez encore bien le temps de penser à tout ça, conclut Yvette. Maintenant, tu pourrais peut-être emmener Céline chez vous pour aller leur annoncer la nouvelle.

Céline, toujours aussi vif-argent, s'apprêtait déjà à descendre de la galerie quand sa mère l'arrêta.

— Mets-toi un chapeau sur la tête pour te protéger du soleil. Si tu fais pas attention, tu vas avoir le visage aussi foncé qu'une vraie sauvagesse.

La jeune fille entra dans la maison et en sortit un instant plus tard coiffée d'un large chapeau de paille. Ernest et sa femme virent les deux jeunes s'engager sur la route, la main dans la main.

— Torrieu! Il me semble qu'ils sont pas mal jeunes pour penser à se marier, ces deux-là, dit Ernest. Le pire, c'est qu'il a fallu qu'elle aille choisir un maudit Tremblay. J'aurais dû le sacrer dehors quand il est venu ici, la première fois, au jour de l'An.

— Voyons, Ernest. Clément est un bon garçon, fit Yvette en cessant de regarder les jeunes gens pour se tourner vers son mari. Quand on a eu besoin d'aide pendant que t'étais malade, il est venu matin et soir aider à faire le train. En plus, ils sont même pas encore fiancés. Il y a encore pas mal d'eau qui va couler dans la rivière avant que tout soit fait, ajouta-t-elle.

Chapitre 25

Du nouveau au presbytère

Le départ de Gabrielle perturba beaucoup plus que prévu la vie quotidienne du presbytère. Dès la fin de la semaine suivante, la vieille Agathe Cournoyer intercepta le curé Lussier au moment où le digne ecclésiastique se coiffait de sa barrette pour sortir. Il s'apprêtait à aller marcher sur la galerie autant pour faciliter sa digestion que pour lire son bréviaire.

— Monsieur le curé, fit-elle poliment, j'aimerais vous parler.

Le prêtre s'assura que l'abbé Martel avait quitté la salle à manger pour demander à sa vieille cuisinière ce qui n'allait pas.

— Monsieur le curé, je suis plus capable de continuer. C'est rendu trop d'ouvrage pour une femme de mon âge.

— Je l'ai bien pensé, madame Cournoyer, fit Antoine Lussier, compréhensif. C'est sûr que c'est plus comme avant, quand vous aviez l'aide de Gabrielle. Dès demain, je vais écrire à la supérieure de l'orphelinat pour voir si elle pourrait pas nous envoyer une autre fille pour vous donner un coup de main.

— Non, monsieur le curé. Je suis plus capable de continuer. J'ai plus la santé. Je pense que vous feriez mieux de vous trouver une vraie cuisinière plutôt que de faire venir une petite jeune de l'orphelinat. Sans parler que ça me surprendrait pas mal qu'on vous envoie une autre perle comme Gabrielle.

Le curé Lussier, un peu décontenancé par la nouvelle, dévisagea longuement sa vieille ménagère. Son examen l'obligea à conclure que rien ne la ferait revenir sur sa décision de le quitter.

— Trouver une aussi bonne cuisinière que vous sera pas facile.

— Au contraire, monsieur le curé, reprit la vieille dame tout de même flattée par le compliment. Vous allez aisément en trouver une plus jeune et plus vaillante.

— Connaissez-vous quelqu'un capable de vous remplacer?

— Les veuves manquent pas à Saint-Jacques et dans les paroisses autour, fit remarquer Agathe Cournoyer.

— L'important est pas qu'elle soit veuve, la corrigea le prêtre. Je veux une cuisinière capable de faire un bon ordinaire.

Il y eut un bref silence durant lequel la dame âgée sembla chercher dans sa mémoire le nom d'une personne. Soudain, ses traits s'éclairèrent.

— Peut-être que vous pourriez demander à Hélèna Pouliot de faire venir sa cousine. Elle m'en a parlé le printemps passé. À l'entendre, c'est toute une cuisinière et c'est une veuve sans enfant. Si je me rappelle bien, elle reste à Saint-François-du-Lac.

— Que le Seigneur nous protège! s'exclama le curé Lussier en prenant un air horrifié. Si elle a la langue aussi bien pendue que notre Hélèna, on s'entendra plus penser ici-dedans.

Cependant, dans les jours qui suivirent, le curé se rendit compte qu'il n'avait guère le choix. Il lui fallut se résigner à demander à l'épicière d'inviter sa cousine à se présenter au presbytère pour un essai à titre de cuisinière.

Il faut croire qu'Hélèna ne perdit pas de temps parce que quatre jours plus tard, une petite dame boulotte et souriante, âgée d'une cinquantaine d'années, se présenta à la porte du presbytère. Agathe Cournoyer alla lui ouvrir.

— Bonjour, madame. Je suis Hortense Dagenais, la cousine de madame Pouliot. Je viens pour la place de cuisinière.

— Si vous voulez vous asseoir, je vais prévenir monsieur le curé de votre arrivée, dit Agathe.

La vieille servante fit passer Hortense Dagenais dans la salle d'attente tout en l'examinant. La cousine était bien mise et avait un visage sympathique. Le curé Lussier ne parla à la veuve Dagenais que quelques minutes, le temps de l'informer des exigences du travail de servante au presbytère et des gages qui lui seraient payés. Peu après, il introduisit la visiteuse dans la cuisine en disant :

— Madame Dagenais, vous connaissez déjà madame Cournoyer. Elle a accepté de rester quelques jours de plus au presbytère pour vous mettre au courant de ce qu'il y a à faire.

La nouvelle arrivée adressa à la ménagère du curé Lussier un sourire chaleureux et le prêtre quitta la pièce. Dès la fin de la première journée, Agathe Cournoyer sut que le curé de Saint-Jacques-de-la-Rive avait mis la main sur une ménagère de premier ordre, au caractère agréable et d'une très grande discrétion. De plus, elle était d'une propreté méticuleuse, ce qui n'était pas pour déplaire ni à la vieille dame ni au curé.

Ce soir-là, après avoir lavé la vaisselle du souper et dressé la table du déjeuner du lendemain, Agathe, curieuse, ne put s'empêcher de demander à sa remplaçante :

— Où est-ce que vous allez rester ? Chez votre cousine ?

Pendant un bref moment, Hortense Dagenais eut l'air un peu embarrassé.

— Je pense que j'aurai pas le choix, finit-elle par répondre. Hélèna a été assez fine pour me le proposer, mais je sens que je vais la déranger pas mal. Vous le savez comme moi, madame Cournoyer, à nos âges, on a nos petites habitudes et c'est pas nécessairement agréable d'avoir quelqu'un sur le dos, même quand c'est une cousine.

— Si ça vous le dit, vous pouvez venir rester à la maison, proposa la vieille ménagère. Je reste dans la petite maison blanche, en face du presbytère. Ça vous ferait pas loin pour venir travailler ; en tout cas, pas plus loin que si vous restiez chez madame Pouliot.

Hortense Dagenais n'hésita que quelques secondes avant d'accepter.

— Vous êtes bien fine, madame Cournoyer. J'accepte à la condition que si un jour je vous dérange, vous vous gênerez pas pour me le dire. Je vais comprendre. Je veux surtout pas m'imposer.

— Inquiétez-vous pas, je suis pas gênée, dit en riant Agathe. Je pense que la vie va être pas mal moins plate avec de la compagnie. Avant, j'avais Gabrielle, la jeune servante, mais elle s'est mariée il y a trois semaines.

— Pour ça, il y a pas de danger que ça m'arrive, reprit Hortense Dagenais avec un mince sourire. À mon âge, j'ai pas envie de remplacer mon défunt mari. On a été mariés trente ans. Bon. Je vais aller dire un petit bonsoir à Hélèna et je viens vous rejoindre chez vous.

Les deux femmes sortirent ensemble du presbytère et traversèrent la route. Pendant qu'Agathe Cournoyer se dirigeait vers sa maison, Hortense Dagenais, portant son grand sac en tapisserie, entra dans l'épicerie de sa cousine d'où elle ne sortit qu'une bonne heure après. Pendant ce temps, la vieille cuisinière avait préparé l'ancienne chambre occupée par Gabrielle Paré.

— J'espère que je le regretterai pas, dit-elle à mi-voix en allumant la lampe à huile placée sur sa table de cuisine.

La vieille dame faisait allusion à l'orpheline qu'elle avait accueillie chez elle, aimée et conseillée comme si elle avait été sa propre fille. Depuis son mariage, l'ingrate n'avait pas une seule fois donné signe de vie. Plus encore, elle semblait l'éviter puisque Agathe ne l'avait aperçue qu'une fois, le lendemain de son mariage, à la grand-messe du dimanche matin. Depuis, elle allait à la basse-messe et elle n'avait pas trouvé une seule minute pour venir lui rendre visite. C'était comme si la cuisinière appartenait au passé de la nouvelle madame Fournier, comme si elle n'existait plus.

Agathe n'aurait pas été étonnée d'apprendre que la Gabrielle se conduisait d'une façon aussi étrange avec tous ses nouveaux voisins qui s'étaient pourtant donné passablement de mal pour l'accueillir. À aucun moment, la jeune femme n'avait été tentée de se lier avec l'une ou l'autre de ses voisines du rang Sainte-Marie.

En fait, quand Germain avait fait remarquer à sa femme la nécessité d'aller remercier les voisins pour le repas de noces improvisé qu'ils leur avaient offert, Gabrielle lui avait répondu sèchement qu'ils n'avaient pas de temps à perdre à voisiner.

❧

La première moitié du mois de juillet 1923 fut exceptionnelle. Personne ne se serait permis de douter que la plus belle saison de l'année était vraiment commencée. La nature offrait des jours lumineux et torrides en ce premier mois de l'été. Les cultivateurs profitaient largement d'un soleil qui ne se couchait que bien après vingt et une heures pour abattre le plus de travail possible. Les fraises et les framboises étaient aussi abondantes que succulentes, grâce aux quelques ondées bienfaisantes qui avaient eu le bon goût de ne tomber que la nuit depuis la mi-juin.

Depuis quelques jours, les écoles de rang de Saint-Jacques-de-la-Rive avaient fermé leurs portes après que les institutrices eurent fait le ménage de leur classe et de l'appartement de fonction qu'elles habitaient à l'étage. Pour la première fois depuis de nombreuses années, Wilfrid Giguère, maire et aussi président de la commission scolaire, était parvenu à engager toutes les enseignantes dont il aurait besoin au début de l'année scolaire suivante.

Il régnait aussi une activité inhabituelle devant la forge d'Adélard Crevier, au village. L'ingénieur Gendron avait fait édifier une petite remise sur la rive de la Saint-François et il surveillait attentivement le travail de deux arpenteurs qui mesuraient et posaient des jalons, sous l'œil de quelques vieux désœuvrés du village.

Chez les Tremblay, Thérèse s'était réjouie de pouvoir enfin compter sur l'aide additionnelle d'Aline, de Lionel et de Jeannine pour la cueillette des fraises. Tout laissait prévoir que la récolte des petits fruits rouges et sucrés allait être remarquable. Depuis le début de juillet, les plus jeunes, sous la direction de Gérald, cueillaient des fraises une bonne partie de la journée pendant que Thérèse, Claire et Aline équeutaient les fruits et les faisaient cuire pour en faire de la confiture. Lorsqu'une vingtaine de pots eurent été alignés sur l'une des tablettes du garde-manger, la mère décréta :

— Ça va faire pour les confitures.

— Qu'est-ce qu'on va faire avec le reste des fraises, m'man ? demanda Claire. Il reste encore trois ou quatre rangs à ramasser.

Ce soir-là, Eugène se berçait paisiblement sur la galerie pendant que les femmes de la maison finissaient de sceller avec de la paraffine les derniers pots de confiture. Il avait un peu de mal à accepter que son fils aîné épouse une Veilleux. Il n'avait rien à reprocher à la jeune voisine, mais il aurait préféré que son fils choisisse une autre fille que celle de son pire ennemi. Et puis, avait-il vraiment son mot à dire dans cette histoire-là ? Clément était majeur. Il pouvait marier qui il voulait. En tout cas, pour sa part, il craignait que ce mariage-là engendre toutes sortes de tiraillements.

— Qu'est-ce que t'en penses, Eugène ? demanda Thérèse, debout derrière la porte-moustiquaire.

— Quoi ? Qu'est-ce qu'il y a ? fit son mari, tiré brusquement de ses pensées.

— Ça fait deux fois que je te demande ce qu'on va faire avec le reste des fraises qui sont dans le champ.

— On les gaspillera pas. On va aller les vendre à Pierreville.

— Céline m'a dit hier que les Veilleux en avaient de trop, eux autres aussi, fit remarquer Clément en s'approchant de la galerie. Vous trouvez pas, p'pa, que ce serait une bonne idée si on se mettait avec les Veilleux pour aller faire du porte-à-porte à Pierreville ?

— Il en est pas question, se contenta de répondre son père. On est capables de s'occuper tout seuls de nos affaires.

Le lendemain, Eugène décida d'aller à Pierreville l'après-midi même, après avoir chargé dans une voiture des paniers de fraises que les membres de la famille avaient cueillies. Lorsqu'il revint à l'heure du souper, il ne restait plus rien à vendre au cultivateur, très satisfait d'avoir pu amasser un peu d'argent.

Comme la cueillette des fraises s'était poursuivie durant son absence, il choisit de tenter la même expérience à Nicolet le lendemain avant-midi.

— Demain, tu vas venir avec moi, dit-il à Clément. À deux, ça va aller plus vite pour vendre notre stock.

Le trajet fut un peu plus long que celui de la veille, mais la clientèle était autrement plus nombreuse que celle de Pierreville. Maintenant, la saison des fraises terminée, on passait à la cueillette des framboises. Même si la récolte s'annonçait très bonne, les Tremblay ne prévoyaient pas avoir à en vendre. Ils n'en auraient que pour leur propre consommation.

Le second mercredi de juillet, un peu après le souper, Claire Tremblay était agenouillée devant un parterre fleuri de bégonias et d'impatientes plantés devant la maison. La jeune femme, le visage bien protégé par un chapeau de paille à large bord, était occupée à désherber quand elle perçut des pas sur la route, derrière elle.

— Excusez-moi, madame, dit une voix masculine qui la fit légèrement sursauter.

La jeune femme tourna la tête et aperçut un homme debout sur le bord de la route, soulevant poliment son chapeau. Elle se leva tout en secouant son large tablier pour en chasser la poussière et les herbes qui y adhéraient.

— Mademoiselle, corrigea automatiquement la célibataire en faisant un pas en direction de l'inconnu. Vous cherchez quelque chose ?

Elle reconnut immédiatement le jeune ingénieur qui était venu expliquer le projet de pont dont on avait commencé la construction à la sortie du village.

— Oui, mademoiselle. Je cherche la maison des Tremblay.

— C'est ici.

— Je demeure chez monsieur Pierri, un de vos voisins et...

La porte-moustiquaire s'ouvrit pour livrer passage à Thérèse.

— Vous êtes pas l'ingénieur qui s'occupe du pont? demanda-t-elle en s'avançant vers le grand jeune homme à la fine moustache et aux yeux d'un bleu profond.

— En plein ça, madame. Hubert Gendron, se présenta le visiteur en la saluant de la tête.

— Je savais pas que Bruno Pierri avait un pensionnaire, s'étonna Thérèse.

— Oui, depuis une semaine, madame. Je demeure à Drummondville et c'est vraiment trop loin pour faire cette distance-là matin et soir.

— Je comprends.

— Madame Pierri m'a dit que vous faisiez de bien belles courtepointes et qu'il vous arrivait parfois d'en vendre. Je me demandais si je ne pourrais pas venir en voir. C'est l'anniversaire de ma mère la semaine prochaine et j'aimerais lui en donner une en cadeau.

— Je les fais avec ma fille Claire, dit Thérèse en désignant la jeune femme debout près de lui. Malheureusement, nos plus belles, on les a vendues à la fin du printemps, mais il nous en reste deux ou trois. Si vous voulez entrer les voir...

— Avec plaisir, madame.

Hubert Gendron, le chapeau à la main, suivit les deux femmes à l'intérieur.

— Mes deux plus jeunes sont partis se baigner au village, à la petite plage, là où vous avez dit que vous alliez construire le pont, expliqua Thérèse en pénétrant dans la cuisine d'été. Je suppose que les enfants pourront plus faire ça bientôt.

— Je ne pense pas que le pont va les empêcher de se baigner, madame Tremblay. Le lit de la rivière ne sera pas plus profond pour tout ça.

— Tant mieux. Claire, va donc chercher les courtepointes sur la première tablette de la lingerie, dit Thérèse en se tournant vers sa fille.

La jeune femme, consciente du regard insistant de l'ingénieur, quitta la pièce quelques instants pour y revenir en portant trois courtepointes qu'elle étala avec soin, l'une après l'autre, sur la table de cuisine. Aline, de retour de chez Rita Hamel où elle avait gardé les enfants, l'aida.

— Elles sont vraiment très belles, fit Gendron, admiratif. C'est difficile d'en choisir une plus qu'une autre.

— Vous pourriez demander à votre femme de venir vous aider à choisir, avança Claire, curieuse.

— Je ne suis pas marié, mademoiselle. Vous avez sûrement du goût pour avoir fait de si belles courtepointes. Est-ce que vous accepteriez de m'aider à en choisir une ?

— Je connais pas les goûts de votre mère, s'excusa Claire, tout de même flattée. Est-ce qu'elle a une couleur préférée ?

— Je ne pense pas. Tout ce que je sais, c'est qu'elle aime les couleurs douces.

— Dans ce cas-là, elle aimerait peut-être celle-là, fit la jeune femme en découvrant un coin de la première courtepointe qui avait été étalée sur la table. Elle va peut-être aimer ses teintes rose et bleu ciel.

— Parfait. En tout cas, moi, j'adore le bleu.

Pendant que Claire repliait les courtepointes avec l'aide de sa sœur Aline, Hubert Gendron s'entendit sur le prix avec Thérèse Tremblay et il la paya. Le jeune homme, son acquisition sous le bras, quitta ensuite la maison après avoir remercié les deux femmes.

Debout devant l'une des fenêtres de la cuisine d'été, Claire, songeuse, le regarda s'éloigner sur la route.

— Vous avez vu, m'man, chuchota Aline à l'autre bout de la pièce. On dirait bien que l'ingénieur est tombé dans l'œil de Claire.

— Dis donc pas de bêtises, toi, la réprimanda sa mère. Comme si tu connaissais quelque chose à ça.

— C'est pas parce que j'ai juste quinze ans que je suis niaiseuse, m'man, fit l'adolescente, un peu humiliée.

Sa mère préféra ne pas relever la remarque et sortit sur la galerie pour surveiller le retour du village de Lionel et de Jeannine.

⁓

Deux jours plus tard, Claire et sa mère achevaient de verser dans des pots la confiture de framboises qu'elles venaient de cuisiner sur le poêle à bois quand le bruit d'un attelage les surprit.

— C'est pas le boucher qui passe déjà! s'exclama Thérèse en s'essuyant les mains avec son tablier, prête à se rendre à la porte.

— On est vendredi, m'man. Ça pourrait bien être lui, dit Claire sans se donner la peine d'aller vérifier.

Du mois d'avril jusqu'à la mi-octobre, Ludger Comtois, le boucher de Pierreville, passait tous les vendredis dans les rangs de Saint-Jacques-de-la-Rive pour proposer sa viande qu'il conservait sur des blocs de glace dans sa voiture couverte.

— M'man, c'est le peddler, annonça Aline en laissant claquer derrière elle la porte de la cuisine d'été.

L'adolescente, occupée à désherber le jardin, avait vu la voiture s'engager dans la cour et elle s'empressait de venir prévenir sa mère.

— C'est une chance que ton père soit pas ici, reconnut sa mère. Si c'était le cas, il l'aurait déjà viré de bord et on n'aurait rien pu voir de ce qu'il a à nous montrer. Venez, les filles. On va aller voir s'il a au moins du fil et des aiguilles. En plus, j'ai besoin de boutons.

— P'pa dit toujours qu'il vend bien plus cher qu'Hélèna, au village, dit Aline en sortant la première.

— Ton père dit ça pour qu'on n'achète rien, dit Thérèse. Chez Hélèna, le matériel est pas bien beau et les patrons sont passés de mode depuis des années.

Un petit homme mince, coiffé d'une casquette brune et portant une chemise blanche aux manches retenues à la hauteur des biceps par des élastiques, s'empressa de descendre de voiture à la vue des trois femmes qui venaient à sa rencontre et il ouvrit largement la porte arrière de sa voiture couverte tirée par deux gros chevaux bais.

— Bonjours, mesdames. Si vous avez besoin de quelque chose, j'ai tout ce qu'il vous faut à l'intérieur. Montez et regardez, ça coûte rien.

Pendant plusieurs minutes, Thérèse et ses deux filles explorèrent le contenu de la voiture. Finalement, si la mère se contenta d'un peu de ruban et de quelques bobines de fil blanc, Claire acheta quelques verges de tissu bleu royal, un peu de dentelle et un patron.

Alors que le commerçant itinérant reprenait la route après avoir été payé, Aline ne put s'empêcher de dire, sur un ton où perçait l'envie :

— Il y en a qui sont chanceuses de pouvoir se payer du beau matériel.

— On peut pas tout avoir, lui répondit sa sœur, piquée au vif. Toi, tu vas au couvent ; moi, je travaille à la maison. C'est normal que je me fasse un peu d'argent en faisant des courtepointes et des catalognes avec m'man.

— On sait bien, fit l'adolescente en se rebiffant.

— Quand est-ce que tu vas te faire une robe ? demanda Thérèse à sa fille aînée pour désamorcer la dispute qui s'annonçait.

— Le patron est pas mal simple, m'man. Je devrais être capable de la tailler aujourd'hui. Je la coudrai quand j'aurai le temps.

Il faut croire que la jeune femme trouva facilement le temps parce qu'elle portait sa robe neuve à la grand-messe du dimanche suivant. À la fin de la cérémonie, elle vit du coin de l'œil Hubert Gendron chercher à s'approcher d'elle dès sa sortie de l'église. Elle ralentit volontairement le pas pour lui permettre de la rejoindre.

À la vue de la manœuvre, Thérèse Tremblay retint son mari par une pression de la main sur un bras et elle lui fit signe de la suivre. Eugène obéit sans comprendre la raison qui poussait sa femme à l'entraîner à l'écart.

— Bonjour, mademoiselle Tremblay, dit l'ingénieur en soulevant son chapeau devant Claire, qu'il venait de rejoindre.

— Bonjour, monsieur Gendron.

— Je voulais vous dire que ma mère a bien aimé la courtepointe que je vous ai achetée.

— Tant mieux, déclara Claire avec un sourire chaleureux.

— Puis-je vous dire sans vous offenser que votre robe est vraiment très belle.

— Merci. Je viens de finir de la coudre.

— Mon Dieu! Mais vous avez toutes les qualités et tous les talents! s'exclama le jeune homme en riant.

— Oh non! J'ai des défauts, mais je les cache pour pas faire peur aux gens, badina Claire.

La jeune femme jeta un regard autour d'elle et elle repéra son père et sa mère qui semblaient l'attendre, sagement assis dans le boghei.

— Vous m'excuserez, monsieur Gendron, reprit-elle en laissant tout de même percer une pointe de regret dans sa voix, mais mes parents m'attendent pour rentrer.

— Bien sûr, mademoiselle.

Hubert Gendron fit quelques pas sur le parvis en sa compagnie avant de se décider à lui demander, d'une voix un peu hésitante:

— Est-ce que vous me trouveriez bien mal élevé si je vous demandais de faire une petite promenade avec moi dans le rang Sainte-Marie, cet après-midi? Il fait tellement beau que ce serait presque un péché de rester enfermés à l'intérieur.

Claire Tremblay sembla hésiter un moment avant de répondre:

— Je sais pas si on va avoir de la visite cet après-midi à la maison, mais si on n'a personne, on pourrait bien marcher un peu sur la route... évidemment avec une de mes sœurs, prit-elle le soin de préciser.

— Ça me ferait vraiment plaisir, dit l'ingénieur avant de saluer de loin les parents de la jeune femme.

Eugène attendit que le boghei se soit engagé dans le rang Sainte-Marie avant de demander à sa fille:

— Tu connais l'ingénieur?

— Non, p'pa. M'man et moi, on lui a parlé la semaine passée quand il est venu acheter une courtepointe pour sa mère.

— Tiens! Première nouvelle.

— J'ai oublié de te le dire, Eugène, s'excusa sa femme. Hubert Gendron reste chez Bruno Pierri depuis deux semaines. Il paraît qu'il va rester là tant que le pont sera pas construit.

— Qu'est-ce qu'il te voulait? demanda Eugène à sa fille.

— Il m'a demandé si je voulais marcher dans le rang avec lui cet après-midi.

— J'espère qu'il s'imagine pas que tu vas y aller toute seule? demanda sa mère, sévère.

— Bien non, m'man. Je lui ai dit qu'une de mes sœurs viendrait marcher avec nous autres.

Cet après-midi-là, Hubert Gendron et Claire Tremblay se rendirent jusqu'à la source d'Anatole Desjardins, au bout du rang Sainte-Marie. Les deux jeunes gens déambulèrent près de deux heures dans le rang et ils auraient continué plus longtemps si Aline, incommodée par la chaleur, n'avait pas menacé de les planter là.

Chapitre 26

Les foins

Au moment où ils s'apprêtaient à couper le foin déjà haut, voilà que la nature empêchait les fermiers de Saint-Jacques-de-la-Rive d'aller travailler. Le mois d'août débuta par trois journées de fortes pluies et il fallut attendre deux bonnes journées supplémentaires pour laisser le temps au fourrage de sécher.

— Il faut regarder le bon côté des choses, dit Eugène à son fils Clément qui commençait à manifester des signes d'impatience devant ce retard. D'abord, toute cette pluie-là va faire baisser un peu la température et on en sera que mieux pour faucher. Ensuite, elle fait du bien en maudit à l'orge et à l'avoine qui en avaient ben besoin. Ça faisait au moins dix jours qu'il était pas tombé une goutte d'eau.

— C'est vrai, p'pa, reconnut le jeune homme, mais on pourrait ben commencer à faucher après le dîner. Après tout, il mouille plus depuis hier soir.

— Ça sert à rien de se presser, fit son père. Si on se dépêche trop de faucher, le foin sera pas assez sec et demain, il faudra aller retourner tout ce qu'on aura coupé pour que ça sèche. Non, non. Demain, ce sera ben assez vite.

Chez les Veilleux, Ernest était d'excellente humeur malgré le retard occasionné par les intempéries. La veille, son fils Albert était arrivé de Montréal. Il avait annoncé son intention de rester durant ses cinq jours de congé annuel pour aider à la récolte du foin. Le solide jeune homme de vingt-huit ans semblait se réjouir à la pensée de participer à ce travail éreintant. Son père savait pouvoir se fier à lui et il en était heureux.

— L'année passée, p'pa, je suis allé à une exposition agricole à Québec, dit Albert, le soir de son arrivée. Ils ont fait une démonstration d'une machine qui fauche à peu près vingt pieds de large à la fois. Je vous dis qu'avec une affaire comme ça, ça doit pas prendre ben du temps pour nettoyer un champ.

— C'est tiré avec un de ces nouveaux tracteurs, je suppose ? demanda son père, peu enthousiaste.

— Pantoute. Moi, ce que j'ai vu, c'était tiré par deux chevaux, si on le voulait. Mais il paraît qu'aux États, ils ont maintenant des machines qui pressent le foin et l'attachent. Après, il y a plus qu'à le ramasser dans le champ. Ça doit être pas mal plus facile que de faire des meules qu'il faut travailler à la fourche.

— Tout ça, c'est des inventions qui coûtent ben trop cher pour nos petites terres, laissa tomber Ernest en tirant nerveusement sur sa pipe. En plus, c'est surtout fait pour gagner du temps. Mais qu'est-ce qu'ils font avec tout ce temps-là, les Américains ? Ils arrivent à Noël en même temps que nous autres. Pour moi, rien remplacera jamais une bonne paire de bras et un bon cheval.

Le lendemain matin, dès que les rayons du soleil eurent asséché la rosée, Ernest laissa à son plus jeune fils, Jean-Paul, le soin de nettoyer l'étable pendant qu'il prenait la direction du champ avec Albert, Jérôme et Léo. Le père et l'aîné de ses fils, les manches retroussées haut sur les bras, étaient armés d'une faux, soigneusement aiguisée la veille. Dès qu'ils commencèrent à faucher, Jérôme et Léo se mirent en marche derrière eux avec leur fourche pour constituer des meules avec le foin fraîchement coupé.

Au début de l'après-midi, les Veilleux furent en mesure de remplir successivement deux charrettes de foin que les chevaux tirèrent jusque sous la porte du fenil. Par une chaleur écrasante, deux des hommes prirent place dans le grenier de la grange pour rejeter au fond du bâtiment le foin projeté par ceux qui étaient demeurés debout sur la charge, dans la charrette.

Pour la première fois depuis quelques années, Céline et Anne purent demeurer à la maison et aider leur mère, qui avait entrepris la récolte des tomates déjà mûres pour les mettre en conserve.

— Si on prend assez d'avance, déclara Yvette avec une satisfaction évidente à la fin de l'après-midi, on va être capables d'aller aux bleuets dans le rang des Orties la semaine prochaine.

～

Chez les Fournier aussi, la période des foins venait de commencer. Comme l'année précédente, Germain avait engagé René Tougas, l'aîné et le moins paresseux des fils d'Antonius, pour l'aider.

— Pourquoi tu l'as engagé ? demanda Gabrielle, mécontente, après le départ de l'adolescent à la fin de la première journée de travail. Il va falloir le payer. C'est du vrai gaspillage.

Germain se contenta de lever les épaules et de lui tourner le dos, sans même se donner la peine de lui répondre.

Il aurait pu lui expliquer qu'il allait payer René Tougas en donnant une voiture de foin à son père.

Antonius Tougas élevait des porcs et il n'avait que quatre vaches à nourrir. Par conséquent, il ne cultivait pas de foin, préférant l'acheter ou procéder à des échanges avec des voisins.

Mais ce haussement d'épaules de Germain était une illustration de l'atmosphère qui régnait depuis quelque temps chez les Fournier, atmosphère devenue progressivement irrespirable depuis leur mariage. La tension entre le mari et la femme, fruit de reproches non formulés et de désirs inassouvis, était presque palpable.

Dès les premiers jours de leur union, Gabrielle avait fait comprendre à son mari amoureux, par toutes sortes de moyens plus ou moins détournés, qu'il n'était pas question de faire l'amour aussi souvent qu'il semblait le désirer. Tout d'abord, elle s'esquivait dès qu'il tentait de l'approcher. Lorsqu'il tendait la main pour la toucher, elle avait de ces reculs qui en disaient long sur ce qu'elle pensait d'un contact physique avec lui. Dans leur lit commun, elle avait pris l'habitude de se réfugier pudiquement à une extrémité en alléguant la fatigue, l'épuisement ou une migraine quand son mari se faisait trop insistant. Lorsque la jeune femme comprit qu'elle ne pourrait échapper indéfiniment au désir de son mari, elle fit en sorte de rester debout beaucoup plus tard que lui et prit l'habitude d'attendre qu'il ait succombé au sommeil avant de se glisser silencieusement dans leur lit.

En d'autres mots, les relations physiques la dégoûtaient et elle parvenait mal à le cacher. En fait, elle n'avait consenti, presque à son corps défendant d'ailleurs, qu'à deux autres relations dans les six semaines suivant leur mariage.

Comme si cela ne suffisait pas, Gabrielle avait rapidement cherché à exercer un contrôle de plus en plus serré sur tout ce qui concernait la ferme. Elle avait une opinion sur tout et entendait l'imposer à son mari. Ce dernier ne réagit pas tant et aussi longtemps qu'elle limita sa domination sur la maison. Il comprenait qu'elle veuille la diriger.

Après avoir inventorié ce que contenait la maison, la nouvelle madame Fournier s'était mise à changer les meubles de place et à bousculer l'horaire des repas. Même s'il en avait été un peu agacé au début, son mari était si amoureux qu'il toléra tout sans grogner. Quand sa jeune femme se mit à lui donner le plus sérieusement du monde des conseils pour améliorer l'exploitation de sa ferme, là encore, Germain se contenta d'en sourire, mettant ses prétentions sur le compte de la jeunesse et son envie de l'aider.

Mais cette espèce de préjugé favorable qu'il entretenait durant les premières semaines de son mariage à l'égard de sa Gabrielle disparut peu à peu, au fur et à mesure qu'il se rendait compte de l'inacceptable : sa femme ne l'aimait pas et ne l'avait peut-être jamais aimé.

— Pourquoi elle m'a marié d'abord ? ne cessait-il de se demander à mi-voix, plusieurs fois par jour. Pourquoi ?

Il n'était pas encore capable d'admettre intérieurement que l'orpheline l'avait probablement épousé pour la sécurité qu'il pouvait lui offrir. Il avait beau n'avoir jamais eu d'amis assez proches pour avoir entendu parler des relations qui peuvent exister entre un homme et une femme qui s'aiment, il n'en restait pas moins qu'il avait fini par comprendre que ce qu'il vivait depuis la mi-juin n'était pas normal. Ce n'était pas ainsi qu'un mari et une femme devaient vivre. Après sept semaines de mariage, il ne l'avait jamais même entrevue nue. Il commençait à réaliser que les folles étreintes qu'il s'était plu à imaginer ne se produiraient jamais.

Le plus léger baiser prenait l'allure d'une sorte d'aumône qu'elle lui jetait quand elle désirait vraiment quelque chose. C'était probablement cet aspect de la personnalité de sa femme qu'il exécrait le plus. Gabrielle semblait incapable d'un geste gratuit, sans calcul. Elle faisait montre d'une telle sécheresse de cœur qu'il en était démonté.

S'il avait été moins timide, Germain Fournier aurait fini par aborder ouvertement le sujet avec elle pour savoir pourquoi elle l'avait épousé... à moins qu'il eût craint d'apprendre une vérité qu'il préférait continuer à ignorer. La froide indifférence de sa femme à son endroit le bouleversait et le rendait profondément malheureux. De plus, la voir si calculatrice et si peu portée à la générosité le plongeait dans la plus totale incompréhension. Où était donc passée la jeune fille au sourire plein de promesses qu'il avait courtisée?

~

Par exemple, la semaine précédente, il avait aperçu de loin le père « Une Cenne », le quêteux, quittant sa maison alors qu'il revenait du champ. Le vieil homme à la barbe blanche et à la longue chevelure hirsute passait chaque année, à la fin de l'été, dans tous les rangs de la paroisse. On l'avait surnommé « Une Cenne » parce que, le plus souvent, il se contentait des quelques cents qu'on lui tendait. Or, depuis une dizaine d'années, le vieil homme avait pris l'habitude de souper et de coucher chez les Fournier lors de son passage dans le rang Sainte-Marie. C'était devenu une tradition. Il y avait même une paillasse dans la remise qui lui était réservée et qu'on déposait dans la cuisine d'été lorsqu'il venait.

À son arrivée à la maison, Germain avait demandé pourquoi le quêteux ne s'était pas arrêté comme il le faisait d'habitude.

— Tu t'imagines tout de même pas que je vais nourrir tous les quêteux qui passent, avait sèchement protesté Gabrielle en relevant une mèche de cheveux qui lui était tombée sur l'œil.

— Mais ce quêteux-là, on l'a toujours gardé à souper et à coucher. Il a dû te le dire.

— Ce temps-là est fini, Germain Fournier, avait tranché sa femme sur un ton sans appel. Qu'il aille porter sa vermine ailleurs. Ma maison est propre et j'en veux pas ici.

— Les voisins vont ben se demander pourquoi il est pas resté ici, reprit Germain, mécontent.

— Les voisins diront ce qu'ils voudront. Ils viendront pas me dire quoi faire dans ma maison.

⁓

De frustration en frustration, Germain Fournier avait fini par perdre toutes ses illusions et il s'était progressivement refermé sur lui-même, entretenant en lui une rancœur et une colère sourde qui menaçaient d'éclater à tout moment.

Le second jour de la saison des foins, Germain demanda à sa femme de venir conduire la charrette pendant que René Tougas et lui la chargeaient. Il s'agissait d'un travail bien facile alors que les deux hommes suaient sang et eau sous un soleil de plomb à lancer de pleines fourchées de foin dans le véhicule. Durant le déchargement dans le

fenil, la jeune femme pouvait vaquer à ses travaux ménagers dans la maison.

À la fin de cette journée épuisante, Gabrielle, le menton en avant, se dressa devant son mari, quelques instants
après que René Tougas soit retourné chez lui.

— C'est décidé, déclara-t-elle sur un ton définitif. On
va se débarrasser des vaches le printemps prochain et on
va acheter des poules.

— Pourquoi ça ? se contenta de demander son mari.

— On aura plus de foin à faire, déclara sa femme sur
un ton péremptoire. C'est fini ! On va remplacer les
vaches par des poules. Avec des poules, on va pouvoir
vendre les œufs à Pierreville. En plus, tu pourras acheter
deux ou trois autres cochons.

Si Gabrielle avait été un peu plus intuitive, elle aurait
immédiatement senti qu'elle venait de dépasser les bornes.

— Assis-toi ! gronda Germain, les dents serrées, en lui
montrant une chaise derrière elle.

— Pourquoi ?

— Je t'ai dit de t'asseoir, répéta-t-il un peu plus fort, en
posant sur l'épaule de sa femme une main si lourde qu'elle
fléchit les jambes bien malgré elle. J'ai deux mots à te dire.

Soudain, la jeune femme pâlit en réalisant l'intensité
de la colère qui déformait les traits du visage ingrat de son
mari.

— Qu'est-ce que j'ai dit ? demanda-t-elle, déjà moins
assurée qu'elle ne l'était quelques instants plus tôt.

— Là, pour une fois, tu vas fermer ta gueule et me
laisser parler, Gabrielle Paré ! lui dit son mari sur un ton
sans appel.

— Énerve-toi pas !

— Je m'énerverai si je veux, répliqua Germain d'une
voix menaçante. Écoute-moi ben, toi. Le maître ici, c'est
moi. C'est moi qui décide ce qui va se faire ou pas sur ma

terre. Toi, tu connais rien à la terre et t'as pas un christ de mot à dire. Occupe-toi de l'ordinaire et de venir donner un coup de main quand je te le demanderai.

— Whow! intervint la jeune femme, qui tentait de s'opposer sans grande conviction toutefois. J'ai tout de même…

— Non, la coupa durement son mari, hors de lui et semblant prêt à la frapper. Si ça te convient pas, la porte est là. Tu ramasses tes affaires et tu sacres ton camp. Je t'ai assez vue. Tu peux retourner à l'orphelinat si ça te tente.

— Mais qu'est-ce que je t'ai fait? gémit Gabrielle, sur un ton qui cherchait à l'apitoyer.

— Rien, justement. Tiens! Pendant que j'y pense, ajouta son mari, comme si l'idée venait juste de lui venir. Sors toutes tes guenilles de ma chambre et installe-toi dans une des chambres d'en haut. Je vois pas pourquoi tu viendrais m'encombrer dans mon lit. T'es même pas une vraie femme!

— Voyons donc! protesta Gabrielle, effarée devant une telle explosion de fureur.

— Comme ça, t'auras plus à te forcer pour te coucher tard.

— Ça tombe bien, se rebiffa soudain la jeune femme. Tu me donnais mal au cœur.

Germain, blessé au plus profond de lui-même, ne se donna pas la peine de lui répondre. Il planta là sa femme et sortit de la cuisine d'été pour aller nourrir les porcs avec les restes de table laissés près de la porte. Lorsqu'il revint quelques minutes plus tard, il choisit volontairement d'aller s'asseoir sur la galerie qui faisait face à la route, laissant à sa femme la section de galerie qui donnait sur le côté de la maison.

Après le départ de Germain, Gabrielle avait été partagée entre la colère, le soulagement et la stupéfaction.

Elle avait d'abord été enragée de constater que son mari semblait bien décidé à échapper à son contrôle. Puis, elle avait éprouvé un intense soulagement de ne plus avoir à se défendre de ses entreprises chaque soir. Enfin, elle avait surtout été médusée de s'apercevoir, comme lors de leurs fréquentations, à quel point elle avait aussi mal évalué l'importance de son emprise sur lui.

Maintenant, la jeune femme regrettait de n'avoir pas mieux suivi le conseil de la vieille Agathe Cournoyer, qui lui avait bien dit qu'il était dangereux de tirer un peu trop fort sur la corde parce qu'un homme avait sa fierté, même quand il était amoureux. Elle se rendait bien compte qu'il avait été près de la frapper. Elle aurait juré qu'il la haïssait… Était-il possible que lui, si amoureux, ne l'aime déjà plus? Impossible! Elle allait prendre les moyens nécessaires pour qu'il la supplie de revenir dans son lit. Ça ne devrait pas être trop difficile.

Ce soir-là, Claire Tremblay était passée à deux reprises devant la maison des Fournier. La jeune femme, accompagnée par sa sœur Jeannine, marchait lentement aux côtés d'Hubert Gendron. Pour la seconde fois en quelques jours, l'ingénieur s'était arrêté devant la maison d'Eugène Tremblay au moment où ce dernier venait de s'asseoir sur sa galerie pour se reposer après une dure journée à récolter le foin. Le soleil commençait doucement à baisser à l'horizon.

— Bonsoir, monsieur Tremblay. Est-ce que vous pensez que je pourrais faire quelques pas sur la route avec votre fille Claire? lui avait poliment demandé le jeune homme.

— T'as juste à le lui demander, avait répondu Eugène en lui indiquant sa fille qui arrivait du jardin situé à l'arrière de la maison.

Claire ne s'était pas fait prier. Elle n'était entrée qu'un instant dans la maison pour retirer son tablier et demander à sa sœur de l'accompagner. Pendant près d'une heure, elle avait marché sur la route aux côtés d'Hubert.

— Qu'est-ce qui se passe entre ces deux-là ? avait demandé Eugène à sa femme venue le rejoindre sur la galerie.

— Je le sais pas, avait menti Thérèse. Mais j'ai l'impression que notre Claire haït pas pantoute le petit ingénieur.

— Dis-moi pas qu'elle, qui était si farouche, va finir par se faire un cavalier, dit le cultivateur en suivant du regard les deux jeunes gens qui s'éloignaient.

— Ça, on le sait pas encore. Tant qu'elle l'invitera pas à veiller au salon, il y aura rien de fait, répliqua sa femme. J'espère juste une chose : c'est qu'elle finisse par oublier une fois pour toutes son histoire avec le petit Dufresne. Ça va faire presque cinq ans. Il serait temps qu'elle l'oublie.

Ce soir-là, avant de monter se coucher, Claire chuchota à sa mère :

— Je sais pas ce qui se passe chez Germain Fournier, m'man, mais on dirait qu'il y a de la chicane dans l'air.

— Pourquoi tu dis ça ? demanda sa mère, curieuse.

— Quand on est passés devant sa maison, le Germain était assis tout seul sur la galerie d'en avant et elle, elle était assise sur le côté. Ils avaient l'air de se bouder.

— Ça arrive des fois dans un ménage, commenta Thérèse avec philosophie.

— C'est ça qui fait peur dans le mariage, reprit la célibataire d'un ton pénétré.

— Il faut pas s'énerver avec ça, répliqua sa mère. J'ai jamais entendu dire qu'une chicane dans un couple avait fait mourir quelqu'un.

Chapitre 27

Le chantier

Cet été-là, à Saint-Jacques-de-la-Rive, il ne serait venu à l'idée de personne de passer au village sans aller jeter un coup d'œil aux progrès accomplis dans l'érection du pont sur la rivière Saint-François, face à la forge d'Adélard Crevier. Le travail allait bon train depuis le début de juillet et un groupuscule de vieux retraités se tenait en permanence aux abords du chantier pour commenter les faits et gestes de la quinzaine d'ouvriers qui y travaillaient sous la direction d'Hubert Gendron.

Durant les premières semaines, Ernest Veilleux venait parfois à la forge, après le souper, pour discuter de l'avancement des travaux avec les bleus de la paroisse. La plupart des hommes présents en profitaient alors pour se moquer ouvertement du maire qui choisissait cette heure de la journée pour faire le tour du chantier en prenant des airs de propriétaire en compagnie de libéraux bien connus. Pour sa part, Eugène Tremblay ne ratait pas une occasion d'aller constater de ses yeux les progrès de ce qui promettait de devenir l'une des plus belles réalisations des libéraux dans le comté.

— À les voir tous les deux, disait Ernest Veilleux d'une voix acide à son auditoire, on jurerait ben qu'ils vont être les propriétaires de ce maudit pont-là.

— Il y a rien qui dit qu'il va être fini un jour, affirmait Crevier d'un air entendu. Ce serait pas la première fois que les rouges commenceraient quelque chose et le laisseraient tomber en chemin.

— Pourquoi ils feraient ça? avait demandé Honoré Beaudoin, curieux.

— Voyons, Honoré! Tu les connais! Ils sont ben capables d'inventer n'importe quoi. Par exemple, ça me surprendrait pas qu'ils disent qu'ils manquent d'argent pour le finir.

Malgré toutes ces prédictions bassement partisanes, les travaux avançaient sur le chantier, quoiqu'un problème devînt vite irritant pour l'ingénieur et ses ouvriers.

Comme il était impossible de mettre sous verrou tout le matériel et les outils déposés sur le chantier, le jeune ingénieur avait dû faire confiance à l'honnêteté des gens de la place. Le budget alloué ne lui permettait pas de faire clôturer le site.

À la mi-août, des ouvriers commencèrent à venir se plaindre de la disparition de certains outils qu'ils avaient laissés sur le chantier, la veille. Quand les plaintes se multiplièrent, Hubert Gendron se résigna à engager Henri-Paul Letendre comme gardien du chantier. Ce dernier, un gros homme bourru à la voix de stentor, promit de faire bonne garde. Sa maison, voisine de la forge de Crevier, était située directement en face du chantier. Après sa journée de travail, l'homme surveillait de loin les jeunes baigneurs qui venaient s'ébattre dans l'eau, près du site des travaux. Cependant, dès la tombée de la nuit, le gardien rentrait chez lui après avoir lâché ses deux bergers allemands sur le chantier... Par chance, l'abbé Martel avait perdu le goût des baignades nocturnes. Cet été-là, il aurait trouvé encore moins drôle d'avoir affaire à deux molosses plutôt qu'à un plaisantin.

Deux nuits après avoir été engagé, Letendre fut réveillé par les aboiements furieux de ses chiens. Il se leva précipitamment et il sortit de sa maison armé de son fusil chargé de gros sel. Il faisait nuit noire et le gardien ne vit rien dans le champ en face de sa maison, de l'autre côté de la route. Comme les deux bêtes pouvaient n'avoir débusqué qu'une marmotte, il les rappela. Alors, il entendit des cris en provenance du chantier et un bruit de galopade. Lorsque les chiens vinrent rejoindre leur maître, l'un d'eux tenait dans sa gueule un morceau de tissu à carreaux verts et bruns, morceau probablement arraché aux vêtements de celui qui s'était introduit sur le chantier.

Le lendemain matin, Henri-Paul Letendre remit à l'ingénieur le lambeau de tissu en lui disant qu'à son avis, le visiteur de la nuit précédente n'avait pas eu le temps d'emporter quoi que ce soit avant de fuir.

Ce soir-là, malgré la pluie fine qui tombait depuis près d'une heure, Hubert Gendron quitta la maison de Bruno Pierri et marcha sur la route, comme il le faisait pratiquement chaque soir. Naturellement, ses pas le portèrent jusque devant la maison des Tremblay où il n'osa pas s'arrêter à cause du mauvais temps. Il se contenta de ralentir au cas où Claire aurait été assise sur la galerie.

Depuis le début du mois, c'était devenu un rituel : il invitait la jeune fille à faire une courte promenade sur la route presque chaque soir. La jeune femme en vint à attendre cette balade avec une impatience mal déguisée. C'était même devenu un sujet de plaisanterie dans la famille. Officiellement, il n'y avait là rien de planifié. Par le plus grand des hasards, il se trouvait qu'au moment du passage presque quotidien de l'ingénieur sur la route, Claire était assise sur la galerie ou en train de s'occuper des fleurs du parterre, devant la maison.

— Qu'est-ce que t'attends pour l'inviter à passer au salon ? finit par lui demander sa mère.

— C'est pas mon cavalier, m'man, se défendait mollement sa fille aînée. Il m'a jamais demandé d'entrer dans la maison.

— Si c'est pas ton cavalier, ça lui ressemble pas mal, tu trouves pas ? Il vient te voir presque tous les soirs.

— Il vient pas me voir, protestait la jeune fille. Il fait une marche et il aime pas marcher tout seul, c'est tout.

— D'abord, pourquoi il demande pas à Bruno Pierri ou même à Clément de marcher avec lui ?

— Parce qu'ils ont pas le même âge que lui, m'man, répondait Claire avec une mauvaise foi évidente qui cachait mal son inconfort. Il faut croire qu'il aime mieux parler avec moi.

— En tout cas, ces marches-là doivent faire pas mal jaser dans le rang. Tout le monde doit se demander pourquoi vous êtes en train de vous promener comme des vagabonds au lieu d'être assis dans la balançoire ou au salon.

La célibataire savait fort bien que sa mère avait raison. Cent fois déjà, elle avait failli succomber à la tentation d'inviter Hubert à entrer et à passer au salon. Elle avait su résister. Chaque fois, le souvenir de Paulin Dufresne l'avait empêchée de franchir le pas. Elle n'allait tout de même pas revivre ce qu'elle avait vécu cinq ans auparavant. À la seule pensée de celui qui l'avait abandonnée après lui avoir promis le mariage, les larmes lui venaient encore aux yeux. Donner son cœur à quelqu'un pour se faire rejeter ensuite sans aucune explication… Pas question de revivre ça ! Elle s'était juré de ne plus jamais tomber amoureuse. Elle avait trop souffert. Mais avec Hubert, c'était autre chose.

Le jeune homme était d'une correction exemplaire. Jamais un mot à double sens ou un geste déplacé. Il était gai et plein d'humour, intéressant et instruit. Sans en avoir nettement conscience, Claire Tremblay comparait parfois les deux hommes.

— Il va faire comme l'autre, se disait-elle parfois pour se convaincre de tenir Hubert Gendron à distance. Quand le pont va être construit, il va partir et je le reverrai plus.

Pourtant, en ce début de soirée de la troisième semaine du mois d'août, Claire avait pris la peine de vérifier sa toilette et sa coiffure après avoir aidé sa mère et ses sœurs à ranger la cuisine après le repas. Ensuite, elle était sortie s'asseoir sur la galerie aux côtés de son père, sous le prétexte de profiter de la petite brise qui venait de se lever.

— Je pense pas que tu puisses aller marcher à soir, lui fit remarquer Eugène au moment même où Hubert Gendron apparaissait sur la route, devant la maison. Il commence à mouiller. Pour moi, il y a juste ton ingénieur à qui ça a pas l'air de faire peur de se faire mouiller.

Hubert salua poliment en passant lentement devant chez les Tremblay. Il était évident que le jeune homme n'attendait qu'une invitation pour s'arrêter.

— C'est pas humain de le laisser comme ça se faire mouiller, dit tout bas Thérèse Tremblay, de l'autre côté de la porte-moustiquaire. Invite-le donc à venir se mettre à l'abri.

Ces paroles de sa mère semblèrent décider Claire, qui se leva.

— Hubert, si le cœur t'en dit, fit la jeune fille, il y a une chaise pour toi sur notre galerie. C'est pas mal plus sec que sur la route.

— Je ne voudrais pas vous déranger, dit l'ingénieur en s'adressant autant au père qu'à la fille tout en s'avançant vers eux.

Hubert Gendron monta sur la galerie et enleva son chapeau.

— T'as pas peur au rhume? lui demanda Claire en constatant que ses vêtements étaient mouillés.

— La pluie est chaude, il y a pas de danger. Je suis habitué à n'importe quel temps sur les chantiers.

— Bon. Vous m'excuserez, les interrompit Eugène, mais il faut que j'aille me hacher du tabac.

Sur ces mots, le père laissa les deux jeunes gens seuls sur la galerie. Pendant quelques minutes, ils parlèrent de choses et d'autres avant qu'Hubert sorte de l'une de ses poches le morceau de tissu à carreaux verts et bruns qu'il brandit devant Claire.

— Qu'est-ce que c'est? demanda celle-ci, intriguée.

L'ingénieur lui raconta la tentative de vol de la nuit précédente sur le chantier et comment l'un des chiens de Henri-Paul Letendre avait rapporté le morceau de tissu.

Claire fronça les sourcils en examinant le tissu de plus près.

— C'est drôle, mais j'ai l'impression d'avoir vu ce matériel-là bien des fois et j'arrive pas à me rappeler où.

À cet instant précis, Claire leva la tête et vit son frère Gérald qui revenait de l'étable et se dirigeait vers la galerie où elle était assise avec Hubert. L'adolescent salua en passant l'ami de sa sœur tout en jetant un coup d'œil au chiffon qu'il tenait à la main.

— Tiens! On dirait les culottes de Tougas! lança-t-il en riant.

— Mais oui! s'exclama immédiatement Claire. C'est sur le petit Tougas que j'ai vu ce matériel-là.

— Tu en es sûre? demanda Hubert.

— Voyons, monsieur Gendron, fit Gérald. Je pense qu'Émile Tougas est le seul à avoir le front de porter des pantalons de cette couleur-là dans la paroisse. Vous, en porteriez-vous des comme ça?

— Sûrement pas, répondit l'ingénieur en riant.

Hubert Gendron attendit que l'adolescent entre dans la maison pour reprendre à voix basse, à l'intention de Claire :

— Le problème, c'est qu'on a eu toutes sortes d'outils qui sont disparus du chantier depuis quelques semaines. Je dis pas qu'ils ont été volés par…

— Émile Tougas.

— Par Émile Tougas. Est-ce que c'est possible ?

— On peut pas dire que les garçons d'Antonius Tougas ont une bien bonne réputation dans la paroisse, déclara prudemment Claire. Émile, le plus jeune, est peut-être le pire.

À ce moment-là, Eugène revint sur la galerie avec sa pipe et sa blague à tabac. Il avait entendu la dernière remarque de sa fille et décida de se mêler à la conversation.

— As-tu l'intention de faire venir la police ? demanda-t-il abruptement à l'ingénieur.

— D'après vous, est-ce que je devrais ?

— Je le sais pas trop, avoua le cultivateur en allumant sa pipe. Antonius et sa femme en arrachent tellement avec leurs garçons. Je pense qu'il y a juste René qui a un peu de bon sens dans la famille. Si la police va les voir, toute la paroisse va en parler et ça va être la honte de leur vie.

Hubert regarda Claire qui semblait approuver son père.

— D'un autre côté, j'aimerais récupérer ce qui nous a été volé, dit le jeune ingénieur. Je pense que je vais d'abord aller voir les Tougas avec mon chef de chantier. S'il y a moyen de se faire remettre ce que les jeunes ont volé, on va arrêter ça là. Je voudrais surtout pas causer du tort aux parents.

Cette décision charitable plut énormément à Claire. Elle découvrait une sensibilité et une générosité chez Hubert Gendron que son Paulin Dufresne ne lui avait jamais manifestées. Lorsque l'obscurité tomba, l'ingénieur se leva, prêt à quitter.

— Je pense qu'il est temps que je rentre, dit-il avec un sourire. Il pleut plus et on dirait que tous les maringouins de Saint-Jacques viennent de sortir en même temps.

— Si t'es pas pressé, tu peux venir t'asseoir un peu dans le salon, proposa Claire sans réfléchir, tant cette offre lui semblait devenue tout à coup naturelle.

— Avec plaisir, accepta Hubert en la suivant à l'intérieur de la maison où il n'avait pas mis les pieds depuis le jour où il avait acheté une courtepointe.

Pendant qu'elle marchait devant lui, la jeune femme se sentait inexplicablement soulagée d'un grand poids. Pour la première fois depuis près de cinq ans, elle allait s'asseoir dans le salon familial auprès d'un homme qui semblait l'apprécier. Avant d'entrer dans la pièce, elle tendit à Hubert une lampe à huile pour qu'il l'allume, et tous les deux prirent place sur le sofa.

Thérèse avait salué l'ingénieur au passage et l'avait regardé suivre sa fille jusqu'à l'entrée du salon en arborant un air satisfait. Elle s'installa ensuite dans la chaise berçante placée près du poêle pour surveiller le couple.

Quand Hubert Gendron quitta la maison une heure plus tard après avoir salué les parents de Claire, cette dernière ne put s'empêcher de dire à sa mère, qui n'avait pas bougé de sa chaise berçante :

— C'était pas nécessaire de nous chaperonner, m'man.

— Laisse faire, ma fille. Ici, c'est une maison qui se respecte. C'est pas parce que t'as vingt-six ans qu'on doit pas te surveiller. La réputation d'une fille, c'est ce qui vaut le plus cher ici.

— Je comprends, mais Hubert Gendron…

— Hubert Gendron est un homme, un très bel homme, à part ça. Je vois pas pourquoi il serait différent des autres.

— Mais moi, je suis juste une vieille fille et...

— Non. Toi, t'es une belle fille. C'est normal qu'un homme s'intéresse à toi.

— Vous comprenez pas, m'man. Hubert est juste un ami.

— On dit ça, fit sa mère en la regardant d'un air entendu.

⌒

Le lendemain avant-midi, Hubert Gendron et Aurèle Boilard, son chef de chantier, se présentèrent chez Antonius Tougas, dans le rang Sainte-Marie.

La ferme des Tougas était probablement la plus pauvre du rang. La maison, couverte de bardeaux gris, semblait aussi négligée que les bâtiments qui se dressaient au fond de la cour. Il y avait un large accroc dans la moustiquaire de la porte de la cuisine d'été à laquelle l'ingénieur frappa. Emma Tougas vint leur ouvrir.

La femme d'Antonius Tougas avait un air souffreteux, qu'une vieille robe fleurie qui pendait sur elle comme sur un cintre accentuait. De toute évidence, elle était seule dans la maison.

— Bonjour, madame, la salua poliment Hubert Gendron. Est-ce que nous pourrions parler à votre mari?

— Il est dans la porcherie, en arrière. Attendez, je l'appelle, fit la fermière en sortant de la maison. Antonius! cria-t-elle. Il y a quelqu'un pour toi.

Durant un moment, les deux visiteurs demeurés sur la galerie crurent que l'appel avait été inutile. Puis, ils virent un homme grand et guère plus gros que sa femme sortir sans se presser de la porcherie. Son visage étroit était surmonté d'une tignasse grise hirsute. Le cultivateur vint rejoindre les visiteurs qui venaient de descendre de la galerie.

— Oui. Qu'est-ce que je peux faire pour vous ? dit-il à Gendron et à son chef de chantier.

— C'est assez délicat, commença à dire le jeune ingénieur en sortant de sa poche le bout de tissu vert et brun que le chien de Letendre avait arraché au voleur.

Emma Tougas reconnut immédiatement le tissu.

— Mais on dirait un morceau des culottes d'Émile ! s'écria-t-elle en s'approchant et en tendant la main vers le lambeau que tenait Hubert Gendron.

Ce dernier le lui remit pour lui permettre de l'examiner pendant qu'Antonius Tougas se rapprochait pour le regarder lui aussi de plus près.

— Voyez-vous, monsieur Tougas, ce morceau de tissu là a été arraché par l'un des chiens de notre gardien de chantier avant-hier soir à quelqu'un qui essayait de voler du matériel ou des outils sur le chantier du pont, au village. Ça faisait deux ou trois fois que des outils disparaissaient et j'ai dû engager un gardien pour surveiller.

— Ouais. Et comment ça se fait que vous venez nous voir avec ça ? demanda le fermier, sans détour.

— Il me semblait avoir vu un de vos garçons au village avec un pantalon fait avec un tissu semblable, mentit Hubert.

— Il est pas le seul à avoir des culottes de cette couleur-là, voulut argumenter le père sur un ton peu convaincu.

— Je dis pas le contraire, monsieur Tougas, mais j'ai voulu vous voir plutôt que de demander à la Police provinciale de venir enquêter.

Au moment où l'ingénieur s'attendait à des dénégations véhémentes de la part des parents du présumé coupable, il vit Antonius Tougas se tourner vers la porcherie pour crier :

— Émile ! Émile ! Arrive ici !

Un instant plus tard, un adolescent maigre à l'allure chafouine sortit du bâtiment délabré et vint vers son père en se traînant les pieds. Il portait un pantalon en tissu à carreaux verts et bruns identique au morceau que tenait encore sa mère.

— Explique-moi donc encore une fois comment t'as déchiré tes culottes hier, lui ordonna sa mère sur un ton menaçant.

— Ben, je suis tombé sur..., commença en hésitant Émile en jetant un regard sournois vers son père qui, lui, venait de retirer ostensiblement sa large ceinture de cuir.

— Laisse faire tes maudites menteries, gronda Antonius, furieux. Qu'est-ce que t'es allé faire sur le chantier avant-hier soir ?

— Je suis allé me baigner, p'pa, mais le chien..., répondit l'adolescent d'une voix mal assurée.

Émile Tougas n'eut pas le temps d'ajouter un mot de plus avant que la ceinture de son père ne vienne lui cingler durement les mollets.

— Va me chercher ce que t'as volé sur le chantier, calvaire de voleur ! Dépêche-toi et oublie rien.

Les quatre adultes gardèrent un silence embarrassé durant les quelques minutes que dura l'absence de l'adolescent qui revint avec un marteau, deux grosses clés anglaises et deux scies à métaux.

— Va porter ça dans le boghei de monsieur Gendron, lui ordonna sèchement son père.

Son fils s'exécuta, trop heureux de s'éloigner de la ceinture que son père tenait encore à la main.

— Bon. Tout est correct, monsieur Tougas, déclara Hubert Gendron, magnanime. Merci pour votre aide. Je pense qu'on a retrouvé tout ce qui était disparu sur le chantier. Pas vrai, Aurèle ?

— Oui, monsieur Gendron, répondit le contremaître.

— Toi, va m'attendre dans la maison, ordonna Antonius à son fils en lui montrant la porte de la cuisine.

Emma Tougas s'écarta pour laisser passer son fils devant elle. Elle semblait aussi furieuse que son mari.

— Vous pouvez être certain qu'il va en manger toute une, promit le fermier aux deux visiteurs. Il nous fera plus jamais honte comme ça.

L'ingénieur et le contremaître s'empressèrent de monter dans le boghei et de quitter les lieux.

Ce soir-là, Hubert raconta à Claire la scène à laquelle il avait assisté chez les Tougas le matin même, en affirmant qu'il ne regrettait pas un seul instant de ne pas avoir mêlé la police aux vols qui avaient eu lieu sur le chantier.

— J'ai seulement peur que le père se contrôle plus et finisse par estropier son garçon, conclut-il.

— T'as pas à trop t'inquiéter pour ça, le rassura Claire. C'est bien connu dans la paroisse qu'Antonius et Emma parlent pas mal plus qu'ils agissent. Si ça se trouve, leur Émile a même pas eu une bonne taloche de plus que ce que t'as vu. C'est pas pour rien qu'ils ont autant de misère avec leurs garçons. Ils sont pas assez sévères.

— Leurs fils sont si pires que ça?

— Pour te donner une idée, aussitôt que quelque chose disparaît dans la paroisse, on les suspecte. On a pitié d'Antonius et de sa femme, mais on les excuse pas. Moi, je pense que leur Émile, surtout, va mal finir s'il continue comme ça.

Chapitre 28

La fin de l'été

Les journées se mirent à raccourcir beaucoup plus rapidement que les gens ne l'auraient désiré lorsque septembre survint. Déjà, les extrémités des feuilles de certains érables commençaient à jaunir et la rosée du matin mettait plus de temps à sécher sous les rayons d'un soleil de moins en moins vigoureux.

Peu à peu, les jardins étaient vidés de leurs légumes. Dans la plupart des maisons du rang Sainte-Marie, les cuisinières avaient déjà mis en conserve des betteraves, des tomates et des haricots. Elles avaient aussi longuement laissé mijoter sur leur poêle à bois le ketchup rouge et le vert, dont les pots s'alignaient maintenant dans les garde-manger. Il n'y avait pas de temps à perdre. Il n'était pas question de laisser se gâter les pommes prêtes à être cueillies. La compote allait bientôt prendre place à côté des pots de confiture de fraises et de framboises.

À la sortie du village, les piliers du pont avaient été coulés et les coffrages, défaits. On en était à installer l'armature métallique. Il ne faisait maintenant plus aucun doute pour les habitants de la région que le pont de Saint-Jacques-de-la-Rive allait être terminé avant la fin de l'automne. Depuis quelques semaines, les résidants du village s'étaient habitués à voir, chaque soir, la vieille Agathe Cournoyer, toujours un peu voûtée, faire une courte promenade jusqu'au chantier en compagnie de la nouvelle ménagère du curé Lussier. Hortense Dagenais s'était très rapidement adaptée à son nouveau milieu et semblait s'entendre à merveille avec l'ancienne servante chez qui elle demeurait. De temps à autre, les deux dames accueillaient sur leur galerie Hélèna Pouliot, après la fermeture de son épicerie.

En ce début de septembre, le village avait tout de même pris une allure toute nouvelle depuis qu'on avait commencé la construction du trottoir en bois.

Lors de la dernière assemblée du conseil de la municipalité, on avait accepté presque à l'unanimité d'ériger les deux cent cinquante pieds de trottoir grâce à une corvée, pour faire baisser les coûts de l'opération. On s'était mis au travail dès la première semaine de septembre afin d'éviter d'être pris de vitesse par les pluies d'octobre. Le plus difficile s'avéra le nivellement de la bande de terrain qui longeait le côté droit du rang Saint-Edmond. Faute de machinerie, tout dut être fait au pic et à la pelle.

Par ailleurs, Wilfrid Giguère, le maire, avait accepté avec reconnaissance les coffrages en bois des piliers du pont offerts par Hubert Gendron. Après avoir consulté ses supérieurs, ce dernier avait reçu la permission d'en faire don à la municipalité. Pour le reste du bois nécessaire, on l'avait acheté à bas prix au moulin de sciage appartenant au frère du maire.

— Ben voyons! avait grommelé Ernest Veilleux en apprenant la nouvelle. Pourquoi pas engraisser la famille?

— Là, par exemple, je peux pas dire comme toi, Ernest, avait dit un Honoré Beaudoin un peu mal à l'aise.

— Et pourquoi ça?

— Parce que c'est moi qui s'est occupé d'acheter le bois pour la paroisse. Le frère de Giguère nous a chargé pas mal moins cher que ce que Murray nous demandait.

Fort habilement, le maire de Saint-Jacques avait chargé son unique opposant au conseil de négocier l'achat du bois, faisant ainsi taire toutes les critiques des conservateurs de la municipalité.

La corvée fut une réussite complète. Les menuisiers bénévoles furent quotidiennement si nombreux qu'en moins de dix jours, le travail fut terminé à la plus grande satisfaction de la plupart des habitants de Saint-Jacques-de-la-Rive, à l'exception peut-être d'Hélèna Pouliot, que la vue de l'ouvrage mettait en furie. Elle n'acceptait pas encore que ce trottoir s'étende uniquement de l'autre côté de la route. Elle rageait de se voir obligée de traverser pour pouvoir profiter de ce confort relatif.

— C'est intelligent leur patente, ne cessait-elle de répéter à ses clients. Tout sur le même bord de la route. Vous me ferez jamais croire que Wilfrid Giguère était pas capable de s'organiser pour en faire poser la moitié de ce bord-ci de la route. Je suis certaine qu'il a fait ça juste pour mal faire. C'est fin! En face, ils vont marcher sur du bois bien propre pendant que de ce côté-ci, on va patauger dans la bouette jusqu'aux chevilles chaque fois qu'il va mouiller. Et qui va être pogné pour continuer à laver sa galerie et son plancher de magasin chaque fois? La folle à Hélèna Pouliot!

— Voyons, madame Pouliot, disaient certains clients pour la calmer, ce sera pas pire qu'avant.

— C'est ça, le maudit problème, s'emportait l'épicière irascible. C'est pas mieux qu'avant. Mais le Wilfrid Giguère l'emportera pas au paradis; je vous en passe un papier. Attendez aux prochaines élections! Il va me payer ça!

Si Hélèna Pouliot était de mauvaise humeur en cette fin d'été, il en allait de même d'Yvette Veilleux, aux prises avec l'entêtement de son fils Léo qui ne voulait absolument pas retourner à l'école faire sa septième année. L'adolescent jugeait qu'il en savait assez et qu'il était maintenant en mesure d'aider son père et son frère Jérôme à la ferme.

Depuis la fin des classes, au mois de juin précédent, Léo s'était montré d'un zèle assez inhabituel. Aucun travail n'avait semblé le rebuter. C'était au point que son père avait fini par lui accorder la même confiance qu'à son frère plus âgé. Quand Albert était venu aider à la récolte des foins, il n'en avait pas profité pour relâcher ses efforts, loin de là. Bref, plus la rentrée scolaire approchait, plus Léo travaillait. Il participa même à la récolte de l'avoine, malgré que sa présence ne fût pas vraiment nécessaire. Mais sa mère n'était pas dupe.

La veille de la rentrée, Yvette attrapa son fils au moment où il s'apprêtait à suivre son père dans le champ, après le dîner.

— Avant de partir, tu vas me sortir le linge que tu vas mettre pour aller à l'école. J'ai l'impression que t'as grandi cet été et il va falloir que j'allonge tes pantalons.

— Mais je vais plus à l'école, déclara l'adolescent en repoussant une mèche de cheveux bruns qui venait de lui tomber dans l'œil.

— Qui a décidé ça ? lui demanda sa mère en se plantant devant lui, les mains sur les hanches.

— Ben. Il me semble qu'on en avait parlé au mois de juin, m'man, fit Léo. Je sais lire et écrire. J'ai plus besoin d'y aller.

Yvette jeta un coup d'œil à son mari en train de remplir sa blague à tabac. Le petit homme noueux ne disait pas un mot.

— Oh non, mon garçon! s'exclama finalement la mère de famille en haussant le ton. Ton père a pas besoin de toi cet hiver et tu vas faire ta septième année, comme l'ont faite avant toi tes frères et tes sœurs. Tu vas avoir ton diplôme, comme les autres.

— Mais m'man, je vais avoir quatorze ans le mois prochain! protesta Léo.

— Tu m'as entendue? Je reviendrai pas là-dessus. Grouille-toi. Monte dans ta chambre et va me chercher tes pantalons propres.

Le garçon, furieux, monta à l'étage en claquant des talons pour bien montrer sa mauvaise humeur.

— Veux-tu ben me dire ce que ça va lui donner de plus ce diplôme-là? demanda Ernest à sa femme sur un ton désapprobateur.

— Aujourd'hui, c'est nécessaire d'être instruit, Ernest Veilleux, fit sa femme. C'est plus comme dans notre temps.

— Ouais, une maudite bonne affaire, l'instruction! Regarde ce que ça nous a donné aussi. Marcelle est entrée chez les sœurs. Albert s'est servi de son diplôme pour entrer au Canadien Pacifique. Maurice est chez les frères. L'histoire dit pas que Jérôme va passer toute sa vie sur notre terre, lui aussi.

— Inquiète-toi donc pas pour ça, le calma Yvette. Jérôme aime travailler la terre. Léo et Jean-Paul ont l'air d'aimer ça autant que lui. En plus, t'as juste à regarder Albert quand il vient nous donner un coup de main. Il y a rien qui dit qu'il reviendra pas un jour pour de bon. Je suis prête à te gager qu'il s'ennuie de la vie à la campagne.

— Ouais, admit son mari d'un air peu convaincu.

— L'important est qu'on va pouvoir dire à tout le monde que nos enfants ont reçu de l'instruction. D'autant plus qu'avec Jérôme qui est pas encore en âge de vouloir aller au chantier, tu l'aurais dans les jambes, à rien faire, durant tout l'hiver.

— C'est correct, accepta son mari avant de sortir de la maison. Quand t'en auras fini avec lui, envoie-le rejoindre Jean-Paul et Jérôme dans le poulailler. Moi, je commence à faucher l'orge cet après-midi.

Une minute plus tard, Léo apparut dans la cuisine d'été dans un pantalon beaucoup trop petit pour lui. Il se planta devant sa mère, le visage buté.

— Seigneur! s'exclama sa mère en feignant de ne pas remarquer sa mauvaise humeur. On n'aura pas le choix. Tu vas donner ces pantalons-là à Jean-Paul. Je suis sûre qu'ils vont lui faire et tu vas mettre tes pantalons du dimanche pour aller à l'école cette année. Après les fiançailles de Céline, je vais t'en faire une autre paire. Tu peux aller te changer et aller rejoindre tes frères dans le poulailler.

Par la fenêtre, elle regarda son fils se diriger vers le poulailler. Elle avait soudain les larmes aux yeux. Elle venait de penser à son petit Adrien qu'elle n'aurait pas à préparer pour l'école cette année. À la pensée de son petit garçon disparu depuis six mois déjà, le cœur lui faisait atrocement mal. Il n'y avait pas une journée où elle n'avait pas pensé à lui depuis sa mort tragique. Elle n'en parlait pas et tous les siens en faisaient autant, probablement parce que ce départ les faisait encore trop souffrir. En entendant ses filles remuer dans son dos, elle se secoua et s'essuya subrepticement les yeux avec un coin de son tablier avant de se retourner vers elles.

La mère de famille leur distribua des tâches pour l'après-midi. Elle tenait à ce que tout soit prêt pour le dîner donné à l'occasion des fiançailles de sa fille deux jours plus tard. La planification de l'événement était compliquée par l'arrivée de sa fille Marcelle. Sœur Gilbert serait accompagnée, comme toujours, par une consœur. Il y avait même de fortes chances pour que Maurice, le frère mariste, vienne assister aux fiançailles de sa sœur. En fait, Albert était le seul à n'avoir pu se libérer pour venir.

— On aurait dû accepter l'aide de madame Tremblay, déclara Céline à sa mère. Après tout, ils vont être huit dans la famille de Clément à venir dîner dimanche.

— Neuf.

— Comment ça, neuf?

— La mère de Clément a demandé si ça nous dérangeait que Claire vienne en compagnie de son ingénieur.

— C'est une raison de plus pour nous aider, reprit la future fiancée.

— Il en est pas question, trancha Yvette sur un ton sans appel. Quand la voisine va fiancer une de ses filles, je suis sûre qu'elle viendra pas me chercher pour lui donner un coup de main. C'est une question de fierté, ma fille, surtout qu'on est trois pour tout organiser.

— En tout cas, une chance que tes noces sont loin, conclut Anne en train de préparer de la pâte à tarte. On va au moins avoir le temps de retrouver notre souffle avant de recommencer.

— À ta place, je m'en ferais moins avec l'ouvrage à faire et un peu plus avec l'humeur de ton père quand le voisin va être ici, dit la mère avec une voix où l'inquiétude perçait. J'espère juste qu'il lui dira pas de bêtises.

— J'en ai parlé à Clément, m'man. Son père lui a promis de se tenir tranquille. Peut-être que vous pourriez dire deux mots à p'pa?

— Je vais essayer, promit Yvette.

Ce soir-là, Yvette ne parvint pas à trouver le sommeil et s'agita au point qu'Ernest finit par lui demander:

— Torrieu! T'es comme un ver à chou à soir! Veux-tu ben me dire ce qui t'empêche de dormir?

— Toi! admit-elle.

— Comment «moi»?

— Je suis comme Céline. J'ai peur que tu gâches les fiançailles demain soir en te chicanant encore une fois avec le père de Clément, et ça devant tous les enfants.

— Me prends-tu pour un maudit sauvage? s'emporta son mari en s'assoyant sur le lit.

— Non, mais t'es pas mal soupe au lait. Je voudrais pas que les jeunes puissent nous reprocher un jour de pas leur avoir fait des belles fiançailles.

— Énerve-toi pas avec ça, finit par dire Ernest, plus calme. Même si je lui aime pas la face, je me chicanerai pas avec Tremblay.

Le lendemain soir, il fut décidé qu'on ne dresserait pas les tables à l'extérieur, de crainte que la fête familiale soit gâchée par la pluie. Marcelle et sa compagne préparèrent la table de la cuisine d'hiver avant de monter se mettre au lit pendant qu'Yvette et Anne se chargeaient de celle de la cuisine d'été.

Dans le salon, Céline et Clément discutaient sérieusement de leur avenir. Le lendemain, la jeune fille allait avoir vingt et un ans et s'engager à attendre plusieurs mois celui qui avait promis de l'épouser au début de l'été suivant. Dans un mois, elle allait se retrouver seule parce que Clément partirait pour aller travailler dans un chantier. L'épreuve ne serait pas facile à vivre, mais c'était le prix à payer si le couple voulait avoir des moyens financiers suffisants pour s'établir.

Le souper de fiançailles se déroula sans anicroche. Les deux pères se contentèrent d'échanger le minimum de politesses et de se regarder en chiens de faïence pendant que les autres invités animaient la fête.

Plus d'un mois s'était écoulé depuis que Germain Fournier avait chassé Gabrielle de sa chambre. L'atmosphère dans la maison ne s'était guère améliorée depuis cette fameuse scène où le jeune cultivateur s'était vidé le cœur de toutes les frustrations vécues depuis son mariage. Il avait résisté à tous les efforts de Gabrielle pour l'amadouer et le séduire. Chaque fois que sa femme avait tenté de faire un pas dans sa direction, il s'était contenté de lui tourner le dos. S'il n'y avait pas eu quelques bruits de temps à autre dans la maison, on aurait pu croire cette dernière inhabitée. Quand sa femme lui parlait, il faisait la sourde oreille. Si elle lui posait une question, il répondait par monosyllabes ou pas du tout.

— Il boude, se répétait parfois Gabrielle pour se réconforter. Ça va finir par lui passer.

Mais ça ne lui passait pas. Germain ne pouvait pas oublier le «Tu me donnes mal au cœur» de sa femme. Il ne lui adressait la parole que poussé par la nécessité. Il se conduisait comme s'il continuait à vivre seul à la ferme.

Le matin, il se levait tôt, allait soigner ses bêtes, revenait déjeuner et partait travailler sans avoir ouvert la bouche sinon que pour se nourrir. S'il devait aller au village ou à Pierreville, Gabrielle ne l'apprenait qu'en voyant passer la voiture sous ses fenêtres. Chaque soir, après le souper, son mari allait se réfugier sur la galerie qu'il ne quittait qu'au moment d'aller se mettre au lit.

Ce matin-là, le visage blême, la jeune femme éprouva un besoin pressant de parler à quelqu'un. Elle n'avait jamais autant regretté d'avoir fui toute relation avec ses voisines.

Après quelques tentatives de voisinage, Rita, sa voisine immédiate, avait finalement renoncé à se lier à elle et la femme de Georges Hamel avait probablement prévenu les Tremblay et les Veilleux, parce qu'aucun d'entre eux n'avait essayé de lui parler depuis son arrivée dans le rang Sainte-Marie. Comme Germain était d'un naturel peu liant, elle ne risquait pas de recevoir quelqu'un à sa table. Bref, ses talents de cuisinière et de ménagère dont elle était si fière n'étaient destinés qu'à son mari qui semblait avoir cessé de l'aimer. Si encore, elle avait pu se lier à Florence, la sœur de Germain. Mais c'était comme si cette dernière vivait à l'autre bout du monde. Elle n'était pas venue une seule fois à Saint-Jacques-de-la-Rive depuis le mariage de son frère. Elle s'était tout simplement contentée d'écrire quelques mots de félicitations.

Elle pourrait peut-être aller voir Agathe Cournoyer avec qui elle s'était si bien entendue durant les quelques mois où elle était demeurée chez elle, au village. Mais elle était gênée à l'idée de devoir s'excuser de l'avoir négligée aussi longtemps après avoir été si proche d'elle. Elle ne se sentait pas la force de faire face à l'avalanche de reproches que son ancienne protectrice et amie serait en droit de lui adresser. De plus, elle avait appris chez Hélèna que la vieille dame avait trouvé une véritable amie en la personne de la nouvelle servante du curé Lussier.

Un soudain haut-le-cœur l'obligea à se précipiter vers les toilettes et elle rendit son déjeuner, un repas qu'elle avait avalé du bout des lèvres. Une autre fois encore, Gabrielle avait été incapable de garder son déjeuner. Il lui fallait faire quelque chose, ça ne pouvait plus durer. C'était comme ça depuis une semaine. Ce n'était pas normal. Elle n'était tout de même pas... Elle n'osa même pas formuler au complet la crainte qui la taraudait depuis plusieurs jours.

— Il faut que je lui demande de m'emmener chez le docteur, à Pierreville, gémit-elle d'une voix misérable.

À la fin de l'avant-midi, le temps voulut bien devenir son allié. Une averse se mit à tomber, empêchant

Germain Fournier de poursuivre la coupe de son blé. Il rentra tôt à la maison, obligé d'attendre que sa récolte sèche sur pied avant de poursuivre. De toute évidence, il allait devoir remettre cette tâche au lendemain.

— Il va falloir que tu m'emmènes chez le docteur cet après-midi, lui dit-elle en déposant au centre de la table un plat de bouilli de légumes. Je suis malade.

Son mari prit la louche et se servit sans rien dire. Gabrielle ne se donna pas la peine de répéter sa demande, persuadée qu'il l'avait bien entendue. De fait, après le repas, elle le vit se diriger vers l'écurie et atteler le cheval au boghei, malgré la petite pluie fine qui continuait à tomber. La jeune femme s'empressa de changer de robe et, sans un mot, monta dans la voiture qui prit la direction de Pierreville.

Le jeune cultivateur laissa sa femme devant le bureau du vieux docteur Courchesne et alla attacher son cheval en face, devant l'hôtel Traversy. Ensuite, il se dirigea vers le magasin Murray où il fit quelques achats avant de revenir s'asseoir sur la galerie de l'hôtel, attendant la sortie de sa femme du bureau du médecin.

Gabrielle dut patienter une bonne demi-heure avant de pouvoir se retrouver en face du vieux praticien qui ne la connaissait pas. Le docteur Courchesne lui demanda ce qui n'allait pas.

— J'ai mal au cœur tout le temps, docteur, dit-elle.

— Tout le temps ou surtout le matin ?

— Surtout le matin.

— T'es mariée ?

— Oui.

— T'as des enfants ?

— Non. Je suis mariée seulement depuis le mois de juin.

— Depuis combien de temps t'as eu tes affaires ?

— Un bout de temps, docteur.

— Bon. Déshabille-toi. Je vais t'examiner.

Quelques minutes plus tard, Gabrielle, catastrophée, apprenait qu'elle était bel et bien enceinte et que si tout se passait bien, elle aurait son enfant au printemps.

— T'as pas l'air bien contente d'avoir un petit? lui demanda le docteur Courchesne, sévère.

— Je m'y attendais pas, lâcha Gabrielle, piteuse.

— T'es mariée et tu t'attendais pas à tomber enceinte? Qu'est-ce que ta mère t'a appris? lui demanda le vieux médecin sur un ton cassant. On dirait que tu crois encore que les enfants viennent au monde dans les feuilles de chou.

— Bien non, se défendit la future mère en rougissant.

— Je l'espère pour toi, conclut le médecin sur un ton sévère. Sinon je me demanderais pourquoi tu t'es mariée, si c'est pas pour avoir des enfants.

Gabrielle ne répondit rien et le médecin, soudain calmé, lui donna les conseils d'usage pour ne pas risquer de perdre l'enfant qui avait commencé à grandir dans son sein.

— Parle à des femmes qui ont eu des enfants, lui suggéra le docteur Courchesne avant de lui ouvrir la porte. Elles savent ce que c'est et elles te seront de bon conseil.

Lorsque Gabrielle monta dans le boghei, l'averse était terminée et le soleil venait de reparaître entre les nuages. Germain ne lui demanda pas ce que le médecin avait diagnostiqué. Il se contenta de saisir les guides et de faire reprendre au véhicule la route de Saint-Jacques-de-la-Rive.

Pendant quelques minutes, Gabrielle ne dit rien. Elle avait encore du mal à assimiler la nouvelle. Elle était enceinte et allait avoir un enfant, un enfant de lui. Ça ne lui servait à rien de pleurer sur ce qui était inéluctable.

Puis, peu à peu, elle pensa qu'elle pouvait facilement utiliser cette nouvelle pour l'amadouer. En apprenant qu'il allait être père, peut-être changerait-il de comportement et accepterait-il de tout recommencer sur des bases nouvelles. Pour sa part, elle était maintenant prête à tous les sacrifices pour connaître une vie familiale normale.

— Je suis en famille, déclara-t-elle tout à trac à celui qui conduisait le boghei. J'espère que t'es content ?

Germain Fournier ne tourna même pas la tête vers elle et ne dit rien. Sa satisfaction en apprenant la nouvelle ne se manifesta que par un mince sourire qui apparut, durant un bref moment, sur son visage.

Chapitre 29

Des changements

De mémoire d'habitant de Saint-Jacques-de-la-Rive, on ne se souvenait pas d'avoir connu un mois d'octobre aussi doux. On aurait dit que l'été ne voulait pas mourir pour céder la place à l'automne. Pour la première fois depuis très longtemps, les parures éclatantes des érables refusaient de quitter les branches pour venir joncher le sol. Les rouges, les jaunes, les ors et les orangés étaient aussi vivants en cette fin de troisième semaine d'octobre qu'à leur apparition en septembre.

Dans les champs, des vols de mouettes s'abattaient bruyamment derrière les laboureurs occupés à retourner la terre avant les premiers gels. Souvent, le ciel était obscurci par des formations serrées d'outardes à la recherche d'un plan d'eau pour y passer la nuit. Les champs étaient maintenant dénudés. Même la récolte de sarrasin avait été fauchée et envoyée au moulin de La Visitation. N'eût été de ces quelques signes, on aurait pu croire que Dieu avait oublié d'envoyer la saison qui permettait de faire la transition entre l'été et l'hiver.

— C'est un vrai péché de déménager dans la cuisine d'hiver avec une température pareille, avait déclaré Thérèse, trois semaines auparavant. On est tellement bien.

— Rêve pas, lui avait dit Eugène. Un beau matin, on va se lever et les champs vont être blancs de gelée.

Le mardi matin, Agathe Cournoyer traversa lentement le rang Saint-Edmond avant de s'engouffrer dans l'église de Saint-Jacques-de-la-Rive pour la messe de sept heures, célébrée cette semaine-là par le curé Lussier. Comme une poignée de vieux paroissiens, elle se levait tôt le matin et préférait assister à cette messe plutôt qu'à celle de huit heures. Une demi-heure plus tôt, elle avait entendu Hortense Dagenais quitter la maison pour aller préparer le déjeuner des deux prêtres au presbytère.

En pénétrant dans l'église, la vieille dame salua Joseph Groleau, le bedeau, qui venait de déverrouiller la porte et elle alla prendre place dans le banc qu'elle occupait maintenant chaque matin de la semaine depuis qu'elle ne travaillait plus. En attendant le début de la cérémonie, elle tira son chapelet de sa bourse et, les yeux fermés, se mit à en égrener les *ave* en bougeant à peine les lèvres.

À un certain moment, Agathe fut tirée de sa récitation du chapelet par des chuchotements dans l'église. Levant les yeux, elle s'aperçut qu'il était près de sept heures dix et que l'officiant n'était pas encore apparu.

— Je pense que monsieur le curé a oublié de se lever, dit à voix basse la veuve Deschênes à une voisine assise quelques bancs devant elle.

— Il a peut-être juste oublié qu'il avait une messe à dire, fit le vieux Maurice Gagnon, agenouillé un peu plus loin.

— Je vais aller voir ce qui se passe, chuchota l'ancienne servante du curé Lussier en quittant sa place. Ça ressemble pas beaucoup à monsieur le curé de faire attendre son monde.

Sur ce, Agathe Cournoyer sortit du temple. Joseph Groleau n'était plus dans le porche. Il était probablement déjà retourné chez lui, attiré par le déjeuner préparé par sa femme. Elle traversa la bande de terrain qui séparait l'église du bâtiment voisin avant d'escalader péniblement la dizaine de marches conduisant à la porte d'entrée du presbytère. Hortense Dagenais vint répondre à son coup de sonnette.

— Qu'est-ce qui se passe, madame Cournoyer? demanda la servante en la faisant entrer.

— Je pense que monsieur le curé a oublié de se lever à matin, lui répondit sa logeuse et amie avec un sourire malicieux.

— Comment ça?

— On est une dizaine dans l'église à l'attendre pour la messe de sept heures, et il est pas encore là.

— Je le pensais debout depuis un bon bout de temps, confessa Hortense Dagenais. D'habitude, vous le savez aussi bien que moi, il est déjà parti lire son bréviaire dans la sacristie avant même qu'on arrive pour préparer le déjeuner. Pour moi, s'il est pas encore debout, c'est qu'il a oublié de mettre son réveille-matin ou qu'il a mal dormi la nuit passée. Assoyez-vous une minute dans le salon, je monte le réveiller.

Pendant qu'Agathe jetait un regard appréciateur à la propreté de la pièce, la petite femme boulotte monta à l'étage pour aller vérifier si le curé Lussier était encore dans sa chambre à coucher. La vieille dame l'entendit frapper plusieurs fois à la porte de la chambre du prêtre en l'appelant de plus en plus fort pour le tirer du sommeil. Finalement, il y eut le bruit d'une porte qu'on ouvrait à l'étage.

— Qu'est-ce qui se passe, madame Dagenais? demanda l'abbé Martel, la moitié du visage couvert de savon et le rasoir à la main.

Le prêtre s'était levé quelques minutes auparavant et avait entrepris de faire sa toilette sans se presser puisqu'il ne célébrait sa messe qu'à huit heures cette semaine-là.

— J'essaie de réveiller monsieur le curé. Le monde l'attend à l'église et il est déjà sept heures vingt. Il répond pas.

— S'il répond pas, c'est qu'il est pas là, fit le prêtre en s'avançant dans le couloir et en ouvrant la porte de la chambre de son supérieur devant la servante.

Le vicaire se trompait. Antoine Lussier était encore dans sa chambre. Le prêtre, vêtu d'un pyjama rayé, était couché sur le dos dans son lit, le visage gris, les yeux grands ouverts, les mains agrippées à sa poitrine et la bouche béante, comme s'il avait tenté de pousser un dernier cri.

Hortense Dagenais hurla de peur en apercevant le corps du curé. Alexandre Martel s'empressa de la pousser hors de la chambre dont elle venait de franchir le seuil.

— Calmez-vous, madame Dagenais, lui ordonna le vicaire, la voix étranglée par l'émotion. Descendez et essayez plutôt de trouver monsieur Groleau pour qu'il prévienne les gens rassemblés à l'église qu'il y aura pas de messe ce matin. Je vais m'occuper du reste.

Là-dessus, le prêtre s'empressa de s'essuyer la figure avec la serviette qu'il portait encore autour du cou et il repoussa la porte de la chambre. Une fois seul, il s'empara du miroir utilisé par le curé Lussier pour se raser et il le plaça devant la bouche du sexagénaire pour s'assurer qu'il ne respirait plus. Puis il lui ferma doucement les yeux. Ensuite, il passa dans sa chambre prendre son étole et les huiles saintes, et il administra l'extrême-onction à son curé avant de rabattre une couverture sur son visage.

Avant même de compléter sa toilette, l'abbé Martel descendit dans le bureau du curé Lussier où avait été

installé le mois précédent l'unique téléphone du presbytère. Il téléphona d'abord au docteur Courchesne pour
lui demander de passer de toute urgence au presbytère et
il alerta l'évêché de Nicolet. Le secrétaire de monseigneur
Côté lui promit de prévenir son supérieur et les membres
de la famille Lussier de Saint-Grégoire sans tarder. En
attendant l'arrivée d'un membre de la famille, il lui recom-
mandait de prendre toutes les mesures nécessaires. Le
vicaire chargea le bedeau de sonner le glas pour annoncer
à toute la paroisse le deuil qui la frappait.

La nouvelle de la mort subite du curé Lussier se répan-
dit dans Saint-Jacques-de-la-Rive comme une traînée de
poudre et sema l'émoi dans la plupart des foyers de la
paroisse. On ne parvenait pas à imaginer ce que serait
Saint-Jacques sans la présence de ce grand et gros prêtre
à la voix tonnante. Durant les vingt dernières années, il
avait été un pasteur remarquable qui, tout en dirigeant ses
ouailles d'une main de fer, avait su se montrer très humain
et compréhensif. Il avait baptisé pratiquement la moitié
des habitants de la paroisse et il n'existait guère de familles
dont il n'avait pas accompagné les dernières heures de
quelques-uns de ses membres de ses prières. Bref, plus on
y pensait, plus on se rendait compte de l'importance de la
perte qu'on venait de subir en ce matin d'octobre 1923.

Une heure à peine après qu'Agathe Cournoyer eut
appris la mort du curé Lussier aux fidèles demeurés dans
l'église, il y avait déjà une vingtaine de paroissiens plantés
devant le presbytère. Ils assistèrent, muets, à l'arrivée du
docteur Courchesne.

Ce dernier ne put que constater le décès du prêtre qu'il
attribua à un arrêt cardiaque.

— Là, je ne sais pas trop ce que sa famille va décider
pour le corps, déclara le jeune vicaire, indécis.

— D'après moi, monsieur l'abbé, vous feriez mieux de prévenir Desfossés, à Pierreville. Il va apporter un cercueil et arranger le corps pour qu'il soit exposé, je suppose, dans votre église. Pour l'enterrement, c'est une autre histoire. Ça dépendra des arrangements pris par la famille.

Les craintes de l'abbé étaient sans objet. Deux frères d'Antoine Lussier arrivèrent au presbytère au milieu de l'avant-midi. Les deux cultivateurs de Saint-Grégoire avaient été mandatés par les autres frères et sœurs du défunt pour prendre les mesures qui s'imposaient. Ils entérinèrent sans aucune hésitation les décisions du vicaire et lui apprirent qu'après les funérailles célébrées à l'église de la paroisse, la dépouille de leur frère serait inhumée dans le lot familial du cimetière de Saint-Grégoire, aux côtés de celles de son père et de sa mère.

Un peu avant midi, le secrétaire de monseigneur Côté avait téléphoné à Alexandre Martel pour lui apprendre que le corps pouvait être exposé en chapelle ardente dans l'église l'après-midi même et que le service funèbre serait chanté par l'évêque en personne, le vendredi matin. Par conséquent, le cercueil fut immédiatement transporté dans l'église et deux religieuses du couvent voisin vinrent fleurir les lieux.

Durant les journées suivantes, les paroissiens de Saint-Jacques envahirent l'église en grand nombre afin de prier pour le salut de leur défunt curé qui reposait au centre du chœur, éclairé par quatre cierges. Plusieurs dizaines de personnes des paroisses voisines, poussées par la curiosité, vinrent aussi rendre un dernier hommage au disparu.

Le vendredi matin, sous un ciel gris et maussade, les paroissiens s'entassèrent dans l'église au moment où les cloches sonnaient le glas. Les premiers sièges étaient occupés par les proches parents du prêtre. Naturellement,

Ernest Veilleux et sa famille se joignirent à eux. Le cercueil où reposait le corps du curé Lussier avait été fermé quelques instants auparavant par Conrad Desfossés et ses aides, et un drap noir recouvrait maintenant le catafalque.

Monseigneur Irénée Côté, assisté par l'abbé Martel et le curé de Saint-Gérard, pénétra dans le chœur au moment où la chorale paroissiale entonnait le *dies iræ*. L'évêque de Nicolet officia une cérémonie empreinte de sobriété. Dans son homélie, le prélat ne manqua pas de souligner le dévouement du disparu, de même que son sens du devoir et sa grande piété. Il parla longuement de la mission qu'il avait remplie avec zèle ainsi que du repos qu'il avait bien mérité. Il clôtura l'office funèbre en invitant tous les paroissiens qui le pouvaient à accompagner leur pasteur à son dernier repos, au cimetière de Saint-Grégoire. Les porteurs, vêtus d'un manteau noir, s'approchèrent silencieusement du cercueil et le hissèrent sur leurs épaules avant de se diriger, à pas comptés, vers la sortie, suivis de près par la famille immédiate et les marguilliers de la paroisse.

Sous une fine pluie, on déposa la bière sur la longue voiture noire à laquelle étaient attelés quatre chevaux. Deux automobiles et plusieurs bogheis vinrent se ranger derrière. Au signal de Conrad Desfossés, le convoi se mit lentement en branle devant une double haie de spectateurs émus. Un silence pesant régnait sur la foule maintenant rassemblée près de l'église et le long de la route. Les hommes enlevèrent leur chapeau en signe de respect quand le convoi passa devant eux.

Ce soir-là, plus d'un habitant de Saint-Jacques-de-la-Rive se demanda à quel point la vie de leur paroisse allait être transformée par la disparition de leur vieux curé. Déjà, quelques-uns étaient prêts à parier que l'abbé Martel allait remplacer le curé Lussier et que l'évêché allait lui adjoindre un nouveau vicaire… Ceux qui croyaient cela se trompaient lourdement.

～

Trois jours plus tard, au début de l'après-midi, un coup de sonnette impératif fit sursauter violemment Hortense Dagenais, occupée à ranger le salon du presbytère. Elle abandonna son chiffon sur une table pour aller répondre à la porte. Elle se retrouva en face d'un petit ecclésiastique mince, d'une cinquantaine d'années, au visage en lame de couteau et dont les yeux noirs, retranchés derrière des lunettes sans monture, la dévisageaient sans cligner.

— Bonjour madame. Je suis Évariste Beaulieu, le nouveau curé de la paroisse, dit l'homme d'un ton doucereux en déposant à ses pieds une petite valise. Vous êtes madame… ?

— Madame Dagenais, la cuisinière, monsieur le curé.

— Très bien. Deux hommes me suivent avec mes effets personnels. Est-ce que la chambre de mon prédécesseur a été libérée ? demanda le petit prêtre en s'avançant dans le couloir comme en pays conquis.

— Oui, monsieur le curé.

— Vous voudrez bien être assez aimable pour leur montrer où mettre mes affaires. Où est mon vicaire ?

— À l'école du rang Saint-Edmond, monsieur le curé.

— Parfait. Je suppose que mon bureau, c'est là ? fit le prêtre en désignant la porte de ce qui était effectivement l'ancien bureau du curé Lussier.

— Oui.

— Les effets du curé Lussier ont-ils été enlevés ?

— Le lendemain de sa mort, monsieur le curé.

— Très bien, madame. Vous m'enverrez l'abbé Martel quand il rentrera.

Sur ces mots, sans plus de cérémonie, le nouveau curé pénétra dans son bureau et referma la porte derrière lui.

Dès le lendemain, la nouvelle de l'installation d'un nouveau curé avait fait le tour de la paroisse. Les habitués de la messe matinale avaient été les premiers à commenter son arrivée en sortant de l'église.

— Bout de corde! s'était exclamée la veuve Boisvert. Voulez-vous bien me dire où monseigneur Côté a déniché un petit prêtre qui a juste la peau et les os comme ça?

— C'est vrai qu'il est pas bien gros, renchérit Hélèna Pouliot, qui était venue à la messe plus par curiosité que par piété.

— J'ai bien peur, ma pauvre Hélèna, que ta cousine a pas fini de faire la cuisine avec un maigrichon comme ça. Ça va prendre un bon bout de temps avant de l'engraisser.

— Pour moi, il sort d'une paroisse bien pauvre, fit le vieux Charles Labonté en se mêlant à la conversation des commères qui s'étaient arrêtées au pied du parvis pour échanger leurs impressions.

— Je le sais pas, fit la veuve Boisvert, mais en tout cas, il est pas greyé pour faire bien peur au monde. C'est loin d'être le curé Lussier. Celui-là, il a l'air tout doux, tout délicat. Pour moi, ses sermons vont être pas mal moins longs et moins durs. Ce sera toujours ça de gagné.

Après avoir longuement épilogué sur la déconvenue probable de l'abbé Martel, à qui on n'avait pas offert la cure de Saint-Jacques-de-la-Rive, et les embûches qui attendaient le successeur du curé Lussier, les vieux habitués de la messe matinale s'étaient dispersés pour aller déjeuner.

Le dimanche suivant, les paroissiens qui avaient cru que le curé Beaulieu allait être beaucoup plus effacé qu'Antoine Lussier durent vite revenir de leurs illusions. Le petit prêtre tonna durant près de trente-cinq minutes du haut de la chaire contre toutes les formes de péchés avant d'annoncer qu'il commencerait sa visite paroissiale dès le lendemain avant-midi.

— Un vrai petit coq ! déclara tout bas Thérèse Tremblay en sortant de l'église.

— Si c'était pas de sa soutane, lui dit Yvette Veilleux tout bas à l'oreille, je dirais qu'il ressemble à mon Ernest.

~

En cette dernière semaine d'octobre, l'automne se rappela enfin qu'il devait bien une visite de courtoisie à la région et il décida de s'installer en force. La température chuta brutalement et de fortes pluies accompagnées d'un bon vent du nord noyèrent le paysage et dénudèrent les branches des arbres qui avaient déjà gardé trop longtemps leurs feuilles.

À la sortie du village, on termina les travaux sur le chantier à point nommé. La construction du pont prit fin le dernier samedi du mois d'octobre, soit une semaine avant la date prévue, à la plus grande fierté de l'ingénieur responsable. Sans être extraordinaire, l'ouvrage avait belle allure. Évidemment, dans le but de bien se faire voir des autorités libérales, le député Joyal avait obtenu de faire baptiser le nouveau pont du nom du premier ministre et Joseph Hamel, ministre de la Voirie, avait promis d'assister à la bénédiction du pont prévue à la mi-novembre.

Le lendemain, la plupart des habitants de Saint-Jacques firent un arrêt au pont après la grand-messe, comme pour s'assurer que l'ouvrage tant souhaité par leurs prédécesseurs n'était pas une illusion. Rassemblés en plusieurs groupes à son entrée, les gens exprimaient leur joie de ne plus avoir à faire un important détour pour aller à Saint-Gérard ou à Nicolet.

— Il faut pas exagérer, c'est tout de même pas la septième merveille du monde, laissa tomber Honoré Beaudoin en voyant le maire Giguère en train de plastronner dans un groupe, comme s'il l'avait construit de ses propres mains.

— Ouais, approuva Ernest Veilleux assez fort pour être entendu par plusieurs. Surtout que ce maudit pont-là a juste une travée. Ça va être pratique encore quand deux voitures vont se rencontrer !

— Ça m'aurait ben surpris que les rouges fassent une *job* qui a du bon sens, ajouta Crevier, méprisant.

Eugène Tremblay, debout à côté de son beau-frère, avait entendu lui aussi les remarques désagréables de ses adversaires politiques.

— En tout cas, s'il y en a qui aiment pas notre pont, déclara-t-il de manière à être bien entendu par tous, ils auront juste à faire le détour de trois milles qu'ils ont toujours fait. Je pense pas que quelqu'un va leur tordre un bras pour les obliger à s'en servir.

Claire Tremblay était sûrement l'unique personne de Saint-Jacques-de-la-Rive à ne pas se réjouir de la fermeture du chantier. Depuis quelques semaines déjà, la jeune femme s'inquiétait des conséquences de la fin des travaux. Hubert Gendron allait sûrement quitter la chambre qu'il occupait chez les Pierri et retourner vivre à Drummondville, en attendant un nouveau projet du ministère de la Voirie.

En ce samedi après-midi d'octobre, elle était assise devant l'une des fenêtres de la cuisine d'hiver, une broderie sur les genoux. Ses mains étaient inactives depuis de longues minutes et elle regardait tomber la pluie avec tristesse. Sa mère, installée devant sa vieille machine à coudre Singer, à l'autre bout de la pièce, ne disait pas un mot.

La jeune femme allait se retrouver encore une fois seule et cette fois, elle n'avait qu'elle-même à blâmer. Lorsque Hubert s'était mis à l'inviter à marcher sur la route pratiquement chaque soir, elle avait vaguement senti le danger de s'attacher à lui, mais elle n'y avait pas pris garde. Il apportait enfin un peu de diversion et d'imprévu dans une vie occupée entièrement à travailler. À la fin du mois d'août, elle avait baissé sa garde et l'avait traité non plus comme un ami, mais comme un prétendant qui venait veiller deux ou trois fois par semaine au salon, en oubliant volontairement qu'un jour, il allait quitter Saint-Jacques-de-la-Rive et la laisser derrière.

Claire ferma un instant les yeux, se demandant si son destin n'était pas d'être toujours abandonnée par les hommes à qui elle avait fait confiance et auxquels elle s'était attachée. Au même moment, un moteur d'automobile se fit entendre sur la route et la jeune femme ouvrit les yeux juste à temps pour voir une Ford noire entrer dans la cour et s'arrêter près de la maison. Elle sursauta en reconnaissant Hubert qui descendait du véhicule. Elle s'empressa de se lever pour ouvrir la porte à son ami.

— Seigneur! s'exclama-t-elle, veux-tu bien me dire d'où tu sors cette voiture-là?

Le jeune ingénieur, tout fier, retira son chapeau avant de lui répondre.

— Je l'ai achetée hier soir à Drummondville. Elle est pas neuve, mais elle roule bien.

— Tu sais conduire?

— C'est facile.

— Es-tu déjà en train de déménager tes affaires de chez Bruno Pierri? demanda Claire en débarrassant son visiteur de son lourd imperméable.

— C'est déjà fait depuis hier après-midi.

Même si elle s'y attendait, la jeune femme fut secouée en apprenant la nouvelle et elle pâlit légèrement. Elle fit passer Hubert Gendron au salon après qu'il eut salué sa mère.

— T'as pas perdu de temps pour déménager, remarqua-t-elle, déçue. Qu'est-ce qui t'amène à Saint-Jacques?

— Toi, évidemment, reconnut le jeune homme à voix basse. Pourquoi penses-tu que j'ai acheté la Ford? C'est seulement pour venir te voir… à moins que tu sois déjà fatiguée de moi?

En entendant cet aveu, le visage de la jeune femme s'illumina.

— Est-ce que ça veut dire que t'es prêt à voyager de Drummondville à Saint-Jacques-de-la-Rive deux ou trois fois par semaine juste pour venir veiller avec moi?

— C'est certain. À moins que tu me mettes dehors.

Alors, pour la première fois depuis qu'ils se fréquentaient, Claire sortit de sa réserve. Elle se blottit entre les bras de son amoureux et l'embrassa.

FIN DE LA PREMIÈRE PARTIE
Sainte-Brigitte-des-Saults
septembre 2006

Table des matières

Achevé d'imprimer en février 2010
sur les presses de l'imprimerie Transcontinental-Gagné,
Louiseville, Québec